Silver/Strong/Perini

Strategisch unterrichten

Für Abigail, die uns so lange auf die Füße getreten ist, bis alles passte

Harvey F. Silver
Richard W. Strong
Matthew J. Perini

Strategisch unterrichten

So finden Sie für jedes Unterrichtsziel die richtige Methode

Aus dem Englischen von Richard Barth

BELTZ

Harvey F. Silver ist Präsident von Silver Strong & Associates, einer Beratungsfirma im Bildungsbereich. Er gilt als einer der hundert einflussreichsten Lehrer der Vereinigten Staaten. Im Auftrag von Schulbezirken und bundesstaatlichen Bildungsministerien hat er zahlreiche Workshops in den gesamten USA geleitet.
Richard W. Strong ist Vizepräsident von Silver Strong & Associates. Er ist als Autor, Programmentwickler, Trainer und Berater von Schulen auf der ganzen Welt tätig. Seit mehr als 25 Jahren beschäftigt er sich mit demokratischen Unterrichts- und Führungsmodellen an staatlichen und privaten Schulen.
Matthew J. Perini ist Verlagsleiter der Thoughtful Education Press. Im Lauf der vergangenen zehn Jahre hat er zahlreiche Bücher zu einem breiten Spektrum an Bildungsthemen veröffentlicht, von Lerntypen über multiple Intelligenzen und Leseförderung bis hin zu effektiven Unterrichtsmethoden.

Dieses Buch ist auch als E-Book erhältlich
(ISBN 978-3-407-29315-2).

Titel der englischen Originalausgabe:
The strategic teacher: selecting the right research-based strategy for every lesson

Published by the Association for Supervision and Curriculum Development, Alexandria, Va., USA

www.beltz.de

Lektorat: Michael Kühlen
Herstellung, Satz und Innengestaltung: Sarah Veith
Druck: Beltz Bad Langensaltz GmbH & Co KG, Bad Langensaltz
Reihengestaltung: glas ag, Seeheim-Jugenheim
Umschlaggestaltung: Sarah Veith
Umschlagabbildung: Michael Kühlen, Dossenheim
Innenillustrationen: Jonathan Bachmann, Berlin
Printed in Germany

ISBN 978-3-407-62820-6

Inhalt

Vorwort

Wenn wir heute von »Bildungsforschung« sprechen, dann ist damit in der Regel einer von zwei Forschungsansätzen gemeint: Zum einen, und am häufigsten, reden wir über Meta-Analysen, eine Methode, bei der die Ergebnisse von Studien zu einer bestimmten Unterrichtsmethode (zum Beispiel einer Reihe von Studien zu den Vorteilen des kooperativen Lernens) zusammengefasst werden, um so zu einer größeren und aussagekräftigeren Datenbasis zu kommen. Auf dieser Grundlage können Bildungsforscher Muster herausarbeiten, Verallgemeinerungen treffen und ihre Ergebnisse in Zahlen fassen, die Aussagen über die Effektgröße, die eingetretene Leistungssteigerung und so weiter machen.

Die zweite Form der Bildungsforschung ist die sogenannte Aktionsforschung. Dabei handelt es sich um kontrollierte, wissenschaftlich fundierte Experimente unter realistischen Bedingungen. Ein Forschungsprojekt im Bereich der Aktionsforschung könnte zum Beispiel zum Ziel haben, folgende Hypothese zu bestätigen oder zu widerlegen: *Wenn man Schülern beibringt, beim Lesen Bilder im Kopf entstehen zu lassen, schneiden sie in Tests zum Leseverständnis signifikant besser ab.* Daraufhin würden die Lehrer in den Klassen A, B und C ihre Schüler mithilfe einer vorher vereinbarten Methode dazu anleiten, sich das Gelesene bildhaft vorzustellen. Die Lehrer der Klassen D, E und F würden ihren Schülern bewusst *nicht* beibringen, Bilder im Kopf entstehen zu lassen; diese Schüler würden so als Kontrollgruppe dienen. Am Ende würden die Testergebnisse der verschiedenen Klassen miteinander verglichen.

Im Lauf der vergangenen zehn bis 15 Jahre ist die Anzahl der Meta-Analysen und der Projekte im Bereich der Aktionsforschung geradezu explodiert. Und ohne Zweifel hat der Unterricht hierzulande und auf der ganzen Welt von diesen verstärkten Forschungsanstrengungen sehr profitiert. Ich selbst habe in den vergangenen zwanzig Jahren beide Forschungsansätze verfolgt und mich bemüht, die damit gewonnenen abstrakten Erkenntnisse, Verallgemeinerungen und Zahlen in praxistaugliche Methoden zu übersetzen, die Lehrer unmittelbar und guten Gewissens einsetzen können.

Und doch habe ich seit Langem das Gefühl, dass ein wichtiger Mosaikstein fehlt. So viele Erkenntnisse sie auch zutage fördern – letztlich beschränkt sich der Aktionskreis von Wissenschaftlern auf die Methoden und Verfahrensweisen ihres Fachs. Damit entgeht ihnen die größte und ergiebigste Quelle von Daten überhaupt: die kollektive Weisheit der Lehrer, die die Kunst des Unterrichtens tagtäglich praktizieren, um unseren Kindern Wissen zu vermitteln. Kurz: Auf dem Gebiet der wissenschaftlichen Analyse von Unterricht (des Aufspürens von Mustern, der Durchführung von Experimenten, des Ziehens von Schlussfolgerungen) machen wir große Fortschritte. Was dabei unterbelichtet bleibt, ist die Kunst. Und das bringt uns zu diesem Buch und seinen Autoren.

Ich verfolge die Arbeit von Harvey Silver und Richard Strong jetzt schon seit 20 Jahren mit großem Interesse. Ihr Modell, das Lerntypen und Unterrichtsmethoden aufeinander abstimmt, um dem ganzen Spektrum an unterschiedlichen Bedürfnissen unserer Schüler gerecht zu werden, ist der beste und vernünftigste Ansatz für differenzierten Unterricht, den ich kenne.

Ich hatte das Glück, bei einer Reihe von Projekten und Fortbildungsinitiativen mit ihnen zusammenzuarbeiten. Was ihre Arbeit in meinen Augen besonders auszeichnet, ist die Betonung des kooperativen Lernens. Im Rahmen ihres Ansatzes »Durchdachter Unterricht«

für Fortbildung und Schulentwicklung ist Lernen ein Gemeinschaftsprozess: Der externe Berater ist dabei niemals die alleinige Autorität, die einen Vortrag hält, während alle anderen mitschreiben. Vielmehr spielen hier die Lehrer, die Schulleitung und auch die Schüler eine aktive Rolle, um die Lernerfahrung so zu gestalten, dass alle profitieren. Bei ihren Workshops findet zudem ein Großteil der Arbeit im Klassenzimmer statt. Harvey Silver und Richard Strong ergreifen häufiger als alle anderen mir bekannten Weiterbildner die Gelegenheit, unmittelbar mit den Lehrern zu arbeiten, nicht als Forscher, Berater oder Begutachter, sondern als Kollegen, die jedem einzelnen Schüler das Wunder des Lernens und die Macht des Wissens vor Augen führen wollen.

Insofern ist die Arbeit von Harvey Silver und Richard Strong in vielerlei Hinsicht ein Spiegel meiner eigenen. Mein Ansatz war stets, die Forschung als Ausgangspunkt zu nehmen und daran zu arbeiten, die Ergebnisse in die Praxis zu übersetzen. Die Autoren dieses Buches gehen den umgekehrten Weg. Ihre Arbeit nimmt ihren Ausgang in Klassenzimmern und Schulen und stellt Bezüge zu allgemeinen Erkenntnissen aus der Forschung her.

Und was für Bezüge! Mithilfe ihres innovativen Navigators (siehe S. 19) setzen sie jede in diesem Buch behandelte Methode mit so ziemlich allem in Beziehung, worauf es in der Unterrichtsforschung ankommt: wie man die Methode in den Entwurf einer Unterrichtseinheit integrieren kann, wie sie sich zur Differenzierung einsetzen lässt, welche Kompetenzen, Kenntnisse und Arten von Wissen man damit bei Schülern verbessern kann und welche aktuelle Forschungsergebnisse sie untermauern. Diese Herangehensweise überzeugt nicht nur durch ihren unmittelbaren Nutzen für Lehrer, sie steht auch vollkommen mit den Forschungsergebnissen im Einklang, zu denen ich mit dem umgekehrten Verfahren gelangt bin. Ich bin überzeugt, dass dieses Buch Maßstäbe setzen wird. Es ist eine Pionierleistung auf einem neuen, spannenden Gebiet, das die Wissenschaft vom guten Unterricht – die empirische Verlässlichkeit von Meta-Analysen und Aktionsforschung – passgenau mit der Kunst des Unterrichtens und der Weisheit der Lehrer verbindet, die diese Kunst tagtäglich ausüben.

Robert J. Marzano

Teil 01 Einleitung

Eine Einladung zum strategischen Unterricht: Das Was, das Wozu und das Wie

Das Wort »Strategie« leitet sich von zwei altgriechischen Wurzeln ab: *stratos*, was so viel heißt wie »Heer« oder »Vielzahl«, und *agein*, »führen« oder, wie man auch sagen könnte, »zusammenbringen«. Im Kern verweist das Wort »Strategie« daher auf das, was den Lehrberuf von fast allen anderen Berufen unterscheidet: Während man bei den meisten Tätigkeiten einen Kunden nach dem anderen bedient, haben es Lehrer mit Gruppen aus sehr unterschiedlichen Individuen zu tun, die von ihrem Geburtsdatum, den Zwängen des Stundenplans oder, seltener, gemeinsamen Interessen zusammengebracht werden. Das Ziel eines Lehrers besteht darin, diese ungleichen Individuen so miteinander ins Gespräch zu bringen, dass sich ein Kern des gemeinsamen Lernens herauskristallisiert. Strategien sind die unterschiedlichen Ansätze oder Methoden, mit deren Hilfe Lehrer dieses Ziel zu erreichen suchen.

Lehrer haben schon immer bestimmte Strategien oder Methoden angewandt (denken Sie an die Dialoge von Sokrates, die Gleichnisse von Jesus oder die Ursprünge der Vorlesung im Mittelalter), aber bis vor nicht allzu langer Zeit stand den meisten Lehrern nur eine Handvoll grundlegender Methoden zur Verfügung: Unterrichtsgespräch, Vorführung, Lehrervortrag, Übung und Klassenarbeit/Test. Im Lauf der letzten 50 Jahre jedoch haben Lehrer und Forscher diese fünf Grundelemente so weiterentwickelt, überarbeitet und abgewandelt, dass Hunderte neue Unterrichtsformen entstanden sind.

Für das vorliegende Buch haben wir 20 der bewährtesten und vielseitigsten Methoden (sowie Dutzende Variationen) zusammengetragen und in vier Unterrichtsstile eingeteilt: bei *wissensorientierten* Methoden steht der Aufbau eines Wissensschatzes im Gedächtnis der Schüler im Mittelpunkt, *verstehensorientierte* Methoden zielen auf eine verbesserte Fähigkeit der Schüler ab, logisch zu denken und nach Ursachen zu forschen, *selbstverwirklichungsorientierte* Methoden sollen die Fantasie und die Kreativität der Schüler anregen, und *beziehungsorientierte* Methoden sollen Schülern helfen, im Rahmen des gemeinsamen Lernens in Partner- oder Gruppenarbeit sinnstiftende Beziehungen zu ihren Mitschülern aufzubauen.

Damit verfolgt dieses Buch ein ganz einfaches Ziel: Lehrern ein Repertoire an Methoden an die Hand zu geben, mit denen sie den hohen Anforderungen unserer Tage gerecht werden und die sehr unterschiedlichen Schüler in ihren Klassen erreichen können.

Wir wünschen uns, dass Sie dieses Buch nicht nur lesen, sondern praktisch anwenden. Daher beantworten wir zunächst folgende Fragen:

- Wie sieht strategischer Unterricht aus?
- Worin gleichen sich Unterrichtsmethoden, und worin unterscheiden sie sich?
- Warum muss jeder Lehrer auf ein Repertoire von Unterrichtsmethoden zurückgreifen können?
- Wie wählt man für eine bestimmte Unterrichts- und Lernsituation die richtige Methode aus?
- Wie können wir am besten strategisch unterrichten?

Wie sieht strategischer Unterricht aus?

Schauen wir uns zunächst die Arbeit von vier unterschiedlichen Lehrern an, die allesamt sehr reflektiert unterrichten. Gabrielle D'Abo, Martin Finn, Stephen Mulhall und Rimi Meyer arbeiten nicht mehr als ihre Kollegen, sie gehen nur strategischer vor. Jeweils unterschiedliche Methoden erleichtern ihnen das Unterrichten und ihren Schülern das Lernen, denn sie geben ihnen einen Plan an die Hand, der auf drei Fragen beruht:

- Welcher Stundenaufbau hilft meinen Schülern, unser Ziel zu erreichen?
- Welche Rolle werde ich für das Erreichen dieses Ziels spielen?
- Welche Rolle werden meine Schüler für das Erreichen dieses Ziels spielen?

Stützen fürs Gedächtnis Die Schüler in Martin Finns elfter Klasse müssen für die nächste Klassenarbeit in Sozialkunde zwölf Prinzipien nennen und erklären können, die eine verfassungsgemäße Regierung erfüllen muss. Als Hilfestellung bei der Vorbereitung halten zu jedem Prinzip je zwei Schüler einen Kurzvortrag. Der Clou: Jeder Vortrag besteht aus einer einleitenden Erklärung, einem veranschaulichenden Schema (Advance Organizer) und einer Reihe von Verständnisfragen, die unterschiedliche Denkmuster stimulieren. Diesen Aufbau haben die Schüler von Martin Finn gelernt. Sie nennen die Methode »Interaktiver Vortrag«.	**Je näher wir uns sind** Die Sechstklässler von Rimi Meyer beschäftigen sich mit dem Genre »Biografie«. Heute kommen sie wie jeden Freitag zur Gruppenarbeit zusammen. Das Thema: »Lebenskrisen: Woher kommen sie, und wie kann man sie überwinden?« Die Schüler diskutieren die Frage selbstständig in ihren Kleingruppen, im Kontext ihres eigenen Lebens und in Bezug auf die Biografien, die sie gemeinsam gelesen haben. Ein Unterrichtsbesucher sagt zur Lehrerin: »Unglaublich, wie gut diese Kinder zuhören können und wie gut sie sich in historische Persönlichkeiten hineinversetzen können – und in ihre Mitschüler.«
Des Rätsels Lösung Für die dritte Stunde einer dreiwöchigen Unterrichtseinheit zum Thema »Aussterbende Tierarten« hat Gabrielle D'Abo für ihre Viertklässler eine Rätselstunde vorbereitet. In Vierergruppen tragen die Schüler Hinweise zusammen, die mit dem Aussterben der Dinosaurier zusammenhängen, und gehen ihnen nach. Das Ziel jeder Gruppe ist die Erstellung einer Beweiskette, mit der sich das Verschwinden der Dinosaurier erklären lässt.	**Mathematische Zusammenhänge** Im Rückblick auf eine Woche Unterricht zum Thema Polynome steht für Stephen Mulhall fest, dass sich seine Entscheidung für die Methode »Induktives Lernen« bezahlt gemacht hat. Zu Beginn hatte er den Schülern aufgetragen, sich mindestens fünf verschiedene Möglichkeiten auszudenken, wie sich Polynome kategorisieren lassen. Daraufhin diskutierten die Schüler über die Bezeichnungen, die sie den einzelnen Gruppen gegeben hatten, erklärten ihre Gründe für diese Einteilung und erarbeiteten allgemeine Prinzipien, wie mathematisch mit den einzelnen Gruppen zu verfahren sei. Im Lauf der Unterrichtseinheit überarbeiteten die Schüler ihre Kategorien und ihre Schlussfolgerungen immer wieder. Jetzt, kurz vor Ende der Unterrichtseinheit, sieht Stephen Mulhall, wie viel flexibler und geschickter die Schüler ihr Wissen auf Situationen anwenden können, die die Fähigkeit zum Problemlösen erfordern.

Abb. A: *Vier Unterrichtsstunden*

Jede Methode hat somit die Funktion eines Drehbuchs mit offenem Ende, das Lehrern wie Schülern dabei hilft, sich ihrem Ziel mit Bedacht anzunähern. Wie das in der Praxis funktioniert, zeigt zum Beispiel die Unterrichtsstunde zum Aussterben der Dinosaurier von Gabrielle D'Abo, die auf Methode 8, »Rätsel lösen«, beruht (siehe Abb. A).

Der Ausgangspunkt dieser Unterrichtsstunde war, wie bei jeder guten Unterrichtsstunde, ein klares *Ziel*. Gabrielle D'Abo wollte, dass die Schüler ihre Fähigkeit, logisch zu denken und Indizien abzuwägen, trainieren und ausbauen und dass sie dabei die Begriffe verwenden, die sie im Rahmen der Unterrichtseinheit zum Aussterben von Tierarten gelernt haben. Methode 8, »Rätsel lösen«, diente Gabrielle als *Struktur*: als Gerüst, das ihr dabei half, das Rätsel, eine Reihe von Leitfragen und 20 Hinweise zum Aussterben der Dinosaurier zu formulieren.

Mit der Wahl der Methode war für Gabrielle D'Abo ihre *Rolle als Lehrerin* klar: Sie stellte den Schülern das Rätsel, erklärte ihnen, was sie im Verlauf der Stunde zu tun hatten, ging von Gruppe zu Gruppe, half bei der Zusammenstellung von Hinweisen und spielte die Advocata Diaboli, um die Schüler dabei zu unterstützen, Lücken in ihren Erklärungsansätzen zu schließen. Auch die *Rolle der Schüler* stand damit fest: Sie waren Detektive mit der Aufgabe, die Hinweise zu sichten, gegeneinander abzuwägen und Erklärungen, wie und warum diese großen, exotischen Tiere damals verschwanden, zu formulieren, zu hinterfragen und zu überarbeiten.

Sehen Sie sich jetzt die Unterrichtsstunden der anderen Lehrer in Abb. A noch einmal an. Können Sie aus diesen Beschreibungen die Struktur der Stunde, die Rolle des Lehrers und die Rolle der Schüler ableiten?

Worin gleichen sich Unterrichtsansätze, und worin unterscheiden sie sich?

Wörter wie »Struktur« und »Rolle« lassen uns nicht nur an Unterrichtsentwürfe denken, sondern stellen eine Unterrichtsstunde als eine Art Drama dar. Eine Unterrichtsmethode können wir uns in diesem Zusammenhang als eine neue Form von Drehbuch vorstellen – als Drehbuch, das so gestaltet ist, dass Spielraum für Improvisation bleibt, für das Aktivieren der Schüler und das Eingehen auf ihre Reaktionen. Allen Unterrichtsmethoden gemeinsam sind Strukturierung, Aktivierung der Schüler, klare Zielsetzung und Rückkoppelung durch die Reaktion der Schüler. Worin Unterrichtsmethoden sich unterscheiden, ist der *Lehrstil*: Unterschiede bezüglich ihrer Ziele, Strukturen und Funktionen sowie bezüglich der eingesetzten Mittel, mit denen die Schüler motiviert und aktiviert werden. Wir haben die in diesem Buch behandelten Methoden vier allgemeinen Unterrichtsstilen zugeordnet, zuzüglich einer Gruppe mit Methoden, die alle vier Unterrichtsstile miteinander verbinden. Eine Auflistung und Beschreibung der einzelnen Stile und der entsprechenden Methoden finden Sie in Abb. B.

Schauen Sie sich noch einmal die vier Unterrichtsstunden an, die in Abbildung A beschrieben sind. Erkennen Sie, dass die Unterrichtsmethoden der vier Lehrer dem wissensorientierten, dem verstehensorientierten, dem selbstverwirklichungsorientierten und dem beziehungsorientierten Stil entsprechen?

Wissensorientierte Methoden
sind darauf ausgerichtet, die Fähigkeit zu fördern, Inhalte *abzuspeichern* und zusammenzufassen. Sie wirken motivierend, weil für sie eine logische Struktur und rasches Feedback typisch sind und sie Schülern das Gefühl von wachsender Kompetenz und messbaren Erfolgen vermitteln.

Beziehungsorientierte Methoden
kommen dem Bedürfnis der Schüler entgegen, einen persönlichen Bezug zum Lehrstoff und zu ihren Mitschülern herzustellen. Die Arbeit und gegenseitige Unterstützung in Teams motivieren Schüler, weil es ihrem Verlangen entspricht, dazuzugehören und *Beziehungen* aufzubauen.

Allround-Methoden
bedienen sich aller vier Lehrstile und fördern dadurch bei Schülern die Entwicklung eines ausgeglichenen und dynamischen Zugangs zum Lernen.

Verstehensorientierte Methoden
zielen darauf ab, die Fähigkeit der Schüler zum induktiven und *logischen Denken* zu entwickeln. Durch Rätsel, Probleme und Hinweise wecken sie die *Neugier* der Schüler und geben ihnen Gelegenheit, zu analysieren und zu diskutieren.

Selbstverwirklichungsorientierte Methoden
sprechen die Fantasie und *Kreativität* der Schüler an. Sie arbeiten mit Bildern, Metaphern, Mustern und »Was wäre, wenn«-Fragen, um das Bedürfnis der Schüler nach Individualität und *Originalität* zu wecken.

Abb. B: *Methoden für jeden Lehrstil*

Warum müssen Lehrer auf ein Repertoire an Unterrichtsmethoden zurückgreifen können?

Für die meisten Lehrer ist Methodenvielfalt nichts Neues, aber viele haben nicht die nötige Ausbildung oder spätere Unterstützung erhalten, um sich ein Repertoire an effektiven Methoden anzueignen. Wie nicht nur Studien zeigen, sondern auch die Erfahrung lehrt, sind sorgsam ausgewählte Methoden eine unabdingbare Voraussetzung für guten Unterricht und den Schulerfolg unserer Schüler. Dafür gibt es mindestens sechs Gründe.

1. Wichtige Hilfsmittel bei der Planung von Unterrichtsstunden und Unterrichtseinheiten

Die Planung von Unterrichtsstunden und -einheiten hat einen starken Einfluss auf die Entscheidungen, die wir als Lehrer im Unterricht treffen. Insofern überrascht es nicht, dass Bildungsforscher seit vielen Jahren große Anstrengungen darauf verwenden, übersichtliche und praxistaugliche Planungsmodelle zu entwickeln – vom klassischen Modell von Madeline Hunter (1984) über den Ansatz von Grant Wiggins und Jay McTighe (2005) zu den Arbeiten von Robert Marzano (2003). Aus diesen Modellen lassen sich fünf Fragen ableiten, die jeder Lehrer beantworten muss, wenn er eine Unterrichtsstunde oder -einheit plant:

- Wie soll das Thema eingeführt werden?
- Wie soll der neue Stoff präsentiert werden?
- Wie sollen die Schüler das Gelernte üben und anwenden?
- Wie soll der Lernfortschritt bei den Schülern kontrolliert werden?
- Wie sollen die Schüler dazu angeleitet werden, das Gelernte und ihren eigenen Lernprozess zu reflektieren?

Es gibt keine Methode, die eine Antwort auf alle diese Fragen parat hat. Ein interaktiver Lehrervortrag ist zwar eine wunderbare Methode für die Präsentation neuer Inhalte, hat aber Schwächen, wenn es darum geht, selbstständiges Üben zu fördern oder den Lernfortschritt der Schüler zu überprüfen. Nur ein breit gefächertes Repertoire ist ein Garant dafür, dass in unseren Unterrichtsstunden und -einheiten alle Elemente einer effektiven Planung – Einführung, Präsentation von neuem Stoff, Übung, Lernzielkontrolle und Reflexion – ausreichend Berücksichtigung finden.

2. Differenzierter, motivierender Unterricht als lösbare Aufgabe

Werfen wir zum Zusammenhang zwischen Unterrichtsmethoden, Motivation und Differenzierung zunächst einen Blick auf die Antworten zweier Schüler auf die Frage nach ihrem Lieblingslehrer.

Kenny R.: Meine Lieblingslehrerin war eindeutig Mrs. Gibbon. Sie hat uns amerikanische Geschichte auf eine Weise nahegebracht, die ich nie vergessen werde. Sie pflegte historische Zeitabschnitte und Strömungen als Rezepte zu beschreiben. Meine Zutatenlisten kenne ich noch heute: Hefe, damit der Teig aufgeht, warmes Wasser, um die Hefe zu aktivieren, Salz, um den natürlichen Geschmack zur Geltung zu bringen, Zucker zum Süßen und so weiter. Wir benutzten die Rezeptmetapher, um die Kräfte zu analysieren, die zu bestimmten Zeiten der amerikanischen Geschichte oder in bestimmten Strömungen am Werk waren – zum Beispiel bei der Bewältigung der Weltwirtschaftskrise oder in der Bürgerrechtsbewegung. Wir erklärten die Auswirkungen und Folgen unterschiedlicher historischer Faktoren, als wären es Zutaten. Manchmal veranstalteten wir sogar einen »Backwettbewerb«, bei dem wir unsere Rezepte vorstellten, die dann von den Lehrern und Mitschülern bewertet wurden.

Rosalynne F.: Miss Lacey hat mehr dafür getan, mich aufs College vorzubereiten, als irgendjemand sonst, denn sie war die erste Lehrerin, die mir beibrachte, wie man exzerpiert. Als Erstes nahm sie sich die Zeit, uns zu zeigen, wie sie selber beim Exzerpieren vorgeht. Sie legte schwierige Textpassagen aus Lehrbüchern oder Artikeln auf den Overhead und erklärte uns einfach, wie man an so einen Text herangeht, zwischendurch das Gelesene zusammenfasst, Fragen formuliert, Pfeile einzeichnet und Randnotizen macht. Danach mussten wir das Gelernte in Gruppenarbeit anwenden. Miss Lacey war immer zur Stelle, um einzelnen Gruppenmitgliedern Feedback und Anregungen zu geben, was sie noch besser machen könnten. Dadurch haben wir uns neue Exzerpiertechniken immer ziemlich schnell angeeignet.

Man sieht sofort, dass Kenny und Rosalynne einen sehr unterschiedlichen Zugang zum Lernen haben. Kenny interessiert sich für die neuen und fantasievollen Aspekte des Lernens, Rosalynne für praktische Kompetenzen wie effektives Exzerpieren. Kenny bevorzugt Unterrichtsmethoden, die überraschende Beziehungen herstellen, etwa zwischen Geschichte und Backen. Für Rosalynne gleicht ein guter Lehrer einem guten Trainer, der Kompetenzen vormacht und Wert auf Übungsphasen und sofortiges Feedback legt. Und schließlich wenden Kenny und Rosalynne ganz unterschiedliche Kriterien an, wenn es um die Frage geht, wie gut ihre jeweilige Lehrerin sie erreichen konnte. Mrs. Gibbons bekommt von Kenny gute Noten, weil sie es geschafft hat, der Geschichte in aufregender und unvergesslicher Art und Weise Leben einzuhauchen. Rosalynne beurteilt Miss Lacey danach, wie gut diese sie auf die Informationsflut vorbereitet hat, die sie am College bewältigen musste. Die unterschiedliche Art, wie Kenny und Rosalynne ihre Erfahrungen in der Schulzeit einschätzen und schildern, ist eine Folge ihres jeweiligen *Lerntyps.*

Die lange Geschichte der Erforschung von Lerntypen reicht bis zu C. G. Jung (1923) zurück. Jung entdeckte, dass sich unser Persönlichkeitstyp aufgrund der Art ausbildet, wie wir Informationen verarbeiten und bewerten. Später haben Kathleen Briggs und Isabel Myers (Myers 1962/1998) auf der Grundlage von Jungs Theorie ein umfassendes Modell der kognitiven Vielfalt entwickelt, das durch den »Myers-Briggs-Typenindikator« Berühmtheit erlangt hat. Seither haben sich viele weitere Bildungsforscher mit der Theorie der Lerntypen beschäftigt, sie angewandt und weiterentwickelt, um das Lehren und Lernen zu verbessern – von Bernice McCarthy (1982) über Carolyn Mamchur (1996), Harvey Silver und J. Robert Hanson (1998) bis hin zu Edward Pajak (2003) und Gayle Gregory (2005). Auf der Grundlage dieser vielfältigen Forschungsergebnisse und unserer 30-jährigen Erfahrung in der Beratung von Schulen und Lehrern, die *alle* Schüler motivieren wollen, haben wir vier Lerntypen herausgearbeitet (siehe Abb. C).

Wissensorientierte Schüler	Beziehungsorientierte Schüler
• **wollen** praktische Informationen und Arbeitsabläufe lernen • **mögen** Übungen, Lehrervorträge, Demonstrationen • **haben mitunter Schwierigkeiten,** wenn der Stoff zu abstrakt ist oder wenn sie mit offenen Fragen konfrontiert werden • **lernen am meisten,** wenn das Vormachen und Üben neuer Kompetenzen im Mittelpunkt des Unterrichts stehen und sie regelmäßig Feedback bekommen	• **wollen** Dinge lernen, die ganz konkrete Auswirkungen auf das Leben von Menschen aus Fleisch und Blut haben • **mögen** gemeinsame Erfahrungen, Diskussionen, kooperatives Lernen, Rollenspiele, individuelle Aufmerksamkeit • **haben mitunter Schwierigkeiten,** wenn der Unterricht hauptsächlich auf Einzelarbeit aufbaut oder wenn der Stoff keinen Bezug zu ihrer Lebenswelt hat • **lernen am meisten,** wenn der Lehrer ein Auge für ihre Erfolge und Schwierigkeiten hat
Verstehensorientierte Schüler	**Selbstverwirklichungsorientierte Schüler**
• **wollen** mithilfe von logischem Denken, Diskussionen und Recherche neue Ideen erkunden • **mögen** Lesen, Debattieren, Recherchieren, Einzelarbeit, Argumentieren, die Frage nach dem »Warum?« • **haben mitunter Schwierigkeiten,** wenn das soziale Miteinander im Mittelpunkt des Unterrichts steht (wie z. B. beim kooperativen Lernen) • **lernen am meisten,** wenn sie selbstständig denken und ihre Ideen erklären müssen	• **wollen** neue Ideen mithilfe ihrer Fantasie ausloten • **mögen** kreative und künstlerische Aufgaben, ungewöhnliche Probleme ohne eindeutige Lösung, das Erforschen von Möglichkeiten und Alternativen, »Was wäre, wenn«-Fragen • **haben mitunter Schwierigkeiten,** wenn im Unterricht Übungen, Drill und mechanisches Problemlösen im Mittelpunkt stehen • **lernen am meisten,** wenn man sie dazu einlädt, etwas Einzigartiges und Individuelles zu schaffen

Abb. C: *Die vier Lerntypen*

Vielleicht fragen Sie sich jetzt, was das alles mit wissenschaftlich fundierten Unterrichtsmethoden zu tun hat. Die Antwort lautet: eine ganze Menge. Als Lehrer haben wir in unseren Klassen Schüler wie Kenny, Schülerinnen wie Rosalynne und viele andere Schüler mit ihrem je individuellen Lerntyp. Indem wir uns ein breites Repertoire an Unterrichtsmethoden aneignen, können wir im Unterricht effektiv differenzieren und so die Kennys, die Rosalynnes und alle anderen Schüler in unseren Klassen gleichermaßen motivieren.

Aber nicht nur Schüler haben eine Präferenz für einen bestimmten *Lern*stil – auch Unterrichtsmethoden lassen sich einem *Lehr*stil zuordnen. Bei manchen Methoden liegt das Augenmerk auf der erfolgreichen Anwendung von Inhalten und Kompetenzen; sie sprechen vor allem wissensorientierte Schüler an. Andere zielen eher auf verstehensorientierte Schüler ab, indem sie Neugier wecken und kritisches Hinterfragen fördern. Bei manchen Methoden kommt es besonders auf Originalität an, was der fantasievollen Seite selbstverwirklichungsorientierter Schüler entgegenkommt. Und bei wieder anderen stehen der Aufbau persönlicher Beziehungen und die Stärkung der Klassengemeinschaft im Mittelpunkt; sie motivieren besonders die beziehungsorientierten Schüler.

Dadurch, dass die in diesem Buch behandelten Methoden nach dem Unterrichtsstil geordnet sind, bilden sie einen Rahmen für einen differenzierten Unterricht. Indem Sie die eingesetzten Methoden so variieren, dass alle vier Stile zu ihrem Recht kommen, motivieren Sie automatisch alle Ihre Schüler, weil Sie ihren bevorzugten Lernstil ansprechen. Gleichzeitig helfen Sie den Schülern dadurch, sich weiterzuentwickeln, indem Sie sie mit Unterrichtsstilen fordern, denen sie sonst eher aus dem Weg gehen. Und im Vergleich zu anderen Ansätzen für einen differenzierten Unterricht, die durch Betonung aller möglichen Unterschiede zwischen den Schülern den Lehrer leicht überfordern (und die Schüler isolieren), ist mit einem auf Lerntypen ausgerichteten Ansatz Binnendifferenzierung auch wirklich leistbar.

3. Nötiges Rüstzeug, um Lehr-Lern-Konzepten Leben einzuhauchen

Viele effektive und durchdachte Lehr-Lern-Konzepte, wie zum Beispiel das Modell »Understanding by Design« von Grant Wiggins und Jay McTighe (2005), geben Schulen und Lehrern wichtige Anhaltspunkte, wie sie Unterrichtseinheiten so planen, evaluieren und optimieren können, dass der Lernstoff besser verankert wird. Aber Lehrer brauchen häufig mehr als einen guten Plan – sie brauchen ein Repertoire handfester Methoden, die ihnen diesen Plan im Unterricht umsetzen helfen.

Als Grant Wiggins und Jay McTighe ihr Modell entwickelten, unterschieden sie sechs Facetten des Verstehens, die als Indikatoren dafür dienen können, wie gut die Schüler den Stoff verstanden haben:

- *Erklären*: wichtige Ideen und zentrale Begriffe zusammenfassen und wiedergeben
- *Interpretieren:* »interpretationsbedürftige« Inhalte wie Texte, Zahlen, Kunst und Argumente erfassen
- *Anwenden:* Kompetenzen und Wissen auf einen neuen, authentischen Kontext übertragen
- *Abstrahieren:* Situationen aus objektiver Distanz analysieren und die Berechtigung unterschiedlicher Standpunkte erkennen
- *Einfühlen*: sich in die Lage anderer versetzen und ihre Ansichten und Motivationen nachvollziehen
- *Selbsterkenntnis:* das nötige Bewusstsein für eigene Leistungen ausbilden, um darüber zu reflektieren und sich weiterentwickeln zu können

Es dauerte nicht lang, da erkannten Lehrer, dass diese Aspekte auch eine wichtige Rolle spielen konnten, um Unterrichtsziele zu definieren: Welche Facetten des Verstehens sind für den Unterrichtsstoff entscheidend, und wie kann ich den Verstehensprozess der Schüler fördern? Ein Repertoire an Unterrichtsmethoden ermöglicht nicht nur das Erreichen von Unterrichtszielen, die von dem ausgehen, was die Schüler am Ende verstanden haben sollen. Jede Methode bietet Lehrern einen klaren, konkreten Weg, um diese Ziele zu erreichen.

4. Hilfe beim Vermitteln der Fähigkeiten, die für ein gutes Abschneiden bei Vergleichsarbeiten nötig sind

Als sich mit der Einführung von Vergleichsarbeiten die Bildungslandschaft in den USA zu verändern begann, führten wir eine Studie durch, in der es um eine einzige Frage ging: Was entscheidet darüber, ob ein Schüler in diesen neuen, immer wichtigeren Tests gut oder schlecht abschneidet? Für uns, ja für alle Pädagogen, war das eine entscheidende Frage, weil Lehrer und Schulen für das Abschneiden ihrer Schüler in solchen standardisierten Tests verantwortlich gemacht wurden. Gleichzeitig veränderte sich das, was man unter einem standardisierten Test verstand, radikal. Am besten lässt sich dieser Wandel veranschaulichen, indem man zwei Testfragen einander gegenüberstellt (siehe Abb. D). Die erste zeigt exemplarisch eine Frage aus einem älteren standardisierten Test, die zweite die Anforderungen, die in der heutigen Generation von Tests an die Schüler gestellt werden.

Traditionelle Aufgabenstellung	**Neue Aufgabenstellung**
Welche der folgenden Tierarten ist nicht gefährdet? A) Afrikanischer Elefant B) Mississippi-Alligator C) Blauwal D) Dodo E) Floridamanati	Unten siehst du ein Fantasietier namens *Woggel*. Welche wissenschaftlichen Schlussfolgerungen zu seiner ökologischen Nische und seinem Lebensraum kannst du auf Grundlage seiner äußeren Erscheinung ziehen? Anders ausgedrückt: Überlege, wo dieses Tier leben, was es fressen und welche Rolle es innerhalb einer Artengemeinschaft spielen könnte. Erläutere deine Überlegungen. 

Abb. D: *Traditionelle vs. neue Aufgabenstellung*

Der Unterschied zwischen diesen beiden Fragen lässt sich auf einen einfachen Nenner bringen: Kompetenzen. Die traditionelle Aufgabenstellung verlangt den Schülern zwar ab, zwischen »gefährdet« und »ausgestorben« unterscheiden zu können, aber sie zielt ganz klar darauf ab, dass sie die korrekte Antwort finden und sich an eine ganz bestimmte Information erinnern. Die neue Testfrage ergründet, wie gut die Schüler einen Schlüsselbegriff – Anpassung – verstanden haben. Um ihr Verständnis zu demonstrieren, müssen die Schüler vielfältige Kompetenzen anwenden: visuelle Informationen interpretieren, sie auf Grundlage bestimmter Kriterien analysieren, Schlüsse ziehen, und eine stimmige Erklärung formulieren. Es war unübersehbar, dass standardisierte Tests weiterentwickelt worden waren.

Wir sammelten und ordneten Testfragen aus allen Bundesstaaten und Wissensgebieten, analysierten die zur Beantwortung nötigen Kompetenzen und führten sogar informelle Tests und Interviews mit Schülergruppen durch, denen ihre Lehrer eine hohe, durchschnittliche oder niedrige Leistungsfähigkeit attestierten. Das Ergebnis überraschte uns. Unabhängig von Jahrgangsstufe und Wissensgebiet war es eine überschaubare Zahl von insgesamt zwölf Kernkompetenzen, die über den Erfolg oder Misserfolg entschieden. Doch dann stellten wir etwas noch Überraschenderes fest: Diese Kompetenzen wurden viel zu wenig unterrichtet, und es gab kaum objektive Maßstäbe für sie. Einige dieser Kompetenzen, die für das Abschneiden eines Schülers von entscheidender Bedeutung waren – Kompetenzen wie effektives Exzerpieren oder das Aufstellen eines Plans, um komplexen Fragen auf den Grund zu gehen –, fanden in Lehrplänen nicht einmal Erwähnung. Wir bezeichneten diese Kompetenzen, die für gute schulische Leistungen so wichtig waren, von Schulen aber häufig vernachlässigt wurden, daher als die geheimen Kernkompetenzen für den Schulerfolg (siehe Abb. E).

Lese- und Lernkompetenz • Gedanken durch das Anfertigen von Notizen sammeln und ordnen • abstrakte akademische Begriffe erschließen • visuelle Darstellungen von Informationen erfassen und interpretieren	**reflexive Kompetenz** • Pläne aufstellen, um komplexe Fragen oder Aufgaben zu beantworten bzw. zu lösen • Entwürfe anhand von Kriterien und Richtlinien evaluieren • eigene Stimmung und spontane Regungen kontrollieren und beeinflussen
analytische Kompetenz • Schlussfolgerungen ziehen; Hypothesen und Vermutungen anstellen und überprüfen • anhand vorgegebener Kriterien Vergleiche durchführen • Fragen angehen, die Denkprozesse höherer Ordnung erfordern	**kommunikative Kompetenz** • in allen Wissensgebieten verständlich formulierte, schlüssige Erklärungen schreiben • sicherer schriftlicher Ausdruck in den Bereichen Problemlösung, Entscheidungen treffen, Argumentieren, Vergleichen • zwei oder mehr Texte lesen und darüber schreiben

Abb. E: *Die geheimen Kernkompetenzen für den Schulerfolg*

Wenn wir wollen, dass unsere Schüler bei standardisierten Tests gut abschneiden, müssen wir ihnen diese Kompetenzen beibringen, ohne die Vermittlung von Inhalten zu vernachlässigen. Um das zweifache Ziel zu erreichen, den Schülern den gesamten Lernstoff und gleichzeitig die Kernkompetenzen für den Schulerfolg zu vermitteln, gibt es keine effektivere Möglichkeit als ein Repertoire von Unterrichtsmethoden. Tatsächlich haben wir die in diesem Buch behandelten Methoden deshalb ausgesucht, weil sie der Förderung von mindestens zwei (manchmal bis zu sechs) dieser Schlüsselkompetenzen dienen.

5. Kontinuierliche und deutliche Leistungssteigerung der Schüler

Auf kaum eine Frage hat die Bildungsforschung in den letzten zehn Jahren eine eindeutigere Antwort gegeben als auf diese: Kann die gezielte Verwendung von Unterrichtsmethoden die Leistungen der Schüler wirklich positiv beeinflussen? Die Antwort, ein eindeutiges Ja, ist durch mehrere Meta-Analysen untermauert, die von Forschern wie Kathleen Cotton (2000) oder Arthur Ellis und Jeffrey Fouts (1997) durchgeführt wurden. Die mit Abstand wichtigste und einflussreichste dieser Metastudien geht auf das Forschungsteam um Robert Marzano, Debra Pickering und Jane Pollock (2001) zurück und trägt den Titel »*Classroom Instruction That Works: Research-Based Strategies for Increasing Student Achievemen*« (zu deutsch etwa: »Unterricht, der funktioniert: Wissenschaftlich fundierte Methoden, die bei den Schülern zu einer Leistungsverbesserung führen«).

Marzano und sein Team verglichen die Auswirkungen verschiedener Unterrichtsmethoden auf die Leistungen der Schüler und erstellten anhand der Verbesserungen, die mit ihnen einhergingen, eine Rangfolge. Die Ergebnisse waren höchst aufschlussreich. So führten Methoden, die auf »Gemeinsamkeiten und Unterschiede erkennen« und »Zusammenfassen und Notizen machen« abzielen, regelmäßig zu Leistungsverbesserungen um 30, teilweise bis zu 40 Prozentränge. Die Forscher haben neun verschiedene Unterrichtsmethoden herausgearbeitet, die erwiesenermaßen positive Auswirkungen auf die Leistung der Schüler haben. Diese Unterrichtsmethoden betrachten wir als »Schlüsselmethoden« für alle Lehrer, die ihren Schülern zu mehr Erfolg verhelfen wollen:

- Gemeinsamkeiten und Unterschiede erkennen
- Zusammenfassen und Notizen machen
- Anstrengungen verstärken und anerkennen
- Hausaufgaben und Übungen
- nicht sprachliche Darstellung
- kooperatives Lernen
- Ziele setzen und Feedback geben
- Hypothesen aufstellen und überprüfen
- Hinweise, Fragen und Diagramme zur Wissensstrukturierung/Advance Organizers (Marzano, Pickering und Pollock 2001)

Alle Methoden, die Sie in diesem Buch finden, wurden mit Blick auf diese wichtigen Forschungsergebnisse ausgewählt. In einer Zeit, da Lehrer über ihr Tun permanent Rechenschaft ablegen müssen, dient der enge Bezug zur Arbeit von Robert Marzano und seinem Team dazu, Ihnen die schwierige Aufgabe der Planung und Durchführung von Unterrichtsstunden zu erleichtern. Sie als Lehrer können sich nicht nur darauf verlassen, dass jede dieser Methoden auf einem starken und vertrauenswürdigen Fundament an Forschungsergebnissen beruht. Dank der Navigatorseiten können Sie auch dokumentieren, dass Ihre Unterrichtsplanung auf aktuellen Forschungsergebnissen angesehener Wissenschaftler beruht (mehr zu den Navigatorseiten weiter unten).

6. Für unterschiedliche Arten von Wissen geeignet

Stellen Sie sich vor, Sie müssten morgen zwei Stunden geben, eine zu den Ursachen des Zweiten Weltkriegs und eine darüber, wie man einen Schlachtplan liest. Für diese beiden Unterrichtsstunden würden Sie wohl kaum dieselbe Methode anwenden. Unterrichten erfordert immer, eine Balance zwischen dem *Was* und dem *Wie*, zwischen *Inhalten* und *Kompetenzen*, zwischen *deklarativem* und *prozeduralem* Wissen zu finden. Natürlich muss eine gute Unterrichtsmethode sowohl Inhalte als auch Kompetenzen vermitteln. Aber manche Methoden eignen sich besser, Schülern beizubringen, wie man beim Tennis einen Aufschlag macht, wie man einen Essay schreibt oder wie man einen mathematischen Beweis führt, während andere eher geeignet sind, deklaratives Wissen zu vermitteln, und Lehrern und Schülern Möglichkeiten eröffnen, wichtigen Fragen auf den Grund zu gehen und in den Wissensschatz verschiedener Fachgebiete einzutauchen.

Einige der Gründe dafür, sich ein Repertoire an Unterrichtsmethoden anzueignen, sind je nach Klasse, Situation und Unterrichtsziel für manche Lehrer natürlich wichtiger als andere. Welche Gründe sind für Sie die wichtigsten? Gibt es noch andere?

Gute Gründe sind das eine. Sie beantworten die Frage nach dem *Warum* und liefern Argumente dafür, sich einer bestimmten Methode zu bedienen. Aber können sie auch eine Antwort auf die Frage geben, *wie* man gute Entscheidungen über den Unterricht trifft? Können sie eine Richtschnur sein, wie man für bestimmte Situationen die beste Methode auswählt? Wir sind fest davon überzeugt. Im nächsten Abschnitt stellen wir Ihnen ein praxisorientiertes Hilfsmittel vor, das Ihnen auf der Grundlage der sechs genannten Gründe hilft, sich für die richtige Unterrichtsmethode zu entscheiden. Wir nennen dieses Hilfsmittel den Navigator.

Wie wählt man für eine Unterrichts- und Lernsituation die richtige Methode aus?

Dieses Buch möchte Lehrer dazu anleiten, hochwirksame, wissenschaftlich fundierte Methoden in ihren Unterricht zu integrieren. Ein Blick ins Inhaltsverzeichnis zeigt, dass sich der Aufbau des Buchs an den vier Lerntypen orientiert. In den Teilen 2 bis 5 findet sich jeweils eine Reihe von Methoden, die auf den wissensorientierten, den verstehensorientierten, den selbstverwirklichungsorientierten und den beziehungsorientierten Lerntyp ausgerichtet sind. In Teil 6 stellen wir Ihnen »Allround-Methoden« vor, die von Schülern erfordern, alle vier Lernstile anzuwenden und zu aktivieren. Damit bietet dieses Buch Lehrern eine einfache, effektive Methode für einen differenzierten Unterricht.

Allerdings ist die Differenzierung nach Lerntypen nicht das einzige Argument dafür, dass jeder Lehrer regelmäßig wissenschaftlich fundierte Unterrichtsmethoden verwenden sollte. Solche Methoden verbessern unserer Erfahrung nach auch die Planung ganzer Unterrichtseinheiten, helfen unterschiedliche Facetten des Verstehens ausarbeiten, steigern die Lernkompetenz, verbessern das Leistungsniveau und unterstützen die Vermittlung von deklarativem und prozeduralem Wissen.

Von den Lehrern in unseren Fortbildungsveranstaltungen haben wir gelernt, dass diese oben erläuterten sechs Gründe für den Einsatz einer Unterrichtsmethode sehr gut zu den Fragen passen, die Lehrer sich stellen, wenn sie überlegen, welche Methode sie einsetzen sollen. Gemeinsam haben wir aus dieser Erkenntnis heraus ein Hilfsmittel für die Entscheidungsfindung entwickelt, das wir als Navigator bezeichnen. Aufgrund des übersichtlichen Formats liefert der Navigator Lehrern ein kurzes, visuell ansprechendes Profil einer bestimmten Unterrichtsmethode. Abbildung F zeigt den Navigator für die selbstverwirklichungsorientierte Methode 12, »Das innere Auge«.

Wie passt die Methode in eine Unterrichtseinheit?

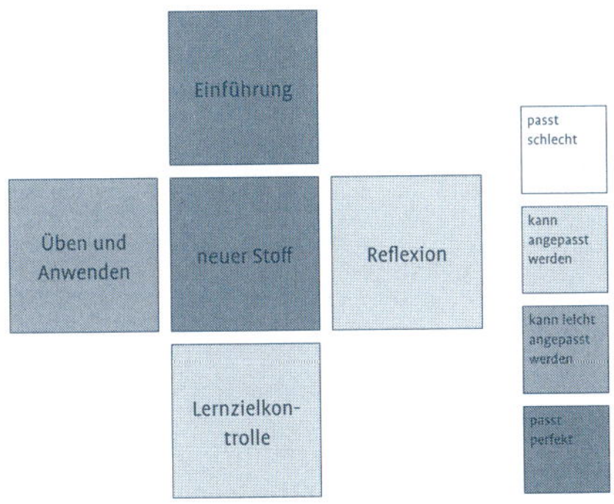

Welche Lerntypen spricht die Methode an?

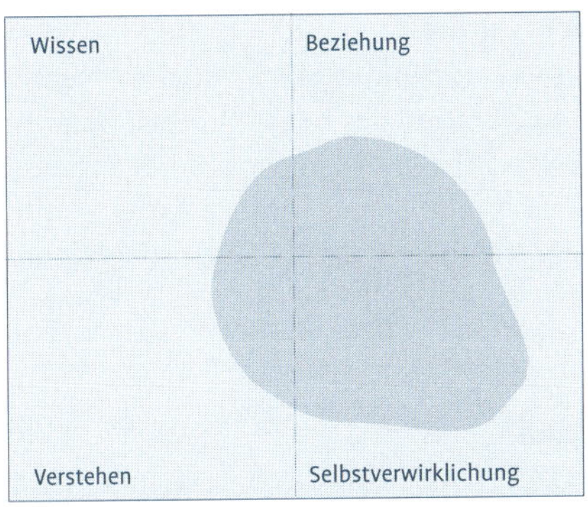

Welche Aspekte des Lernens lassen sich mithilfe der Methode weiterentwickeln?

Welche Kernkompetenzen werden mit der Methode geschult?

Lesen und Lernen

- durch das Anfertigen von Notizen Ideen sammeln und ordnen
- abstrakte akademische Begriffe erschließen
- visuelle Darstellungen erfassen und interpretieren

Logisch denken und analysieren

- Schlussfolgerungen ziehen; Hypothesen und Vermutungen anstellen und überprüfen
- ○ anhand vorgegebener Kriterien Vergleiche durchführen
- ○ mit ganz unterschiedlichen Aufgabenstellungen klarkommen

Kreativ sein und kommunizieren

- verständlich formulierte, schlüssige Erklärungen schreiben
- sicherer schriftlicher Ausdruck in Sachtexten*
- ○ zwei oder mehr Texte lesen und darüber schreiben

Reflektieren und Bezüge herstellen

- ○ Pläne aufstellen, um komplexe Fragen oder Aufgaben zu lösen
- ○ eigene Arbeit anhand von Kriterien und Checklisten evaluieren
- die eigene Stimmung und spontane Regungen kontrollieren/beeinflussen

Inwiefern berücksichtigt die Methode Forschungsergebnisse über effektiven Unterricht?

- ○ Gemeinsamkeiten und Unterschiede erkennen
- zusammenfassen und Notizen machen
- ○ Anstrengungen verstärken und anerkennen
- ○ Hausaufgaben und Übungen
- nicht sprachliche Darstellungsformen
- ○ kooperatives Lernen
- ○ Ziele setzen und Feedback geben
- Hypothesen aufstellen und überprüfen
- ○ Hinweise, Fragen und Diagramme zur Wissensstrukturierung (»Advance Organizer«)

Welche Arten von Wissen vermittelt die Methode?

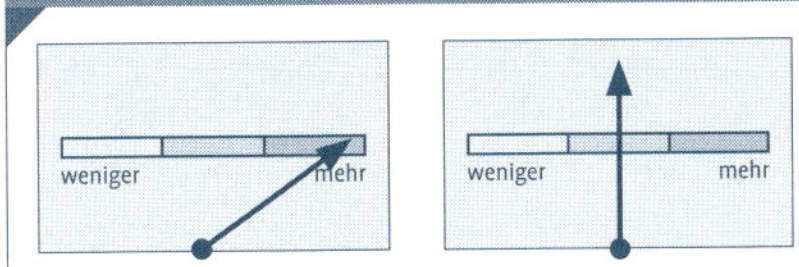

deklaratives Wissen | prozedurales Wissen

*»Das innere Auge« ist besonders nützlich, um die Fähigkeit der Schüler zu fördern, Dinge zu beschreiben.

***Abb. F:** Beispielhafte Navigatorseite (hier für Methode 12, »Das innere Auge«)*

Wie Sie sehen, setzt sich der Navigator aus sechs Feldern zusammen. Die sechs Felder entsprechen den sechs Gründen für den Aufbau eines Repertoires an Unterrichtsmethoden, die wir oben behandelt haben. Dazu haben wir jeden Grund in eine Frage umformuliert, die bei der Auswahl der richtigen Unterrichtsmethode eine Rolle spielt:

- Wie passt die Methode in eine Unterrichtseinheit?
- Welche Lerntypen spricht die Methode an?
- Welche Aspekte des Lernens lassen sich mit dieser Methode weiterentwickeln?
- Welche geheimen Kernkompetenzen hilft die Methode erwerben?
- Inwiefern berücksichtigt die Methode Forschungsergebnisse über effektiven Unterricht?
- Welche Arten von Wissen vermittelt die Methode?

Jedes Feld des Navigators gibt auf eine dieser Fragen eine visuelle Antwort, sodass Lehrer auf einen Blick die wichtigsten Eigenschaften einer bestimmten Methode erfassen und entscheiden können, wie gut sie ihren Unterrichtszielen entspricht. Damit Sie sehen, wie der Navigator funktioniert, gehen wir im Folgenden auf die sechs Felder näher ein:

1. Feld: Wie passt die Methode in eine Unterrichtseinheit?
Damit eine Unterrichtseinheit ihr Ziel erreicht, muss sie fünf unterschiedliche Arten von Unterrichtsstunden enthalten: für Einführung, Präsentation des neuen Stoffes, Üben/Anwenden, Lernzielkontrolle und Reflexion. In diesem Feld des Navigators finden Sie eine »Blaupause für das Lernen«, die aus fünf Kästchen besteht – eines für jede Art von Unterrichtsstunde. Rechts daneben die Legende, an der sich ablesen lässt, wie gut die Methode zu den einzelnen Arten von Unterrichtsstunden passt. Je dunkler der Blauton, desto besser eignet sie sich.

2. Feld: Welche Lerntypen spricht die Methode an?
Der Schlüssel zur Motivation der Schüler und zur Differenzierung des Unterrichts sind die Lerntypen. Dieses Feld zeigt auf, welche Lerntypen von der jeweiligen Methode besonders angesprochen werden. Außerdem enthält es Schlüsselbegriffe, die auf das Motivationsprinzip des jeweiligen Lerntyps verweisen:

- Wissensorientierte Schüler bemühen sich um *Erfolg*.
- Verstehensorientierte Schüler werden von ihrer *Neugier* angetrieben.
- Für selbstverwirklichungsorientierte Schüler ist Lernen eine Gelegenheit, ihre *Originalität* zum Ausdruck zu bringen.
- Beziehungsorientierte Schüler lernen, indem sie *Beziehungen* aufbauen.

Am besten lässt sich dieses Feld als Radarschirm beschreiben, dessen Quadranten für die vier Lerntypen stehen und über dem eine »Wolke« schwebt. Je größer der Teil jedes Quadranten, der von der Wolke verdeckt ist, desto mehr spricht die Methode Schüler dieses Lerntyps an.

3. Feld: Welche Aspekte des Lernens lassen sich mit der Methode weiterentwickeln?
In diesem Feld sind die sechs Facetten des Lernens nach Grant Wiggins und Jay McTighe (2005) aufgelistet. Für jede Facette – Erklären, Interpretieren, Anwenden, Abstrahieren, Einfühlen und Selbsterkenntnis – gibt es einen Balken. Je länger der Balken, desto besser entspricht eine bestimmte Methode dem entsprechenden Lernaspekt.

4. Feld: Welche Kernkompetenzen werden mit der Methode geschult?
Mit jeder einzelnen Methode werden zwei oder mehr der Kernkompetenzen für Schulerfolg gefördert und geübt. Im Navigator sind die zwölf Kernkompetenzen in vier Kategorien eingeteilt. Dieses Feld ist eine simple Checkliste: Die angesprochenen Kernkompetenzen haben einen ausgefüllten Kreis und sind dunkel gedruckt, während die von der Methode nicht angesprochenen Kompetenzen hell gedruckt und mit einem leeren Kreis gekennzeichnet sind.

5. Feld: Inwiefern berücksichtigt die Methode Forschungsergebnisse über effektiven Unterricht?
Dieses Feld steht für die Forschungsergebnisse, die die betreffende Methode untermauern. Im Sinne eines leichten und schnellen Zugangs haben wir uns entschieden, uns hier an die Kategorien zu halten, die in dem bekannten Buch »Classroom instruction that works« von Marzano, Pickering und Pollock (2001) Anwendung finden. Auch dieses Feld ist eine simple Checkliste: Die angesprochenen Kategorien haben einen ausgefüllten Kreis und sind dunkel gedruckt, während die von der Methode nicht berührten Kategorien hell gedruckt und mit einem leeren Kreis gekennzeichnet sind.

6. Feld: Welche Arten von Wissen vermittelt die Methode?
In diesem Feld finden Sie zwei Anzeigen, eine für deklaratives und eine für prozedurales Wissen. An ihnen lässt sich ablesen, wie nützlich die betreffende Methode ist, um die eine oder die andere Form von Wissen zu vermitteln.

Nehmen Sie sich nach diesem beispielhaften Überblick über einen Navigator kurz Zeit, um ihn mit dem für eine ganz unterschiedliche Methode zu vergleichen, wie zum Beispiel Methode 3, »Gestaffelter Schwierigkeitsgrad« (S. 48), oder Methode 16, »Gemeinschaftskreis« (S. 194). Welche Unterschiede fallen Ihnen auf?

Jedes der folgenden 20 Kapitel beginnt mit einem Navigator und ist dann in sechs Abschnitte untergliedert:

- *Überblick* gibt eine kurze Einführung in die Methode.
- *Die Methode im Einsatz* zeigt, wie ein Lehrer die Methode in seiner Klasse anwendet.
- *Warum die Methode funktioniert* erklärt die wissenschaftlichen Gründe, die für diese Methode sprechen, und welchen Nutzen die Schüler aus ihr ziehen können.
- *Die Methode Schritt für Schritt* beschreibt, wie die Umsetzung der Methode in die Praxis aussieht.
- *Eine Unterrichtsstunde mit dieser Methode planen* ist ein Leitfaden, der Sie durch den Planungsprozess führt und anhand ganz konkreter Schritte, Beispiele und Anregungen aufzeigt, wie Sie Ihre Unterrichtsentwürfe optimieren können.
- Im Abschnitt *Variationen und Erweiterungen* finden Lehrer zusätzliche Hilfsmittel, Methoden und Tipps, wie sie ihren Einsatz der Methode variieren und erweitern können.

Wie können wir am besten strategisch unterrichten?

Bevor wir uns die 20 Methoden im Einzelnen anschauen, hier vier Tipps für den strategischen Unterricht.

1. Denken Sie beim Unterrichten an die vier »S«

- Standards
- Schüler
- Situationen
- Strategien

Nehmen Sie Ihre *Schüler* genauso wichtig wie die *Bildungsstandards*, indem Sie sich zuerst die *Unterrichtssituation* klarmachen und dann gezielt die *Strategie* bzw. Methode auswählen, die am besten zur Unterrichtssituation passt und am besten geeignet ist, Ihre Schüler zu motivieren.

LESEN UND VERSTEHEN

L **LIES** die „Lesen und Verstehen"-Thesen sorgfältig, bevor du den Text liest.

E **ENTWICKLE** eine vorläufige Meinung. (Überlege dir, ob du den Thesen zustimmst oder nicht.)

S **SAMMLE** beim Lesen des Textes Hinweise, die für und gegen die Thesen sprechen.

E **ENTSCHEIDE**, ob die Hinweise ausreichen, um die Thesen zu bestätigen oder zu widerlegen.

N **NIMM** dir Zeit, um dich mit den anderen Schülern in deiner Lesegruppe auszutauschen:

- Hör den anderen aufmerksam zu.
- Versucht euch zu einigen.
- Wenn ihr euch bei einer These nicht einigen könnt, dann schreibt sie um.
- Schreib deine Gedanken auf und erläutere sie.

Abb. G: *Plakat zur Methode »Lesen und Verstehen«*

2. Nennen Sie die Methode

Sagen Sie Ihren Schülern, welche Methode Sie einsetzen. Erläutern Sie die einzelnen Schritte der Unterrichtseinheit und die Rollen, die Sie und die Schüler dabei einnehmen. Studien zufolge wenden Schüler, die gezielt die mit einer Methode verbundenen Schritte und Rollen erklärt bekommen, diese Methode selbstständig und reflektiert an (Brown, Pressley, Van Meter und Schuder 1996). Im Klassenzimmer von Gabrielle D'Abo finden sich Plakate mit Beschreibungen der Rollen, die die Schüler im Rahmen jener Methode spielen, die sie am häufigsten einsetzt. In Abbildung G sehen Sie die einzelnen Schritte, die sie für Methode 6, »Lesen und Verstehen«, aufgeschrieben hat.

3. Wechseln Sie die Methoden

Verwenden Sie regelmäßig alle fünf Typen von Methoden, und führen Sie Buch darüber, welche Methoden Sie verwenden und wie die Schüler darauf reagieren. Haben Sie keine Angst vor Experimenten: Wenn Sie merken, dass die Schüler sich mit einer Methode schwertun, dann versuchen Sie es mit einer anderen. Die verstehensorientierte Methode 7, »Begriffsbildung«, oder die selbstverwirklichungsorientierte Methode 10, »In Metaphern denken«, hilft Schülern zum Beispiel dabei, sich Inhalte zu erschließen, bei denen sie viele neue Begriffe lernen müssen. Mit beziehungsorientierten Methoden wie »Gemeinschaftskreis« oder »Lerntandem« können Sie die Beziehungen zwischen den Schülern stärken und ein kollegialeres Lernumfeld schaffen. Die gezielte Vermittlung von Inhalten und Kompetenzen gelingt am besten mithilfe wissensorientierter Methoden. Wenn Sie alle Schüler dabei unterstützen wollen, sich zu vielseitigen und ausgeglichenen Denkern und Lernern zu entwickeln, sollten Sie es mit einer Allround-Methode wie »Hörst du, was ich höre?« oder »Aufgabenzirkel« versuchen.

Die Möglichkeiten sind ebenso vielfältig wie reizvoll. Dabei sollten Sie es tunlichst vermeiden, in Schubladendenken zu verfallen. Für tief greifende Lernprozesse sind alle Lernstile notwendig, und wenn man Schülern beibringen will, wie sie ihr intellektuelles Potenzial möglichst gut ausschöpfen können, sollte man alle Lehrstile im Wechsel anwenden.

4. Sichern Sie den Lernfortschritt, indem Sie regelmäßig zurückschauen

Vermeiden Sie es nach Möglichkeit, eine Methode zu verwenden, ohne Ihren Schülern wenigstens ein paar Minuten Zeit zu geben, über den Lernprozess zu reflektieren. Wie hat sich ihre Einstellung zum Lernen verändert? Auf welche Hindernisse sind sie gestoßen? Wie haben sie diese Hindernisse überwunden? Wie können sie beim nächsten Mal besser abschneiden? Zum strategischen Unterrichten gehört immer, Schüler dazu anzuregen, ihren Lernfortschritt zu reflektieren und über die Qualität und Tiefe aktueller Lernprozesse nachzudenken. Dann – und nur dann – können wir erwarten, dass unsere Schüler Fortschritte machen und ihre Lernfähigkeit nach und nach steigern.

Nicht nur als Lehrer, auch als Autoren bemühen wir uns, Wort zu halten: Wie in der Überschrift versprochen, haben wir uns in dieser Einleitung auf das Was (Was macht die Methoden aus und wie unterscheiden sie sich?), das Wozu (Wozu brauchen Lehrer ein Repertoire an wissenschaftlich fundierten Methoden?) und das Wie (Nach welchen Kriterien entscheidet man sich für eine Methode, und wie setzt man sie in die Praxis um?) des strategischen Unterrichts konzentriert. Nun ist es an der Zeit, uns den einzelnen Methoden zuzuwenden.

Teil 02 Wissensorientierte Methoden

Wissensorientierte Methoden sind darauf ausgerichtet, die Fähigkeit der Schüler zu fördern, Inhalte abzuspeichern und zusammenzufassen. Sie wirken motivierend, weil sie durch eine logische Struktur und rasches Feedback charakterisiert sind und den Schülern das Gefühl wachsender Kompetenz und messbarer Erfolge vermitteln.

Die in diesem Teil behandelten Methoden:

Methode 1: Der **»Interaktive Lehrervortrag«** ist eine Methode, mit der sich Lehrervorträge schüleraktivierend und gehirnfreundlich gestalten lassen, sodass der Stoff besser hängen bleibt.

Methode 2: **»Direkte Vermittlung«** führt die Schüler in vier Schritten zur Beherrschung einer Kompetenz und fördert dadurch ihre Selbstständigkeit.

Methode 3: **»Gestaffelter Schwierigkeitsgrad«** ist eine Methode, mit deren Hilfe Lehrer ihren Unterricht differenzieren und Schülern gleichzeitig dabei helfen können, sich sinnvolle Ziele zu setzen und diese zu erreichen.

Methode 4: Bei der Methode **»Teamturnier«** werden die Schüler in Gruppen eingeteilt, in denen sie wichtige Lerninhalte wiederholen und sich so gemeinsam darauf vorbereiten, gegen andere Gruppen anzutreten.

Methode 1: Interaktiver Lehrervortrag

Wie passt die Methode in eine Unterrichtseinheit?

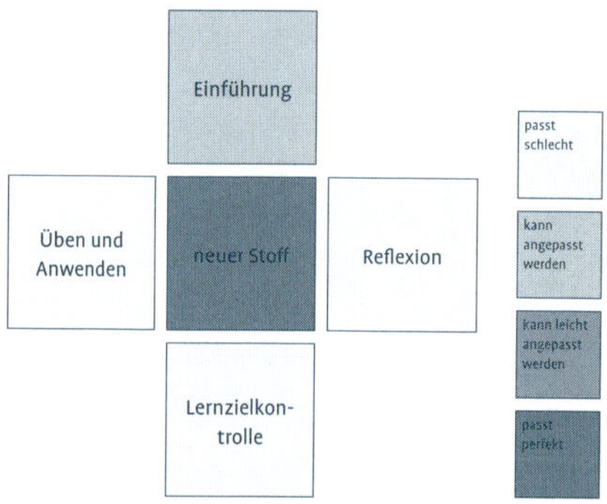

Welche Lerntypen spricht die Methode an?

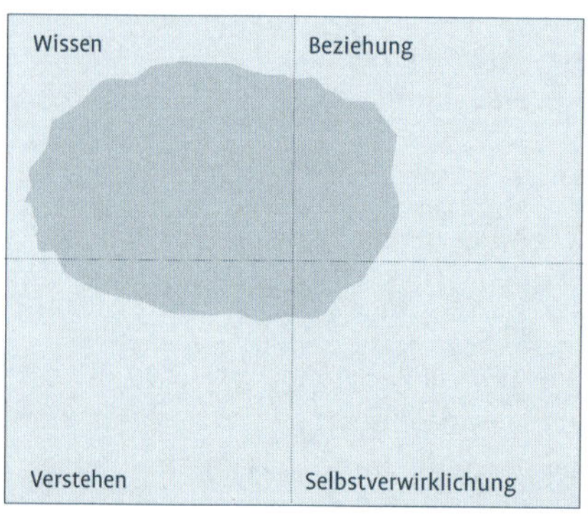

Welche Aspekte des Lernens lassen sich mithilfe der Methode weiterentwickeln?

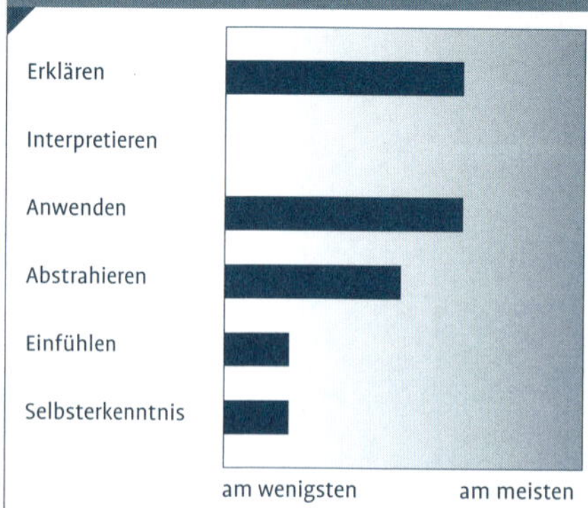

Welche Kernkompetenzen werden mit der Methode geschult?

Lesen und Lernen

- ● durch das Anfertigen von Notizen Ideen sammeln und ordnen
- ● abstrakte akademische Begriffe erschließen
- ● visuelle Darstellungen erfassen und interpretieren

Logisch denken und analysieren

- ○ Schlussfolgerungen ziehen; Hypothesen und Vermutungen anstellen und überprüfen
- ○ anhand vorgegebener Kriterien Vergleiche durchführen
- ● mit ganz unterschiedlichen Aufgabenstellungen klarkommen

Kreativ sein und kommunizieren

- ○ verständlich formulierte, schlüssige Erklärungen schreiben
- ○ sicherer schriftlicher Ausdruck in Sachtexten
- ○ zwei oder mehr Texte lesen und darüber schreiben

Reflektieren und Bezüge herstellen

- ○ Pläne aufstellen, um komplexe Fragen oder Aufgaben zu lösen
- ○ eigene Arbeit anhand von Kriterien und Checklisten evaluieren
- ○ die eigene Stimmung und spontane Regungen kontrollieren/beeinflussen

Inwiefern berücksichtigt die Methode Forschungsergebnisse über effektiven Unterricht?

- ○ Gemeinsamkeiten und Unterschiede erkennen
- ● zusammenfassen und Notizen machen
- ○ Anstrengungen verstärken und anerkennen
- ○ Hausaufgaben und Übungen
- ○ nicht sprachliche Darstellungsformen
- ○ kooperatives Lernen
- ○ Ziele setzen und Feedback geben
- ○ Hypothesen aufstellen und überprüfen
- ● Hinweise, Fragen und Diagramme zur Wissensstrukturierung (»Advance Organizer«)

Welche Arten von Wissen vermittelt die Methode?

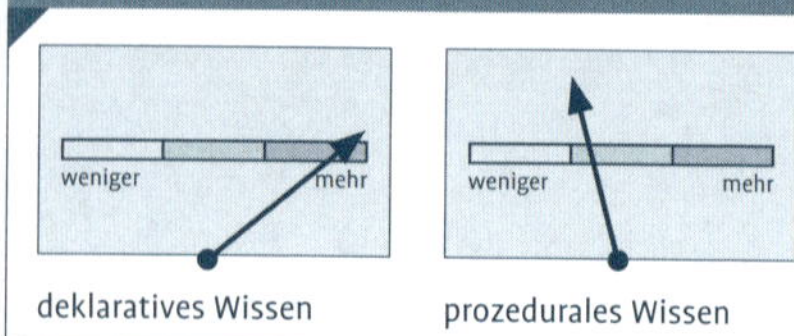

Überblick

Der interaktive Lehrervortrag ist die strategische Variante des klassischen Lehrervortrags (Frontalunterricht). Diese Methode gibt eine Antwort auf zwei Fragen. Erstens: Wie kann lehrerzentrierter Unterricht aussehen, wenn es nicht um die Vermittlung von Kompetenzen und prozeduralem Wissen geht, sondern um deklaratives Wissen? Zweitens: Wie kann man die klassische Form des Lehrervortrags unter Berücksichtigung aktueller neurologischer Forschungsergebnisse zur effektiven Informationsverarbeitung verbessern?

Wenn ein Lehrer einen interaktiven Lehrervortrag plant und durchführt, unterstützt er seine Schüler in fünferlei Hinsicht:

- Damit die Schüler ihr Vorwissen aktivieren und neue Verknüpfungen erstellen, plant der Lehrer eine Übung, die das Interesse der Schüler weckt und gleichzeitig eine Brücke zwischen dem neuen Stoff und dem bereits Gelernten schlägt.
- Damit die Schüler lernen, wie man Informationen sammelt und gliedert, teilt ihnen der Lehrer ein Diagramm aus, durch das die Gliederung des Stoffes vorgegeben ist.
- Um die Schüler zu aktivieren und ihre Gedächtnisleistung zu steigern, setzt der Lehrer verschiedene Methoden ein, durch die die Schüler aktiv am Unterricht beteiligt werden und den Stoff leichter behalten können.
- Damit die Schüler den Stoff besser verarbeiten und mit bereits Gelerntem verknüpfen können, unterbricht der Lehrer regelmäßig seinen Vortrag, sodass die Schüler Gelegenheit haben, das Gehörte zu wiederholen.
- Um den Schülern zu helfen, das Gelernte anzuwenden und den eigenen Lernfortschritt einzuschätzen, führt der Lehrer Synthese- und Reflexionsübungen durch.

Die Methode im Einsatz

Zu Beginn einer Unterrichtseinheit über die Ära des Partikularismus (die Phase der amerikanischen Geschichte ab etwa 1820, in der die Staaten des Nordostens, des Südens und des Westens zunehmend auseinanderdrifteten) führt Geschichtslehrerin Aja Tucker ihre Highschool-Klasse wie folgt in das Thema ein:

Zwischen 1820 und 1840 traten die Unterschiede zwischen dem Nordosten, dem Süden und dem Westen so deutlich zutage, dass die Whigs für die Präsidentschaftswahlen von 1836 drei verschiedene Kandidaten aufstellten: einen im Norden, einen im Süden und einen im Westen. Durch diese Aufteilung der Wählerschaft wollten sie verhindern, dass die Demokraten eine Mehrheit der Stimmen errangen. Die Wahl des Präsidenten wäre dann Sache des Repräsentantenhauses gewesen. Diese Strategie ist aus zwei Gründen erstaunlich: Erstens wäre das Kalkül beinahe aufgegangen. Zweitens: Wenn ihr an die letzte Unterrichtseinheit zurückdenkt, werdet ihr euch erinnern, dass die Vereinigten Staaten nach dem Britisch-Amerikanischen Krieg von 1812 enger zusammengewachsen waren denn je. Wie konnte es sein, dass unser Land sich innerhalb weniger Jahre in eine geteilte Nation verwandelt hatte? Welche Faktoren und Probleme haben das Auseinanderdriften beschleunigt? Genau das wollen wir uns heute näher ansehen. Dazu wenden wir eine Methode namens »Interaktiver Lehrervortrag« an.

Nachdem sie ihre Neugier geweckt hat, lässt Aja Tucker die Schüler eine Karte in ihren Lehrbüchern aufschlagen, an der sich die Geografie, die Naturschätze und die wichtigsten Einkommensquellen in der Osthälfte der Vereinigten Staaten ablesen lassen. Dann gibt sie den Schülern folgenden Arbeitsauftrag:

Ich möchte, dass ihr jetzt alle zwei Minuten lang diese Karte anschaut und dabei über folgende Fragen nachdenkt:

- Was sind die wichtigsten geografischen Merkmale der einzelnen Regionen?
- Was fällt euch bezüglich der Ressourcen und Wirtschaftsweisen dieser Regionen auf?
- Wie könnten diese Unterschiede zur Entstehung des Partikularismus beigetragen haben?

Die Schüler halten ihre Ideen in ihrem Heft fest und tauschen sich dann mit ihrem Nachbarn darüber aus.

Nachdem sie die Antworten der Schüler gesammelt und festgehalten hat, verteilt die Lehrerin ein leeres Vortragsschema, das die wichtigsten Themen enthält und Platz bietet, damit die Schüler während des Lehrervortrags zentrale Punkte mitschreiben können (Abb. 1.1 zeigt das ausgefüllte Vortragsschema).

Dann beginnt Aja Tucker ihren Lehrervortrag und nennt die wichtigsten geografischen Merkmale des Nordostens, Südens und Westens. Dabei verweist sie zur Veranschaulichung immer wieder auf die Karte. Während sie die Landschaften beschreibt, fordert sie die Schüler auf, die Augen zu schließen, damit sie die Flüsse, Küsten und Ebenen vor ihrem geistigen Auge sehen. Nach fünf Minuten unterbricht sie ihren Vortrag und lässt die Schüler die geografischen Merkmale aller drei Regionen beschreiben; dabei sollen sie ihr Schema abdecken, um zu testen, wie viel ihnen im Gedächtnis geblieben ist. Sie ruft zu jeder Region drei Schüler auf und geht dann zum Thema Einwanderung über.

Auch beim nächsten Punkt, Einwanderung, ermuntert Aja Tucker die Schüler, einen möglichst starken emotionalen Bezug zum Stoff herzustellen, indem sie sich im Geiste in die Iren, Deutschen und Afrikaner hineinversetzen, die in jener Zeit in die USA kamen. Wiederum achtet sie darauf, nicht länger als fünf Minuten zu sprechen, bevor sie die nächste Wiederholungsfrage stellt. Da sie weiß, wie wichtig es ist, dass die Schüler unterschiedliche Denkmuster üben, wechselt sie sorgsam den Stil ihrer Fragen. Diesmal will sie, dass die Schüler das Gehörte nicht nur wiedergeben, sondern erklären. Also fragt sie: »Warum machten sich mehr deutsche Einwanderer in den Westen auf, während die Mehrzahl der irischen Einwanderer sich im Nordosten ansiedelte?«

In der gleichen Weise fährt Aja fort. Alle fünf Minuten hält sie inne und sorgt dafür, dass die Schüler den neuen Stoff verarbeiten und wiederholen, indem sie ihnen Fragen stellt, die sie zu unterschiedlichen Denkmustern anregen. Nachdem sie zum Beispiel die wichtigsten wirtschaftlichen Säulen der drei Regionen erläutert hat, lässt sie die Schüler Querverbindungen herstellen, indem sie fragt: »Welchen Zusammenhang gibt es zwischen der Geografie der einzelnen Regionen und ihrer Wirtschaft?« Nachdem sie im vierten und letzten Abschnitt ihres Vortrags die wichtigsten politischen Streitfragen referiert hat, regt Aja Tucker die Schüler zu einem persönlichen Zugang an: »Wenn ihr in einer dieser drei Regionen gelebt hättet, welches Thema wäre euch wohl besonders wichtig gewesen? Warum?« Am Ende des Vortrags sieht das Vortragsschema der Schüler aus, wie in Abb. 1.1 gezeigt.

Partikularismus
1820–1840

Thema	Nordosten	Süden	Westen
Geografie	• schmaler Küstenstreifen • natürliche Häfen • wenig Ackerland zwischen Bergen und Küste	• breiter Küstenstreifen • wenig Häfen • breite, schiffbare Flüsse	• weite Ebenen • fruchtbares Land
Einwanderung	• Mehrzahl der Einwanderer aus dem Norden Europas • viele Iren finden Arbeit in Fabriken	• Einwanderer stammen hauptsächlich aus Afrika (Sklaven)	• Einwanderer aus Mitteleuropa • viele Deutschstämmige werden Farmer
Wirtschaft	• Handel und Industrie	• Sklavenwirtschaft • Landwirtschaft, v.a. Tabak, später Baumwolle	• Landwirtschaft, v.a. Getreide
Politische Streitfragen	• für eine Nationalbank • für hohe Zölle • für mehr Einwanderung • geteilte Haltung zur territorialen Expansion • für den Ausbau von Straßen und Kanälen	• gegen eine Nationalbank • gegen Zölle • gegen mehr Einwanderung • für die territoriale Expansion • gegen den Ausbau von Straßen und Kanälen	• gegen eine Nationalbank • geteilte Haltung zu Zöllen • für mehr Einwanderung • für die territoriale Expansion • für den Ausbau von Straßen und Kanälen

Abb. 1.1: *Ausgefülltes Vortragsschema*

Als Zusammenfassung der Stunde und um den Schülern den Transfer des Gelernten auf aktuelle Ereignisse zu erleichtern, stellt Aja Tucker ihnen folgende Aufgabe:

Stell dir vor, du wärst ein professioneller Redenschreiber. Man schreibt das Jahr 1840, und der Wahlkampf vor den Kongresswahlen läuft auf vollen Touren. Such dir eine der drei Regionen aus, die wir heute behandelt haben, und stell dir vor, ein Kandidat, der sich um einen Sitz im Repräsentantenhaus bemüht, hätte dich beauftragt, eine kurze Rede zu schreiben, die bei den Wählern der betreffenden Region möglichst gut ankommt. Wähle mindestens drei politische Streitfragen aus deinem Vortragsschema und bau sie in deine Rede ein. Denk daran, dass das Ziel der Rede darin besteht, möglichst viele Wähler für deinen Kandidaten zu begeistern.

Auch die Grundschullehrerin Callie Murtaugh wendet die Methode »Interaktiver Lehrervortrag« an. Heute setzt sie ihn in ihrer 2. Klasse in einer Stunde ein, in der die Kinder lernen, wie man Sätze formuliert. Als Einstieg präsentiert sie den Schülern zwei Sätze und fragt, welchen sie interessanter finden:

1. Mädchen hüpften.
2. Die Mädchen hüpften vergnügt in den Zirkus.

Nachdem die Schüler ihre Meinungen ausgetauscht und darüber diskutiert haben, wie und warum sich die beiden Sätze unterscheiden, schlägt Callie Murtaugh eine Brücke zum Thema der Stunde und erklärt den Schülern, dass sie heute »Satzgärten« anlegen werden, indem sie mithilfe der Fragen Wer?, Was?, Wohin? und Wie? neue Sätze formulieren und diese erweitern. Dazu trägt Callie Murtaugh in die mit »Wer?« beziehungsweise »Tut was?« beschrifteten Felder des Satzgartenschemas zunächst die Wörter »Jungen« und »rennen« ein. Während sie weitererklärt, füllen die Schüler die wichtigsten Felder in ihrem eigenen Satzgartenschema aus (siehe Abb. 1.2).

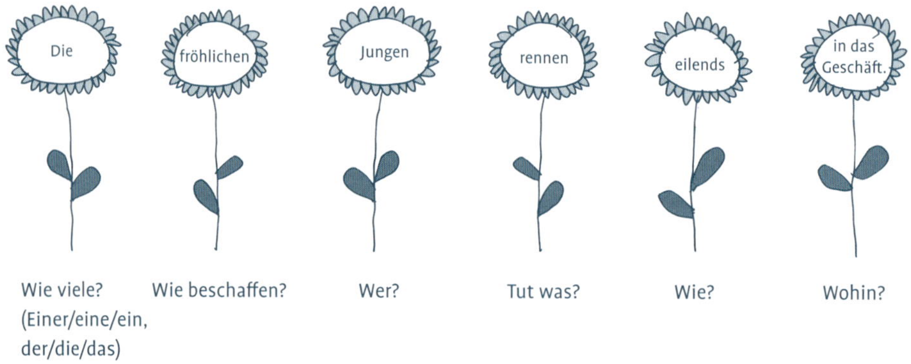

Abb. 1.2: *Satzgartenschema*

Während Callie Murtaugh und ihre Schüler im Lauf des Lehrervortrags immer neue Satzgärten anlegen, hält die Lehrerin sorgsam alle drei bis fünf Minuten inne, damit alle Schüler das Gelernte verarbeiten können. Um diesen Prozess zu unterstützen, stellt Callie Murtaugh nach jedem fertiggestellten Satzgarten eine Frage, die einen anderen Lernstil anspricht. Hier ihre Fragen:

- Welche Fragen helfen uns dabei, Sätze zu erweitern? (Schwerpunkt auf Abrufen)
- Kannst du den Satz »Schmetterlinge fliegen« erweitern? (Schwerpunkt auf Anwenden)
- Inwiefern gleicht das Schreiben eines Satzes dem Pflanzen eines Gartens? (Schwerpunkt auf metaphorischem Denken)
- Welchen Satzteil magst du am liebsten? Kannst du erklären, warum? (Schwerpunkt auf der Begründung persönlicher Vorlieben)

Am Ende des Vortrags lässt Callie Murtaugh die Schüler zunächst mit ihrem Nachbarn und dann mit der ganzen Klasse darüber sprechen, was sie gelernt haben und was ihnen in dieser Unterrichtsstunde am besten gefallen hat. Als Übung und Anregung zum Transfer fordert Callie Murtaugh die Schüler auf, mithilfe ihres Satzgartenschemas fünf Sätze zu formulieren, in denen verschiedene Menschen aus ihrer Stadt vorkommen.

Warum die Methode funktioniert

In den vergangenen Jahren hat der klassische Lehrervortrag schwierige Zeiten durchgemacht. Angesehene Forscher haben seinen Wert infrage gestellt: Er setze zu einseitig auf auditiven Input und mache Schüler zu passiven Wissensempfängern, anstatt sie zu aktivieren. Doch die meisten von uns haben wunderbare Vorträge gehört (oder gehalten), die neue Sichtweisen, neue Welten und neue Möglichkeiten erschlossen haben. Ein Vortrag kann ohne Zweifel eine sehr effektive Unterrichtsmethode sein, mit der sich in kurzer Zeit viele Informationen vermitteln lassen.

Der interaktive Lehrervortrag ist eine Methode, die Lehrern dabei helfen kann, gute Lehrervorträge zu planen und zu halten. Erstmals findet sich diese Methode bei David Ausubel (1963 und 1968). Seine Theorie des »Lernens durch sinnvolle Darstellung« hat die Grundlage dafür gelegt, die Effektivität von Vorträgen zu verbessern, indem man eine Erwartungshaltung erzeugt und eine klare Gliederung in visueller Form vorgibt (Advance Organizer).

Seit der Vorarbeit Ausubels hat sich der interaktive Lehrervortrag deutlich weiterentwickelt, hauptsächlich vor dem Hintergrund neuer Forschungsergebnisse zur Funktionsweise des menschlichen Gedächtnisses. Warum ist dieser Punkt so wichtig? Weil die Effektivität eines Vortrags in erster Linie davon abhängt, ob die vermittelten Inhalte ihren Weg ins Langzeitgedächtnis der Schüler finden. Wenn die Schüler das Vorgetragene wirklich abspeichern, ist ein Vortrag eine unglaublich effektive Unterrichtsmethode, mit der man in kurzer Zeit viel Stoff transportieren kann. Vergessen die Schüler jedoch innerhalb weniger Stunden die Zusammenhänge, so ist ein Vortrag nichts als die Verschwendung wertvoller Unterrichtszeit. In diesem Licht betrachtet lautet die Frage, die Lehrer sich stellen müssen: »Wie können wir Vorträge so planen und halten, dass sie unseren Schülern dabei helfen, wichtige Inhalte in ihrem Langzeitgedächtnis abzuspeichern?«

Dank der Forschungsarbeit von Kognitionswissenschaftlern und Psychologen wissen wir heute sehr viel darüber, wie man die Abspeicherung von Inhalten im Langzeitgedächtnis fördern kann. Zum Beispiel wissen wir, dass es nur ein Gedächtnis gibt, dieses aber unterschiedliche Funktionen erfüllt. Die drei wichtigsten Funktionen des Gedächtnisses sind (Anderson 1995):

- die über unsere fünf Sinne aufgenommenen Informationen vorübergehend zwischenzuspeichern (sensorisches Gedächtnis)

- all unser angesammeltes Wissen dauerhaft aufzubewahren und abrufbar zu machen (Langzeitgedächtnis)
- kurzzeitig Informationen aus dem Langzeitgedächtnis und dem sensorischen Gedächtnis zu aktivieren, damit wir sie verarbeiten können (Arbeitsgedächtnis)

Außerdem wissen wir, dass Informationen besser im Gedächtnis verankert werden, wenn sie auf mehrere Arten verarbeitet werden (Paivio 1990). Das Beste jedoch ist, dass wir dank der Arbeit von Forschern wie Marilee Sprenger (2005), Eric Jensen (2005) und Robert Marzano (2004) wissen, wie wir diese Erkenntnisse so in unseren Unterricht integrieren können, dass wir über das sensorische Gedächtnis die Aufmerksamkeit unserer Schüler fesseln, die ganze Kapazität ihres Arbeitsgedächtnisses aktivieren und ihnen schließlich dabei helfen können, das Gelernte im Langzeitgedächtnis zu verankern. Fasst man die Erkenntnisse der genannten Forscher zusammen, so lassen sich vier Gedächtnisprinzipien formulieren, die man bei jedem Lehrervortrag beachten sollte:
- Herstellung von Bezügen
- Ordnen
- mehrfaches Codieren
- Üben und Vertiefen

Gedächtnisprinzip »Herstellung von Bezügen«
Je deutlicher Informationen einem erkennbaren Zweck dienen und je unmittelbarer sie an bereits vorhandenes Wissen anschließen, desto leichter ist es, die Aufmerksamkeit der Schüler zu fesseln und ihr Gedächtnis zu aktivieren. Wie wird ein interaktiver Vortrag diesem Prinzip gerecht?
- Mithilfe des Einstiegs sorgt der Lehrer dafür, dass das sensorische Gedächtnis aktiviert und relevantes Vorwissen aus dem Langzeitgedächtnis abgerufen wird.
- Die Schüler können ihrer spontanen Reaktion freien Lauf lassen, indem sie ihre Gedanken aufschreiben und mit ihrem Nachbarn besprechen.
- Durch seine Überleitung baut der Lehrer eine Brücke zwischen den spontanen Reaktionen der Schüler und dem Stoff der Unterrichtsstunde.

Gedächtnisprinzip »Ordnen«
Geordnete Informationen können viel leichter verarbeitet und gespeichert werden als ungeordnete. Wie wird ein interaktiver Vortrag diesem Prinzip gerecht?
- Die Schüler haben ein visuelles Schema vor sich, das ihnen dabei hilft, den Überblick über die Gliederung und die einzelnen Abschnitte des Vortrags zu behalten.
- Der Lehrer präsentiert den Stoff in kleinen Häppchen, sodass den Schülern Zeit bleibt, die neuen Informationen im Arbeitsgedächtnis zu verarbeiten, ehe sie das nächste Häppchen serviert bekommen.

Gedächtnisprinzip »mehrfaches Codieren«
Wenn der Vortrag nicht nur aus Worten besteht, sondern visuelle, auditive, körperliche und emotionale Erfahrungen ermöglicht, werden die Informationen in mehreren Hirnregionen abgespeichert. Dadurch wird ein engerer Bezug zu ihnen hergestellt und das Abrufen erleichtert. Wie wird ein interaktiver Vortrag diesem Prinzip gerecht?
- Der Lehrer sorgt dafür, dass der Stoff im Arbeitsgedächtnis möglichst intensiv verarbeitet wird, indem er

  - visuelle Darstellungen einsetzt
  - seine Stimme moduliert
  - Lerninhalte demonstriert
  - betont und engagiert spricht
- Die Schüler wiederholen das Gehörte und vertiefen ihr Verständnis zentraler Inhalte, indem sie
  - diese mit eigenen Worten definieren
  - bildhafte Darstellungen von ihnen anfertigen
  - sich Rollenspiele oder Tableaus dazu ausdenken
  - den Gefühlen nachspüren, die das Gehörte bei ihnen auslöst

Gedächtnisprinzip »Üben und Anwenden«
Wenn man den Schülern Gelegenheit gibt, das Gelernte zu vertiefen und anzuwenden, bleibt ihr Arbeitsgedächtnis aktiviert und sammelt vielfältige Eindrücke. Das erleichtert die Verankerung des Stoffs im Langzeitgedächtnis. Wie wird ein interaktiver Vortrag diesem Prinzip gerecht?

- Der Lehrer hält alle fünf Minuten inne und stellt eine Verständnisfrage.
- Der Lehrer wechselt den Stil seiner Fragen, damit die Schüler unterschiedliche Denkmuster üben:
  - Informationen abrufen und wiederholen (wissensorientierter Stil)
  - Schlüsse ziehen (verstehensorientierter Stil)
  - die Fantasie spielen lassen und »Was wäre, wenn«-Fragen stellen (selbstverwirklichungsorientierter Stil)
  - die eigenen Gefühle und Werte erforschen (beziehungsorientierter Stil)
- Die Schüler wenden das soeben Gelernte im Rahmen einer Syntheseaufgabe oder eines Verständnistests an.

Die Methode Schritt für Schritt

1. Bereiten Sie die Schüler zum Einstieg mit einer kontroversen Frage oder einer anregenden Aufgabe auf den Vortrag vor, lassen Sie sie ihre Gedanken aufschreiben und ihre spontane Reaktion mit ihrem Nachbarn besprechen, und bauen Sie eine Brücke zwischen den spontanen Reaktionen der Schüler einerseits und dem Stoff der Unterrichtsstunde andererseits.
2. Verteilen Sie (oder erstellen Sie gemeinsam mit den Schülern) ein Schema in Diagramm-Form (Advance Organizer, z. B. als Mindmap oder Fließdiagramm).
3. Beziehen Sie bei der Präsentation des Stoffes auditive, visuelle, kinästhetische und/oder emotionale Elemente ein, um die Informationen lebendiger und einprägsamer zu machen.
4. Halten Sie etwa alle fünf Minuten inne. Lassen Sie die Schüler das Gehörte wiederholen und verarbeiten, indem Sie Verständnisfragen stellen, die unterschiedliche Denkmuster ansprechen.
5. Geben Sie den Schülern Gelegenheit, über Inhalt und Verlauf der Stunde zu reflektieren und sie zu bewerten.
6. Führen Sie als Lernzielkontrolle eine Syntheseaufgabe oder eine herkömmlichere Methode wie einen Verständnistest durch.

Eine Unterrichtsstunde mit diesem Ansatz planen

Die Planung eines interaktiven Vortrags erfordert fünf Schritte:
1. Legen Sie das Thema fest.
2. Erstellen Sie einen Advance Organizer.
3. Formulieren Sie Verständnisfragen.
4. Überlegen Sie sich einen guten Einstieg.
5. Denken Sie sich eine Syntheseaufgabe aus.

1. Legen Sie das Thema fest

Als Erstes müssen sie die wichtigen Informationen sammeln und ordnen. Denken Sie noch einmal zurück an die Beispielstunden oben: Während des Vortrags sammeln die Schüler Informationen, indem sie sich auf ihrem visuellen Schema Notizen machen. In der Planungsphase müssen Sie die Informationen zusammentragen, die Ihre Schüler später mitschreiben sollen. Das gelingt am besten, wenn Sie zunächst alle Schlüsselwörter aufschreiben, die Ihnen zum Thema in den Sinn kommen. Versuchen Sie dabei nicht, möglichst geordnet vorzugehen. Schreiben Sie einfach alles auf, was Ihnen einfällt. Bei der Planung einer Stunde zum Thema »Eine Reise durch die Jahreszeiten« hat eine Lehrerin in der 1. Klasse sich zum Beispiel Folgendes notiert:

Kälte, Schnee, keine Vögel, Weihnachten, Schlitten fahren, Advent, Jacken, Handschuhe, Fäustlinge, verschneite Tage, Skifahren, heiße Schokolade, Winterschlaf, Bäume ohne Laub, Schneemänner, kurze Tage, Schneestiefel, Pullover, Silvester, drinnen

Nachdem Sie die Stoffsammlung abgeschlossen haben, müssen Sie sich überlegen, wie alles miteinander zusammenhängt. Schauen Sie sich Ihre Schlüsselwörter an, und ordnen Sie sie in Kategorien ein. In unserem Beispiel waren die Jahreszeiten als gliedernde Elemente bereits vorgegeben; trotzdem ordnete die Lehrerin den Stoff den Kategorien Kleidung, Feiertage, Unternehmungen und Natur/Wetter zu. Solche Kategorien helfen Ihnen dabei, Ihren Vortrag in Abschnitte zu gliedern. Während Sie die einzelnen Wörter zuordnen, fallen Ihnen wahrscheinlich weitere Schlüsselbegriffe ein, die noch fehlen.

2. Erstellen Sie einen Advance Organizer

Ein visuelles Schema veranschaulicht, wie die Einzelinformationen sich zu einem großen Ganzen zusammenfügen. Nachdem Sie alle Informationen gesammelt und geordnet haben, können Sie sich an die Erstellung eines Advance Organizer machen, der Ihnen und Ihren Schülern während des Vortrags hilft, den Stoff zu gliedern. Die Entscheidung für ein gutes visuelles Schema hängt von Ihrer Fähigkeit ab, die verschiedenen Muster zu erkennen, mit denen sich Informationen strukturieren lassen. Eine Auswahl an Schemata, die sich für unterschiedliche, häufig anzutreffende Informationsmuster eignen, finden Sie in Abb. 1.3.

Baumstruktur

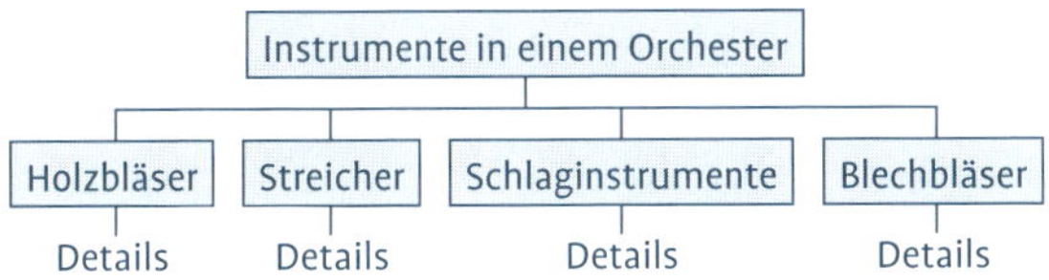

Ursachen und Wirkungen: Erfindung der Atombombe

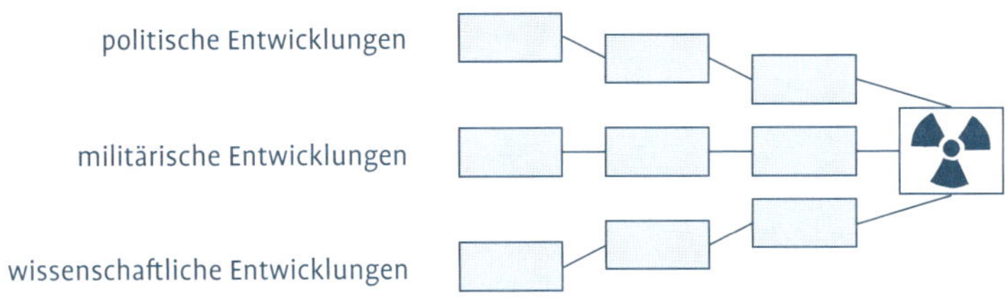

Matrix

	Transzendentalismus	Realismus	Naturalismus
Themen			
stilistische Innovationen			
wichtige Vertreter			
bedeutende Texte			

Fließdiagramm

Vom Gesetzentwurf zum Gesetz

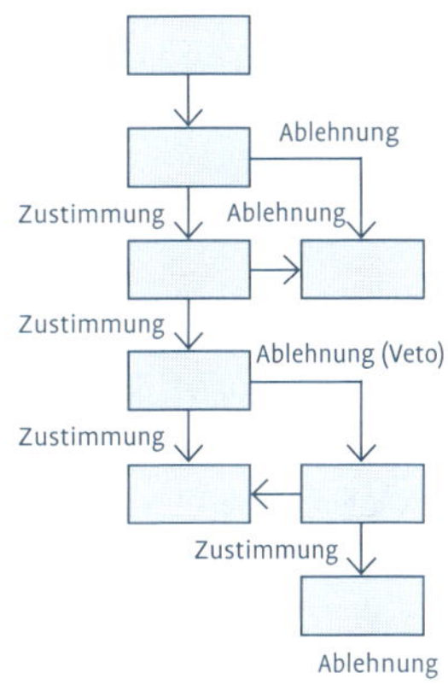

Vergleich

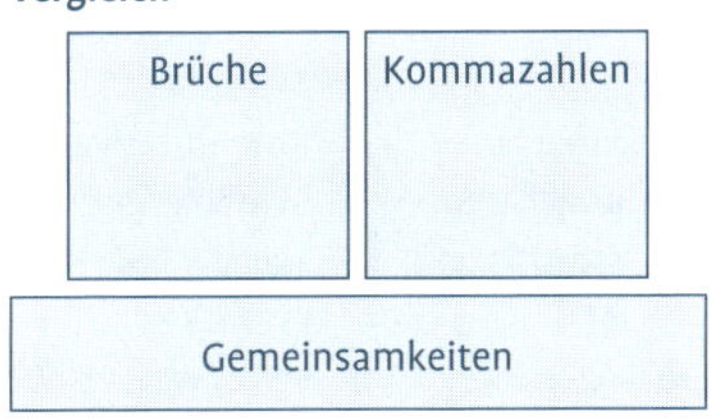

Kreislauf

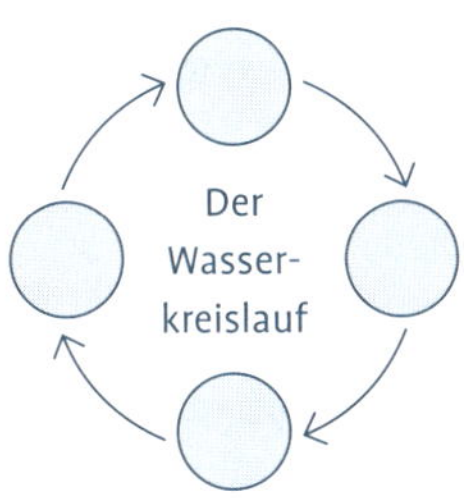

Arbeitsablauf

Themen eines Gedichts herausarbeiten

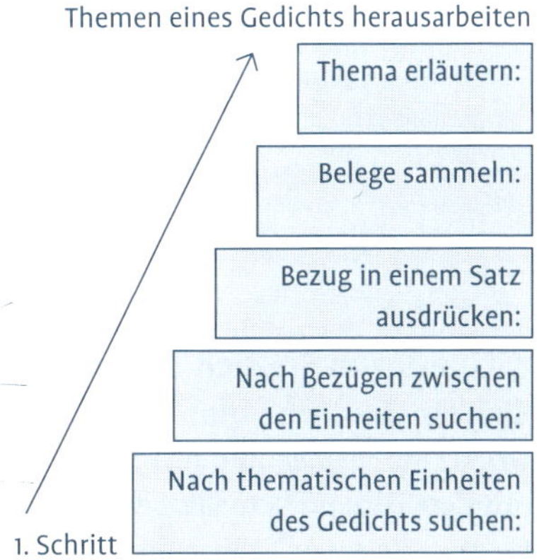

Diagramm

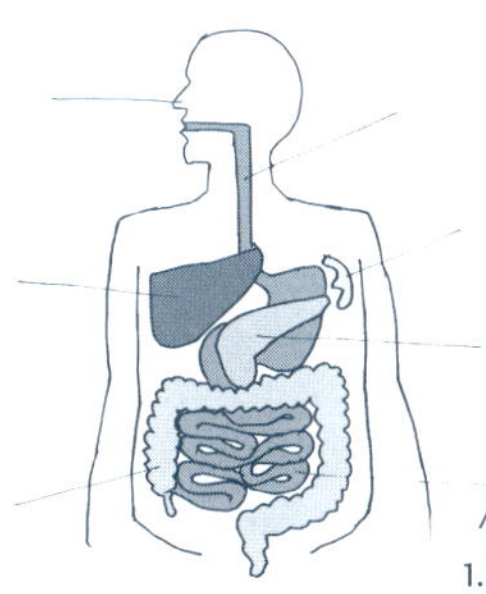

Akronym

Lösung linearer Gleichungen	
L	
O	
E	
S	
E	
N	

***Abb. 1.3:** Auswahl an Advance Organizers für die Gliederung interaktiver Vorträge*

3. Formulieren Sie Verständnisfragen

Während Sie den Stoff in ungefähr fünf Minuten lange Abschnitte einteilen, sollten Sie sich Punkte überlegen, an denen Sie Verständnisfragen stellen, um alle Schüler zu aktivieren. Indem Sie den Stil dieser Fragen variieren, geben Sie allen Schülern die Gelegenheit, sich den Stoff mithilfe ihres bevorzugten Lernstils zu erschließen. Der Einsatz möglichst vielfältiger Fragetechniken sorgt außerdem für Abwechslung, weckt Interesse und regt die Schüler an, nicht nur gemäß ihrem bevorzugtem Lernstil zu denken, sondern alle Lernstile anzuwenden. Einen Überblick über die vier Fragestile, einschließlich Beispielen aus verschiedenen Fächern, bietet Abb. 1.4. (Mehr zum Zusammenhang zwischen den vier Lernstilen und unterschiedlichen Fragetechniken finden Sie bei Methode 20, »Aufgabenzirkel«.)

Wissensorientierte Fragen, die auf das Abrufen von Informationen abzielen • Zusammenfassen: Gib mit deinen eigenen Worten wieder, was wir heute gelernt haben. • Gewichten: Was waren die zwei wichtigsten Punkte? • Erinnern: Dreh dein Blatt um und überprüfe, wie viel du dir von diesem Teil des Vortrags gemerkt hast.	**Beziehungsorientierte Fragen, die auf Gefühle, Werte und persönliche Erfahrungen abzielen** • Gefühle: Welche dieser Fragen berührt dich am meisten? Warum? • Vorlieben: Welchen Schritt der Auflösung eines Polynoms findest du am schwierigsten, welchen am leichtesten? Warum? • Rollenspiele/Empathie: Stell dir vor, du wärst ein Schüler im Deutschland der NS-Zeit. Wie würdest du damit umgehen, wenn dein Freund einen Judenstern tragen müsste?
Verstehensorientierte Fragen, bei denen das Analysieren und das Arbeiten mit Belegen im Mittelpunkt stehen • Gemeinsamkeiten und Unterschiede finden: Inwiefern gleichen sich die Einstellungen der Amerikaner gegenüber den Briten von 1763 und 1773, inwiefern unterscheiden sie sich? • Thesen aufstellen: Analysiere die Fakten in deinem Schema und finde mögliche Ursachen und Wirkungen! • Belegen: Finde Informationen in deinem Schema, die folgende Aussage beweisen oder widerlegen: *Division ist nichts anderes als eine komplizierte Form der Subtraktion.*	**Selbstverwirklichungsorientierte Fragen, mit denen die Fantasie angesprochen wird** • Metapher: Denk dir eine Metapher für das Kommutativgesetz aus. • Symbole: Entwirf eine Fahne, die symbolisiert, was wir über die spanischen Entdeckungsfahrer wissen. • »Was wäre, wenn?«: Was würde passieren, wenn das dritte newtonsche Gesetz falsch wäre? Überlege, welche Konsequenzen es hätte, wenn es zu jeder Kraft eine doppelt so starke beziehungsweise halb so starke Gegenkraft gäbe.

Abb. 1.4: *Die vier Fragestile*

4. Überlegen Sie sich einen guten Einstieg

Ein *Einstieg* ist eine kontroverse Frage oder Aufwärmübung, die das Interesse der Schüler weckt, ihr Denken in eine bestimmte Richtung lenkt und Gedächtnisinhalte aktiviert, die mit dem neuen Thema in Beziehung stehen. Ausgangspunkt für die Suche nach dem richtigen Einstieg sollte Ihre Stoffsammlung sein. Überlegen Sie, unter welchem Oberbegriff sich die Punkte auf Ihrer Liste zusammenfassen lassen. So wie bei den Wiederholungsfragen empfiehlt es sich auch hier, den Einstieg jeweils zu variieren, um unterschiedliche

Lernstile anzusprechen. Im Folgenden vier Beispiele für Einstiege, mit denen Sie auf die Bedürfnisse bestimmter Lerntypen eingehen können, einschließlich der Überleitungen von den Antworten der Schüler zum Thema der Stunde.

Wissen

- *Einstieg:* Denkt eine Minute über die wissenschaftliche Klassifikation von Lebewesen nach. Was wisst ihr darüber, wie Wissenschaftler Organismen in Kategorien einteilen?
- *Überleitung:* Gut! Ihr wisst schon ziemlich viel über die Einteilung von Lebewesen. Dann lasst uns mal auf diesem Vorwissen aufbauen und euer Wissen vertiefen.

Verstehen

- *Einstieg:* Ihr seht hier vier Teilungsaufgaben, zwei, die aufgehen, und zwei, bei denen ein Rest bleibt. Welche Unterschiede fallen euch auf? Was könnte der Grund für diese Unterschiede sein?
- *Überleitung:* Gut! Schauen wir uns ein paar weitere Teilungsaufgaben an, um herauszufinden, ob ihr mit euren Vermutungen richtig liegt.

Selbstverwirklichung

- *Einstieg:* Stellt euch vor, ihr kämt in 200 Jahren in die USA zurück und müsstet feststellen, dass sie ihren Status als Supermacht verloren haben. Was könnte diese Veränderung ausgelöst haben?
- *Überleitung:* Gut! Schauen wir uns den Untergang des Römischen Reichs an, und überlegen wir, ob es irgendwelche Parallelen zu den USA gibt.

Beziehung

- *Einstieg:* Ruft euch eine Situation in Erinnerung, in der euch jemand dazu gebracht hat, eure Meinung zu ändern. Warum habt ihr es euch damals anders überlegt?
- *Überleitung:* Gut! Ihr habt gerade beschrieben, wie man andere überzeugen kann. Versuchen wir, mehr über die Kunst der Überredung herauszufinden, und schauen wir uns am Beispiel einer begnadeten Rednerin an, wie man das Publikum auf seine Seite zieht.

5. Denken Sie sich eine Syntheseaufgabe (oder einen Verständnistest) aus

Sie können die Schüler den neuen Stoff, den sie im Lauf Ihres Vortrags gelernt haben, sofort mit ihrem Vorwissen verknüpfen und praktisch anwenden lassen; Sie können die Lernzielkontrolle aber auch auf später verschieben. Da der Zweck eines interaktiven Vortrags sich nicht von dem eines herkömmlichen Vortrags unterscheidet, können Sie den Lernzuwachs bei Ihren Schülern mit einem Verständnistest überprüfen. Alternativ können Sie den Schülern auch eine Syntheseaufgabe stellen, bei der sie das Gelernte anwenden müssen, um etwas Sinnvolles zu erstellen. Die Lehrerin in der 1. Klasse, die uns weiter oben in diesem Kapitel begegnet ist, ließ die Schüler nach ihrem Vortrag zu den vier Jahreszeiten zum Beispiel ein »Tagebuch eines Baums« mit einem Bild und einem Eintrag zu jeder Jahreszeit anfertigen.

Variationen und Ergänzungen

Gut vortragen zu können ist eine Kernkompetenz, nicht nur für die Schule, sondern fürs Leben. An diese Fähigkeit werden die Schüler schon in der Vorschule herangeführt, etwa wenn sie der Gruppe ihr Lieblingsbuch oder einen anderen Gegenstand vorstellen sollen. In der Schule müssen sie dann lernen, an Diskussionen teilzunehmen und Inhalte ansprechend zu präsentieren. Auf dem Arbeitsmarkt sind heute Bewerber gefragt, die mit der permanenten Informationsflut umgehen und Informationen nicht nur sammeln und einordnen, sondern sie anderen auch verständlich und gut strukturiert präsentieren können.

Schülerreferate erfüllen zweierlei Zwecke. Erstens können sie Ihnen als Lernzielkontrolle dienen: Sind alle wichtigen Informationen enthalten? Gibt es eine klare Gliederung, aus der der Zusammenhang zwischen wichtigen Punkten und Details hervorgeht? Indem Sie Schüler bitten, ein Referat auszuarbeiten und vorzutragen, können Sie zweitens die Kommunikationsfähigkeit Ihrer Schüler prüfen sowie ihre Fähigkeiten, Recherchetechniken anzuwenden und Wichtiges von Unwichtigem zu unterscheiden.

Die Bandbreite an Präsentationstechniken, auf die Schüler dabei zurückgreifen können, ist groß. Abbildung 1.5 zeigt sieben häufig angewendete Formen der Präsentation und gibt an, für welchen Zweck sie sich eignen und nach welchen Kriterien sie in der Regel bewertet werden. Sobald Sie die Schüler mit den Anforderungen der einzelnen Präsentationsformen vertraut gemacht haben, können Sie entsprechende Arbeitsaufträge erteilen.

Zur Abrundung dessen, was wir in diesem ersten Kapitel behandelt haben, hier eine Aufgabe, die sich ein Lehrer für seine 5. Klasse ausgedacht hat.

Im Lauf der nächsten Wochen werden wir eine Reihe von Kurzgeschichten lesen. Dabei wollen wir genau darauf achten, wie die Autoren Figuren charakterisieren (Was empfinden sie? Wie reagieren sie auf Ereignisse?) und wie sie die Handlung der Geschichte entwickeln (Was passiert? Wo spielt sich die Geschichte ab? Welche Probleme tauchen auf? Wie werden sie gelöst?). Während dieser Lesephase macht ihr euch Notizen dazu, wie die Autoren Figuren, Schauplätze, Konflikte und Auflösungen gestalten. Danach schreibt ihr selbst eine Geschichte. In der Geschichte müssen mindestens zwei Figuren vorkommen, sie muss einen interessanten Schauplatz haben und sich um irgendeine Art von Problem oder Konflikt drehen. Am Ende lest ihr eure Geschichte der ganzen Klasse vor. Die Bewertung erfolgt auf der Grundlage folgender Kriterien:

- Hat die Geschichte eine gut entwickelte, erfindungsreiche Handlung?
- Lässt sie ein Verständnis der Erzähltechniken erkennen, die wir im Unterricht behandelt haben?
- Wird die Geschichte leidenschaftlich und engagiert vorgelesen?

Form	Ziel	Bewertungskriterien
Wiedergeben	sagen, was passiert ist	Die Abfolge der Ereignisse wird korrekt wiedergegeben.
Lehren	ein Thema präsentieren oder eine Kompetenz demonstrieren	Der Stoff bzw. die Ausführung der Kompetenz wird verständlich vermittelt.
Erzählen	unterhalten, informieren, Gedanken und Überlegungen mitteilen	Die Informationen werden unterhaltsam wiedergegeben.
Berichten	den Wissensstand zu einem bestimmten Thema wiedergeben	Die Informationen werden verständlich und gut gegliedert präsentiert.
Erklären	Ursachen und/oder Wirkungen beschreiben	Ursachen und Wirkungen werden logisch erklärt; es geht nicht um das Was, sondern um das Wie.
Argumentieren	einen Standpunkt darlegen und begründen	Ein nachvollziehbarer Standpunkt wird beschrieben, Argumente und Gründe werden geliefert und auch Gegenargumente berücksichtigt.
Nachforschen	eine These aufstellen und durch Recherche untermauern	Eine gut formulierte und nachvollziehbare These wird präsentiert; zur Untermauerung werden viele unterschiedliche Quellen zitiert.

Abb. 1.5: *Die sieben Formen der Präsentation*

Methode 2: Direkte Vermittlung

Wie passt die Strategie in die Unterrichtseinheit?

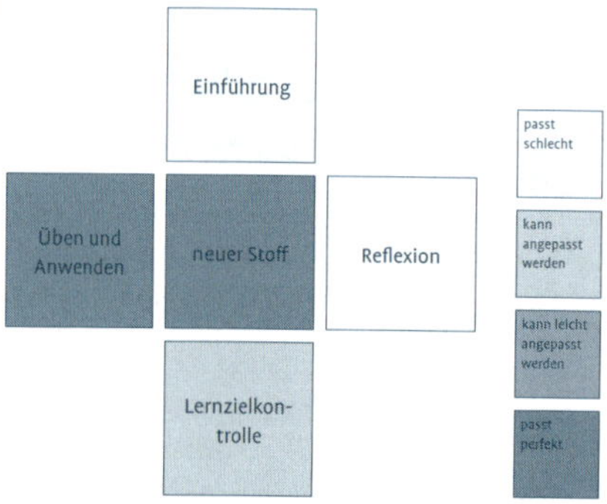

Welche Lerntypen spricht die Strategie an?

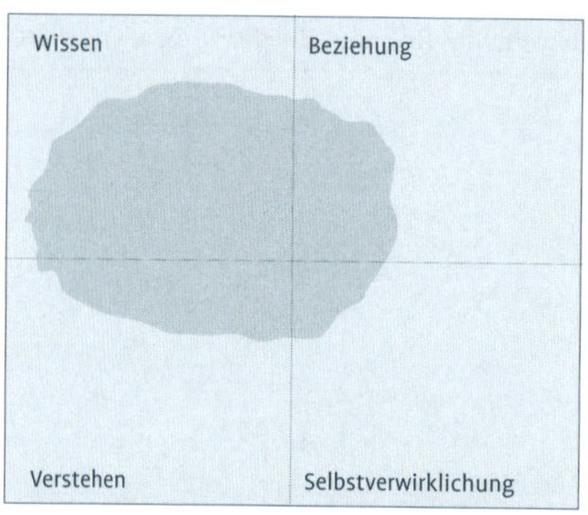

Welche Aspekte des Lernens lassen sich mithilfe der Strategie weiterentwickeln?

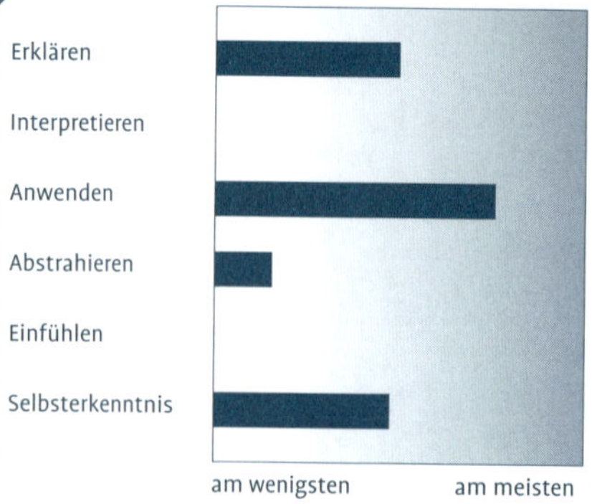

Welche Kernkompetenzen werden mit dieser Strategie geschult?

Lesen und Lernen
- ● durch das Anfertigen von Notizen Ideen sammeln und ordnen
- ○ abstrakte akademische Begriffe erschließen
- ○ visuelle Darstellungen erfassen und interpretieren

Logisch denken und analysieren
- ○ Schlussfolgerungen ziehen; Hypothesen und Vermutungen anstellen und überprüfen
- ○ anhand vorgegebener Kriterien Vergleiche durchführen
- ● mit ganz unterschiedlichen Aufgabenstellungen klarkommen

Kreativ sein und kommunizieren
- ○ verständlich formulierte, schlüssige Erklärungen schreiben
- ○ sicherer schriftlicher Ausdruck in Sachtexten
- ○ zwei oder mehr Texte lesen und darüber schreiben

Reflektieren und Bezüge herstellen
- ● Pläne aufstellen, um komplexe Fragen oder Aufgaben zu lösen
- ● eigene Arbeit anhand von Kriterien und Checklisten evaluieren
- ● die eigene Stimmung und spontane Regungen kontrollieren/beeinflussen

Inwiefern berücksichtigt die Strategie Forschungsergebnisse über effektiven Unterricht?

- ○ Gemeinsamkeiten und Unterschiede erkennen
- ● zusammenfassen und Notizen machen
- ● Anstrengungen verstärken und anerkennen
- ● Hausaufgaben und Übungen
- ○ nicht sprachliche Darstellungsformen
- ○ kooperatives Lernen
- ● Ziele setzen und Feedback geben
- ○ Hypothesen aufstellen und überprüfen
- ○ Hinweise, Fragen und Diagramme zur Wissensstrukturierung (»Advance Organizer«)

Welche Arten von Wissen vermittelt die Strategie?

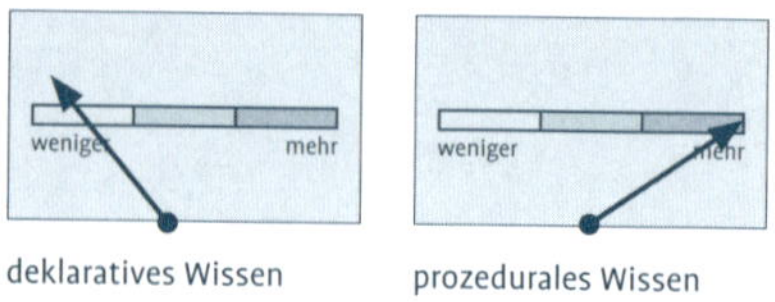

Überblick

Seit vielen Jahren wird Unterrichtsmethoden das Wort geredet, die das fragende und entdeckende Lernen im Sinne des Konstruktivismus in den Vordergrund stellen. Dadurch hat das Image von direkten, lehrerzentrierten Unterrichtsformen sehr gelitten. Diese Entwicklung ist sehr bedauerlich, denn sie beruht auf einem allzu starren Entweder-oder-Denken. Manche Themen eignen sich hervorragend für entdeckendes Lernen. Daneben gibt es aber auch Kompetenzen, die Schüler einfach beherrschen und einsetzen können müssen, ohne lange zu überlegen.

Wir haben bereits gesehen, wie der lehrerzentrierte Ansatz bei einem interaktiven Lehrervortrag zur Vermittlung von deklarativem Wissen dienen kann. In diesem Kapitel geht es darum, wie man mithilfe dieses Ansatzes Kompetenzen, also prozedurales Wissen vermittelt. Die Methode »Direkte Vermittlung« beruht auf der Arbeit von Madeline Hunter (auf den neuesten Stand gebracht von Robin Hunter 2004) und besteht aus vier Phasen, in denen Kompetenzen einfach und dauerhaft verankert werden:

1. **Vormachen:** Der Lehrer führt die Kompetenz vor, »denkt« dabei laut mit und erläutert die einzelnen Schritte.
2. **gelenktes Üben:** Der Lehrer lenkt die Schüler mit Fragen durch die einzelnen Schritte und hilft ihnen, die Gründe für die Notwendigkeit der einzelnen Schritte zu erkennen.
3. **angeleitetes Üben:** Die Schüler entwickeln ihre eigenen Fragen, die sie durch die einzelnen Schritte leiten. Der Lehrer beobachtet, gibt Feedback und (falls nötig) Hilfestellung.
4. **selbstständiges Üben:** Schließlich arbeiten die Schüler selbstständig an weiteren Beispielaufgaben.

Die Methode im Einsatz

Jaidee Sakda hat ihren Schülern im Chemieunterricht in der 11. Klasse gerade eine wichtige Frage gestellt: »Wie gleicht man eine chemische Gleichung aus?« Sie sagt: »Diese Frage wollen wir heute gemeinsam beantworten. Dabei wenden wir eine Methode an, die sich ›Direkte Vermittlung‹ nennt.« Nachdem sie erklärt hat, wie direkte Vermittlung funktioniert, schreibt Jaidee Sakda die Schritte, die beim Ausgleichen einer chemischen Gleichung notwendig sind, an die Tafel. Sie weist die Schüler an, auf einer neuen Seite in ihrem Heft zwei Spalten zu machen und links die Schritte untereinanderzuschreiben. Als Nächstes schreibt sie eine Beispielgleichung an die Tafel und führt den Schülern die einzelnen Schritte vor. Die Schüler schauen und hören ihr zu und notieren das Beispiel in der rechten Spalte ihres Hefts. Während dieser Vorführphase entsteht an der Tafel und in den Schülerheften eine Anweisung in zwei Spalten (siehe Abb. 2.1).

1. Schritt: Schreibe die Gleichung auf.	Propan + Sauerstoff	=	Kohlendioxid + Wasserdampf
2. Schritt: Wandle die chemischen Bezeichnungen in die richtigen Symbole um.	$C_3H_8 + O_2$	=	$CO_2 + H_2O$
3. Schritt: Vergleiche für jedes Element die Anzahl der Atome auf der linken und rechten Seite der Gleichung, um Ungleichgewichte festzustellen.	Kohlenstoff: 3 Wasserstoff: 8 Sauerstoff: 2		Kohlenstoff: 1 Wasserstoff: 2 Sauerstoff: 3
4. Schritt: Gleiche zunächst die komplexen Moleküle aus, indem du die entsprechende Seite der Gleichung vervielfachst.	$C_3H_8 + O_2$	=	$3\,CO_2 + 4\,H_2O$
5. Schritt: Gleiche auf der Grundlage der im 4. Schritt vorgenommen Veränderungen als Letztes die Elemente aus.	$C_3H_8 + 5\,O_2$	=	$3\,CO_2 + 4\,H_2O$
6. Schritt: Vergewissere dich noch einmal, dass alle Elemente wirklich ausgeglichen sind.	Kohlenstoff: 3 Wasserstoff: 8 Sauerstoff: 10		Kohlenstoff: 3 Wasserstoff: 8 Sauerstoff: 10

***Abb. 2.1:** Direkte Vermittlung: Wie man chemische Gleichungen ausgleicht*

Jaidee Sakda fordert die Schüler auf, eine neue Seite in ihrem Heft anzufangen. Sie wischt die Tafel und schreibt eine neue Aufgabe an: *Wenn man Aluminium erhitzt, reagiert es mit Kupferoxid zu Kupfer und Aluminiumoxid.*

»Jetzt versuchen wir uns an einem neuen Beispiel«, erklärt die Lehrerin, »ohne dass wir die Liste der einzelnen Schritte vor Augen haben. Stattdessen stelle ich euch Fragen, die euch durch den Prozess leiten und euch helfen, euch an den jeweils nächsten Schritt zu erinnern.« Zur Unterstützung der Schüler greift Jaidee Sakda auf einfache Leitfragen zurück. Sie fragt zum Beispiel: »Wie lautet die Formel von Aluminiumoxid?«, oder: »So, nun haben wir die Gleichung aufgeschrieben. Was kommt als Nächstes?« Gleichzeitig achtet die Lehrerin darauf, Fragen einzuflechten, die den Schülern den mathematischen und wissenschaftlichen Hintergrund der einzelnen Schritte verständlich machen, wie zum Beispiel:

»Warum müssen wir das Kupferoxid mal drei nehmen?«, oder: »Wer kann mir sagen, inwiefern dieser Schritt in unserem Propan-und-Sauerstoff-Beispiel anders ausgesehen hat? Könnt ihr erklären, warum?«

Nachdem sie auf diese Weise zwei Beispiele durchgearbeitet haben, teilt Jaidee Sakda den Schülern drei weitere Aufgaben aus. »Ich möchte, dass ihr diese drei Beispiele jetzt allein löst und dabei so vorgeht, wie wir es gerade gelernt haben. Wiederholt zuerst die einzelnen Schritte, und stellt euch vor eurem geistigen Auge vor, wie ihr sie anwendet. Danach solltet ihr nach Möglichkeit vermeiden, in euer Heft zu schauen. Wenn ihr irgendwo hängen bleibt, führt ihr euch den entsprechenden Schritt noch einmal vor Augen und stellt euch selbst Fragen, wie wir es bisher gemeinsam getan haben. So leitet ihr euch durch logisches Denken selbst zum Ziel.«

Während die Schüler mit der Lösung dieser Aufgaben beschäftigt sind, geht die Lehrerin von Pult zu Pult, beobachtet die Schüler bei der Arbeit und verteilt Lob und Feedback. Vor allem jedoch achtet sie darauf, dass die Schüler sich an die Schritte halten. Als eine Schülerin, Marie, einen Schritt auslässt, korrigiert die Lehrerin sie nicht einfach, sondern hilft ihr, herauszufinden, wo der Denkfehler liegt. Sie fragt: »Okay, also warum hast du das gerade gemacht?«, und: »Warum ist es am einfachsten, die reinen Elemente erst nach den komplexen Molekülen auszugleichen?« Außerdem ermuntert Jaidee Sakda die Schüler, auf Hilfekärtchen die Schritte aufzuschreiben, mit denen sie noch Schwierigkeiten haben.

Als die Stunde sich dem Ende nähert, gibt Jaidee Sakda den Schülern lediglich drei Aufgaben für zu Hause auf – und liefert auch die Lösung gleich mit. Als die Schüler sie verdutzt anschauen, sagt sie: »Drei Aufgaben inklusive Lösung? Bin ich verrückt geworden? Keineswegs – zumindest habe ich noch nichts davon bemerkt. Bei diesen drei Aufgaben sollt ihr zweierlei tun: Erstens sollt ihr alle Zwischenschritte aufschreiben. Ihr könnt anhand der Lösungen überprüfen, ob ihr richtig liegt, aber ich möchte sehen, dass ihr die einzelnen Schritte durchgegangen seid. Zweitens sollt ihr – mit eigenen Worten – aufschreiben, was ihr bei jedem Schritt getan habt.« Der Zweck dieser Aufgabe besteht darin, dass die Schüler sich auf das Verfahren konzentrieren und die Schritte verinnerlichen. Indem sie ihnen mehrere kurze Aufgaben stellt, gibt die Lehrerin den Schülern Gelegenheit, die Kompetenz häufiger und für kürzere Zeitabschnitte zu üben – eine Methode, die erwiesenermaßen dafür sorgt, dass neue Kompetenzen möglichst fest verankert werden.

Warum die Methode funktioniert

Die Studienergebnisse sind eindeutig: Lehrer, die sich mehr Zeit nehmen, Verfahrensweisen und Kompetenzen zu demonstrieren und zu erklären, sind effektiver als ihre Kollegen (Rosenshine 1985). Zahlreiche Studien belegen, dass direkte Vermittlung eine ideale Methode ist, Schülern neue Kompetenzen beizubringen, auch Schülern mit besonderem Förderbedarf (Hastings, Raymond und McLaughlin 1989; Wilson und Sindelar 1991; Woodward 1991; Tarver und Jung 1995). Aber was macht eine gute Unterrichtsstunde aus, die auf die Methode der direkten Vermittlung setzt? Die erfolgreiche Umsetzung dieser Methode in die Praxis beruht auf diesen Prinzipien:

- effektives Vormachen
- zunehmende Selbstständigkeit
- Lernen durch Fragen
- ständige Lernzielkontrolle

Effektives Vormachen

Direkte Vermittlung beginnt mit einer guten Vorführphase, in der jeder einzelne Schritt vorgemacht wird. In einer guten Vorführphase wird den Schülern klar, welche Ziele sie erreichen sollen und was von ihnen erwartet wird. Und schließlich gehört zu einer guten Vorführphase, dass die Schüler nicht nur die einzelnen Schritte lernen, sondern auch, wie man bei jedem Schritt laut mitdenkt und sich klarmacht, was dabei im Kopf vorgeht.

Zunehmende Selbstständigkeit

Das eigentliche Ziel beim Unterrichten einer Kompetenz besteht darin, dass die Schüler sie am Ende selbstständig und ohne Hilfestellung des Lehrers anwenden können. Durch die vier Phasen auf dem Weg zum Erwerb einer Kompetenz (Vormachen, gelenktes Üben, angeleitetes Üben, selbstständiges Üben) führt direkte Vermittlung die Schüler Schritt für Schritt zur Selbstständigkeit.

Lernen durch Fragen

Fragen spielen beim Kompetenzerwerb eine entscheidende Rolle, weil sie die Schüler zwingen, die einzelnen Schritte zu analysieren. Wenn ein Lehrer es versäumt, Fragen in eine Unterrichtsstunde einzubauen, die auf Methode 2, »Direkte Vermittlung«, aufbaut, kann es sein, dass die Schüler die »formative Phase« (Marzano, Pickering und Pollock 2001) nicht durchlaufen – jene kritische Phase des Lernprozesses, in der die Schüler ein tief greifendes konzeptuelles Verständnis der zu lernenden Kompetenz entwickeln. In der Phase des gelenkten Übens greift der Lehrer auf zwei Typen von Fragen zurück, um ihnen das Verfahren näherzubringen und sie dabei zu unterstützen, ihr Verständnis zu »formen«:

- Mit *prozeduralen Fragen* werden die Schüler aufgefordert, einen bestimmten Schritt zu beschreiben (z. B.: »Was ist der nächste Schritt bei einem Freiwurf?«).
- Bei *konzeptuellen Fragen* müssen die Schüler den Schritt analysieren oder die Logik erklären, die dahintersteckt (z. B.: »Warum ist es wichtig, in die Knie zu gehen, ehe man den Basketball in Wurfposition bringt? Inwiefern gleicht das Werfen eines Basketballs dem ›Pritschen‹ beim Volleyball? Inwiefern unterscheidet sich die Technik?«).

Danach, beim angeleiteten Üben, formulieren die Schüler ihre eigenen Fragen, während sie die Schritte mit weniger Hilfestellung des Lehrers durchgehen.

Ständige Lernzielkontrolle

Wenn ein Lehrer auf Kosten des Übens Leistung betont, neigen die Schüler dazu, sich auf Noten zu fixieren und ihre Fehler zu vertuschen, anstatt sich die Zeit zu nehmen, aus ihnen zu lernen. Um dieses Problem zu entschärfen, werden bei der direkten Vermittlung zahlreiche Übungsmöglichkeiten eingebaut, damit die Schüler aus ihren Fehlern lernen und ihre Lernkompetenz steigern können. In der Übungsphase sollten die Schüler Gelegenheit haben, zusammenzuarbeiten und sich auszutauschen. Der Lehrer sollte dabei beraten, fachliches Input und Feedback geben wie ein Coach. Außerdem sollten die Schüler in dieser Phase Kriterien an die Hand bekommen, wie die erfolgreiche Anwendung der Kompetenz aussieht, damit sie ein Vorbild im Kopf haben, dem sie nacheifern können. Ein befreundeter Lehrer spricht im Zusammenhang mit dieser Art der Lernzielkontrolle von den drei A: Abschätzen (inwiefern die Übungsphase erfolgreich verlaufen ist), Analysieren (ob die Kriterien für eine erfolgreiche Umsetzung eingehalten sind) und Anpassen (um die Leistung zu verbessern).

Die Methode Schritt für Schritt

1. Wählen Sie eine Kompetenz, und unterteilen Sie sie in eine Reihe eindeutiger Schritte.
2. Führen Sie die Kompetenz vor, indem Sie die einzelnen Schritte vormachen und ihre Notwendigkeit begründen.
3. Lassen Sie die Schüler gelenkt üben: Stellen Sie hierzu prozedurale und konzeptuelle Fragen, damit die Schüler sich die Notwendigkeit der einzelnen Schritte bewusst machen, ihre Abfolge aufschreiben und die Kompetenz anwenden können.
4. Bevor Sie zur Phase des angeleiteten Übens übergehen, lassen Sie die Schüler die Anleitung, die sie sich im dritten Schritt notiert haben, noch einmal durchlesen und sich vor ihrem geistigen Auge vorstellen, wie sie die Kompetenz anwenden.
5. Gehen Sie zum angeleiteten Üben über, indem Sie den Schülern einige Beispielaufgaben stellen. Ermuntern Sie die Schüler, mit Visualisierung zu arbeiten, sich selbst Fragen zu stellen und sie zu beantworten, während sie die Schritte durchgehen. Beobachten Sie, und geben Sie Feedback und Hilfestellung.
6. Verteilen Sie weitere Aufgaben beziehungsweise Beispiele für selbstständiges Üben.
7. Maximieren Sie den Lernerfolg, indem Sie zu Beginn intensiv üben (sprich mehrere, nur wenige Minuten lange Übungsphasen durchführen) und dann immer wieder Übungsphasen einbauen, sodass für regelmäßige Wiederholung gesorgt ist.
8. Verbinden Sie die Kompetenz mit einem Test oder einer Lernzielkontrolle, damit die Schüler die Kompetenz in einem sinnvollen Kontext anwenden.

Eine Unterrichtsstunde mit dieser Methode planen

Wenn Sie Ihren Schülern eine Kompetenz mittels direkter Vermittlung beibringen wollen, müssen Sie folgende Schritte in Angriff nehmen:

1. Legen Sie fest, welche Kompetenz Ihre Schüler lernen sollen

Direkte Vermittlung sollten Sie immer dann anwenden, wenn Kompetenzen auf dem Lehrplan stehen, bei deren Erlernen die Schüler Hilfe benötigen. Besonders geeignet ist diese Methode für komplexe Fertigkeiten, bei denen es um komplizierte Abläufe geht. Beispiele hierfür sind die Durchführung eines mathematischen Beweises, das Herausarbeiten eines literarischen Motivs, das Erlernen von Tanzschritten, die schrittweise Durchführung eines Experiments, das Ziehen von Analogieschlüssen oder das Lösen von Textaufgaben.

2. Arbeiten Sie heraus, in welche Schritte sich die Kompetenz zerlegen lässt, und formulieren Sie gezielte Fragen

Erstellen Sie eine Liste von eindeutig zu unterscheidenden Schritten. Konzentrieren Sie sich auf die wirklich wichtigen und lassen Sie zweitrangige weg. Eine Grundschullehrerin, die ihren Schülern beibringen wollte, wie man die Fläche eines Rechtecks berechnet, erstellte zum Beispiel folgende Liste (und ließ damit zweitrangige Fragen weg, etwa wie vorzugehen ist, wenn man es mit Brüchen oder Dezimalzahlen zu tun hat):

- Stelle die Länge *(l)* und Breite *(b)* des Rechtecks fest.
- Wähle die richtige Formel ($A = l \times b$).
- Setze die Werte für *l* und *b* in die Formel ein.
- Berechne A.

Während der Phase des gelenkten Übens führen Sie die Schüler mithilfe einer Reihe von gezielten Fragen durch die einzelnen Schritte. Die Fragen ermöglichen es den Schülern, sich ein eigenes »Bild« von der Kompetenz zu machen. Man kann zu diesem Zweck prozedurale Fragen verwenden (z. B.: »Nachdem wir nun eine Hypothese aufgestellt haben: Was ist der nächste Schritt der wissenschaftlichen Methode?«) oder die Schüler mit konzeptuellen Fragen dazu bringen, »hinter die Kulissen« zu schauen und die Motivation und die Logik zu analysieren, die einer Kompetenz zugrunde liegen (z. B.: »Warum ist es wichtig, sowohl vor als auch nach dem Aufstellen einer Hypothese Daten zu sammeln?«).

3. Finden Sie Beispiele für die verschiedenen Übungsphasen
Nach dem Vorführen brauchen Sie ein Repertoire an Beispielen für die Phasen des angeleiteten und des selbstständigen Übens. Wenn es bei der Anwendung der Kompetenz unterschiedliche Schwierigkeitsgrade gibt, sollten Sie mit leichteren Aufgaben anfangen und die schwierigsten für einen späteren Zeitpunkt aufheben, nachdem die Schüler unter Beweis gestellt haben, dass sie das Verfahren beherrschen und jeden einzelnen Schritt kompetent ausführen können.

4. Stellen Sie einen Zeitplan für die Übungsphasen auf
Wenn Sie erreichen wollen, dass die Schüler die Kompetenz wirklich und dauerhaft beherrschen, müssen Sie ihnen nach der Vermittlung Gelegenheit zum Üben geben. Die Frage, die Sie sich beim Ausarbeiten eines entsprechenden Zeitplans stellen müssen, lautet: »Wie häufig sollte man Übungsphasen einbauen?« Die Antwort hängt laut Marzano, Norford, Paynter, Pickering und Gaddy (2001) davon ab, um welche Phase es geht.

Zu Beginn sollten Sie die Übungen eng staffeln. Ideal sind kurze Übungsphasen in geringem Zeitabstand – falls möglich, öfter als einmal am Tag. Je besser die Schüler mit der Kompetenz vertraut sind, desto länger können die Abstände zwischen den Übungsphasen werden. Viele Übungen in kurzem Abstand beschleunigen den Lernprozess. Ist die Kompetenz gelernt, fördern gelegentliche Wiederholungsübungen das Behalten.

5. Wählen Sie oder denken Sie sich eine Syntheseaufgabe aus, bei der die Schüler die neue Kompetenz einsetzen müssen
Üben ist kein Selbstzweck, sondern immer Mittel zum Zweck. Früher oder später müssen die Schüler die neu erworbene Kompetenz anwenden. Vergessen Sie also nicht, Ihren Schülern Gelegenheit zu geben, die Kompetenz im Zusammenhang mit einer sinnvollen Aufgabe oder Lernzielkontrolle anzuwenden.

Variationen und Ergänzungen

Eine Variation der direkten Vermittlung ist die sogenannte »Kommandomethode«. Abgeleitet ist sie aus dem militärischen Drill, bei dem die Soldaten ein Kommando zunächst verarbeiten, ehe sie es ausführen. Mit der Kommandomethode können Lehrer absolute Genauigkeit bei der Ausführung einer Aufgabe oder Anweisung erreichen, indem sie das Verhalten der Schüler einhundertprozentig kontrollieren. Dies gelingt dadurch, dass die Schüler mit Kommandos durch eine Abfolge einfacher Schritte geleitet werden. Hier das Beispiel einer Stunde über Pflanzen (die Kunst- und Sachunterricht miteinander verbindet), die Stacey Cancion in einer 2. Klasse durchgeführt hat.

1. Gliedern Sie die Aufgabe in einfache Schritte oder Kommandos.
Stacey Cancion möchte, dass ihre Schüler die wichtigsten Teile von Blütenpflanzen erkennen, sie benennen und ihre Funktion beschreiben können. Sie lässt ihre Schüler eigene Pflanzen »kreieren«, indem sie Blüten, Stiele, Blätter und Wurzeln aus Bastelpapier ausschneiden und auf Pappe aufkleben. Diese Aufgabe lässt sich leicht in einzelne Kommandos aufteilen: Die Lehrerin fordert die Schüler für jeden Pflanzenteil auf, ihn

1. auszuschneiden,
2. aufzukleben,
3. zu beschriften und schließlich
4. eine kurze Beschreibung seiner Funktion zu notieren.

2. Erklären Sie die Aufgabe und das Kommandowort.
»Heute«, sagt Stacey Cancion, »lernen wir die wichtigsten Teile einer Pflanze kennen, wie diese Teile das Überleben der Pflanze sichern und wie sie ihr helfen, weitere Pflanzen derselben Art hervorzubringen. Dabei gehen wir jedoch etwas anders vor als sonst. Gleich bekommt jeder vier Bögen Bastelpapier. Auf jedem Bastelbogen findet ihr die Umrisse eines Pflanzenteils. Und aus diesem Papier basteln wir heute gemeinsam Schritt für Schritt eigene Pflanzen.« Dann erläutert die Lehrerin, dass sie jeden Schritt einzeln erklären wird. Sobald sie das Kommandowort »Pflanze« sagt, sollen die Schüler den Schritt ausführen. Damit sie ihre Rolle nicht vergessen, hängt Stacey Cancion folgendes Plakat auf:

- Achte auf die Lehrerin, und hör gut zu, während sie die Anweisungen gibt.
- Präge dir die Anweisungen gut ein.
- Warte immer auf das Kommandowort.
- Leg los!
- Überprüfe, ob du alles richtig gemacht hast.

3. Geben Sie die Anweisungen, und sagen Sie dann das Kommandowort.
Stacey Cancion sagt: »Sucht als Erstes den grünen Bastelbogen, auf dem die Wurzeln sind. Wenn ich das Kommandowort sage, schneidet ihr die Wurzeln sorgfältig mit der Schere aus. Fertig?« Dann sagt sie das Kommandowort »Pflanze«, und die Schüler machen sich daran, die Wurzeln auszuschneiden. Genauso fährt Stacey Cancion fort: Sie gibt Anweisungen, und sobald sie das Kommando gibt, führen die Schüler sie aus, bis alle Pflanzenteile ausgeschnitten und aufgeklebt sind. Dann lässt sie die Schüler – wiederum auf Kommando – die Wurzeln, Stiele, Blätter und Blüten beschriften und kurze Beschreibungen der Funktion der einzelnen Pflanzenteile notieren. Zu den Wurzeln lässt sie z. B. aufschreiben: »Geben der Pflanze Halt und nehmen aus dem Boden Wasser und Mineralien auf.«

4. Achten Sie darauf, dass alle Schüler jedes Kommando ausführen.
Während die Schüler mit den einzelnen Schritten beschäftigt sind, geht Stacey Cancion im Klassenzimmer herum und überprüft, ob alle Schüler den Schritt korrekt ausführen.

5. Lassen Sie die Schüler die Kompetenz am Ende wiederholen.
Nachdem alle Schüler ihre Pflanzen fertiggestellt haben, erklärt ihnen Stacey Cancion, dass sie nicht nur ein Kunstwerk geschaffen haben, sondern auch eine Lernhilfe: Im Test am Ende der Unterrichtseinheit müssen sie Pflanzenteile beschriften und ihre Funktion erklären. Am besten können sie sich vorbereiten, indem sie die rechte Seite abdecken und überprüfen, ob sie alle Teile benennen und ihre Funktion beschreiben können.

Methode 3: Gestaffelter Schwierigkeitsgrad

Wie passt die Strategie in die Unterrichtseinheit?

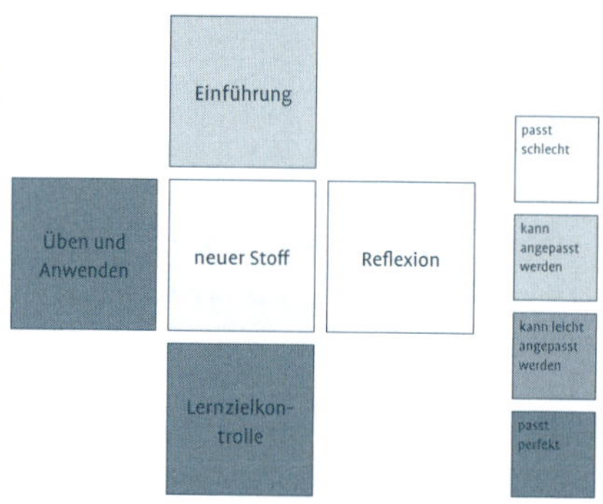

Welche Lerntypen spricht die Strategie an?

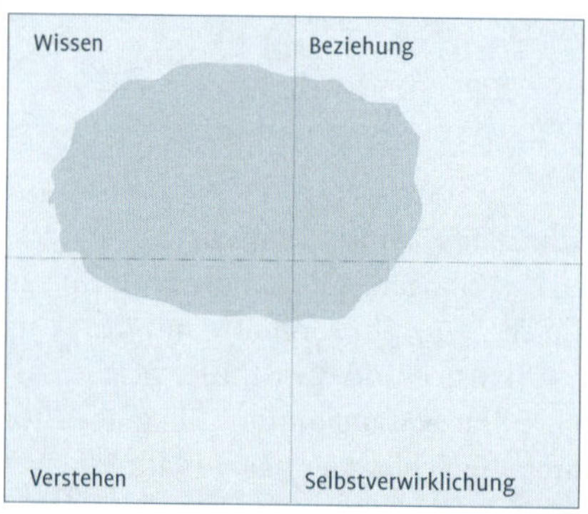

Welche Aspekte des Lernens lassen sich mithilfe der Strategie weiterentwickeln?

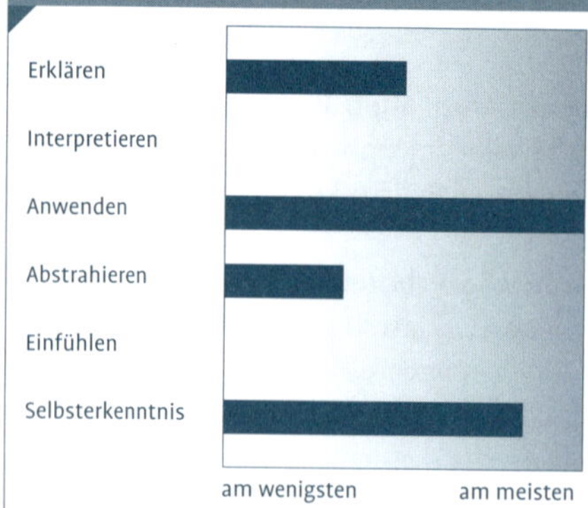

Welche Kernkompetenzen werden mit dieser Strategie geschult?

Lesen und Lernen

- ○ durch das Anfertigen von Notizen Ideen sammeln und ordnen
- ○ abstrakte akademische Begriffe erschließen
- ○ visuelle Darstellungen erfassen und interpretieren

Logisch denken und analysieren

- ○ Schlussfolgerungen ziehen; Hypothesen und Vermutungen anstellen und überprüfen
- ● anhand vorgegebener Kriterien Vergleiche durchführen
- ● mit ganz unterschiedlichen Aufgabenstellungen klarkommen

Kreativ sein und kommunizieren

- ○ verständlich formulierte, schlüssige Erklärungen schreiben
- ○ sicherer schriftlicher Ausdruck in Sachtexten
- ○ zwei oder mehr Texte lesen und darüber schreiben

Reflektieren und Bezüge herstellen

- ● Pläne aufstellen, um komplexe Fragen oder Aufgaben zu lösen
- ● eigene Arbeit anhand von Kriterien und Checklisten evaluieren
- ● die eigene Stimmung und spontane Regungen kontrollieren/beeinflussen

Inwiefern berücksichtigt die Strategie Forschungsergebnisse über effektiven Unterricht?

- ● Gemeinsamkeiten und Unterschiede erkennen
- ○ zusammenfassen und Notizen machen
- ● Anstrengungen verstärken und anerkennen
- ● Hausaufgaben und Übungen
- ○ nicht sprachliche Darstellungsformen
- ○ kooperatives Lernen
- ● Ziele setzen und Feedback geben
- ○ Hypothesen aufstellen und überprüfen
- ○ Hinweise, Fragen und Diagramme zur Wissensstrukturierung (»Advance Organizer«)

Welche Arten von Wissen vermittelt die Strategie?

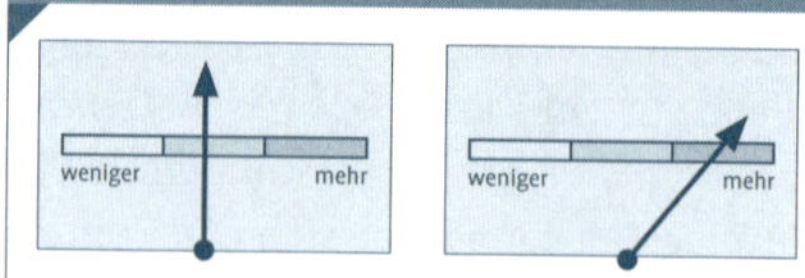

deklaratives Wissen | prozedurales Wissen

Überblick

Zu den wichtigsten Zielen eines differenzierten Unterrichts gehört es, möglichst vielen Schülern die Fähigkeit zum selbstbestimmten Lernen zu vermitteln. Damit man ihn als »autonomen Lerner« betrachten kann, muss ein Schüler in der Lage sein, die Anforderungen ihm gestellter Aufgaben zu analysieren, kluge Entscheidungen darüber zu treffen, wie sich diese Aufgaben am besten lösen lassen, seinen persönlichen Lernfortschritt einzuschätzen und zu erkennen, welche Schritte er ergreifen muss, ehe er sich schwierigere Ziele setzen kann. Aber verfügen wir auch über die richtigen Unterrichtsmethoden, um unsere Schüler zu autonomen Lernern zu erziehen?

Bei der Methode »Gestaffelter Schwierigkeitsgrad« sind die Schüler unmittelbar in den Prozess der Differenzierung einbezogen, indem sie

- eine Reihe von Aufgaben mit unterschiedlichem Schwierigkeitsgrad analysieren,
- die Aufgabe auswählen, die ihnen am besten entspricht,
- die gewählte Aufgabe lösen und evaluieren und
- sich Ziele setzen, mit deren Hilfe sie ihre Leistung verbessern und schwierigere Aufgaben anpacken können.

Die Methode im Einsatz

Barbara Heinzman möchte die Methode »Gestaffelter Schwierigkeitsgrad« in einer Übungsstunde in der 5. Klasse einsetzen, in der ihre Schüler das Kürzen von Brüchen üben sollen. Zu Beginn der Stunde teilt sie ein Arbeitsblatt mit Aufgaben in drei Schwierigkeitsgraden aus.

Beispielaufgaben aus Stufe 1: $\frac{12}{14}$ $\frac{28}{42}$ $\frac{33}{44}$ $\frac{35}{10}$

Beispielaufgaben aus Stufe 2: $\frac{12}{6006}$ $\frac{108}{7}$ $\frac{2001}{1002}$ $\frac{19}{209}$

Beispielaufgaben aus Stufe 3: $\frac{606}{1616}$ $\frac{246}{2/3}$ $\frac{784}{896}$ $\frac{37}{0{,}2}$

Barbara Heinzman fährt fort:

Letzte Woche haben wir uns ausführlich mit dem Kürzen von Brüchen beschäftigt. Heute habt ihr Gelegenheit, das Gelernte zu wiederholen und zu üben. Vor euch habt ihr ein Arbeitsblatt mit Aufgaben in drei verschiedenen Schwierigkeitsgraden. Jeder lernt in seinem eigenen Tempo, und deshalb überlasse ich die Entscheidung, welcher Schwierigkeitsgrad am besten für euch geeignet ist, euch. Wichtig ist mir dabei lediglich, dass eure Entscheidung fundiert und wohlüberlegt ist. Um euch die Auswahl zu erleichtern, habe ich ein paar Fragen mitgebracht, über die ihr nachdenken solltet, bevor ihr eure Wahl trefft.

Daraufhin schreibt die Lehrerin folgende Fragen an die Tafel:

- Was macht den unterschiedlichen Schwierigkeitsgrad der einzelnen Stufen aus?
- Welche Kompetenzen und welches Wissen sind notwendig, um die jeweiligen Aufgaben zu lösen?
- Welche Stufe ist deiner Meinung nach die richtige für dich? Warum?

Sobald Barbara Heinzman merkt, dass die Schüler bereit sind, sich an die Arbeit zu machen, gibt sie ihnen noch einige Ratschläge mit auf den Weg:

Denkt daran: Ich überlasse es euch, wie ihr euch entscheidet – sucht euch die Stufe aus, mit der ihr euch wohlfühlt. Wenn ihr Hilfe braucht, könnt ihr euch gern an eure Klassenkameraden wenden, und eure Ergebnisse könnt ihr jederzeit anhand der Musterlösungen überprüfen, die ich hier vorn an die Wand hänge. Solltet ihr irgendwann das Gefühl haben, dass die Aufgaben der Stufe, für die ihr euch entschieden habt, zu leicht oder zu schwer sind, wechselt ihr einfach in eine andere Stufe.

Während die Schüler arbeiten, geht die Lehrerin von einem zum anderen. Damit auch die Schnellsten gefordert sind, bittet sie Schüler, die alle Aufgaben der Stufe 3 gelöst haben, eine Reihe von Aufgaben für die Stufe 4 (und die entsprechenden Musterlösungen) zu erstellen. Dann ermutigt sie diese Schüler, ihre Aufgaben der Stufe 4 untereinander auszutauschen.

Als alle Schüler fertig sind, lässt Barbara Heinzman sie über folgende Fragen nachdenken:

- Nach welchen Kriterien hast du dich für eine Stufe entschieden?
- War es eine gute Entscheidung? Warum bzw. warum nicht?
- Was musst du noch lernen/tun, damit du Aufgaben der nächsthöheren Stufe bewältigen kannst?

Die Lehrerin ermuntert die Schüler, ihre Antworten mit der ganzen Klasse zu teilen. Die Antworten macht sie zum Ausgangspunkt einer Diskussion darüber, welche Vor- und Nachteile es hat, wenn Schüler den Schwierigkeitsgrad selbst wählen können, wie Schüler ihre Entscheidungskompetenz einschätzen und verbessern können und wie wichtig es ist, sich Ziele zu setzen.

Als Hausaufgabe lässt Barbara Heinzman die Schüler »Zielkarten« schreiben – Karteikarten, auf denen sie ihr ganz persönliches Verbesserungsziel festhalten, wie zum Beispiel: »Ich muss die Teilbarkeitsregeln besser verstehen lernen, damit ich in Zukunft schwierigere Aufgaben lösen kann.« Um die Schüler anzuspornen, ruft sie seit Kurzem (mit der Leidenschaft eines Sportreporters) laut »XY ist am Ziel!«, sobald Schüler XY eines der Ziele auf seiner Zielkarte erreicht. Hat ein Schüler zehn Ziele erreicht, veranstaltet die Lehrerin eine Siegerehrung, um die Leistung des Schülers zu würdigen. Dass sie ihren Schülern auf diese Weise Anerkennung für ihren Einsatz und ihre Erfolge zollt, hat sich bezahlt gemacht: Die Motivation ihrer Schüler ist seit Beginn des Schuljahres enorm gestiegen.

Warum die Methode funktioniert

Die Methode »Gestaffelter Schwierigkeitsgrad« beruht auf der Arbeit von Muska Mosston (1972). Lange bevor das Wort »Differenzierung« in der Pädagogik in aller Munde war, stellte Mosston fest, dass man allen Schülern die Chance geben kann, auf dem für sie idealen Niveau zu lernen, indem man es ihnen selbst überlässt, sich für einen bestimmten Schwierigkeitsgrad zu entscheiden. Darüber hinaus brachte die Methode weitere Verbesserungen des Unterrichts mit sich, wie zum Beispiel:

- mehr Möglichkeiten für alle Schüler, erfolgreich zu lernen
- gestiegenes Selbstvertrauen der Schüler, sodass sie von sich aus schwierigere Aufgaben angehen
- weniger Disziplinprobleme und bessere Beziehungen zwischen den Schülern
- verbesserte Fähigkeiten der Schüler, ihr eigenes Tun zu reflektieren und Entscheidungen zu treffen

Um derartige Fortschritte zu erzielen, genügt es natürlich nicht, Aufgaben in drei Schwierigkeitsstufen auszuteilen. Das Entscheidende an Mosstons Ansatz ist, dass die Schüler im Mittelpunkt stehen. Während bei heutigen Ansätzen für mehr Differenzierung häufig die ganze Verantwortung für die Zuweisung zu einer bestimmten Stufe und für die Bewertung der Ergebnisse beim Lehrer liegt, sprach Mosston sich für ein kooperatives Verhältnis zwischen Lehrer und Schüler aus, durch das der Schüler Schritt für Schritt zur Selbstständigkeit geführt wird: Die Schüler werden ermuntert, Aufgaben zu analysieren und zu vergleichen und dann selbst zu entscheiden, welcher Schwierigkeitsgrad am besten für sie geeignet ist. Dadurch eröffnet die Methode »Gestaffelter Schwierigkeitsgrad« Lehrern die Chance, eine Kultur des Reflektierens und Diskutierens zu schaffen. Die Schüler nehmen ihre Leistung und ihre Entscheidung am Ende kritisch unter die Lupe und bleiben mit dem Lehrer im Gespräch darüber, welche Ziele sie sich setzen sollten und welche sie schon erreicht haben.

Im Lauf der letzten Jahre hat die pädagogische Forschung nachgezogen und zu Mosston und seinem entscheidungsbasierten Modell aufgeschlossen. Unterschiedliche Forschungsansätze haben neue Ergebnisse an den Tag gebracht, die das Modell »Gestaffelter Schwierigkeitsgrad« untermauern:

- **Theorie der freien Wahl (Choice Theory):** Wie William Glasser (1998) und Jonathan Erwin (2004) gezeigt haben, wirkt auf Menschen kaum etwas so motivierend wie Entscheidungsfreiheit. Wird im Unterricht der Entscheidungsfreiheit der Schüler und dem gegenseitigen Vertrauen zwischen Lehrer und Schülern eine hohe Priorität eingeräumt, so sind die Schüler intrinsisch motiviert, dazuzulernen und erfolgreich zu sein.
- **Die Bedeutung von Zielen:** Haben Schüler klare Ziele vor Augen, so führt das zu differenzierterem und konzentrierterem Denken. Das gilt insbesondere dann, wenn die Ziele vom Lehrer vorgegeben werden, die Schüler jedoch Gelegenheit haben, sie individuell auszugestalten und zu ihren eigenen Zielen zu machen (Marzano, Pickering und Pollack 2001).
- **Die Rolle von Herausforderungen für das Lernen:** Erweist sich eine Aufgabe als zu schwierig, geben Schüler häufig auf; erweist sie sich als so einfach, dass sie keinerlei Anstrengung erfordert, verlieren die Schüler das Interesse und langweilen sich (Jensen 1998; Tomlinson und McTighe 2006). Wenn man die Schüler dauerhaft für den Unterrichtsstoff begeistern will, kommt Aufgaben, die genau den richtigen Schwierigkeitsgrad haben, daher eine entscheidende Rolle zu.

Die Methode Schritt für Schritt

1. Legen Sie fest, welche Kompetenz geübt beziehungsweise welche Unterrichtsinhalte wiederholt werden sollen.
2. Erstellen Sie zu dieser Kompetenz beziehungsweise diesem Stoff eine Reihe von Aufgaben mit drei (oder mehr) unterschiedlichen Schwierigkeitsgraden.
3. Vergewissern Sie sich, dass Ihren Schülern klar ist, was im Rahmen der Methode »Gestaffelter Schwierigkeitsgrad« von ihnen erwartet wird. Teilen Sie dann die Aufgaben aus.
4. Leiten Sie die Schüler dazu an, alle Aufgaben auf der Liste zu analysieren. Bevor sie sich für einen Schwierigkeitsgrad entscheiden, sollten sich die Schüler überlegen, welche Kompetenzen und welches Wissen für die Bewältigung der unterschiedlichen Schwierigkeitsgrade nötig sind.
5. Weisen Sie die Schüler darauf hin, dass sie auf dem Schwierigkeitsgrad arbeiten sollten, der ihnen am besten entspricht, und dass sie jederzeit in einen anderen wechseln können. Wichtig ist, dass den Schülern klar ist, dass Sie ihnen zutrauen, solche Entscheidungen selbstständig zu treffen.
6. Ermöglichen Sie es den Schülern, ihre Ergebnisse jederzeit zu überprüfen. Vereinfachen Sie diesen Prozess der Selbstevaluation, indem Sie dafür sorgen, dass die Schüler leichten Zugang zu einer Musterlösung (für Aufgaben, bei denen es um richtig oder falsch geht) beziehungsweise zu einem Bewertungsschema haben (für offenere Aufgaben).
7. Geben Sie den Schülern Zeit, darüber nachzudenken, was sie gelernt und geschafft haben. Ermutigen Sie sie, ihre Gedanken und Gefühle der ganzen Klasse mitzuteilen.
8. Erarbeiten Sie gemeinsam mit den Schülern individuelle Ziele. Diese Ziele sollten eine Herausforderung darstellen, aber erreichbar sein.

Eine Unterrichtsstunde mit dieser Methode planen

Bei der Planung einer Unterrichtsstunde mit der Methode »Gestaffelter Schwierigkeitsgrad« sollten Sie folgendermaßen vorgehen:

1. Legen Sie fest, welche Kompetenz die Schüler üben beziehungsweise welche Inhalte sie wiederholen sollen, und entwerfen Sie Aufgaben mit drei (oder mehr) Schwierigkeitsgraden.
Die Methode »Gestaffelter Schwierigkeitsgrad« eignet sich nicht nur für Aufgaben, bei denen es um richtig oder falsch geht, sondern auch für offenere Aufgaben. Denken Sie daran, dass Sie drei Möglichkeiten haben, den Schwierigkeitsgrad zu staffeln: Sie können die Inhalte, die erforderlichen Denkprozesse oder das Ergebnis beziehungsweise die Art der Präsentation variieren (siehe Abb. 3.1).

Staffelung nach	Wie das funktioniert	Beispiele
Inhalt	Die Stufen beruhen auf der Schwierigkeit der Inhalte.	Eine Highschool-Lehrerin, die mithilfe gestaffelter Schwierigkeitsgrade die Interpretationsfähigkeiten ihrer Schüler verbessern wollte, baute ihre Unterrichtsstunde auf den unterschiedlichen sprachlichen und inhaltlichen Anforderungen dreier Gedichte auf: • ein in freien Versen verfasstes Gedicht von William Carlos Williams (Stufe 1) • ein etwas längeres Gedicht mit Paarreimen von Emily Dickinson (Stufe 2) • ein Sonett von William Shakespeare (Stufe 3)
Denkprozess	Die Stufen beruhen auf der Komplexität der erforderlichen Denkprozesse.	Nachdem sie einiges über drei bekannte Arten von Dinosauriern gelesen hatten (Brontosaurus, Triceratops, Tyrannosaurus), ließ eine Grundschullehrerin ihre Schüler aus diesen drei Aufgaben wählen: • Stufe 1 (Sammeln): Trage in die entsprechenden Kästchen der Tabelle die richtigen Informationen zu Aussehen, Verhalten, Ernährungsweise und Lebensraum ein. • Stufe 2 (Vergleichen): Such dir zwei Dinosaurier aus, ermittle anhand der Kriterien von Stufe 1 die Gemeinsamkeiten und Unterschiede und halte sie in einem Zylinderschema fest (vgl. Abb. 5.2). • Stufe 3 (Transfer): Schau dir dieses Bild eines Barosaurus genau an. Kannst du an diesem Bild ablesen, ob das ein Fleischfresser oder ein Pflanzenfresser war? Erkläre deine Antwort mithilfe von Details aus dem Bild und indem du den Barosaurus mit anderen Dinosauriern vergleichst.

►

Ergebnis oder Art der Präsentation	Die Stufen beruhen auf der Komplexität des Ergebnisses beziehungsweise der Art der Schülerpräsentation.	Es gibt zahllose Möglichkeiten, Aufgaben mit gestaffeltem Schwierigkeitsgrad anhand von Ergebnissen oder Präsentationen zu erstellen, die immer schwieriger anzufertigen beziehungsweise vorzuführen sind. Hier einige allgemeine Leitlinien: • Einfache Ergebnisse und Präsentationen bleiben sehr nah an den Inhalten und erfordern, dass die Schüler wichtige Informationen noch einmal aufgreifen. Beispiele sind Zusammenfassungen, Nacherzählungen, Demonstrationen von Kompetenzen, grafische Darstellungen, Diagramme sowie einfache Plakate und Tabellen. • Ergebnisse und Präsentationen mittlerer Ordnung verlangen von den Schülern in der Regel eine Interpretation oder Synthese. Beispiele sind Metaphern, Gedichte, Erläuterungen, Debatten, kurze Aufsätze oder Berichte, Argumente, Artikel und symbolische Darstellungen. • Ergebnisse und Präsentationen höherer Ordnung erfordern in der Regel, dass die Schüler ihr Wissen auf einen anderen Kontext übertragen oder etwas Originelles anfertigen. Beispiele sind Kurzgeschichten, Pläne, Erfindungen, das Lösen realer Probleme, Feldforschung, Unterrichtsentwürfe sowie musikalische oder schauspielerische Darbietungen.

Abb. 3.1: *Drei Möglichkeiten, den Schwierigkeitsgrad von Aufgaben und Übungen zu staffeln*

Was die Herausforderung betrifft, die die jeweilige Stufe mit sich bringt, gelten folgende allgemeine Hinweise:

- Stufe 1 sollte aus einer vergleichsweise einfachen Aufgabe bestehen, die alle Schüler lösen können. Allerdings sollte dazu die vollständige Beherrschung der vermittelten Kompetenz beziehungsweise das Verständnis der wichtigsten Inhalte notwendig sein.
- Stufe 2 sollte für die meisten Ihrer Schüler eine Herausforderung darstellen, aber nicht so schwierig sein, dass sie abschreckend wirkt.
- Stufe 3 sollte für alle Schüler in Ihrer Klasse eine Herausforderung sein. Um eine Aufgabe der Stufe 3 zu lösen, müssen die Schüler unter Beweis stellen, was Sie als Höchstmaß an Kompetenz bzw. Verständnis der Inhalte betrachten.

2. Erstellen Sie ein Lösungsblatt, eine Liste mit Kriterien oder ein Schema, womit die Schüler ihre Leistung bewerten können.

Damit die Schüler ihre Arbeit und ihre Entscheidungen bewerten können, müssen sie wissen, wie Erfolg auf der jeweiligen Stufe definiert ist. Wenn es sich um eine Aufgabe mit Richtig-oder-falsch-Antworten handelt, sollten Sie ein Lösungsblatt anfertigen, mit dem die Schüler ihre Lösungen vergleichen können. Wenn es sich um eine offenere Aufgabe handelt, sollten Sie eine Liste mit Kriterien oder ein Bewertungsschema erstellen. In Abb. 3.2 sehen Sie als Beispiel das Bewertungsschema einer Lehrerin, die ihre Sechstklässler mithilfe der Methode »Gestaffelter Schwierigkeitsgrad« das Schreiben argumentative Texte üben ließ.

Kriterien	Anfänger	Lehrling	Experte
Wie überzeugend war ich?	Das Problem und meine Haltung dazu sind konfus. Ich habe kaum Belege eingebaut und meine Gründe nicht gut erklärt. Andere Sichtweisen habe ich nicht berücksichtigt und bin nicht auf sie eingegangen.	Ich habe das Problem und meine Haltung dazu dargelegt. Ich habe einige Gründe und Belege eingebaut, auch wenn es vielleicht nicht die besten waren. Andere Sichtweisen habe ich entweder nicht berücksichtigt oder bin nicht auf sie eingegangen.	Ich habe das Problem und meine Haltung dazu nachvollziehbar dargelegt. Ich habe gute Gründe und Belege eingebaut, um meine Haltung zu untermauern. Ich habe andere Sichtweisen berücksichtigt und Stellung dazu genommen.
Wie strukturiert habe ich gearbeitet?	Mein Text ist etwas verwirrend und schwer verständlich. Ich habe keine Überleitungen verwendet.	Mein Text hat eine Einleitung, einen Hauptteil und einen Schluss. Ich habe entweder nur wenige Überleitungen verwendet oder sie falsch eingesetzt.	Mein Text ist verständlich, logisch aufgebaut und leicht zu lesen. Ich habe Überleitungen (wie »allerdings«, »weil«, »jedoch«) verwendet, damit die Leser meiner Argumentation folgen können.
Wie gut waren meine sprachlichen Mittel?	Ich habe nur einfache Wörter und Wendungen benutzt. Meine Sätze sind alle sehr ähnlich.	Ich habe einige interessante Wörter und Wendungen benutzt und ab und zu den Satzbau variiert.	Ich habe farbige und interessante Wörter und Wendungen benutzt und meine Sätze variiert, damit meine Leser das Interesse nicht verlieren.
Wie gut war die Rechtschreibung meines Texts?	Ich fürchte, ich habe viele Fehler gemacht, durch die mein Text schwer lesbar ist.	Ich glaube, ich habe bei der Rechtschreibung, Zeichensetzung oder Grammatik einige Fehler gemacht, aber der Text ist verständlich.	Ich glaube, ich habe fast alle Fehler in meinem Text ausgemerzt.

Abb. 3.2: *Beispiel eines Bewertungsschemas für argumentatives Schreiben*

3. Überlegen Sie sich genau, wie Sie Ihren Schülern die Methode »Gestaffelter Schwierigkeitsgrad« vorstellen, denn so viel Selbstständigkeit und Vertrauen sind ihnen möglicherweise neu.

Eine gute Möglichkeit, den Schülern die Rolle und die Pflichten näherzubringen, die im Rahmen dieser Methode auf sie zukommen, ist ein im Klassenzimmer aufgehängtes Plakat, das die einzelnen Phasen erklärt. Damit sich die Schüler die einzelnen Schritte leichter merken können, empfiehlt es sich, ein Wort wie *Wähle!* als Akronym zu verwenden:

- **W**äge ab, was du über den Stoff oder die Kompetenz weißt, die du üben sollst.
- **A**nalysiere sorgfältig die verschiedenen Schwierigkeitsgrade, und entscheide dich für die Stufe, die am besten für dich geeignet ist.

- **E**rmittle, ob du alles richtig gemacht hast, **e**rklimme die nächsthöhere Stufe, **e**rörtere deine Ergebnisse mit anderen – oder **e**rstelle (falls du die schwierigste Stufe bewältigt hast) eine neue Stufe.
- **H**alte inne und überlege, nach welchen Kriterien du deine Wahl getroffen hast.
- **L**ag dir diese Stufe? Was musst du noch lernen oder verstehen, damit du die nächsthöhere Stufe bewältigen kannst?
- **E**ntscheide, welches Ziel du dir für die Zukunft setzt.

4. Formulieren Sie vorbereitende Fragen, die den Schülern die verschiedenen Aufgaben analysieren helfen, sodass sie eine fundierte Entscheidung treffen können.
Die vorbereitenden Fragen sollten die Schüler anregen, über die Unterschiede zwischen den Aufgaben der verschiedenen Stufen nachzudenken und sich über ihre eigenen Kompetenzen und ihren eigenen Wissensstand Rechenschaft abzulegen. Hier einige Beispiele:
- Was macht den unterschiedlichen Schwierigkeitsgrad der einzelnen Stufen aus?
- Welche Kompetenzen und welches Wissen sind notwendig, um die jeweiligen Aufgaben zu lösen?
- Welche Stufe ist deiner Meinung nach die richtige für dich? Warum?
- Welche Stufe bietet für dich die richtige Mischung aus Herausforderung und Bestätigung?

5. Formulieren Sie zur Nachbereitung Fragen, mit denen Sie die Schüler zu Analyse und Selbstreflexion anregen können.
Nachbereitende Fragen helfen den Schülern, die Entscheidungen zu beurteilen, die sie im Verlauf der Stunde getroffen haben, und sich neue Ziele zu stecken. Hier einige Beispiele:
- Was hast du gut gemacht? Womit hattest du Schwierigkeiten?
- Nach welchen Kriterien hast du dich für eine Stufe entschieden?
- Wie würdest du dein Abschneiden beurteilen? Hast du das Gefühl, die richtige Wahl getroffen zu haben? Würdest du dich wieder so entscheiden?
- Was musst du noch lernen/tun, damit du Aufgaben der nächsten Stufe bewältigen kannst?
- Wie kannst du beim nächsten Mal noch besser abschneiden?

Variationen und Ergänzungen

Im Kern ist »Gestaffelter Schwierigkeitsgrad« eine Unterrichtsmethode, bei der man den natürlichen Reiz der Wahlfreiheit nutzt, um die Schüler Schritt für Schritt zum selbstständigen Lernen zu führen. Im Folgenden einige Variationen, mit denen sich diese Methode anpassen und optimieren lässt.

Gestaffelte Aufwärmübungen

Viele Mathematiklehrer beginnen ihre Stunden mit einer Aufwärmübung, um Vorwissen zu aktivieren und das Gehirn der Schüler auf Touren zu bringen. Aufwärmübungen lassen sich leicht nach Schwierigkeitsgrad staffeln. Außerdem ermöglicht die Einbeziehung verschiedener Stufen eine bessere Einschätzung des Wissensstandes, zeigt diese Momentaufnahme doch Lehrer wie Schülern, wie gut die einzelnen Schüler mit einem bestimmten Thema vertraut sind. Auf der Grundlage dieser Informationen kann der Lehrer dann entscheiden, wie er die verbleibende Unterrichtszeit am besten nutzen sollte. Abbildung 3.3 ist ein Beispiel für eine gestaffelte Aufwärmübung zur Flächen- und Umfangsberechnung.

Anweisung: Wähle die Aufgabe aus, die am ehesten dem Niveau entspricht, mit dem du dich im Moment wohlfühlst.

Stufe 1	**Stufe 2**	**Stufe 3**
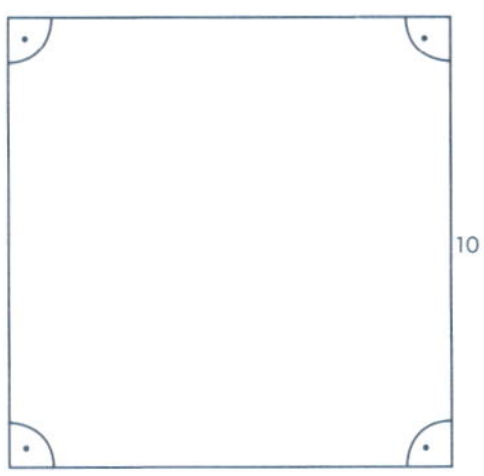	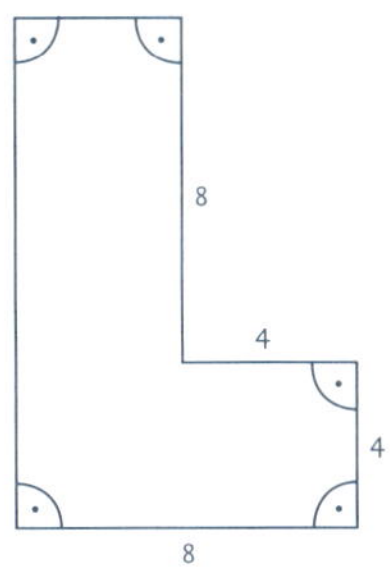	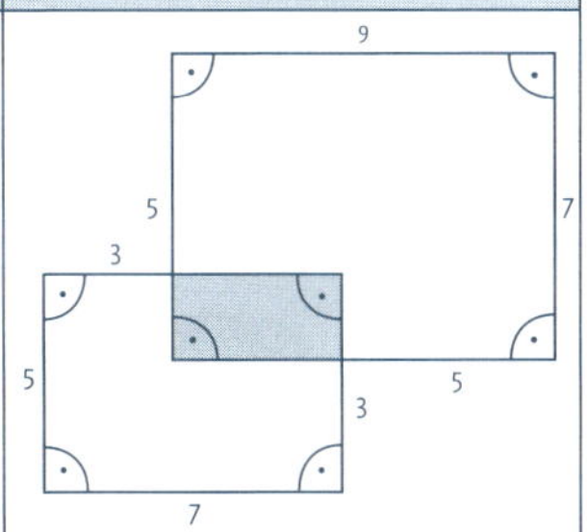
Bestimme die Fläche und den Umfang der obigen Figur.	Bestimme die Fläche und den Umfang der obigen Figur.	Bestimme die Fläche und den Umfang des schraffierten Bereichs.

Abb. 3.3: *Gestaffelte Aufwärmübung zur Flächen- und Umfangsberechnung*

Gestaffelte Schwierigkeitsgrade in Musik- und Sportstunden

Die Methode »Gestaffelter Schwierigkeitsgrad« ist eine wunderbare Möglichkeit für Musik- und Sportlehrer, allen Schülern die Gelegenheit zu geben, mithilfe von Übungen des richtigen Schwierigkeitsgrads ihre Leistungen zu verbessern. Beispielsweise kann ein Sportlehrer eine Übungsphase mit drei verschiedenen Arten (oder Stufen) von Volleyball-Aufschlägen durchführen: von unten, von oben oder im Sprung. Ganz ähnlich kann ein Musiklehrer Stunden planen, in denen die Schüler mit drei unterschiedlich schwierigen Musikstücken arbeiten, ohne dass der Lehrer von einem nicht zu bewältigenden Ausmaß an individueller Hilfestellung überfordert wird.

Bewertungszirkel

Wenn es um die Leistungsmessung geht, erweist es sich häufig als schwierig, Schülern jedes Lerntyps die gleiche Chance zu geben, ihre Möglichkeiten auszuschöpfen. Das gilt insbesondere dann, wenn das Leistungsniveau sehr unterschiedlich ist oder nicht alle Schüler durch die gleichen Aufgaben interessiert oder motiviert werden können. Eine Antwort auf dieses schwierige Problem sind »Bewertungszirkel«, denn diese kombinieren die Stufen aus der Methode »Gestaffelter Schwierigkeitsgrad« mit der Vielfalt an Denk- und Lernstilen, durch die Methode 20, »Aufgabenzirkel«, charakterisiert ist. Im Rahmen der Methode »Bewertungszirkel« entwickeln die Schüler im Lauf der Unterrichtseinheit ihr individuelles Portfolio an Aufgaben und Präsentationen – eine aus jedem der drei Schwierigkeitsgrade und eine aus jedem Lernstil. In Abb. 3.4 sehen Sie ein Beispiel für einen Bewertungszirkel, den ein Lehrer in der 1. Klasse für eine Unterrichtseinheit zum Thema »Schlafenszeit« zusammengestellt hat.

Schwierigkeitsgrad	Wissen	Verstehen
1	**Tag und Nacht** Lassen Sie die Schüler Karten für Tag und Nacht anfertigen. Halten Sie Bilder von Routinetätigkeiten hoch. Während Sie ein Bild hochhalten, sollen die Schüler mit ihrer »Tag«- oder ihrer »Nacht«-Karte anzeigen, ob die Tätigkeit hauptsächlich tagsüber oder nachts ausgeführt wird. 	**Licht und Dunkelheit** Lassen Sie die Schüler (möglicherweise nach einem Einstieg durch eine entsprechend ausgewählte Geschichte) mithilfe einer Taschenlampe und eines Globus erklären, warum die Kinder auf der anderen Seite des Globus schlafen, während sie in der Schule sind.
2	**Abendroutine** Lassen Sie die Schüler Bilder ausschneiden, die Tätigkeiten zur Schlafenszeit zeigen, und sie in die richtige Reihenfolge bringen: • ein Buch lesen • Zähne putzen • Schlafanzug anziehen • mit dem Teddybären kuscheln • einschlafen	**Warum brauchst du Schlaf?** Finden Sie ein Kinderbuch, das zeigt, wie hundemüde man am nächsten Tag ist, wenn man abends nicht rechtzeitig ins Bett geht, und lesen Sie daraus vor (im Englischunterricht könnte das »Ba Ba Sheep« von Dennis Panek sein). Bevor Sie anfangen, fragen Sie die Schüler, ob sie den Aussagen zum Thema zustimmen, die Sie ihnen ausgeteilt haben. Fragen Sie die Schüler nach dem Vorlesen, ob sie ihre Meinung geändert haben. Diskutieren Sie mit der Klasse über die Argumente im Text.
3	**Wie lange schläfst du?** Lassen Sie die Schüler auf einem Ziffernblatt Uhrzeiger einzeichnen, die anzeigen, wann sie ins Bett gehen und wann sie aufstehen: Ich gehe um _______ Uhr schlafen. Um _______ Uhr wache ich auf. Ich schlafe _______ Stunden. 	**Wie schlafen Tiere?** Lassen Sie die Schüler herausfinden, wie verschiedene Tierarten schlafen, und lassen Sie sie ein Bild dazu malen. Außerdem sollen sie in Erfahrung bringen, welche Arten tagsüber schlafen und nachts aktiv sind. Hier einige Arten, die infrage kommen: • Vögel • Mäuse • Fische • Pferde • Katzen • Kühe • Bären • Fledermäuse

***Abb. 3.4:** Bewertungszirkel zum Thema »Schlafenszeit«*

Selbstverwirklichung	Beziehung
Schlafenszeit-Pantomime Lassen Sie einzelne Schüler pantomimisch eine typische Handlung vor dem Schlafengehen vorführen, während der Rest der Klasse rät: • Spielsachen aufräumen • Zähne putzen • Schlafanzug anziehen • Geschichte lesen • Kissen aufschütteln • ein Bad nehmen • ins Bett legen	**Assoziationen** Woran denkst du, wenn du das Wort »Schlafenszeit« hörst? Lassen Sie die Schüler via Brainstorming Wörter sammeln, die ihre Gefühle zur Schlafenszeit beschreiben, und lassen Sie sie Zeichnungen zu diesen Wörtern anfertigen.
Schlafloses Kaninchen Lesen Sie den Schülern das Buch »Kaninchen ist sooo müde« von Julia Donaldson vor. Lassen Sie die Schüler alles aufzählen, warum das Kaninchen nicht einschlafen kann – und was schließlich hilft. Spornen Sie die Schüler an, sich neue, kreative Möglichkeiten auszudenken, wie man jemandem beim Einschlafen helfen könnte. Lassen Sie die Schüler Bilder zu ihren Ideen malen, und sammeln Sie die Bilder in einem Buch.	**Mein Lieblingsschlafanzug** Mal ein Bild von deinem Lieblingsschlafanzug. Vervollständige diese Beschreibung: Mein Lieblingsschlafanzug ist _______. Er hat _______. Er fühlt sich _______ an. Ich mag ihn, weil er _______.
Schreib eine Gutenachtgeschichte Gutenachtgeschichte von _______. Es war einmal ______________________________ ______________________________. Doch plötzlich ______________________________ ______________________________. Und sie lebten alle ______________________________ ______________________________.	**Gute und schlechte Träume** Lesen Sie den Schülern »Wo die wilden Kerle wohnen« von Maurice Sendak vor. Lassen Sie die Klasse über einige gute und einige schlechte Träume diskutieren. Lassen Sie die Schüler ein Bild über einen ihrer Lieblingsträume malen.

Methode 4: Teamturnier

Wie passt die Methode in eine Unterrichtseinheit?

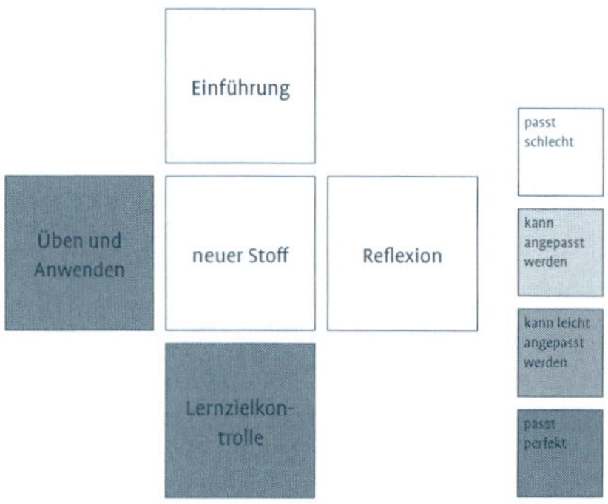

Welche Lerntypen spricht die Methode an?

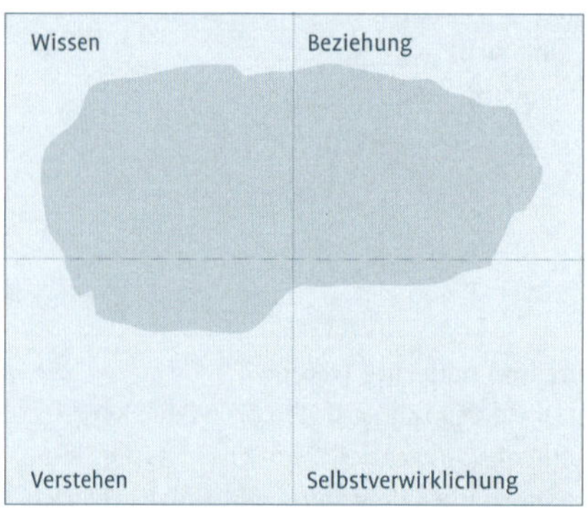

Welche Aspekte des Lernens lassen sich mithilfe der Methode weiterentwickeln?

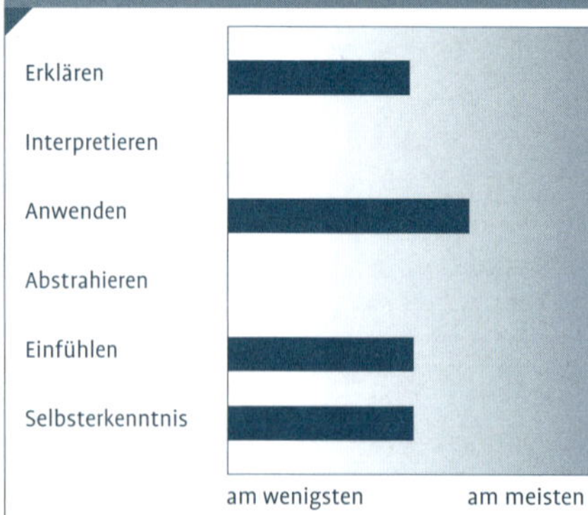

Welche Kernkompetenzen werden mit der Methode geschult?

Lesen und Lernen

- ○ durch das Anfertigen von Notizen Ideen sammeln und ordnen
- ● abstrakte akademische Begriffe erschließen
- ○ visuelle Darstellungen erfassen und interpretieren

Logisch denken und analysieren

- ○ Schlussfolgerungen ziehen; Hypothesen und Vermutungen anstellen und überprüfen
- ○ anhand vorgegebener Kriterien Vergleiche durchführen
- ● mit ganz unterschiedlichen Aufgabenstellungen klarkommen

Kreativ sein und kommunizieren

- ○ verständlich formulierte, schlüssige Erklärungen schreiben
- ○ sicherer schriftlicher Ausdruck in Sachtexten
- ○ zwei oder mehr Texte lesen und darüber schreiben

Reflektieren und Bezüge herstellen

- ● Pläne aufstellen, um komplexe Fragen oder Aufgaben zu lösen
- ○ eigene Arbeit anhand von Kriterien und Checklisten evaluieren
- ● die eigene Stimmung und spontane Regungen kontrollieren/beeinflussen

Inwiefern berücksichtigt die Methode Forschungsergebnisse über effektiven Unterricht?

- ○ Gemeinsamkeiten und Unterschiede erkennen
- ○ zusammenfassen und Notizen machen
- ● Anstrengungen verstärken und anerkennen
- ● Hausaufgaben und Übungen
- ○ nicht sprachliche Darstellungsformen
- ● kooperatives Lernen
- ○ Ziele setzen und Feedback geben
- ○ Hypothesen aufstellen und überprüfen
- ○ Hinweise, Fragen und Diagramme zur Wissensstrukturierung (»Advance Organizer«)

Welche Arten von Wissen vermittelt die Methode?

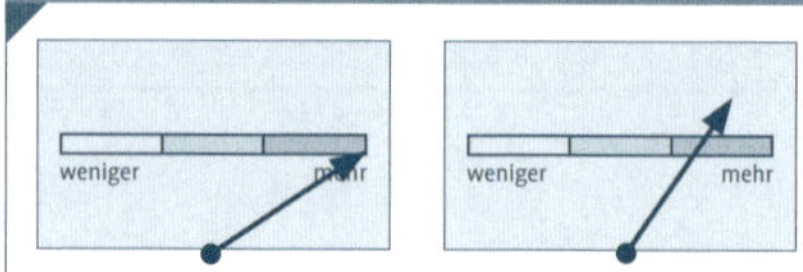

deklaratives Wissen prozedurales Wissen

Überblick

Konkurrenz und Kooperation: Mischt man diese beiden Elemente im richtigen Verhältnis, so gibt das dem menschlichen Gehirn den ultimativen Motivationskick. »Der Mensch ist bekanntlich ein Gemeinschaftstier«, so der Gehirnforscher Robert Sylwester (2003, S. 69). »Ständig konkurrieren und kooperieren wir miteinander. Besonders spornen uns Dinge an, die beides gleichzeitig erfordern: im Beruf Diskussionen und Verhandlungen, in der Freizeit Spiele wie Basketball oder Bridge.« Und im Unterricht sind es Methoden wie »Teamturnier«, die Schüler zu Höchstleistungen motivieren. Ein Teamturnier sorgt durch die Verbindung von Konkurrenz und Kooperation für ein optimales Behalten des Lernstoffs. Bei einem Teamturnier wiederholen unterschiedlich weit fortgeschrittene Schüler in Lernteams gemeinsam wichtige Inhalte und helfen sich gegenseitig, Lücken zu schließen. Dann teilen sie sich auf, um sich in einem »Wissensturnier« mit Schülern aus anderen Lernteams zu messen. Im Lauf des Turniers sammeln die Schüler Punkte für ihr Lernteam, indem sie Fragen beantworten oder als Herausforderer die Antworten der Mitspieler infrage stellen. Das Lernteam, das am besten kooperiert – sprich alle Mitglieder des Teams bestmöglich auf das Turnier vorbereitet – bekommt am Ende die meisten Punkte.

Die Methode im Einsatz

Die Französischlehrerin Toni Johnson setzt Teamturniere an, damit ihre Schüler vor der Klassenarbeit Gelegenheit haben, wichtige Inhalte zu wiederholen. Derzeit nähert sich ihre Klasse dem Ende einer Unterrichtseinheit über die Geografie und Kultur Frankreichs. Für das Turnier bereitet die Lehrerin folgende Materialien vor:

- mehrere identische Stapel Fragekarten mit jeweils 35 Fragen zu vier Wissensgebieten: Geografie; Kultur, Sitten und Gebräuche; Konjugation; Übersetzung (Beispiele für Fragekarten siehe Abbildung 4.1)
- ein dazu passendes Lösungsblatt mit Antworten, deren Nummern denen der zugehörigen Fragen entsprechen
- ein Arbeitsblatt zu den Inhalten des Turniers, mit dem die Schüler zur Vorbereitung auf den Wettbewerb den Stoff wiederholen können

Fragekarten zur Geografie

1. Wie heißt der höchste Berg Europas? Zu welcher Gebirgskette gehört er?	4. Nenne drei Länder, die östlich an Frankreich angrenzen.	8. Nenne drei französische Regionen, die für den Weinanbau berühmt sind.

Fragekarten zur Kultur

12. Diese Region Frankreichs hat wegen der vielen Sonnenstunden zahlreiche Künstler angezogen. Nenne die Region und drei Künstler, die dorthin zogen.	15. Welche Bedeutung haben die Farben der französischen Fahne?	17. Wie unterscheidet sich die provençalische von der Lyoner Küche? Nenne drei Unterschiede.

Fragekarten zu Konjugationen

21. Buchstabiere die 1. Person Singular des Verbs *aller*.	23. Buchstabiere die 3. Person Plural des Verbs *vouloir*.	26. Buchstabiere die 3. Person Singular des Verbs *visiter*.

Fragekarten zu Übersetzungen

30. Übersetze folgenden Satz ins Französische: »Wir möchten in die Alpen fahren.«	31. Übersetze folgenden Satz ins Französische: »Du möchtest nach Bordeaux fahren.«	35. Übersetze folgenden Satz ins Französische: »Sie (m) wollen an die Loire fahren.«

Abb. 4.1: *Eine Auswahl von Fragekarten*

Am Dienstag teilt Toni Johnson den Schülern ein Übungsblatt aus und erklärt ihnen, dass Gegenstand des Turniers (und der Klassenarbeit) Geografie, Kultur, die Konjugation der Verben »aller«, »vouloir« und »visiter« sowie einfache Übersetzungsfragen sein werden. Als Hausaufgabe wiederholen die Schüler den Stoff und treffen sich dann am Mittwoch in den Lernteams. Jedes Lernteam besteht aus vier Schülern – einem leistungsstarken, einem leistungsschwachen und zwei durchschnittlichen Schülern –, und die Teams sind nach den fünf wichtigsten Flüssen Frankreichs benannt: la Seine, la Loire, la Garonne, le Rhône und le Rhin. Jedes Team nutzt die Unterrichtszeit am Mittwoch, um Unklarheiten zu klären, sich gegenseitig abzufragen und alle vier Teammitglieder auf den Wettbewerb vorzubereiten.

Am Donnerstag (dem Tag vor der Klassenarbeit) messen sich die Schüler mit Spielern aus anderen Lernteams. Für das Turnier setzt die Lehrerin die Spielgruppen so zusammen, dass alle leistungsstarken Schüler gegeneinander antreten und auch die durchschnittlichen und leistungsschwächeren Schüler auf Gegner mit vergleichbarem Leistungsniveau treffen. Auf diese Weise haben alle Schüler gleiche Chancen, das jeweilige Turnier für sich zu entscheiden.

Toni Johnson erinnert alle Spielgruppen noch einmal an die Regeln des Turniers und teilt ein leeres Antwortblatt für jeden Schüler sowie ein Blatt mit den Turnierregeln für jede Gruppe aus (ein Muster schließt sich hier an). Das Turnier kann beginnen.

1. Einigt euch, welcher Spieler anfängt. Der Schüler zur Linken dieses Spielers ist der Herausforderer, der Schüler zu seiner Rechten der Überprüfer. (Tauscht nach der Hälfte des Turniers die Rollen, damit nicht immer die gleichen Mitspieler gegeneinander antreten: Herausforderer zur Rechten des Spielers, Überprüfer zur Linken).
2. Der Spieler nimmt eine Fragekarte vom Stapel, liest sie vor und legt sie aufgedeckt auf den Tisch. Alle Schüler am Tisch schreiben ihre Antworten auf ihr Antwortblatt. Sobald alle ihre Antwort notiert haben, fragt der Spieler den Herausforderer, ob er die Antwort des Spielers infrage stellen will. Währenddessen sucht der Überprüfer auf dem Antwortblatt die richtige Antwort heraus.
   - Wird der Spieler nicht herausgefordert, so liest der Überprüfer die Antwort vor. Wenn die Antwort des Spielers stimmt, darf er die Fragekarte behalten. Ist die Antwort des Spielers falsch, wird die richtige Antwort vorgelesen und die Fragekarte wieder in den Stapel gemischt.
   - Wird der Spieler herausgefordert, muss der Herausforderer die Frage beantworten, bevor der Überprüfer die Lösung vorliest. Ist die Antwort des Herausforderers richtig, darf er die Fragekarte behalten. Ist seine Antwort falsch, muss er eine bereits gewonnene Fragekarte an den Spieler abtreten. Wenn die Antwort des Spielers richtig war, darf er außerdem die aktuelle Fragekarte behalten. Haben weder der Spieler noch der Herausforderer die Frage korrekt beantwortet, wird die Antwort vorgelesen und die Fragekarte wieder in den Stapel gemischt.
3. Die Rollen wechseln im Uhrzeigersinn, bis alle Fragekarten aufgebraucht sind oder die Zeit abgelaufen ist. Am Ende zählt jeder Spieler die gesammelten Fragekarten. Das Ergebnis wird mithilfe des Wertungsblatts berechnet (siehe Abb. 4.2).
4. Die Spieler gehen wieder in den Lernteams zusammen und ermitteln das Teamergebnis, indem sie die Punkte der einzelnen Teammitglieder addieren.

Wertung einer Runde mit drei Mitspielern				
Spieler	**kein Remis**	**Remis zwischen Erstem und Zweitem**	**Remis zwischen Zweitem und Drittem**	**Remis zwischen allen drei Mitspielern**
Erster	6 Punkte	5	6	4
Zweiter	4 Punkte	5	3	4
Dritter	2 Punkte	2	3	4

Wertung einer Runde mit vier Mitspielern								
Spieler	**kein Remis**	**Remis zwischen Erstem und Zweitem**	**Remis zwischen Zweitem und Drittem**	**Remis zwischen Drittem und Viertem**	**Remis zwischen den drei Besten**	**Remis zwischen den drei Schlechtesten**	**Remis zwischen allen vier Mitspielern**	**Remis zwischen Erstem und Zweitem sowie zwischen Dritten und Viertem**
Erster	6 Punkte	5	6	6	5	6	4	5
Zweiter	4 Punkte	5	4	4	5	3	4	5
Dritter	3 Punkte	3	4	3	5	3	4	3
Vierter	2 Punkte	2	2	3	2	3	4	3

Abb. 4.2: *Wertungsschema für Teamturniere*

Warum die Methode funktioniert

Als es an der Zeit war, die Methoden in diesem Buch nach dem Lernstil zu ordnen, den sie hauptsächlich ansprechen, standen wir beim Teamturnier (DeVries, Edwards und Slavin 1978) vor einem Dilemma: Handelt es sich dabei eher um eine wissens- oder eine beziehungsorientierte Methode? Vieles sprach dafür, das Teamturnier bei den beziehungsorientierten Methoden einzureihen, ist es durch die kommunikativen und interaktiven Elemente doch eindeutig sozial ausgerichtet. Letztlich entschieden wir uns jedoch, es zu den wissensorientierten Methoden zu rechnen, da hier Wiederholung, Fragen mit nachprüfbaren Antworten und Auswendiglernen im Mittelpunkt stehen. Wenn es um die Beherrschung zentraler Lerninhalte geht, ist diese Methode eine kurzweilige und außerordentlich effektive Unterrichtsmethode. Es gibt sechs gute Gründe, weshalb Teamturniere so gut funktionieren:

1. Teamturniere vereinen die besten Seiten von Kooperation und Konkurrenz.
Im Unterricht haben sowohl Kooperation als auch Konkurrenz ihre Vor- und Nachteile. Konkurrenz steigert die Motivation, kann aber auch zu Aggressivität und Frustration aufseiten der Verlierer führen. Kooperatives Lernen verbessert die schulischen Leistungen und die Sozialkompetenz, doch fühlen sich Lehrer dabei oft überfordert. Teamturniere beruhen auf der eingehenden Analyse beider Modelle. Im Ergebnis sorgen sie dafür, dass die Vorteile von Kooperation und Konkurrenz bestmöglich ausgenutzt und gleichzeitig die Nachteile minimiert werden.

2. Teamturniere erfüllen sämtliche Anforderungen an eine effektive kooperative Unterrichtsmethode.
Die meisten Lehrer haben es schon einmal mit kooperativem Lernen versucht und sind vom Ergebnis enttäuscht gewesen. Eine häufige Ursache für diese Enttäuschung ist, dass Gruppenarbeit und kooperatives Lernen in einen Topf geworfen werden. Den Experten für kooperatives Lernen zufolge (Johnson und Johnson 1999) unterscheidet sich kooperatives Lernen in fünferlei Hinsicht von bloßer Gruppenarbeit. Kooperatives Lernen

- betont die *wechselseitige Abhängigkeit* der Teammitglieder,
- gewährleistet, dass die Schüler für ihre Leistung *individuell verantwortlich* sind,
- sorgt für positive, *persönliche Interaktion*,
- fördert durch die Arbeit in Kleingruppen die *Kommunikations- und Konfliktfähigkeit* und
- fördert die *Gruppenreflexion*, sodass die Schüler über ihr Tun nachdenken und dadurch bessere Teamplayer werden.

Teamturniere erfüllen alle fünf Kriterien. Die wechselseitige Abhängigkeit ergibt sich aus der Idee der Teamwertung, die alle Mitglieder eines Lernteams motiviert, sich beim Lernen und bei der Turniervorbereitung gegenseitig zu unterstützen. Die individuelle Verantwortlichkeit ist dadurch gewährleistet, dass jeder Schüler im Turnier allein gegen Mitschüler antreten muss. Dass immer wieder im Team zusammengearbeitet wird, sorgt für persönliche Interaktion und fördert die Kommunikations- und Konfliktfähigkeit. Und schließlich lernen die Schüler durch die Gruppenreflexion, wie man besser lernt und sich auf Prüfungssituationen vorbereitet – und das wird ihnen beim nächsten Teamturnier einen eindeutigen strategischen Vorteil verschaffen.

Als Lehrer sollten Sie auf diese Unterschiede zwischen Gruppenarbeit und kooperativem Lernen hinweisen, sie erklären und den Schülern vorführen, wie sie sich in der Praxis auswirken. Dabei kann Ihnen das Schema »Troubleshooting beim kooperativen Lernen« behilflich sein (Abb. 15.3, S. 192f.).

3. Teamturniere fördern das Lernen durch Wiederholung und Abwechslung.
»Es ist eine Tatsache«, so der Gehirnforscher Eric Jensen (2005, S. 38f.), »dass Verbindungen im Gehirn durch Wiederholung ausgebaut werden […]. Andererseits kann zu viel des immer Gleichen Langeweile auslösen.« Hierin liegen sowohl das Potenzial als auch der potenzielle Pferdefuß des Lernens durch Wiederholung: Es funktioniert, aber wenn man die Schüler mit immer neuen Arbeitsblättern bombardiert, bekommen sie früher oder später glasige Augen. Um die Kraft der Wiederholung optimal zu nutzen, muss man sie daher mit einer Gegenkraft kombinieren: mit der Abwechslung.

Im Rahmen eines Teamturniers üben die Schüler bestimmte Inhalte immer wieder, aber auf immer neue Art und Weise: selbstständig, beim kooperativen Lernen im Team und schließlich in einem konkurrenzorientierten Turnier. Für Variation sorgt außerdem die Integration vieler unterschiedlicher Fragetypen. Anders als dies etwa bei einem simplen Lückentext der Fall ist, werden die Schüler durch die Fragen eines Teamturniers gezwungen, eine Vielzahl unterschiedlicher Denkstile und -strategien auf den Stoff anzuwenden (vgl. Punkt 6 dieser Liste).

4. Teamturniere sind eine hervorragende Lernzielkontrolle.
Jedes Mal, wenn im Lauf des Turniers eine Frage gestellt wird, notieren alle Schüler am betreffenden Tisch auf ihrem Lösungsblatt ihre Antwort, bevor die Antwort des Spielers überprüft oder durch den Herausforderer infrage gestellt wird. Indem er die Lösungsblät-

ter nach dem Turnier einsammelt, kann der Lehrer überprüfen, wie es den einzelnen Schülern ergangen ist und mit welchen Fragen die Klasse insgesamt Schwierigkeiten hatte.

5. Das Wertungsschema eines Teamturniers sorgt für mehr Motivation.
Bekämen die Schüler im Rahmen des Turniers für jede Frage, die sie als Spieler oder Herausforderer richtig beantwortet haben, einfach nur einen Punkt, wäre ihre Motivation vermutlich rasch dahin. Allzu leicht könnte es passieren, dass der eine Schüler 20 Punkte sammelt, während sein Nachbar nur zwei hat. Eine solche »vernichtende Niederlage« würde schnell die negativen Aspekte des Konkurrenzprinzips zutage treten lassen. Doch wie sich an Abb. 4.2 ablesen lässt, funktioniert die Wertung eines Teamturniers anders.

Indem sich die Punktezahl nicht aus der Anzahl der richtigen Antworten ergibt, sondern aus dem Platz, den man im Vergleich zu den Mitspielern belegt hat, wird bei einem Teamturnier verhindert, dass die Abstände zu groß werden: Kein Spieler kann mehr als sechs Punkte erzielen, und kein Schüler bringt weniger Punkte mit ins eigene Lernteam als zwei. Um für noch mehr Ausgeglichenheit zu sorgen, sollten Sie die Zusammensetzung der »Turniertische« mit jedem Turnier ändern und Schüler, die besonders gut oder besonders schlecht abgeschnitten haben, entsprechend umsetzen. Auf diese Weise gehören fast alle Schüler (auch Ihre »Sorgenkinder«) irgendwann zu den Gewinnern und fast alle Schüler (auch die »Überflieger«) früher oder später zu den Verlierern.

6. Teamturniere beinhalten unterschiedliche Fragetypen.
Die Vorbereitungs- und Turnierfragen müssen – oder vielmehr sollten – nicht alle auf das schlichte Wiedergeben von Fakten abzielen. Es ist nämlich gar nicht so schwer, Fragen mit überprüfbaren Antworten zu formulieren und die Schüler *gleichzeitig* zu unterschiedlichen Denkprozessen zu animieren – einschließlich Denkprozessen höherer Ordnung. Um zu erfahren, wie man das macht, sollten Sie den Abschnitt »Die Methode im Einsatz« lesen (s. o.).

Die Methode Schritt für Schritt

1. Bereiten Sie für das Turnier Wissensfragen mit kurzen Antworten und entsprechende Lösungsblätter vor. Erstellen Sie außerdem ein Arbeitsblatt, das den Schülern bei der Vorbereitung hilft.
2. Teilen Sie die Schüler in Lernteams aus drei bis fünf Schülern ein. Sorgen Sie für ein breites Leistungsspektrum, sodass jedes Team aus leistungsstarken, durchschnittlichen und leistungsschwachen Schülern besteht.
3. Geben Sie den Teams Zeit, den Stoff gemeinsam zu wiederholen und sich auf das Turnier vorzubereiten. Erinnern Sie die Schüler daran, dass es darum geht, nicht einzelnen Schülern, sondern *allen* Mitgliedern des Teams im Turnier zum Erfolg zu verhelfen. Loben Sie Teams, die besonders effektiv arbeiten, und empfehlen Sie sie der ganzen Klasse als Vorbild.
4. Weisen Sie jedes Mitglied eines Lernteams einem Turniertisch zu, wo es gegen Mitglieder anderer Lernteams antritt. Ein Turniertisch sollte nicht mehr als fünf Teilnehmer haben und anders als die Lernteams aus Schülern mit vergleichbarem Leistungsniveau bestehen (sodass leistungsfähige, durchschnittliche und leistungsschwache Schüler sich jeweils mit ihresgleichen messen).

5. Erklären Sie die Turnierregeln (s. o.) und die Rollen der Teilnehmer (jeder Schüler notiert seine Antwort auf einem Lösungsblatt, der Spieler beantwortet die Frage mündlich, der Herausforderer kann dessen Antwort infrage stellen, der Überprüfer schaut die Musterantwort nach).
6. Sammeln Sie die Ergebnisse der einzelnen Lernteams ein, und überprüfen Sie sie. Räumen Sie den Schülern Zeit ein, den Prozess zu diskutieren und zu reflektieren.
7. Machen Sie einen Aushang mit den Ergebnissen. Erstellen Sie nach Möglichkeit einen Newsletter, der vom Turnier berichtet und den Einsatz der Schüler und Teams lobt.

Eine Unterrichtsstunde mit dieser Methode planen

Die Rolle des Lehrers bei der Planung eines Teamturniers besteht darin, die Klasse in Lernteams einzuteilen, den Stoff festzulegen, das Turnier zu organisieren, die nötigen Materialien für die Übungsstunden und das Turnier vorzubereiten sowie den Schülern zu helfen, das Gelernte zu verarbeiten und zu reflektieren.

Legen Sie als Erstes die Unterrichtsziele fest, und wählen Sie »turniergeeignete« Inhalte aus. Turniergeeignet sind Inhalte dann, wenn man gut Wissensfragen zu ihnen stellen kann, auf die es eine kurze Antwort gibt. Das bedeutet nicht, dass in einem Teamturnier nur »Wahr-oder-falsch«-Fragen oder Fragen mit Ein-Wort-Antworten vorkommen sollten. Die Fragen sollten die wichtigsten Stoffbereiche abdecken, und einige von ihnen sollten nicht nur auf Auswendiggelerntes abzielen, sondern echtes Verständnis voraussetzen. Zu diesem Zweck könnten Sie beispielsweise Fragen einbeziehen, bei denen die Schüler Wörter in Kategorien einordnen oder angeben müssen, welches Wort aus der Reihe fällt. Weitere Möglichkeiten:

- Fragen, bei denen die Schüler Gemeinsamkeiten und Unterschiede erkennen müssen. Beispiel: »Nenne drei Unterschiede zwischen einer Fabel und einem Märchen!«
- Fragen in Rätselform, wie zum Beispiel: »Ich bin Teil eines Kontinents. Von drei Seiten bin ich mit Wasser umgeben. Ein Beispiel für ein Stück Land von meiner Art ist Florida.«
- Fragen nach einem Verfahren oder einer Kompetenz, wie zum Beispiel: »Wie lang ist die Hypotenuse eines rechtwinkligen Dreiecks, dessen Katheten 7 und 24 Zentimeter lang sind?«
- Fragen, bei denen die Schüler etwas erklären müssen. Beispiel: »Warum hat Napoleon in den Verkauf Louisianas an die Vereinigten Staaten eingewilligt? Nenne zwei Gründe.«
- Fragen, bei denen die Schüler ein Muster erkennen oder eine Reihe fortsetzen müssen. Beispiel: »Ergänze das fehlende Wort: Graus, Haus, Laus, _____, Schmaus.«
- Fragen, bei denen die Schüler die Richtigkeit einer Aussage überprüfen müssen, wie zum Beispiel: »›Säugetiere sind lebendgebärend.‹ Stimmt diese Aussage immer, manchmal oder nie?«

Bereiten Sie für ein Turnier zwischen 25 und 40 Fragen plus ein Lösungsblatt vor. Sie können auch Lösungskarten verwenden. Gegenüber einem Lösungsblatt haben diese den Vorteil, dass die Schüler im Lauf des Turniers nicht heimlich nach Antworten auf andere Fragen schielen können.

Außerdem müssen Sie Fragen für die Übungsphase vorbereiten. Zur Vorbereitung sollten die Schüler Beispielfragen aus dem Turnier bekommen, aber auch andere. Im Idealfall sollte die Überschneidung bei ungefähr 50 Prozent liegen. Und schließlich müssen Sie ein leeres Antwortblatt erstellen, auf dem die Schüler während des Turniers ihre Antworten festhalten.

Achten Sie beim Einteilen der Lernteams auf Ausgeglichenheit. Die Teams sollten alle eine ähnliche Mischung aus leistungsstarken, durchschnittlichen und leistungsschwachen Schülern aufweisen, damit an den Turniertischen ebenbürtige Gegner aufeinandertreffen. Wenn Sie mehrere Turniere durchführen, sollten Sie in Erwägung ziehen, Schüler, die beim letzten Mal besonders gut oder besonders schlecht abgeschnitten haben, an einen anderen Turniertisch zu setzen. Sowohl die Lernteams als auch die Turniertische sollten hinsichtlich des Geschlechts und der Herkunft der Schüler gemischt sein.

Neben der Durchführung des eigentlichen Teamturniers sollten Sie sich auch Gedanken darüber machen, wie Sie die Schüler zur Reflexion über das Gelernte anregen können. Durch schriftliche Reflexionsübungen, eine abschließende Klassendiskussion oder Fragen, die gezielt zum Nachdenken anregen, können Sie Ihren Schülern helfen, beim nächsten Einsatz der Methode besser zurechtzukommen und selbstbestimmter zu lernen.

Variationen und Ergänzungen

Die Spiele »Boggle« und »Outburst« haben mit einem Teamturnier sehr viel gemeinsam. Beide sind gut geeignet, Inhalte zu wiederholen und die Schüler bei der Festigung ihres Wissens beziehungsweise Könnens zu unterstützen. Beide nutzen das Spannungsfeld zwischen Kooperation und Konkurrenz, um die Schüler besser zu motivieren. Anders als Teamturniere erfordern »Boggle« und »Outburst« deutlich weniger Planungsaufwand vonseiten des Lehrers.

»Boggle«

Das folgende Spiel können Sie zum Wiederholen und Festigen des Unterrichtsstoffs vor einer Klassenarbeit einsetzen. Es nimmt wenig Zeit in Anspruch, ist effektiv und leicht vorzubereiten. Wir nennen es »Boggle«, weil es dasselbe Wertungsschema wie das bekannte Wortspiel verwendet. Wenn Sie mit Ihren Schülern eine Runde »boggeln« wollen, gehen Sie wie folgt vor:

1. Geben Sie Ihren Schülern nach einem Lehrervortrag, nach dem Lesen eines Textes oder am Ende einer Unterrichtsstunde zwei Minuten Zeit, sich ihre Notizen noch einmal anzuschauen. Schärfen Sie den Schülern ein, dass sie sich auf Kerngedanken und wichtige Details konzentrieren sollen.
2. Fordern Sie die Schüler auf, ihre Notizen wegzulegen. Lassen Sie ihnen zwei Minuten Zeit, jeder für sich mittels »Brainstorming« möglichst viele Kerngedanken und wichtige Details zusammenzutragen und aufzuschreiben.
3. Weisen Sie die Schüler an, sich mit drei oder vier anderen Schülern zu einem »Wiederholungsteam« zusammenzutun. Dort sollen sie ihre Listen abgleichen und Punkte ergänzen, die ihnen bisher gefehlt haben.
4. Als Nächstes sollen die Teams sich auflösen und die Schüler mit Mitgliedern anderer Teams »boggeln« (sprich: ihre Liste mit der des Gegners vergleichen). Geboggelt wird in Zweier- oder Dreiergruppen. Für jeden Gedanken auf ihrer Liste, der ihrem Gegner fehlt, bekommen die Schüler einen Punkt.

5. Lassen Sie die Schüler sich wieder in den Wiederholungsteams zusammensetzen und ihre Gesamtpunktzahl ausrechnen, indem sie die Punkte aller Mitglieder addieren. Teams mit besonders hoher Punktzahl könnten Sie belohnen, indem Sie allen Schülern in der anstehenden Klassenarbeit einige Bonuspunkte geben.
6. Wiederholen Sie den Stoff noch einmal mit der ganzen Klasse, und beziehen Sie dabei die Gedanken ein, die manchen Schülern Punkte eingebracht haben. Streichen Sie besonders wichtige Informationen heraus, und sagen Sie den Schülern, in welcher Form bestimmte Gedanken in der Arbeit abgefragt werden.

»Outburst«

Bei dieser Methode treten Schülerteams gegeneinander an und rufen möglichst viele Wörter, die sich unter bestimmten Oberbegriffen subsumieren lassen. Beispiele für solche Oberbegriffe sind Primzahlen, Reptilien, amerikanische Bundesstaaten oder Dichter der Romantik. Der Clou an diesem Spiel ist, dass die Schüler die Listen selbst erstellen, indem sie in Teams möglichst viele Begriffe zu einer Kategorie sammeln. Wenn Sie dieses lustige Wiederholungsspiel mit einer Klasse spielen wollen, gehen Sie wie folgt vor:

1. Teilen Sie die Klasse in eine gerade Anzahl Teams ein, die aus je drei bis fünf Schülern bestehen. Die Hälfte der Teams gehört zur Gruppe 1, die andere Hälfte zur Gruppe 2. Jedes »Gruppe 1«-Team tritt gegen ein »Gruppe 2«-Team an.
2. Geben Sie jedem Team vier Oberbegriffe vor. Eine Geschichtslehrerin gab ihren Schülern am Ende einer Unterrichtseinheit zum alten Ägypten zum Beispiel folgende Kategorien an die Hand:

Kategorien für »Gruppe 1«-Teams	Kategorien für »Gruppe 2«-Teams
Berühmte Herrscher	Ägyptische Götter
Vorteile des Lebens am Nil	Bauwerke
Medizinische Innovationen	Gesellschaftliche Rollen
Technische Innovationen	Geografische Merkmale

3. Fordern Sie die Teams auf, für jede Kategorie mindestens fünf Begriffe zu finden.
4. Lassen Sie Team 1 einen seiner Oberbegriffe vorlesen, und geben Sie Team 2 zwei Minuten Zeit, möglichst viele Begriffe zu rufen. Die Schüler von Team 1 führen über die Antworten von Team 2 Buch, indem sie jeden Begriff, den ein Mitglied von Team 2 erwähnt, auf ihrer Liste abhaken. Nach zwei Minuten gehen beide Teams alle Begriffe noch einmal durch, um zu überprüfen, welche Team 2 genannt hat und welche nicht. Dann rechnen die Teams aus, wie viele Punkte sie in dieser Runde jeweils erzielt haben. Dabei gelten folgende Regeln:
   - Für jeden von Team 2 erwähnten Begriff, den Team 1 auf der Liste hat, bekommt Team 2 *einen Punkt*.
   - Für jeden von Team 2 *nicht* genannten Begriff, den Team 1 auf der Liste hat, bekommt Team 1 *einen Punkt* (sodass Team 1 einen Anreiz hat, eine möglichst lange Liste zu erstellen).

- Nennt Team 2 alle Begriffe, die auf der Liste von Team 1 stehen, bekommt Team 2 einen Bonus von *drei Punkten*.
- Anschließend werden alle weiteren Begriffe (die von Team 2 erwähnt werden, aber nicht auf der Liste von Team 1 stehen, oder die Team 1 auf der Liste hat, von Team 2 aber nicht genannt werden) gesammelt (oder an die Tafel geschrieben). Sie werden besprochen, wenn alle Spielrunden vorüber sind.

Bei den Spiel- und Wertungsregeln einer »Wortschlacht« gibt es viele Variationsmöglichkeiten. Beispielsweise kann man den Teams Punkte für Begriffe abziehen, die sie nicht nennen beziehungsweise nicht auf ihrer Liste haben.

5. Lassen Sie die Teams mit den verbleibenden Kategorien von Team 1 drei weitere Runden spielen.
6. Dann tauschen Team 1 und 2 die Rollen und spielen noch einmal vier Runden. Diesmal liest Team 2 die Kategorien vor und Team 1 ruft möglichst viele Begriffe.
7. Fragen Sie den Punktestand der einzelnen Teams ab, und belohnen Sie die besten Teams (z. B. indem Sie den Schülern bei einer anstehenden Klassenarbeit Bonuspunkte geben).
8. Gehen Sie den Stoff mit den Schülern noch einmal durch, besprechen Sie wichtige Begriffe, die gerufen wurden, aber vom gegnerischen Team nicht aufgelistet worden waren, und erklären Sie, in welcher Form der Stoff in der Klassenarbeit abgefragt werden wird (z. B. indem die Schüler ägyptische Gottheiten und ihre Beschreibung zuordnen, berühmte Herrscher in eine chronologische Reihenfolge bringen oder einen kurzen Essay über die Vorzüge des Lebens am Nil schreiben müssen).

Teil 03 Verstehensorientierte Methoden

Verstehensorientierte Methoden sind auf die Aktivierung und Förderung der Fähigkeit ausgerichtet, *logisch zu denken* und aus Anhaltspunkten Schlüsse zu ziehen. Sie wirken motivierend, indem sie die Neugier der Schüler wecken. Dies geschieht durch Rätsel, Probleme, Hinweise und Gelegenheiten zur Analyse und Diskussion.

Die in diesem Teil behandelten Methoden:

Methode 5: Im Rahmen der Methode **»Vergleichen und Gegenüberstellen«** führen die Schüler eine vergleichende Analyse durch, ziehen nach vorgegebenen Kriterien Schlussfolgerungen und ermitteln denkbare Ursachen und Wirkungen.

Methode 6: Bei **»Lesen und Verstehen«** werden einfache Aussagen eingesetzt, die den Schülern dabei helfen, Anhaltspunkte zu entdecken und sie schlüssig zu interpretieren.

Methode 7: **»Begriffsbildung«** ist ein Ansatz für das gründliche Lehren und Lernen von Konzepten, der auf der sorgfältigen Untersuchung von Beispielen und Gegenbeispielen beruht.

Methode 8: Die Methode **»Rätsel lösen«** erfordert, dass die Schüler Anhaltspunkte analysieren und interpretieren, um etwas Merkwürdiges zu erklären oder eine schwierige Frage zu beantworten.

Methode 5: Vergleichen und Gegenüberstellen

Wie passt die Methode in eine Unterrichtseinheit?

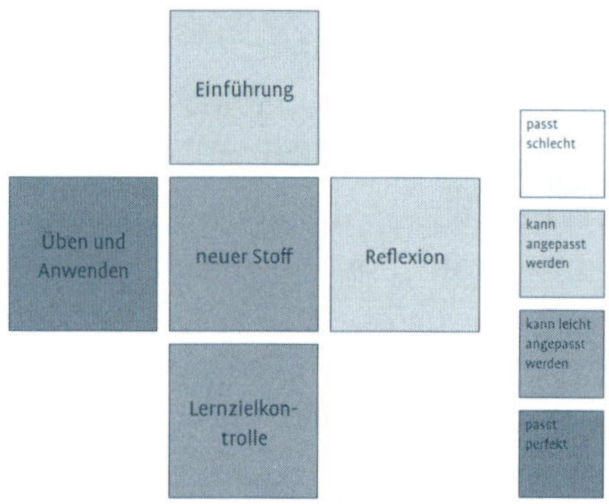

Welche Lerntypen spricht die Methode an?

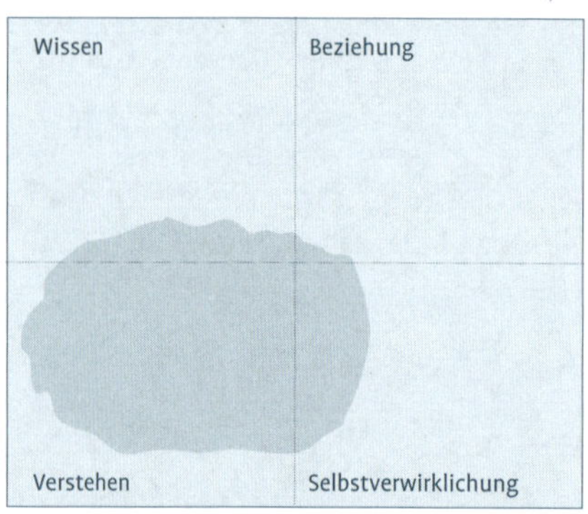

Welche Aspekte des Lernens lassen sich mithilfe der Methode weiterentwickeln?

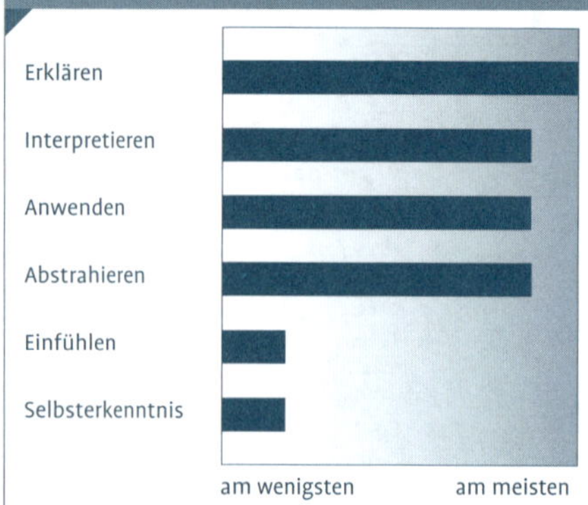

Welche Kernkompetenzen werden mit der Methode geschult?

Lesen und Lernen

● durch das Anfertigen von Notizen Ideen sammeln und ordnen
○ abstrakte akademische Begriffe erschließen
○ visuelle Darstellungen erfassen und interpretieren

Logisch denken und analysieren

● Schlussfolgerungen ziehen; Hypothesen und Vermutungen anstellen und überprüfen
● anhand vorgegebener Kriterien Vergleiche durchführen
○ mit ganz unterschiedlichen Aufgabenstellungen klarkommen

Kreativ sein und kommunizieren

○ verständlich formulierte, schlüssige Erklärungen schreiben
● sicherer schriftlicher Ausdruck in Sachtexten
● zwei oder mehr Texte lesen und darüber schreiben

Reflektieren und Bezüge herstellen

○ Pläne aufstellen, um komplexe Fragen oder Aufgaben zu lösen
● eigene Arbeit anhand von Kriterien und Checklisten evaluieren
○ die eigene Stimmung und spontane Regungen kontrollieren/beeinflussen

Inwiefern berücksichtigt die Methode Forschungsergebnisse über effektiven Unterricht?

● Gemeinsamkeiten und Unterschiede erkennen
● zusammenfassen und Notizen machen
○ Anstrengungen verstärken und anerkennen
○ Hausaufgaben und Übungen
○ nicht sprachliche Darstellungsformen
○ kooperatives Lernen
○ Ziele setzen und Feedback geben
● Hypothesen aufstellen und überprüfen
● Hinweise, Fragen und Diagramme zur Wissensstrukturierung (»Advance Organizer«)

Welche Arten von Wissen vermittelt die Methode?

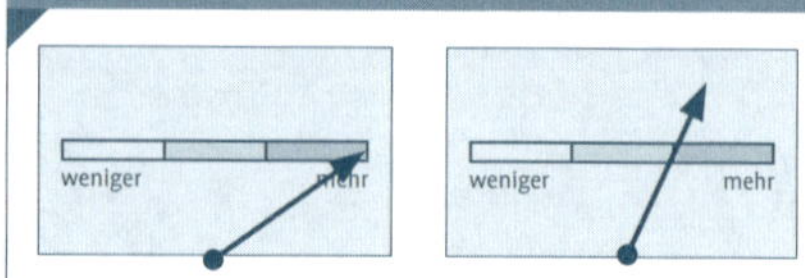

deklaratives Wissen

prozedurales Wissen

Überblick

Ziemlich häufig beruhen Lernschwierigkeiten bei Schülern darauf, dass sie es nicht merken, wenn sie beim Lernen vom Weg abkommen, weil bestimmte Aspekte des Lernstoffs *unsichtbar* (abstrakt), *verwirrend* (leicht mit anderen Ansätzen zu verwechseln) oder *unscheinbar* (leicht zu übersehen) sind. Immer wenn das geschieht, entgehen den Schülern entscheidende Zusammenhänge, grundlegende Gedanken und wichtige Details. Die Folge: Chancen, weitergehende Erkenntnisse zu gewinnen und kreativ mit den Lerninhalten umzugehen, bleiben ungenutzt.

Wie können wir unseren Schülern zu einem tieferen Verständnis des Unterrichtsstoffs verhelfen und verhindern, dass sie sich von Unsichtbarem, Verwirrendem und Unscheinbarem auf die falsche Fährte locken lassen? Die Antwort liegt, wie so oft in der Pädagogik, in einer ganz natürlichen menschlichen Fähigkeit: der Fähigkeit, Dinge zu vergleichen.

Das Potenzial des Vergleichens als Lehr-Lern-Methode ist unbestreitbar. Robert Marzano, Debra Pickering und Jane Pollock (2001) sind sogar zu dem Schluss gekommen, dass das Suchen nach Gemeinsamkeiten und Unterschieden die effektivste Methode darstellt, das Leistungsniveau in einer Klasse zu heben. Diese Methode geht von der natürlichen menschlichen Fähigkeit aus, Vergleiche anzustellen, und macht sie zu einer höchst effektiven Unterrichtsmethode. Dabei durchlaufen die Schüler einen Prozess mit folgenden Stationen:

- die zu vergleichenden Gegenstände einzeln beschreiben
- mithilfe eines vorgegebenen Schemas Gemeinsamkeiten und Unterschiede feststellen
- Schlussfolgerungen ziehen und diskutieren
- das Gelernte durch das Lösen einer Aufgabe festigen

Die Methode im Einsatz

Was Fabeln für Les Gould, einen Grundschullehrer mit einer 3. Klasse, zu einem so wertvollen Unterrichtsgegenstand macht, ist in erster Linie der große, innerhalb kurzer Zeit zu erzielende »literarische Gewinn«. »Viele Fabeln sind nur zwei oder drei Absätze lang und erzählen eine einfache Geschichte mit unmissverständlicher Moral«, so Gould, »und deshalb sind sie ideale Kandidaten für vergleichendes Lesen. Fabeln sind für junge Leser eine Gelegenheit, Texte genau zu lesen und zu analysieren. Und außerdem sind sie bei den Schülern sehr beliebt.«

Heute lesen seine Schüler »Die Schildkröte und der Hase« von Äsop und »Die Schildkröte und die Antilope«, eine Erzählung der Ngoni, die im Südosten Afrikas beheimatet sind. In beiden Geschichten besiegt die Schildkröte einen viel schnelleren Gegner. In »Die Schildkröte und der Hase« gewinnt sie dadurch, dass sie sich langsam, aber zielstrebig der Ziellinie nähert, während der siegessichere Hase einschläft. In »Die Schildkröte und die Antilope« setzt sie sich durch, indem sie gemeinsam mit anderen Schildkröten einen Plan ausheckt, wie sie der Antilope vorgaukeln können, die Schildkröte sei ihr stets voraus. Der Lehrer teilt den Schülern ein einfaches Beschreibungsschema aus, auf dem die Schüler die beiden Fabeln nebeneinander beschreiben sollen (siehe Abb. 5.1).

»Die Schildkröte und der Hase«	**Kriterien**	**»Die Schildkröte und die Antilope«**
	Figuren Warum sie ein Rennen veranstalten Wie die Schildkröte gewinnt Moral	

Abb. 5.1: *Beschreibungsschema*

Als Einstieg diskutiert Les Gould mit den Schülern über die Begriffe »Favorit« und »Außenseiter«. Nachdem er die Begriffe mit der Klasse definiert und Beispiele dafür gesammelt hat, erklärt er den Schülern:

Heute lesen wir zwei Fabeln, in denen es um Favoriten und Außenseiter geht. Dabei werden wir die Methode »Vergleichen und Gegenüberstellen« anwenden, um herauszufinden, was die beiden Fabeln gemeinsam haben, was sie unterscheidet und wie wir von diesen Unterschieden auf die Moral schließen können, die der Autor uns nahebringen will.

Bevor er den Schülern die zwei Fabeln austeilt, bespricht er mit ihnen die Kriterien, nach denen sie Informationen sammeln sollen:

Als Erstes fertigen wir eine sehr gute Beschreibung jeder Fabel an. Das wird uns helfen, später einen detaillierten Vergleich anzustellen. Während du die beiden Fabeln nacheinander liest, behältst du bitte die folgenden vier Fragen im Hinterkopf:

- Wer sind die Hauptfiguren der Fabel?
- Warum beschließen sie, ein Rennen zu veranstalten?
- Wie gewinnt die Schildkröte das Rennen?
- Was, glaubst du, möchte uns diese Fabel sagen?

Daraufhin lesen alle Schüler die beiden Fabeln für sich und sammeln dabei in ihrem Beschreibungsschema Informationen zu diesen vier Fragen.

Ehe die Schüler die beiden Fabeln vergleichen, fragt Les Gould die Informationen ab, die die Schüler zusammengetragen haben. Dann verkündet er:

> Jetzt können wir uns daranmachen, die beiden Fabeln zu vergleichen und einander gegenüberzustellen. Da wir bereits eine Beschreibung von beiden Fabeln angefertigt haben, sollte das kein Problem sein.

In einem Zylinderschema notieren die Schüler die wichtigsten Gemeinsamkeiten und Unterschiede zwischen beiden Fabeln. Zuerst arbeiten die Schüler in Stillarbeit daran, und dann erstellt der Lehrer mit der Klasse ein Musterschema (siehe Abb. 5.2).

Im nächsten Schritt sollen die Schüler überlegen, ob bei diesen beiden Fabeln die Gemeinsamkeiten oder die Unterschiede überwiegen, und im Plenum über ihre Ansichten diskutieren. Als Zusammenfassung und Abrundung führt Les Gould einen »Aufgabenzirkel« durch. Im Rahmen von Methode 20, »Aufgabenzirkel«, müssen die Schüler ihr Wissen unter Beweis stellen, indem sie Fragen beantworten, die alle vier Lernstile ansprechen:

- Sie müssen lesen, was »auf den Zeilen« steht, sprich nacherzählen, was in den Geschichten passiert (wissensorientierter Lerntyp): »Wie besiegt die Schildkröte in der Fabel von Äsop den Hasen? Wie schlägt die Schildkröte in der Fabel der Ngoni die Antilope?«
- Sie müssen »zwischen den Zeilen lesen«, also die Kerngedanken erklären, die den Fabeln zugrunde liegen (verstehensorientierter Lerntyp): »Welche Moral vermittelt uns die Fabel von Äsop? Welche Moral vermittelt die Fabel der Ngoni?«
- Sie müssen »über die Zeilen hinauslesen«, das heißt das Gelesene auf individuelle Weise anwenden (selbstverwirklichungsorientierter Lerntyp): »Stell dir vor, du schreibst eine Geschichte über ein Rennen zwischen einem schnellen und einem langsamen Tier, bei dem das langsame Tier gewinnt. Über welche Tiere würdest du schreiben? Wie würdest du das langsame Tier gewinnen lassen?«
- Indem sie »auf die Zeilen reagieren«, sprich sich fragen, was die Fabeln bei ihnen ausgelöst haben (beziehungsorientierter Lerntyp): »Welche Fabel gefällt dir besser? Warum?«

»Die Schildkröte und der Hase«	**»Die Schildkröte und die Antilope«**
• Das schnelle Tier ist ein Hase. • Die Schildkröte willigt in das Rennen ein, weil der Hase sich über sie lustig macht. • Die Schildkröte gewinnt, weil der Hase zu siegessicher ist und einschläft. • Die Moral lautet: »Mit Geduld und Beharrlichkeit kommt man ans Ziel.«	• Das schnelle Tier ist eine Antilope. • Die Schildkröte willigt in das Rennen ein, nachdem sie sich mit der Antilope gestritten hat. • Die Schildkröte gewinnt, indem sie die Antilope mithilfe anderer Schildkröten austrickst. • Die Moral lautet: »Mit Teamwork kommt man leichter ans Ziel.«

Gemeinsamkeiten
• Beide Fabeln handeln von einem Rennen zwischen einem langsamen und einem schnellen Tier. • In beiden Geschichten gewinnt die Schildkröte. • Beide Fabeln haben eine Moral, die für Menschen bestimmt ist (nicht für Tiere).

***Abb. 5.2:** Vergleich mittels eines Zylinderschemas*

Les Gould setzt die Methode »Vergleichen und Gegenüberstellen« im Lauf des Schuljahrs regelmäßig ein. Mit jedem Mal überträgt er den Schülern mehr Verantwortung: Er bringt ihnen bei, wie man klare Kriterien formuliert, wie man sorgfältig beschreibt und wie man ein Zylinderschema erstellt und mit dessen Hilfe Vergleiche anstellt. Schon im Januar verwenden die Schüler die Methode ohne Hilfestellung durch den Lehrer.

Warum die Methode funktioniert

Im Rahmen ihrer Auswertung von Studien über effektive Unterrichtsmethoden kamen Marzano, Pickering und Pollock (2001, S. 7 f.) zu dem Ergebnis, dass Methoden, bei denen die Schüler Gemeinsamkeiten und Unterschiede erkennen müssen, eine durchschnittliche Verbesserung ihrer Testergebnisse um 45 Prozentränge zur Folge haben. Diesen positiven Effekt, so stellte das Forscherteam weiter fest, kann man bei einer großen Vielfalt an Methoden beobachten, bei denen Vergleiche im Mittelpunkt stehen. Unabhängig davon, ob die Schüler selbstständig oder unter Anleitung des Lehrers arbeiteten, ob sie ihre Ergebnisse grafisch, symbolisch, sprachlich oder in mehreren Formen festhielten, ob sie verglichen, klassifizierten, Metaphern suchten oder Analogien herstellten: Ihr Verständnis des Lernstoffs stieg sprunghaft an.

Dass diese Methoden eine derartige Leistungssteigerung bewirken, liegt unter anderem daran, dass die Fähigkeit, Vergleiche anzustellen, Teil unserer kognitiven Grundausstattung ist. Menschen lieben es, Dinge paarweise anzuordnen – geben Sie jemandem eine Gabel, und er sucht nach einem Messer; zeigen Sie jemandem ein Bild, auf dem die Sonne untergeht, und er sucht nach dem aufgehenden Mond. Diese Angewohnheit, die Welt in Form zueinanderpassender Paare wahrzunehmen, hat mehrere Vorteile:

- Sie steigert die Merkfähigkeit. Zwei miteinander verknüpfte Gedanken bleiben besser im Gedächtnis haften als zwei isolierte.
- Sie ermöglicht den Rückgriff auf bereits Gelerntes, um uns auf Neues einen Reim zu machen. So hilft es Schülern, sich die Erdatmosphäre vorzustellen, wenn man einen Vergleich anstellt, etwa indem man sie fragt: »Inwiefern gleicht die Atmosphäre einer Decke aus Luft?«
- Sie hilft uns, Querverbindungen herzustellen und neue Ideen zu entwickeln.
- Sie macht *Unsichtbares* (Abstraktes) sichtbar, *Verwirrendes* (leicht mit anderen Begriffen zu Verwechselndes) durchschaubar und lässt *Unscheinbares* (leicht zu Übersehendes) deutlich hervortreten.

Doch so natürlich Vergleiche sind, so fruchtbar sie sein können und so zahlreich die Forschungsergebnisse sind, die die Effektivität von Vergleichen als Unterrichtsmethode belegen – viele Schüler tun sich schwer, sinnvolle Vergleiche anzustellen.

Um zu verstehen, wie man Vergleiche erfolgreich einsetzen kann, muss man sich zunächst klarmachen, weshalb der erhoffte Erfolg dieser Methode im Unterricht häufig ausbleibt. Die Tabelle in Abb. 5.3 gibt einen Überblick über die fünf häufigsten Gründe, aus denen Vergleiche misslingen, liefert Ideen, wie man gegensteuern kann, und gibt kurze Beispiele, wie man diese Ideen praktisch umsetzt.

Weshalb Vergleiche misslingen	Was man dagegen tun kann	Beispiele
Meist liegt bei Vergleichen das Augenmerk auf der abschließenden Bewertung, weil solche Fragen entweder am Ende eines Kapitels oder in Tests auftauchen. Anstatt Schüler zu entdeckendem und analysierendem Lernen anzuregen, verstärkt diese Betonung der Bewertung bei ihnen die Angst, nicht auf die richtige Antwort zu kommen.	Setzen Sie Vergleichen und Gegenüberstellen als Methode ein, und machen Sie den Schülern immer klar, welchen Zweck die Unterrichtsstunde erfüllt.	»Spinnen und Insekten werden oft in einen Topf geworfen. Wir wollen sie miteinander vergleichen, um uns die Gemeinsamkeiten und die Unterschiede vor Augen zu führen.«
Die Schüler haben keinen Zugang zu den Informationsquellen, die sie für einen sinnvollen Vergleich bräuchten.	Versorgen Sie die Schüler mit Informationen, auf die sie beim Vergleichen zurückgreifen können.	»Schau dir im Buch die Abschnitte zu den Volleyballregeln auf Seite 124 und zu den Tischtennisregeln auf Seite 198 an.«
Die Schüler wissen nicht, wonach sie suchen. Dabei kann man zwei Dinge nach unendlich vielen Kriterien vergleichen. Auf welche Aspekte kommt es an? Woher sollen die Schüler wissen, wann sie fertig sind?	Geben Sie den Schülern Kriterien für den Vergleich vor, oder erarbeiten Sie sie gemeinsam mit der Klasse. Achten Sie darauf, dass die Schüler sich auf die relevanten Punkte konzentrieren.	»Konzentriere dich bei der Beschreibung von Tutenchamun und Hatschepsut darauf, was die beiden Herrscher einzigartig machte, mit welchen Problemen sie konfrontiert waren, was sie erreicht haben und was sie als Herrscher auszeichnete.«
Die Schüler wissen nicht, wie sie ihre Ergebnisse sinnvoll ordnen sollen. Sie sammeln zwar auf der Grundlage der Kriterien die richtigen Informationen, aber nicht in einer Form, in der sie einprägsam, überschaubar und verwertbar wären.	Geben Sie den Schülern einen Advance Organizer an die Hand, oder erarbeiten Sie ihn gemeinsam mit ihnen. Ein solches Schema erleichtert es ihnen, Kerngedanken und relevante Details zu erkennen.	»Beschreibe anhand der Kriterien, die wir aufgestellt haben, Krokodile und Alligatoren, und verwende dabei dieses Diagramm.«
Oftmals bleiben Vergleichsübungen ohne Ergebnis. Da ihnen der Zweck und die sinnvolle Anwendung ihres Tuns unklar sind, verlieren die Schüler schnell die Motivation, einen Vergleich anzustellen.	Geben Sie den Schülern Gelegenheit, über das Gelernte zu diskutieren und es dann im Rahmen einer Syntheseaufgabe anzuwenden.	»Denk dir jetzt zwei Aufgaben wie Aufgabe 1 und zwei wie Aufgabe 2 aus und löse sie. Überlege dir dann zwei neue Aufgaben, bei denen du die Entfernung berechnen musst, und löse sie ebenfalls.«

Abb. 5.3: *Weshalb Vergleiche misslingen – und was man dagegen tun kann*

Die Methode Schritt für Schritt

1. Führen Sie Ihre Schüler an diese Methode heran, indem Sie zunächst einfache, alltägliche Dinge vergleichen und einander gegenüberstellen, die den Schülern vertraut sind – Katzen und Hunde, Äpfel und Orangen, Winter und Frühling.
2. Wählen Sie zwei unterschiedliche Objekte, Begriffe oder Texte, die von den Schülern verglichen und einander gegenübergestellt werden sollen.
3. Machen Sie das Ziel des Vergleichs deutlich, indem Sie die Frage beantworten: Welchem Zweck dient dieser Vergleich?
4. Geben Sie den Schülern Kriterien, nach denen sie die beiden Vergleichsgegenstände analysieren sollen (z. B.: Was fressen sie? Wie sehen sie aus? Wie verhalten sie sich?).
5. Lassen Sie die Schüler die Vergleichsgegenstände anhand dieser Kriterien einzeln beschreiben. (Dafür eignet sich in der Regel ein Vergleichsschema mit zwei Spalten.)
6. Zeigen Sie den Schülern, wie man ein Vergleichsschema verwendet, um Gemeinsamkeiten und Unterschiede festzuhalten (eine Auswahl an Vergleichsschemata finden Sie in Abb. 5.4).
7. Führen Sie anhand von Synthesefragen ein Unterrichtsgespräch mit der Klasse:
   - Überwiegen die Gemeinsamkeiten oder die Unterschiede?
   - Worin liegt der wichtigste Unterschied? Was sind seine Ursachen, was seine Folgen?
   - Welche Schlussfolgerungen kann man ziehen?
8. Leiten Sie die Schüler Schritt für Schritt zu mehr Selbstständigkeit an, indem Sie ihnen beibringen, wie man Kriterien aufstellt, Vergleichsgegenstände beschreibt und die entscheidenden Gemeinsamkeiten und Unterschiede herausfiltert.

Mengendiagramm

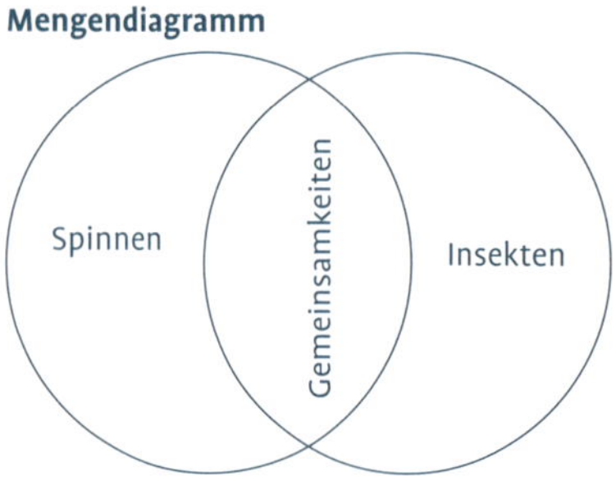

Tabelle

	Picasso	Matisse	beide
stilistische Innovationen			
Kunstverständnis (Rolle der Kunst in der modernen Welt)			
kreativer Prozess (Wie hat der jeweilige Künstler gearbeitet?)			

Zylinderschema

Y-Schema

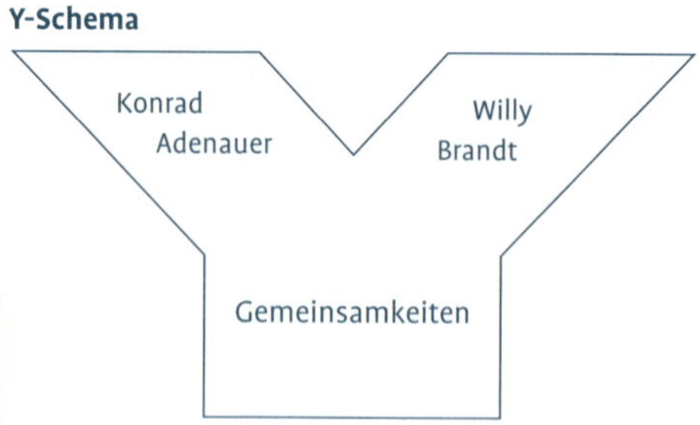

Abb. 5.4: *Advance Organizers für das Vergleichen und Gegenüberstellen*

Eine Unterrichtsstunde mit der Methode planen

Wenn Sie eine Unterrichtsstunde planen, die auf der Methode »Vergleichen und Gegenüberstellen« beruht, sollten Sie als Erstes das Lernziel festlegen. Warum haben Sie sich entschieden, die Schüler einen Vergleich durchführen zu lassen? Welche Erkenntnisse werden die Schüler in dieser Stunde gewinnen? Die Schüler werden sehr viel eher bereit sein, gut mitzuarbeiten, wenn ihnen klar ist, was sie da tun und welche Vorteile es ihnen bringt. Zu Beginn jeder Unterrichtsstunde, in der die Schüler etwas vergleichen sollen, sollten sie eine Einleitung wie die folgende hören: »Nachdem wir zwei von Shakespeares Tragödien gelesen haben, ›Hamlet‹ und ›Macbeth‹, wollen wir nun die beiden tragischen Helden vergleichen, damit ihr seht, dass die Figuren Shakespeares universell und einzigartig zugleich sind.«

Beim Aussuchen der Inhalte sollten Sie nach Paaren suchen, deren Vergleich von Natur aus geeignet ist, das Verständnis zu fördern. Ist Ihr Ausgangsbegriff »Amphibien«, so bietet sich als Vergleichsbegriff »Reptilien« an, da es unter den fünf wichtigsten Klassen der Wirbeltiere (Säugetiere, Vögel, Fische, Reptilien und Amphibien) die Amphibien und Reptilien sind, die am häufigsten verwechselt werden. Wie Sie in den Abschnitten »Die Methode im Einsatz« sowie »Variationen und Ergänzungen« sehen werden, ist diese Methode auch gut geeignet, um zwei Texte vergleichend zu analysieren oder zwei Arten von Textaufgaben in der Mathematik zu vergleichen.

Nachdem Sie das Lernziel festgelegt und die Inhalte ausgewählt haben, sollten Sie Ihre Planungsüberlegungen an den vier Phasen einer »Vergleichen und Gegenüberstellen«-Stunde orientieren:

Phase 1: Beschreiben

Die Schüler analysieren und beschreiben beide Vergleichsgegenstände einzeln. Überlegen Sie vorab:

Welche Informationsquellen sollen die Schüler nutzen? Sie können die Schüler mit Informationsquellen versorgen oder ihre Recherchefähigkeiten fördern, indem Sie sie in einem Handapparat, in der Schulbibliothek oder im Internet selbstständig nach Informationen suchen lassen.

Wie kommen die Schüler an die Kriterien, nach denen sie die Beschreibung vornehmen? Indem Sie Ihrer Klasse zu Beginn klare Kriterien vorgeben (z. B.: Wovon ernährten sich der Tyrannosaurus und der Brontosaurus? Wie sahen die beiden Dinosaurier aus? Wo lebten sie?), helfen Sie den Schülern, bei den relevanten Aspekten des Stoffs zu bleiben. Sind die Schüler mit dieser Methode vertraut, können Sie ihnen beibringen, die Kriterien selbstständig zu formulieren.

Phase 2: Vergleichen

Mithilfe eines visuellen Schemas halten die Schüler Gemeinsamkeiten und Unterschiede fest. Überlegen Sie vorab:

Welches visuelle Schema sollen die Schüler verwenden, um den Vergleich durchzuführen? Eine Auswahl an visuellen Schemata, die sich gut für Vergleiche eignen, zeigt Abb. 5.4.

Phase 3: Zusammenfassen

Die Schüler diskutieren, in welchem Verhältnis die Vergleichsgegenstände zueinander stehen. Überlegen Sie vorab:

Wie werden Sie die Diskussion in Gang bringen und den Schülern helfen, Schlussfolgerungen zu ziehen? Beispiele für einfache, aber wirkungsvolle Fragen sind:

- Überwiegen die Gemeinsamkeiten oder die Unterschiede?
- Was ist der wichtigste Unterschied?
- Worin sind die Unterschiede und Gemeinsamkeiten begründet?
- Wie wirken sich die Unterschiede aus?
- Welche allgemeinen Schlüsse lassen die Gemeinsamkeiten zu?

Gesucht: **Ein Vater für das 21. Jahrhundert, der viele Rollen unter einen Hut bringt**		
Der Fürsorgliche 	**Pflichten:** Kinder erziehen, nicht herumschreien, Mutti in romantische Lokale ausführen, zuhören, »da sein«	**Nutzen:** jede Menge Gegenliebe
Der Geldverdiener 	**Pflichten:** einen guten Job haben, genügend verdienen, dass er die Familie ernähren und für Urlaube bezahlen kann	**Nutzen:** Wer hätte nicht gern einen gut bezahlten Job? Weiteres Plus: Familienurlaube
Der Lustige 	**Pflichten:** im Sommer mit der ganzen Familie Baseballspiele anschauen, im Winter Schlitten fahren gehen, Quatsch machen, tanzen	**Nutzen:** Was hat man von einem Leben ohne Spaß? Die Erinnerungen an Familienausflüge bleiben ein Leben lang.
Der Heimwerker 	**Pflichten:** sich um das Haus und den Garten kümmern; Grundkenntnisse als Zimmermann, Gärtner, Installateur und Elektriker	**Nutzen:** Man bekommt einen tollen Werkzeugkasten und jede Menge Elektrowerkzeuge.

Abb. 5.5: *Beispielhafte Suchanzeige eines Schülers*

Phase 4: Anwenden

Die Schüler wenden das beim Vergleichen Gelernte an. Überlegen Sie vorab:

Wie werden die Schüler das Gelernte festigen und anwenden? Es gibt viele Möglichkeiten, die Schüler dazu anzuregen, das beim Vergleichen und Gegenüberstellen Gelernte anzuwenden. Ein gutes Beispiel für eine solche Syntheseaufgabe stammt von einem Sozialkundelehrer an einer Highschool. Am Ende einer Unterrichtsstunde, in der die Klasse anhand von Primärquellen einen Vater im 17. Jahrhundert mit einem Vater im 19. Jahrhundert verglich, ließ er die Schüler eine Liste mit Charaktereigenschaften erstellen, die Väter in den jeweiligen Jahrhunderten idealerweise haben sollten. Anschließend sollten die Schüler eine Suchanzeige für einen Vater im 21. Jahrhundert erstellen und dabei neben zwei zeitlosen Eigenschaften auch zwei einbauen, die typisch für unsere Zeit sind. Abbildung 5.5 zeigt die Arbeit eines Schülers.

Variationen und Ergänzungen

Für Vergleiche gibt es im Unterricht vielfältige Einsatzbereiche. Dieser Abschnitt behandelt die Anwendung der Methode »Vergleichen und Gegenüberstellen« im Mathematikunterricht und erläutert, wie man die Schüler auch mithilfe anderer in diesem Buch behandelter Methoden zum vergleichenden Denken anregen kann.

Vergleich als Problemlösungsmethode im Mathematikunterricht

In seiner Sammlung wissenschaftlich erprobter Methoden zur Verbesserung und Differenzierung des Mathematikunterrichts empfiehlt Ed Thomas (2003), mit »Vergleichen und Gegenüberstellen« zu arbeiten, um neue Arten von Textaufgaben einzuführen. Dadurch kämen die Schüler mit dem Komplexitäts- und Abstraktionsgrad vieler mathematischer Probleme besser zurecht. Schauen Sie sich zum Beispiel die folgenden Textaufgaben zum Thema »Zeit, Entfernung und Geschwindigkeit« an.

Aufgabe 1: Es ist jetzt 10:00 Uhr. Carly hat um 11:00 Uhr einen Termin in der 106 Kilometer entfernten Stadt A. Das Tempolimit auf der Bundesstraße dorthin beträgt 80 km/h. Wie viele Minuten kommt Carly zu spät, wenn sie genau 80 km/h fährt?

Aufgabe 2: Carly ist wieder mal spät dran. Sie muss um 11:00 Uhr in Stadt B sein. Dazu muss sie 106 Kilometer auf der Autobahn zurücklegen, und jetzt ist es 10:10 Uhr. Wie schnell muss sie fahren, um pünktlich anzukommen?

Wenn Sie Ihre Schüler die Phasen der Methode »Vergleichen und Gegenüberstellen« durchlaufen lassen (sie also zunächst beide Aufgaben einzeln beschreiben, sie dann vergleichen, als Nächstes die unterschiedlichen Lösungswege analysieren und schließlich das Gelernte auf eine kreative Aufgabe übertragen lassen), wird sich die Fähigkeit der Schüler, schwierige Aufgaben zu analysieren und einen Lösungsweg zu erarbeiten, signifikant verbessern. Abbildung 5.6 veranschaulicht, wie eine Schülerin die erste Phase dieses Prozesses bewältigt und die beiden Textaufgaben anhand der von ihrer Lehrerin vorgegebenen Kriterien beschrieben hat.

Während die Schüler im Lauf des Schuljahres immer neue Aufgaben auf diese Weise analysieren und lösen, können sie ihre Arbeit zum Beispiel in einem »Problemlöseheft« sammeln. Auf diese Weise können sie jedes Mal, wenn sie mit einem neuen Aufgabentyp konfrontiert sind, in ihrem Heft nach in der Vergangenheit verwendeten Problemlösestrategien fahnden und sie auf die neuen Aufgaben anwenden.

	Aufgabe 1		Aufgabe 2	
Wie lautet die Aufgabe? *(Was muss ich herausbekommen?)*	Die Aufgabe erfordert, dass ich die Zeit *t* bzw. den Zeitpunkt berechne, zu dem Carly ankommen wird. Danach kann ich ausrechnen, wie viel sie zu spät kommen wird.		Die Aufgabe erfordert, dass ich die Geschwindigkeit *v* berechne, mit der Carly fahren muss.	
Wie sieht das entsprechende Diagramm aus?	Startzeit: 10:00 Uhr	Wann kommt sie an?	Startzeit: 10:10 Uhr	Ankunftszeit: 11:00 Uhr
	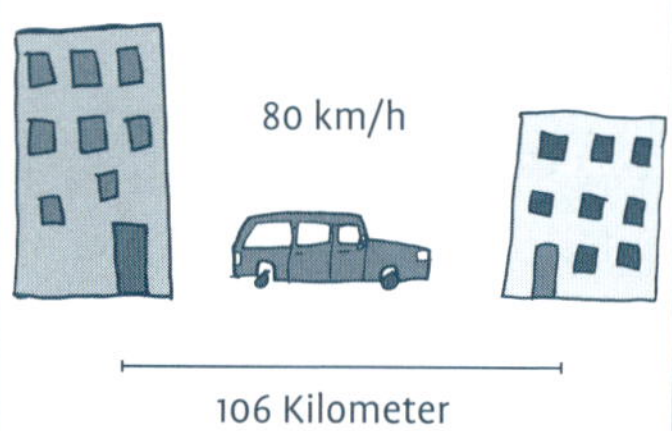			
Wie lautet die Lösung?	11:20 Uhr, 20 Minuten zu spät		127 km/h	
Wie hast du die Aufgabe gelöst? *(Beschreibe deinen Lösungsweg.)*	Ich habe die Formel $s = v \times t$ benutzt. Wenn die Strecke 106 Kilometer und die Geschwindigkeit 80 km/h beträgt, gilt: $106 = 40 \times t$ $t = 1{,}325$ Stunden, das entspricht umgerechnet rund 80 Minuten. Carly wird also um 11:20 Uhr ankommen, 20 Minuten zu spät.		Ich habe die Formel $s = v \times t$ benutzt. Die Strecke beträgt 106 Kilometer, die Zeit 50 Minuten. Da die Geschwindigkeit in km/h angegeben ist, muss ich die Zeit in Stunden umrechnen. Umgerechnet beträgt die Zeit 0,833 Stunden. Daher gilt: $106 = v \times 0{,}833$. Die Geschwindigkeit beträgt also 127,251 oder rund 127 km/h.	

Abb. 5.6: *Beispielhaftes Beschreibungsschema einer Schülerin (Thomas 2003)*

Die vielfältigen Möglichkeiten, Vergleiche anzustellen

Die Methode »Vergleichen und Gegenüberstellen« zielt auf eine Kompetenz ab, die für den Schulerfolg so wichtig ist wie kaum eine andere: die Fähigkeit, Dinge anhand ihrer Gemeinsamkeiten und Unterschiede voneinander zu unterscheiden. »Vergleichen und Gegenüberstellen« ist jedoch nicht die einzige Methode, mit der sich diese Fähigkeit ausbauen lässt. Als Marzano, Pickering und Pollock 2001 in »A handbook for classroom instruction that works« feststellten, die größten Leistungsverbesserungen bei Schülern könne man mithilfe einer Unterrichtsmethode erreichen, die sie »Gemeinsamkeiten und Unterschiede erkennen« nannten, machten sie eine Vielzahl effektiver »Formen« aus, die diese Unterrichtsmethode annehmen könne.

Dazu zählten sie zum Beispiel »Klassifizieren«, »Metaphern finden« oder »Analogien herstellen«. In diesem Buch werden Sie eine ganze Reihe von Methoden kennenlernen, die Schülern unterschiedliche Formen des vergleichenden Denkens abverlangen. Die so wichtige Fähigkeit, Gemeinsamkeiten und Unterschiede zu erkennen, können Sie mithilfe dieser Methoden auf ganz unterschiedliche Weise fördern und dabei den besonderen Bedürfnissen Ihrer Schüler ebenso gerecht werden wie den Anforderungen des Lehrplans. Hier eine kleine Übersicht, welche Methode für welches Lernziel geeignet ist:

Lernziel:	**Empfohlene Unterrichtsmethode(n):**
Dinge vergleichen und gegenüberstellen	Methode 5: Vergleichen und Gegenüberstellen (dieses Kapitel)
Merkmale genau untersuchen und auf dieser Basis Daten klassifizieren	Methode 7: Begriffsbildung Methode 9: Induktives Lernen
Nach dem Vergleich unterschiedlicher Situationen oder Dinge persönliche Entscheidungen treffen und rechtfertigen	Methode 14: Entscheidungen fällen
Durch kreative Vergleiche neue Erkenntnisse gewinnen	Methode 10: In Metaphern denken
Den Aufbau, das Format oder den Stil eines Gegenstands untersuchen und auf einen anderen Gegenstand übertragen	Methode 11: Muster erkennen

Abb. 5.7: *Lernziele und passende Unterrichtsmethoden*

Methode 6: Lesen und Verstehen

Wie passt die Methode in eine Unterrichtseinheit?

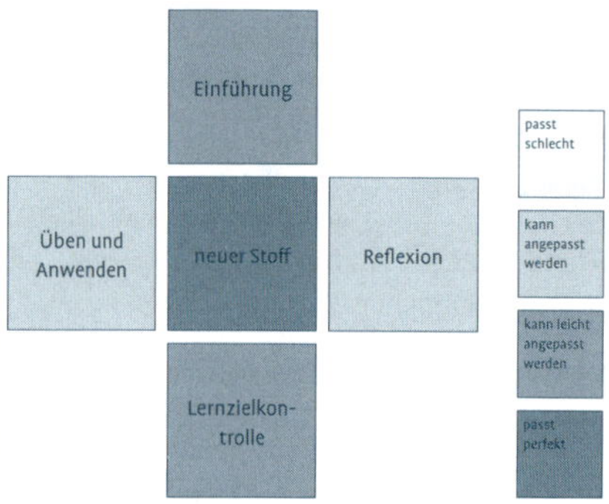

Welche Lerntypen spricht die Methode an?

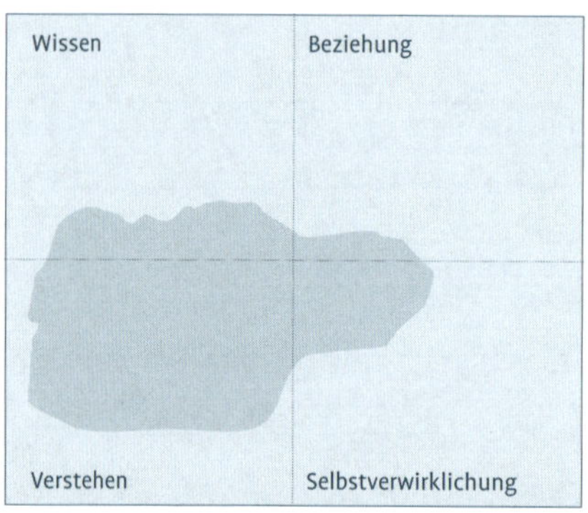

Welche Aspekte des Lernens lassen sich mithilfe der Methode weiterentwickeln?

Welche Kernkompetenzen werden mit dieser methode geschult?

Lesen und Lernen

- ● durch das Anfertigen von Notizen Ideen sammeln und ordnen
- ● abstrakte akademische Begriffe erschließen
- ● visuelle Darstellungen erfassen und interpretieren

Logisch denken und analysieren

- ● Schlussfolgerungen ziehen; Hypothesen und Vermutungen anstellen und überprüfen
- ○ anhand vorgegebener Kriterien Vergleiche durchführen
- ○ mit ganz unterschiedlichen Aufgabenstellungen klarkommen

Kreativ sein und kommunizieren

- ● verständlich formulierte, schlüssige Erklärungen schreiben
- ● sicherer schriftlicher Ausdruck in Sachtexten*
- ○ zwei oder mehr Texte lesen und darüber schreiben

Reflektieren und Bezüge herstellen

- ○ Pläne aufstellen, um komplexe Fragen oder Aufgaben zu lösen
- ○ eigene Arbeit anhand von Kriterien und Checklisten evaluieren
- ○ die eigene Stimmung und spontane Regungen kontrollieren/beeinflussen

Inwiefern berücksichtigt die Methode Forschungsergebnisse über effektiven Unterricht?

- ○ Gemeinsamkeiten und Unterschiede erkennen
- ● zusammenfassen und Notizen machen
- ○ Anstrengungen verstärken und anerkennen
- ○ Hausaufgaben und Übungen
- ○ nicht sprachliche Darstellungsformen
- ● kooperatives Lernen
- ○ Ziele setzen und Feedback geben
- ● Hypothesen aufstellen und überprüfen
- ● Hinweise, Fragen und Diagramme zur Wissensstrukturierung (»Advance Organizer«)

Welche Arten von Wissen vermittelt die Methode?

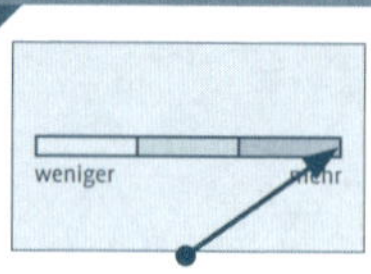

deklaratives Wissen

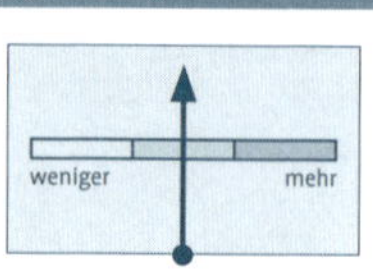

prozedurales Wissen

*Mit der Methode »Lesen und Verstehen« lässt sich vor allem die Fähigkeit der Schüler fördern, ihre Argumente mit Belegen zu untermauern.

Überblick

Bei einem unserer Workshops sagte eine nachdenkliche, erfahrene Geschichtslehrerin auf die Frage nach dem größten Problem, mit dem sie im Unterricht zu kämpfen habe:

Lesen, lesen, lesen. Ich würde mit meinen Klassen gern häufiger Primärquellen oder erstklassige Texte von Historikern lesen, aber ehrlich gesagt habe ich meine Zweifel, ob die Schüler überhaupt über die nötigen Kompetenzen verfügen, um anspruchsvolle Texte wie ein Historiker zu lesen, sprich mit einem strategischen Ansatz.

Als wir daraufhin eine kleine Umfrage unter den Anwesenden durchgeführt haben, erklärten 80 Prozent der teilnehmenden Lehrer – quer durch alle Jahrgangsstufen und Fächer –, zu viele ihrer Schüler hätten Schwierigkeiten, wichtige Texte kritisch zu lesen.

Angesichts der Bedeutung, die der Lesekompetenz für den aktuellen und weiteren Schulerfolg zukommt, stellt sich somit die Frage, wie wir allen Schülern zu einer strategischen Herangehensweise an Texte verhelfen können, die ihre Interpretationsfähigkeiten fördert, ohne dabei die Lerninhalte zu vernachlässigen.

»Lesen und Verstehen« ist eine Strategie, die bei diesem Spagat hilft. In einer »Lesen und Verstehen«-Stunde bekommen die Schüler einfache Thesen an die Hand, mit deren Hilfe sie vor dem Lesen Vermutungen anstellen, während des Lesens aktiv nach relevanten Belegen suchen und nach dem Lesen das Gelernte reflektieren und anwenden können.

Die Methode im Einsatz

Geschichtslehrer Robert Bukowski nimmt mit einer 8. Klasse die Geschichte der USA durch. Dabei lässt er die Schüler »Texte, die den Gang der amerikanischen Geschichte verändert haben« lesen. Heute geht es um eine zentrale Quelle zur Geschichte des amerikanischen Bürgerkriegs, die vielleicht berühmteste Rede, die je ein US-Präsident gehalten hat: die »Gettysburg Address«. Zu Beginn der Stunde teilt Robert Bukowski den Schülern ein »Lesen und Verstehen«-Schema mit fünf Thesen zur Gettysburg Address aus (siehe Abb. 6.1).

Dann sagt er:

Bevor er einen neuen Text liest, aktiviert jeder gute Historiker sein Vorwissen, damit er die vor ihm liegende Quelle besser einordnen kann. Deshalb möchte ich, dass auch ihr euer Vorwissen aktiviert und euch überlegt, was ihr bereits über Abraham Lincoln, den Bürgerkrieg und die Gettysburg Address wisst.

Nun lässt er die Schüler mit dem »Lesen und Verstehen«-Schema arbeiten. Sie sollen sich als Erstes die fünf Thesen durchlesen und dann auf der Grundlage ihres Vorwissens Vermutungen anstellen, worum es in dem Text wohl geht.

Nachdem alle Schüler eine Vermutung angestellt haben, nehmen sie sich den Text vor. Beim Lesen sammeln sie auf ihrem Schema Belege für oder gegen die einzelnen Thesen. Abbildung 6.1 zeigt das von Robert Bukowski verwendete Schema und die Belege, die ein Schüler gegen die erste These gesammelt hat (»Lincoln ist der Ansicht, dass die Soldaten umsonst gestorben sind«).

Belege dafür	These	Belege dagegen
	1. Lincoln glaubt, dass die Soldaten umsonst gestorben sind. ☐ Stimme zu ☑ Stimme nicht zu 2. Lincoln ist überzeugt, dass große Nationen Herausforderungen bewältigen können. ☐ Stimme zu ☐ Stimme nicht zu 3. Lincoln sieht eindeutige Bezüge zwischen der Vergangenheit und der Gegenwart. ☐ Stimme zu ☐ Stimme nicht zu 4. Eine gute Überschrift für die Gettysburg Address wäre: »Wir können es schaffen.« ☐ Stimme zu ☐ Stimme nicht zu 5. Lincoln möchte den Amerikanern wegen des Krieges ein schlechtes Gewissen machen. ☐ Stimme zu ☐ Stimme nicht zu	These 1: „die hier ihr Leben gaben, damit diese Nation leben möge" „die tapferen Männer, Lebende wie Tote, die hier kämpften, haben ihn geweiht" „auf dass wir hier einen heiligen Eid schwören, dass diese Toten nicht vergebens gefallen sein mögen"

Abb. 6.1: *»Lesen und Verstehen«-Schema, beispielhaft mit von einem Schüler gesammelten Belegen*

Anschließend bittet der Lehrer die Schüler, sich in ihren Lesegruppen zusammenzusetzen, um über den Text, die Thesen und die Belege zu sprechen. Die Schüler tauschen sich über ihre Gedanken aus und erarbeiten einen Konsens darüber, inwiefern die einzelnen Thesen zutreffen. Währenddessen geht Robert Bukowski von Tisch zu Tisch und hört den einzelnen Gruppen zu. Wenn es in einer Gruppe zu einer Meinungsverschiedenheit kommt, hilft er den Schülern, Belege zu finden, mit denen sie ihre Ansicht untermauern können. Danach kommt die ganze Klasse zusammen, um sich über die Arbeit in den Gruppen und die Ergebnisse auszutauschen. Als Hausaufgabe sollen die Schüler eine Nacherzählung der Gettysburg Address schreiben, die auch ein Drittklässler verstehen würde.

Während Robert Bukowski im Lauf des Schuljahrs mit seinen Schülern weitere »Texte, die den Gang der amerikanischen Geschichte verändert haben« liest, leitet er sie an, die Methode »Lesen und Verstehen« selbstständig anzuwenden, um sich anspruchsvolle Texte zu erschließen. Jedes Mal, wenn die Schüler einen Text verwirrend finden, erklärt und zeigt ihnen der Lehrer, wie sie das Lesen einfach unterbrechen und eine kurze These aufstellen können, die ihrer Meinung nach den Inhalt der betreffenden Passage wiedergibt. Anhand dieser These können sie dann überprüfen, ob sich ihre Interpretation mit Textstellen belegen lässt.

Auch Jeffrey Berger, Lehrer in einer 2. Klasse, greift auf die Methode »Lesen und Verstehen« zurück, um seinen Schülern die wichtige Kompetenz zu vermitteln, wie man mithilfe von Belegen die eigene Lesart eines literarischen Textes untermauert. Heute liest Jeffrey Berger seiner Klasse die Geschichte »Drachen und Riesen« aus dem Buch »Frosch und Kröte – unzertrennlich« von Arnold Lobel vor. Hinter dem Lehrer steht ein Flipchart, auf dem drei Spalten angelegt sind: Die linke und die rechte Spalte sind mit »Belege dafür« beziehungsweise »Belege dagegen« überschrieben, und in der Mittelspalte stehen vier Thesen:

1. Mutig sein bedeutet, niemals Angst zu haben.
2. Sein ist wichtiger als Schein.
3. Frosch und Kröte waren aufeinander angewiesen, um das Abenteuer zu bestehen.
4. Auch erfundene Geschichten können uns dazu anregen, Großes zu tun.

Bevor er mit dem Vorlesen beginnt, fordert Jeffrey Berger die Schüler auf, über diese Thesen nachzudenken. Beim Vorlesen unterbricht er dann an wichtigen Punkten und fragt die Schüler, ob ihnen etwas aufgefallen ist, was als Hinweis dienen kann, ob die Thesen richtig oder falsch sind. Der Lehrer notiert die Gedanken der Schüler in der Spalte »Belege dafür« oder »Belege dagegen« und fährt dann mit dem Lesen fort. Später diskutiert er mit der Klasse über das Gelesene, die Thesen und das Verfahren, mit dem sie festgestellt haben, ob die Belege stichhaltig sind.

Warum die Methode funktioniert

Die Methode »Lesen und Verstehen« beruht auf Vorarbeiten von Harold Herber (1970), zielt jedoch sehr viel stärker darauf ab, die Fähigkeit der Schüler zu fördern, Schlussfolgerungen zu ziehen. Außerdem haben wir die Methode weiterentwickelt, indem wir zahlreiche neuere Forschungsergebnisse zu der Frage einbezogen haben, wie gute Leser an Texte herangehen und wie sie das Gelesene verarbeiten. Auf die entscheidende Frage »Wie können wir alle unsere Schüler dabei unterstützen, bessere Leser zu werden?« gibt »Lesen und Verstehen« eine zweifache Antwort:

1. Durch diese Methode lernen die Schüler, was wir als »strategisches Lesen« bezeichnen.

Wie Studien zeigen, erfordert eine strategische Herangehensweise an das Lesen vor, während und nach dem Lesen drei unterschiedliche Phasen geistiger Aktivität. Wie Young, Righeimer und Montbriand (2002) erläutern, liegt das Geheimnis effektiver Leser darin, dass sie in jeder dieser Phasen ganz bestimmte Methoden einsetzen. Vor dem Lesen aktivieren effektive Leser beispielsweise ihr Vorwissen und machen sich klar, wonach sie suchen, während des Lesens achten sie darauf, wie viel sie verstehen und wie der Text sich in den Zusammenhang einfügt, und nach dem Lesen reflektieren sie über das Gelesene und fassen es zusammen. Die Methode »Lesen und Verstehen« ermöglicht es den Schülern, beim Lesen strategischer vorzugehen, indem sie diese drei Phasen berücksichtigt:

- *Vor dem Lesen:* In dieser Phase beschäftigen sich die Schüler mit einer Reihe von Thesen zum Text. Das erleichtert es ihnen, intuitiv ein Gefühl für den Inhalt und die Struktur des Textes zu entwickeln. Der Lehrer kann die Schüler auch fragen, ob sie den einzelnen Thesen zustimmen oder nicht. Dadurch aktivieren die Schüler ihr Vorwissen und können Vermutungen über den Inhalt des Textes anstellen. Beides – das Entwickeln eines Gefühls für die Struktur eines Textes und der Rückgriff auf Vorwissen, um Vermutungen anzustellen – verbessert erwiesenermaßen die generelle Lesefähigkeit von Schülern (Tierney und Cunningham 1984).
- *Aktives Lesen:* In der Phase des aktiven Lesens gehen die Schüler sehr zielgerichtet vor. Da sie Belege sammeln müssen, die ihre Vermutungen bestätigen oder widerlegen, lesen sie automatisch langsamer und mit Blick fürs Detail, damit ihnen keine wichtige Information entgeht.
- *Nach dem Lesen:* In dieser Phase denken die Schüler noch einmal über ihre Vermutungen nach und stellen fest, inwiefern bestimmte Belege ihre ursprünglichen Annahmen zum Inhalt des Texts bestätigt oder sie dazu veranlasst haben, diese zu revidieren. Es bietet sich an, die Schüler diese Reflexionsphase in kleinen Gruppen durchführen zu lassen, sodass sie andere von ihrer Ansicht überzeugen und Belegstellen anführen müssen, um über die einzelnen Thesen einen Konsens zu finden. Meist stellen Lehrer darüber hinaus eine Syntheseaufgabe, damit die Schüler das Gelernte in einem sinnvollen Zusammenhang anwenden.

2. Die Methode hilft Schülern, häufig auftretende Schwierigkeiten beim Lesen zu überwinden.

»Lesen und Verstehen«-Thesen sind ein sehr vielseitiges Mittel, die Lesekompetenz der Schüler auszubauen. Mit etwas Übung können Sie sehr unterschiedliche Arten von Thesen formulieren, mit denen Sie Ihren Schülern bei der Überwindung einer Vielzahl häufig auftretender Leseschwierigkeiten behilflich sein können. Im Folgenden erläutern wir zehn verschiedene Arten von Thesen, auf die Sie im Rahmen der Methode »Lesen und Verstehen« zurückgreifen können, und geben Tipps und Beispiele.

Zehn Arten von Thesen, die für »Lesen und Verstehen« geeignet sind

1. Schwierige Wörter verstehen

Wenn Sie die Aufmerksamkeit der Schüler auf bestimmte Wörter lenken wollen, können Sie Synonyme oder ähnliche Ausdrücke in eine These integrieren. Wollen Sie den Schülern im Englischunterricht die Bedeutung des Wortes marveled im Satz »All the villagers marveled at the size of the elephant« nahebringen, so könnte eine passende »Lesen und Verstehen«-These beispielsweise lauten:

The villagers were surprised that the elephant was so large.

Mit derartigen Thesen können Sie den Schülern auch dabei helfen, sich über Anhaltspunkte aus dem Kontext die Bedeutung wissenschaftlicher Ausdrücke zu erschließen. Beispiel:

Portugiesische Seefahrer berechneten mithilfe eines Astrolabiums, wo auf der Erde sie sich befanden.

2. Kerngedanken formulieren

Wenn Sie den Schülern dabei helfen wollen, die Kernaussage eines Textes zu erfassen, sollten Sie Thesen aufstellen, die sie dazu zwingen, über die Gesamtbedeutung des Textes nachzudenken:

Die Kernaussage des Autors lautet, dass »Film noir« keine Technik ist, sondern ein Stil.

Eine gute Überschrift für diesen Text wäre: »Wir können es schaffen.«

3. Schlussfolgern

Möchten Sie den Schülern helfen, sich tiefere oder gar verborgene Bedeutungen zu erschließen, so müssen Sie sie dazu bringen, zwischen den Zeilen zu lesen. Dazu dienen Thesen wie:

Im Bundesstaat Kansas leben vermutlich mehr Reptilien als in ganz Kanada.

Man merkt, dass Pu und Ferkel schon sehr lange befreundet sind.

4. Argumentieren

Wollen Sie Ihren Schülern beibringen, überzeugend zu argumentieren, so formulieren Sie Ihre Thesen so, dass sie gezwungen sind, Position zu beziehen:

Zwangsumsiedlungen sind inhuman.

Insekten nutzen mehr, als dass sie schaden.

5. Visualisieren

Wenn Sie erreichen wollen, dass sich die Schüler das Gelesene bildlich vorstellen können, sollten Sie Thesen formulieren, die ihre Aufmerksamkeit auf metaphernreiche Abschnitte lenken:

Eine gute Möglichkeit, sich einen geometrischen Punkt bildhaft vorzustellen, ist eine Nadelspitze.

Durch die Sprache des Autors kann ich mir besser vorstellen, wie es in einer Raumstation aussieht.

6. Bezüge zwischen dem Text und anderen Wissensgebieten herstellen

Integrieren Sie Begriffe und Inhalte aus anderen Wissensgebieten in Ihre Thesen, um die Schüler zu animieren, fächerübergreifende Bezüge herzustellen:

Dirty Harrys Idee der Selbstjustiz würde die Zustimmung von Francis Bacon finden.

Unterrichten ist eher eine Kunst als eine Wissenschaft.

7. Metaphern und Symbole untersuchen

Mit Thesen wie den folgenden können Sie Ihren Schülern neue, erfrischende Perspektiven eröffnen:

Eine Kolonie gleicht in vielerlei Hinsicht einem Kind.
Eine Büroklammer ist ein gutes Symbol für den wissensorientierten Lernstil.

8. Schreibstil und -technik analysieren

Um den Schülern vor Augen zu führen, wie der Autor einen bestimmten Effekt erzielt, müssen Sie ihre Aufmerksamkeit darauf lenken, *wie* der Text geschrieben ist:

Der Autor des Leitartikels versäumt es, auf mögliche Gegenargumente einzugehen.
Die Sprache Lincolns überspielt das Grauen, das sich auf dem Schlachtfeld von Gettysburg abgespielt hat.

9. Empathie entwickeln

Damit die Schüler sich besser in die Ansichten oder die Gefühlslage anderer (beziehungsweise des Autors) hineinversetzen lernen, können Sie Thesen aufstellen wie:

Countee Cullen war aufgrund des im Gedicht beschriebenen Vorfalls zutiefst verletzt.
Der Autor möchte, dass wir mit der Maus Mitleid haben.
Dass Joe Jackson niemals in die »Baseball Hall of Fame« aufgenommen wurde, ist unfair.

10. Einen persönlichen Standpunkt finden

Wenn Sie erreichen wollen, dass Ihre Schüler beim Interpretieren von Texten auf ihre eigenen Gefühle und Erfahrungen zurückgreifen, sollten Sie Thesen formulieren, die es ihnen erleichtern, einen persönlichen Bezug zum Inhalt herzustellen:

Emersons Einstellung zum Thema individuelle Verantwortung deckt sich weitgehend mit meiner eigenen.
Wäre Thomas Edison kein Erfinder gewesen, sähe mein Leben heute ganz anders aus.

Die Methode Schritt für Schritt

1. Verteilen Sie (oder erstellen Sie gemeinsam mit den Schülern) ein »Lesen und Verstehen«-Schema mit vier bis acht Thesen zu zentralen Aussagen des Textes. Erteilen Sie den Schülern einen der folgenden Arbeitsaufträge:
   - Lassen Sie sie zuerst nur die Thesen lesen und Vermutungen anstellen, worum es im Text gehen könnte.
   - Fragen Sie sie, ob sie den einzelnen Thesen zustimmen oder nicht. (Das funktioniert am besten, wenn Ihre Thesen nicht zu nah am Text sind. Textspezifische Thesen wie »Der Autor möchte, dass wir Mitleid mit der Maus haben« animieren die Schüler dazu, auf gut Glück zu raten. Allgemeinere Thesen wie »Zwangsumsiedlungen sind inhuman« zwingen die Schüler dazu, Vorwissen zu aktivieren und eine Position zu beziehen, die beim Lesen dann bekräftigt oder infrage gestellt wird.)
   - Lassen Sie die Schüler angeben, bis zu welchem Grad sie mit den Thesen übereinstimmen. (Bei Thesen wie »Vögel können fliegen« oder »Ein Polygon hat vier Seiten« könnten Sie etwa fragen, ob diese Aussage immer, manchmal oder nie zutrifft.)
   - Lesen Sie zwei entgegengesetzte Thesen vor (z. B.: »Torkameras sind eine gute Sache für den Fußball« und »Torkameras schaden dem Fußball«), und fragen Sie, welcher These die Schüler eher zustimmen.

2. Weisen Sie die Schüler an, den Text zu lesen, nach Textstellen Ausschau zu halten, die eine der Thesen belegen oder widerlegen, und sie in ihrem Schema in der »Belege dafür«- beziehungsweise »Belege dagegen«-Spalte festzuhalten.
3. Lassen Sie die Schüler anschließend in Gruppenarbeit über ihre Belege diskutieren und einen Konsens darüber herstellen, ob der Text die einzelnen Thesen erhärtet oder widerlegt.
4. Befragen Sie die Schüler im Unterrichtsgespräch nach ihrer Haltung zu den einzelnen Thesen, und diskutieren Sie mit der ganzen Klasse darüber, welche Rolle Textstellen bei der Verteidigung einer Position spielen.
5. Lassen Sie die Schüler zur Vertiefung des Gelernten eine Zusammenfassung oder Interpretation des Textes schreiben oder mithilfe ihres neuen Wissens eine Syntheseaufgabe lösen.
6. Fördern Sie den Ausbau der Lesekompetenz, indem Sie den Schülern beibringen, selbstständig Thesen aufzustellen, anhand deren sie ihr Verständnis eines Textes überprüfen können.

Eine Unterrichtsstunde mit dieser Methode planen

Wenn Sie auf der Grundlage der Methode »Lesen und Verstehen« eine Unterrichtsstunde planen wollen, müssen Sie sich eine Reihe von Fragen stellen:

- Fragen Sie sich beim Aussuchen des Textes: »Welchen Artikel, welche Quelle oder welche Passage sollte ich besonders hervorheben, weil sich die intensive Analyse lohnt?«
- Fragen Sie sich beim Gliedern des Textes in grundlegende Abschnitte: »Welche Themen, Kerngedanken und Details sollten meine Schüler entdecken?«
- Fragen Sie sich beim Ausarbeiten der vier bis acht »Lesen und Verstehen«-Thesen: »Welche Thesen könnten meine Schüler zum Nachdenken anregen und ihre Aufmerksamkeit fesseln, *bevor* sie zu lesen anfangen?« Außerdem sollten Sie sich fragen: »Wie kann ich die Thesen so variieren, dass meine Schüler sich eine möglichst große Bandbreite an Kompetenzen aneignen, die sie für das kritische Lesen benötigen?« (Siehe dazu die zehn Arten von »Lesen und Verstehen«-Thesen im vorangegangenen Abschnitt.)
- Fragen Sie sich beim Formulieren von Leitfragen, mit denen Sie die Diskussion in Gang bringen wollen: »Welche Fragen zum Stoff beziehungsweise zu diesem Verfahren sind am besten geeignet, um meine Schüler während der Stunde und nach dem Lesen zum Diskutieren anzuregen?«, sowie: »Mit welchem Einstieg kann ich zu Beginn der Stunde das Interesse meiner Schüler wecken?«
- Fragen Sie sich beim Erstellen einer Syntheseaufgabe: »Wie können meine Schüler die Gedanken und Informationen, die sie dem Text entnommen haben, konkret anwenden?«

Variationen und Ergänzungen

In diesem Abschnitt stellen wir Ihnen drei Variationen der Methode »Lesen und Verstehen« vor. Erstens zeigen wir Ihnen, wie Schüler mithilfe von »Lesen und Verstehen«-Thesen schwierige Textaufgaben in der Mathematik lösen können. Als Nächstes erläutern wir die Methode »Informationssuche«, die von den gleichen drei Phasen ausgeht wie »Lesen und Verstehen« (vor dem Lesen, während des Lesens und nach dem Lesen), mit dem Unterschied, dass Schüler mit Leseschwierigkeiten hier in jeder Phase zusätzliche Hilfestellung erhalten. Und schließlich widmen wir uns der Frage, inwiefern man »Lesen und Verstehen«-Thesen einsetzen kann, um die Fähigkeit der Schüler zu fördern, argumentative Texte zu verfassen.

Mit »Lesen und Verstehen« Mathematikaufgaben lösen

Obwohl sie in Vergleichsarbeiten sehr häufig vorkommen, gehören Textaufgaben noch immer zu den am häufigsten genannten Ursachen dafür, dass Schüler im Mathematikunterricht überfordert und frustriert sind. Im Gegensatz zu anderen Mathematikaufgaben erfordern Textaufgaben eine Kombination aus quantitativen Problemlösefähigkeiten und interpretierendem Lesen, und diese Kombination lässt viele Schüler impulsiv handeln. Anstatt sich Zeit zu nehmen und zu überlegen, was bei dieser Aufgabe eigentlich zu tun ist, ziehen die Schüler oft voreilige Schlüsse.

Auf Textaufgaben angewandt, beugt die Methode »Lesen und Verstehen« impulsiven Reaktionen vor und fördert die Problemlösefähigkeit, indem sie die Schüler dazu anhält, vor dem Rechnen nachzudenken, gemeinsam zu planen und die erarbeitete Lösung anschließend zu reflektieren.

Ein Beispiel. Maggie O'Connor legt ihrer Klasse folgende Textaufgabe vor:

Eine Autohändlerin in Bowling Green erwartet eine Lieferung von Autos und Pick-ups. Noch ehe der Zug mit den Fahrzeugen eintrifft, bekommt sie eine Rechnung, aus der hervorgeht, dass an ihre vier Autohäuser insgesamt 160 Fahrzeuge geliefert werden. Leider fehlt in der Rechnung die Aufstellung, um wie viele Autos und wie viele Pick-ups es sich handelt. Da sie weiß, dass du in Algebra gelernt hast, solche Aufgaben zu lösen, bittet die Autohändlerin dich um Hilfe. Laut Rechnung wiegen die Fahrzeuge insgesamt 182 800 Kilogramm. Ein Pick-up wiegt 1400 kg, ein Auto 1000 kg. Wie viele Autos und wie viele Pick-ups werden geliefert?

Maggie O'Connor hat fünf »Lesen und Verstehen«-Thesen formuliert, die ein Schlaglicht auf unterschiedliche Aspekte des Problems werfen.

Die Fakten

These Nr. 1: Ein Pick-up hat mehr Masse als ein Auto.

These Nr. 2: Die Gesamtzahl der zu liefernden Fahrzeuge kennen wir bereits.

Der Lösungsweg

These Nr. 3: Am besten löst man diese Aufgabe, indem man eine Gleichung mit einer Variablen aufstellt.

Die verdeckten Fragen

These Nr. 4: Die Information, dass die Autohändlerin vier Autohäuser betreibt, ist für die Lösung irrelevant.

Die Lösung

These Nr. 5: Es gibt zwei möglich Lösungen.

Nachdem die Schüler entschieden haben, ob sie den einzelnen Thesen zustimmen oder nicht, lässt Maggie O'Connor sie in Gruppen zusammengehen, in denen sie ihre Antworten diskutieren, sich untereinander einigen und einen Plan erarbeiten, wie die Aufgabe zu lösen sei. Anschließend löst jeder Schüler die Aufgabe für sich. Dabei notiert er, ob der Lösungsplan aufgegangen ist oder abgeändert werden musste. Danach diskutiert die Lehrerin mit der Klasse über die Schwierigkeiten, auf die sie gestoßen sind, und über ihre unterschiedlichen Lösungsstrategien. Gemeinsam sammeln sie Gedanken und Methoden, die den Schülern eine Hilfe bei zukünftigen Textaufgaben sein könnten.

Informationssuche

Genau wie beim »Lesen und Verstehen« stehen auch bei der verständnisfördernden Methode »Informationssuche« (Strong, Silver, Perini und Tuculescu 2002) die drei Phasen des strategischen Lesens im Mittelpunkt. Diese Methode beruht auf der bekannten Methode »Wissen – Wollen – Lernen« (Ogle 1986) und eignet sich in besonderer Weise für Schüler mit Lese- und/oder Lernschwierigkeiten, da sie

- die Schüler dazu animiert, aktiv ihr Vorwissen und ihre Intuitionen, Fragen und Gefühle einzuschätzen und zu ordnen, um so vor dem Lesen einen visuellen Rahmen zu erstellen, in den sie den Text einordnen können;
- den Schülern beibringt, mithilfe eines einfachen Markierungssystems zu bestimmen, wie wichtig einzelne Textpassagen sind; und
- die Macht der Reflexion entfesselt, weil sie die Schüler zum Nachdenken darüber anhält, wie sich ihre Sichtweise durch das Gelesene verändert hat.

Die Methode »Informationssuche« erfordert im Prinzip vier Schritte:

1. Wählen Sie einen Text, benennen Sie die wichtigsten Abschnitte bzw. Themen, und formulieren Sie jedes Thema in Form einer Frage.

Wayne Cutillo zum Beispiel möchte, dass sich seine Schüler im Rahmen einer Unterrichtseinheit über das »Zeitalter der Entdeckungen« sowohl mit den gigantischen Erfolgen wie auch mit den schrecklichen Gräueltaten beschäftigen, die wir mit den sogenannten Konquistadoren in Mittelamerika assoziieren. Er entscheidet sich für einen Artikel mit der Überschrift »Entdecker oder Ausbeuter?« und formuliert zu den wichtigsten Themen des Artikels folgende vier Fragen:

- Wer waren die Konquistadoren?
- Was haben die Konquistadoren geleistet?
- Wie haben sie die einheimische Bevölkerung behandelt?
- Wie sollte die Geschichte die Konquistadoren in Erinnerung behalten?

2. Lassen Sie die Schüler überlegen, was sie wissen, was sie zu wissen glauben, was sie gern wissen möchten und welche Gefühle die einzelnen Fragen bei ihnen auslösen.

Vergewissern Sie sich, dass den Schülern bewusst ist, dass ihr Vorwissen nur ein Ausgangspunkt ist. Ermuntern Sie die Schüler, darüber zu sprechen, was sie zu wissen glauben, worauf sie von Natur aus neugierig sind und was sie aus ihren persönlichen Reaktionen auf die einzelnen Fragen schließen können. Erstellen Sie dann unter Beteiligung der ganzen Klasse eine detaillierte Mindmap, die den Kenntnisstand der Schüler vor dem Lesen veranschaulicht. Abbildung 6.2 ist ein Beispiel für eine solche Mindmap.

3. Erklären Sie den Schülern, wie sie mittels »Leserzeichen« nach Informationen suchen und eine Verbindung zwischen dem Gelesenen und der Mindmap herstellen können.
Verteilen Sie nach Möglichkeit Kopien des Textes, damit die Schüler ihn bedenkenlos anstreichen können. Alternativ können Sie den Schülern auch selbstklebende Etiketten austeilen. Eine einfache Reihe von »Leserzeichen« sieht zum Beispiel so aus:
! Das ist eine neue Information.
= Diese Information stimmt mit denen auf der Mindmap überein.
≠ Diese Information widerspricht denen auf der Mindmap.
? Dazu habe ich eine Frage. (Offene Fragen können Anlass für weitere Nachforschungen sein, entweder im Rahmen der Unterrichtseinheit oder als eigenständiges Projekt.)

4. Lassen Sie die Schüler nach dem Lesen und Anstreichen des Textes ihre neuen Erkenntnisse sammeln, indem sie eine überarbeitete Mindmap oder ein selbst gewähltes Schema erstellen.
Eine ideale Methode, das neu Gelernte zu festigen, ist eine Aufgabe, bei der sich die Schüler nach der Lektüre die ursprüngliche Mindmap noch einmal anschauen, darüber nachdenken, wie sich ihre Sichtweise verändert hat, und dann die neu gewonnenen Einsichten zusammenfassen und visuell darstellen. Dazu können Sie die Schüler eine neue, überarbeitete Mindmap oder ein Schema anfertigen lassen, das zu den im Text enthaltenen Informationen passt. (Eine Auswahl solcher Schemata finden Sie auf Seite 35.)

»Lesen und Verstehen« beim argumentativen Schreiben

Zwischen wichtigen und unwichtigen Informationen unterscheiden, Texte nach ganz bestimmten Informationen durchforsten und die eigene Position mit Zitaten belegen – diese Kompetenzen gehören zu den häufigsten, die in Vergleichsarbeiten abgefragt werden. Indem sie das entdeckende Lesen, das Finden und Untermauern eines eigenen Standpunkts und das Formulieren gut durchdachter Argumente in den Mittelpunkt stellt, eignet sich die Methode »Lesen und Verstehen« perfekt für Aufgaben, die den Schülern argumentatives Schreiben abverlangen und sie dadurch auf Vergleichsarbeiten vorbereiten. Überlegen Sie, welche Kompetenzen beispielsweise für die Bewältigung der folgenden Aufgabe aus dem Grundschulbereich nötig sind:

In der vergangenen Woche haben wir uns mit Spinnen beschäftigt. Wie ist deine Einstellung zu Spinnen? Hat sich deine Meinung im Lauf der Woche geändert? Der Artikel unten beschreibt fünf verschiedene Spinnenarten und ihr Verhältnis zu den Menschen, Tieren und Pflanzen um sie herum. Ich möchte, dass du beim Lesen Belege sammelst, die folgende Aussage bestätigen oder widerlegen:
Spinnen sind eher nützlich als schädlich.
Schreibe nach dem Sammeln von Belegen aus dem Text einen Aufsatz, indem du für oder gegen diese Aussage argumentierst.

Wenn Sie bereits wissen, wie man eine »Lesen und Verstehen«-Stunde plant, ist es einfach, auf der Basis dieser Methode eine Aufgabe für eine Klassenarbeit oder einen Test zu erstellen. Führen Sie dazu folgende vier Schritte durch:
1. Wählen Sie einen Text oder mehrere thematisch verwandte Texte aus.
2. Identifizieren Sie die Themen, die Kerngedanken und die wichtigsten Details.
3. Formulieren Sie eine »Lesen und Verstehen«-These, die den Kern des Textes (bzw. der Texte) erfasst. Achten Sie darauf, dass sich die These aus dem Text heraus beweisen oder

widerlegen lässt. Die These sollte so formuliert sein, dass die Schüler dafür oder dagegen argumentieren können.

4. Stellen Sie Kriterien auf, anhand deren Sie und Ihre Schüler die Aufsätze bewerten werden.

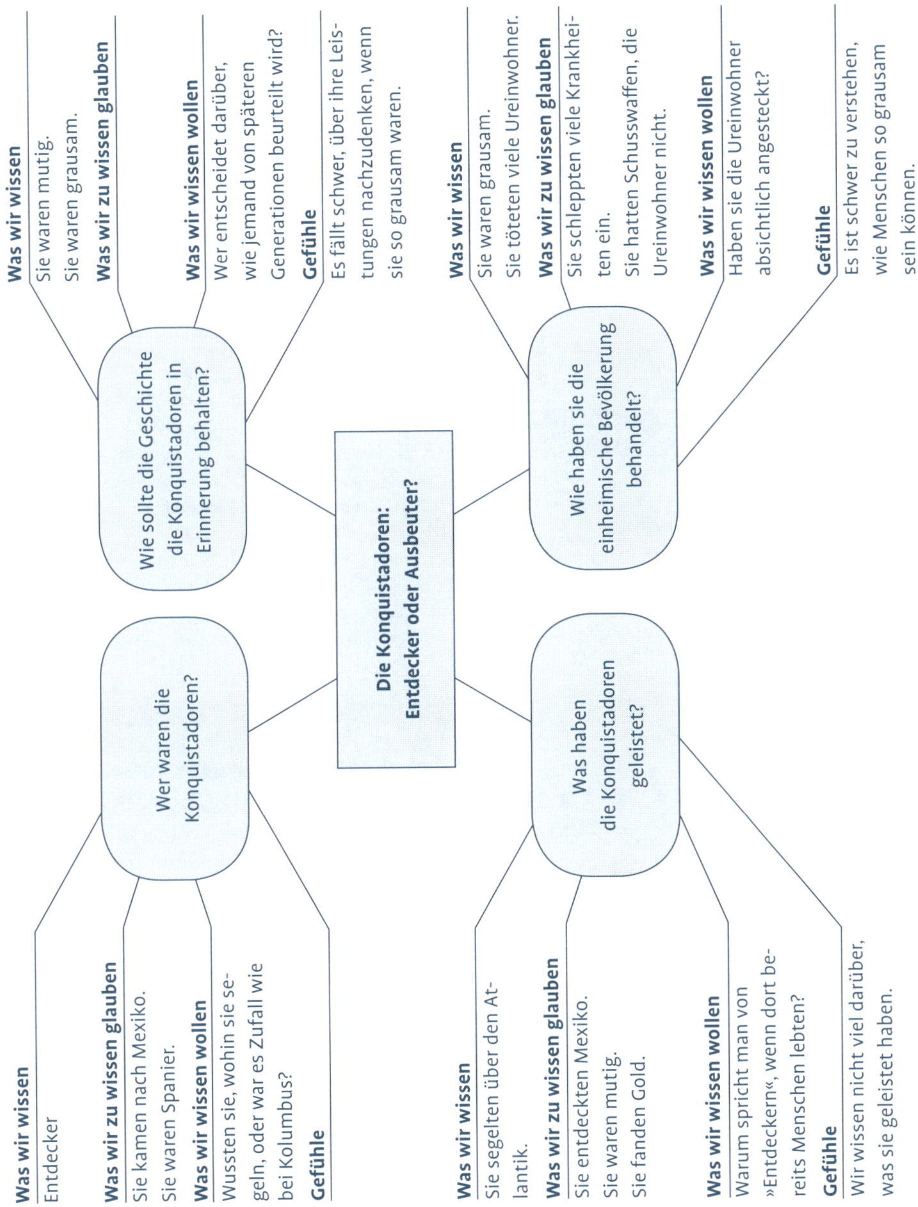

Abb. 6.2: *Mindmap: Wissensstand vor dem Lesen eines Textes über die Konquistadoren*

Methode 7: Begriffsbildung

Wie passt die Methode in eine Unterrichtseinheit?

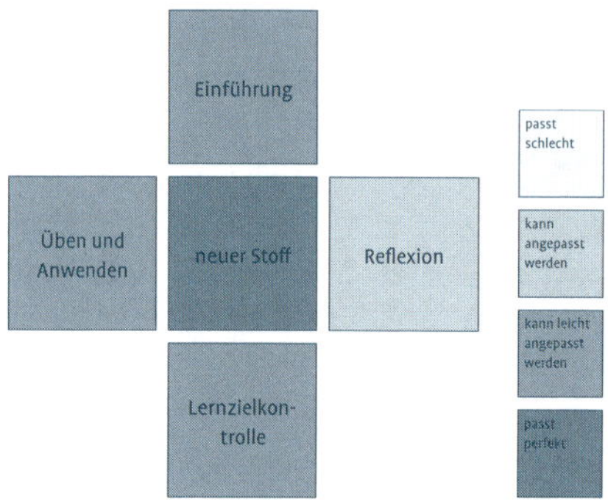

Welche Lerntypen spricht die Methode an?

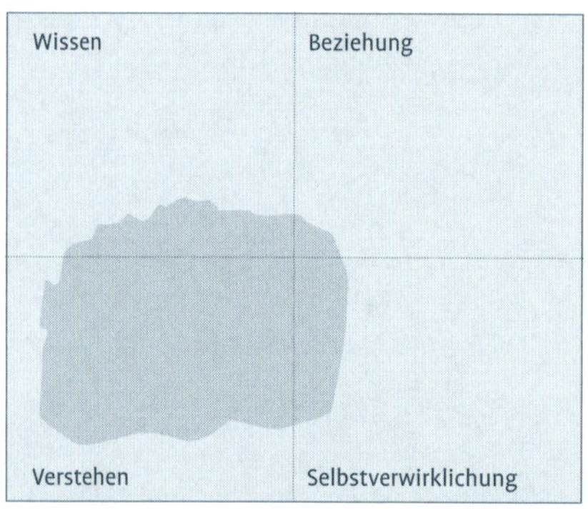

Welche Aspekte des Lernens lassen sich mithilfe der Methode weiterentwickeln?

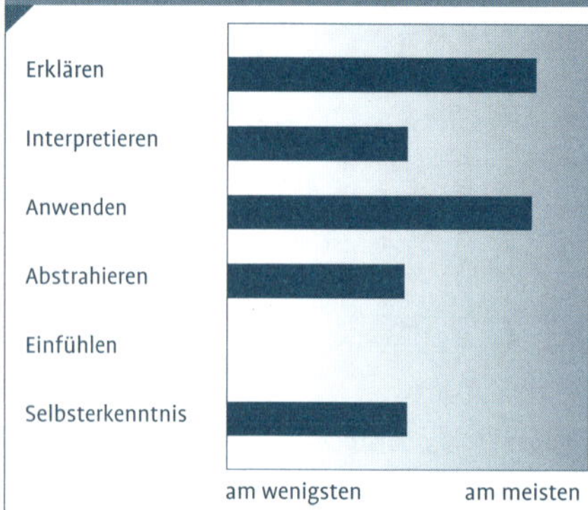

Welche Kernkompetenzen werden mit der Methode geschult?

Lesen und Lernen

- ○ durch das Anfertigen von Notizen Ideen sammeln und ordnen
- ● abstrakte akademische Begriffe erschließen
- ● visuelle Darstellungen erfassen und interpretieren*

Logisch denken und analysieren

- ● Schlussfolgerungen ziehen; Hypothesen und Vermutungen anstellen und überprüfen
- ● anhand vorgegebener Kriterien Vergleiche durchführen
- ○ mit ganz unterschiedlichen Aufgabenstellungen klarkommen

Kreativ sein und kommunizieren

- ● verständlich formulierte, schlüssige Erklärungen schreiben
- ○ sicherer schriftlicher Ausdruck in Sachtexten
- ○ zwei oder mehr Texte lesen und darüber schreiben

Reflektieren und Bezüge herstellen

- ○ Pläne aufstellen, um komplexe Fragen oder Aufgaben zu lösen
- ○ eigene Arbeit anhand von Kriterien und Checklisten evaluieren
- ○ die eigene Stimmung und spontane Regungen kontrollieren/beeinflussen

Inwiefern berücksichtigt die Methode Forschungsergebnisse über effektiven Unterricht?

- ● Gemeinsamkeiten und Unterschiede erkennen
- ○ zusammenfassen und Notizen machen
- ● Anstrengungen verstärken und anerkennen
- ○ Hausaufgaben und Übungen
- ○ nicht sprachliche Darstellungsformen
- ○ kooperatives Lernen
- ○ Ziele setzen und Feedback geben
- ● Hypothesen aufstellen und überprüfen
- ○ Hinweise, Fragen und Diagramme zur Wissensstrukturierung (»Advance Organizer«)

Welche Arten von Wissen vermittelt die Methode?

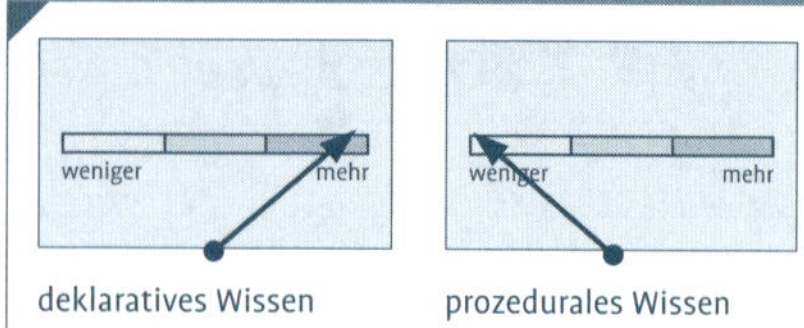

*Je nach Lerninhalt wird bei der Strategie »Begriffsbildung« häufig mit Bildern gearbeitet.

Überblick

Die Begriffe und Kategorien, die unsere Schüler lernen müssen, sind nicht alle gleich wichtig. Manche von ihnen sind unverzichtbare Grundlagen für zukünftige Lehr- und Lernprozesse. Wenn die Schüler nur eine vage Vorstellung von Schlüsselbegriffen wie »Kultur« oder »Gesellschaft« in Sozialkunde, »Polynom« in der Mathematik, oder auch »lebendig« in der Biologie haben, wird dieser Mangel an klaren Definitionen alles weitere Lernen, das auf diesen Schlüsselbegriffen aufbaut, behindern.

»Begriffsbildung« (engl. »concept attainment«) ist eine Methode, die den Schülern Gelegenheit gibt, sich wichtige Begriffe aktiv und gründlich zu erarbeiten. Indem sie Beispiele und Gegenbeispiele für eine bestimmte Kategorie und den korrespondierenden Begriff analysieren, erschließen sie sich diesen Begriff »von Grund auf«. Sie hinterfragen und präzisieren ihr Verständnis so lange, bis ihnen alle wichtigen Attribute klar sind und ein stabiles Fundament für weiteres Lernen gelegt ist.

Die Methode im Einsatz

Carl Carrozza hat eine Unterrichtseinheit über Raubtiere geplant. Er möchte, dass seine Schüler ein solides begriffliches Verständnis entwickeln, was ein Raubtier ist und wie hervorragend Raubtiere an ihre Lebensweise angepasst sind.

Er beginnt die Unterrichtseinheit mit folgenden Worten:

Heute machen wir etwas Ungewöhnliches: Ich halte jetzt gleich Bilder von unterschiedlichen Tieren hoch. Einige dieser Tiere sind »Ja«-Beispiele für die Kategorie, auf die ich hinauswill, andere »Nein«-Beispiele. Alle »Ja«-Tiere sind Beispiele für eine wichtige Kategorie, die in den nächsten Stunden im Mittelpunkt unseres Lernens stehen wird. Die »Nein«-Beispiele fallen nicht in diese Kategorie, obwohl sie mit den »Ja«-Beispielen möglicherweise manches gemeinsam haben. Ich möchte, dass ihr euch jedes »Ja«-Beispiel und jedes »Nein«-Beispiel genau anschaut und herauszubekommen versucht, um welche Kategorie es mir geht. Der Begriff, mit dem man diese Kategorie bezeichnet, wird der Ausgangspunkt sein, aber was du eigentlich herausfinden sollst, das sind die wichtigsten Eigenschaften, die diesen Begriff definieren.

Daraufhin hält Carl Carrozza Bilder der ersten drei Tiere hoch – eine Katze (ja), einen Hund (ja) und einen Hasen (nein) – und lässt die Schüler eine erste Reihe von Eigenschaften aufstellen.

Im anschließenden Unterrichtsgespräch stellt der Lehrer fest, dass die Schüler Eigenschaften wie »beliebte Haustiere«, »Läufer« (im Gegensatz zu »Hüpfern«) und »Fleischfresser« notiert haben. Dann zeigt er Bilder von vier weiteren Tieren: ein Pferd (nein), einen Löwen (ja), einen Brontosaurus (nein) und einen Velociraptor (ja).

»Also«, sagt Carl Carrozza, »was haben alle Ja-Beispiele gemeinsam? Worin unterscheiden sie sich von den Nein-Beispielen?«

Die Schüler diskutieren nun eine Reihe von Ideen. Ein Schüler merkt an, dass der Brontosaurus langsam, alle Ja-Beispiele dagegen schnell sind. Einem anderen Schüler fällt auf, dass alle Ja-Beispiele scharfe Zähne haben und Fleischfresser sind. Carl Carrozza sammelt alle von den Schülern genannten Eigenschaften an der Tafel. Dann zeigt er zwei weitere Bilder: einen Adler (ja) und eine Schlange (ja).

Ein Schüler weist darauf hin, dass die Schlange nicht schnell ist, aber ein anderer entgegnet: »Schon, aber sie beißt schnell zu.« Andere Schüler beschäftigt, dass der Adler keine Zähne hat.

»Sie können alle irgendwie Fleisch zerlegen«, fasst ein Schüler zusammen. »Der Adler hat Klauen und einen Schnabel, die Schlange hat Zähne. Alle anderen Ja-Beispiele haben Klauen und scharfe Zähne. Die Nein-Beispiele haben das alles nicht.« Die meisten Schüler sind sich nun einigermaßen sicher, dass es um den Begriff »Fleischfresser« geht und die entscheidenden Eigenschaften »frisst Fleisch« und »kann Fleisch zerlegen« sind. Daraufhin hält Carl Carrozza ein letztes Bild hoch, das einen Geier zeigt – der zur Überraschung vieler Schüler ein Nein-Beispiel ist.

An diesem Beispiel erkennen die Schüler, dass ihnen etwas Wichtiges entgangen ist: Alle Ja-Beispiele jagen und töten lebende Tiere, wohingegen sich der Geier von toten Tieren ernährt. Nun geht die Klasse alle Beispiele und Gegenbeispiele noch einmal durch und erstellt unter Anleitung des Lehrers eine Liste von Eigenschaften, die den Begriff »Raubtier« definieren:

1. jagt und tötet andere Tiere
2. besitzt Körperteile (wie Klauen, scharfe Zähne oder einen scharfen Schnabel), mit denen es andere Tiere töten und fressen kann
3. kann aufgrund seiner Schnelligkeit oder mit List lebende Tiere fangen

Nachdem die Schüler die wichtigsten Eigenschaften eines Raubtiers herausgearbeitet haben, zeigt ihnen der Lehrer Bilder verschiedener Insekten, Vögel und Fische und lässt die Klasse auf der Grundlage des Gelernten bestimmen, ob es sich um ein Raubtier handelt oder nicht. Am Ende der Unterrichtseinheit wird Carl Carrozza die Schüler als Bestandteil ihres Portfolios ein eigenes Raubtier erfinden lassen, das an ein ganz bestimmtes Ökosystem perfekt angepasst ist.

Warum die Methode funktioniert

Die Methode »Begriffsbildung« beruht auf der Arbeit von Jerome Bruner (1973), der den psychologischen Prozess des »concept attainment« umfassend erforscht hat. Dabei kam er zu dem Schluss, dass Menschen Informationen von Natur aus anhand von Gemeinsamkeiten in Kategorien einteilen, um sich in einer vielgestaltigen Umwelt zurechtzufinden. Beispielsweise lernt ein Kind durch Erfahrung, dass Gegenstände mit vier Rädern, die auf Straßen herumfahren und Menschen von A nach B bringen, »Autos« heißen. Die konzeptuelle Tragfähigkeit des Begriffs von einem Auto, den das Kind sich gemacht hat, wird dann durch Geländewagen, Minivans, Pick-ups und Motorräder auf die Probe gestellt – und immer weiter verfeinert.

Die Methode »Begriffsbildung« führt die Schüler durch diesen wichtigen Prozess, wobei die Schüler zunächst Beispiele (sogenannte »Ja«-Beispiele) und Gegenbeispiele (sogenannte »Nein«-Beispiele) für einen Begriff analysieren, die Beispiele in einer Kategorie zusammenfassen, diese anhand weiterer Beispiele und Gegenbeispiele auf den Prüfstand stellen und schließlich eine Reihe wichtiger Eigenschaften formulieren, die den fraglichen Begriff definieren. Zur Effektivität dieser Unterrichtsmethode trägt bei, dass sie den Schülern die Anwendung ihrer Fähigkeiten abverlangt, Gemeinsamkeiten und Unterschiede zu erkennen und Hypothesen aufzustellen und zu überprüfen – zwei der neun Unterrichtsmethoden, die laut Marzano, Pickering und Pollock (2001) die Leistung von Schülern erwiesenermaßen steigern.

Damit Sie die Vorteile dieser vielfach bewährten Methode möglichst gut nutzen können, empfehlen wir, bei der Planung drei einfache Prinzipien zugrunde zu legen: Eindeutigkeit, Beispielvielfalt und konzeptuelle Kompetenz.

Das Prinzip der Eindeutigkeit

Beim Erlernen eines Begriffs geht es nicht nur um ein »Etikett«, sondern um das Erlernen der wichtigsten Eigenschaften, die eine Kategorie auszeichnen. Um diese zentralen Eigenschaften zu lernen, müssen die Schüler in der Lage sein, zwischen Beispielen und Gegenbeispielen zu unterscheiden. Achten Sie darauf, dass Ihre Beispiele die charakteristischen Eigenschaften eindeutig aufweisen, während bei den Gegenbeispielen nur ein Teil dieser Eigenschaften zutrifft. Vermeiden Sie es, die Schüler auf eine falsche Fährte zu locken. So könnten Schüler aus den in Abb. 7.1 gezeigten Beispielen schließen, dass die »Ja«-Beispiele schwarz ausgefüllt sind, anstatt die entscheidenden Kennzeichen eines Quadrats abzuleiten.

Abb. 7.1: *Potenziell irreführende Beispiele*

Das Prinzip der Beispielvielfalt
Wenn man ihnen zwei Beispiele gibt, können Schüler erste Hypothesen zu einem Begriff formulieren. Sehen sie jedoch viele unterschiedliche Beispiele, so können sie mit zunehmender Treffsicherheit die entscheidenden Eigenschaften definieren, die Voraussetzung für die Zugehörigkeit zu dieser Kategorie sind. Es empfiehlt sich, mit typischen Beispielen anzufangen und dann im Lauf der Stunde immer schwierigere Beispiele hinzuzunehmen.

Das Prinzip der konzeptuellen Kompetenz (Transferfähigkeit)
Die Schüler haben einen Begriff erfasst, wenn sie die entscheidenden Eigenschaften aufzählen können, die sie definieren, und wenn sie aufgrund dieser Eigenschaften zwischen Beispielen und Gegenbeispielen unterscheiden können. Zögern Sie nicht, den Schülern abzuverlangen, dass sie ihr neu erworbenes Verständnis des Begriffs auf unterschiedliche Weise anwenden. Können sie sich ein fiktives Raubtier ausdenken? Können sie sich zwei fiktive Gesellschaften ausdenken – eine, auf die der Begriff »Hochkultur« zutrifft, und eine zweite, der eine Schlüsseleigenschaft fehlt? Können sie zehn Beispiele für den Begriff »Transport« nennen, die aus mindestens drei unterschiedlichen Bereichen stammen (z. B. in der Natur, auf der Straße, in einem Vergnügungspark)?

Die Methode Schritt für Schritt

1. Wählen Sie einen Begriff mit eindeutigen Definitionsmerkmalen (z. B. tragischer Held, Hochkultur, lineare Gleichung, lebendig, Säugetier, usw.), den Ihre Schüler möglichst gut erfassen sollen.
2. Geben Sie den Schülern »Ja«-Beispiele, auf die sämtliche Definitionsmerkmale zutreffen, und »Nein«-Beispiele, die einige, aber nicht alle Definitionsmerkmale aufweisen.
3. Fragen Sie die Schüler, was allen »Ja«-Beispielen gemeinsam ist und wie die »Ja«-Beispiele sich von den »Nein«-Beispielen unterscheiden. Die Schüler sollten eine erste Liste wichtiger Eigenschaften erstellen.
4. Geben Sie weitere »Ja«- und »Nein«-Beispiele, anhand deren die Schüler ihre Liste mit Eigenschaften überprüfen und präzisieren können.
5. Gehen Sie alle »Ja«- und »Nein«-Beispiele noch einmal mit der ganzen Klasse durch, und stellen Sie eine endgültige Liste an Definitionsmerkmalen zusammen.
6. Lassen Sie die Schüler ihr Verständnis des Begriffs anwenden, indem sie etwas erstellen oder eine Aufgabe lösen.

Eine Unterrichtsstunde mit dieser Methode planen

Wenn Sie mithilfe der Methode »Begriffsbildung« eine Unterrichtsstunde planen wollen, müssen Sie folgende Schritte durchlaufen:

1. Wählen Sie einen Begriff, den Ihre Schüler möglichst gut erfassen sollen, und erstellen Sie eine Mindmap.
Wenn Sie den zu vermittelnden Begriff selbst ganz durchdrungen haben, ist es sehr viel einfacher, Querverbindungen zu anderen Lehrplaninhalten herzustellen und den Lernprozess in einen Gesamtzusammenhang einzubetten. Um sich die entsprechende Kategorie in allen Facetten klarzumachen und Bezüge zu anderen Lehrplaninhalten herzustellen, empfehlen wir, zu Beginn der Planungsphase eine Mindmap anzufertigen (siehe Abschnitt »Variationen und Ergänzungen«).

2. Bereiten Sie die »Ja«- und die »Nein«-Beispiele vor.
Unabhängig davon, ob es sich bei Ihren Beispielen um Wörter, Bilder, Gedichte, Gegenstände oder Mathematikaufgaben handelt: Achten Sie darauf, dass Sie die Aufmerksamkeit der Schüler auf die Schlüsseleigenschaften lenken und dass Ihren Schülern klar ist, dass Sie kein Ratespiel mit ihnen spielen. In der Regel fängt man mit einfachen Beispielen an und geht allmählich zu schwierigeren Beispielen über, mit denen man die ersten Annahmen der Schüler infrage stellen und präzisieren kann. Geht es beispielsweise um den Begriff »Säugetier« (warmblütig, lebendgebärend, hat ein Fell, lebt überwiegend an Land), so wären Sie schlecht beraten, die Unterrichtsstunde mit Beschreibungen eines Schnabeltiers und eines Wals zu beginnen – zweier eher untypischer Vertreter der Klasse »Säugetiere«.

Beispiele wie diese sollten Sie erst im Verlauf der Stunde nennen, nachdem die Schüler den Begriff in seinen Grundzügen bereits erfasst haben. Untypische Beispiele können Grundlage fruchtbarer Diskussionen über Themen wie die Unvollkommenheit wissenschaftlicher Klassifikationen sein.

3. Überlegen Sie, wie Sie den Schülern dabei helfen können, die Beispiele zu klassifizieren.
In der Stunde sollten Sie die Gemeinsamkeiten, die den Schülern zuerst auffallen, abfragen und festhalten. Indem Sie die Schüler ihre Gedanken aussprechen lassen, unterstützen Sie sie dabei, ihr Verständnis des Begriffs zu präzisieren und zu vertiefen. Hier einige Anregungen für Fragen, mit denen Sie die Schüler dazu bringen können, ihre Überlegungen in Worte zu fassen:

- Kannst du die Eigenschaften der Beispiele und der Gegenbeispiele (Ja- und Nein-Beispiele) beschreiben?
- Vergleiche die Merkmale, die alle Beispiele gemeinsam haben. Worin gleichen sie sich? Worin unterscheiden sie sich?
- Wie kannst du die Beispiele von den Gegenbeispielen unterscheiden?
- Nach welchen Eigenschaften würdest du die Beispiele ordnen?

4. Formulieren Sie eine Reihe von Reflexionsfragen.
Wenn die Schüler Gelegenheit haben, über das im Lauf der Stunde Gelernte nachzudenken, eröffnet ihnen das nicht nur tiefere Einblicke in den Lernstoff, sondern auch in den eigenen Lernprozess. Hier einige Reflexionsfragen, die Schüler zum Nachdenken über den *Stoff* anregen:

- Was waren die ersten Merkmale, die dir aufgefallen sind? Wie unterscheiden sich deine ersten Vermutungen von deinem jetzigen Verständnis des Begriffs?
- Hat ein bestimmtes Beispiel aus dieser Stunde bei dir das entscheidende »Aha-Erlebnis« ausgelöst?
- Fallen dir andere Begriffe ein, die mit unserem Begriff verwandt sind?
- Woran erkennst du, das du einen Begriff wirklich erfasst hast?

Mithilfe folgender Reflexionsfragen können Sie Schüler anregen, ihren *Lernprozess* noch einmal Revue passieren zu lassen:

- Was ist im Lauf der Übung passiert?
- Was ist dir gut gelungen? Was fiel dir am schwersten?
- Beschreibe deinen Gedankengang beim Aufstellen einer Hypothese.
- Wie kannst du beim nächsten Mal noch besser werden?
- Was hast du heute über dich und dein Denken gelernt?

5. Denken Sie sich eine Syntheseaufgabe aus, im Rahmen derer die Schüler ihr Verständnis des Begriffs anwenden können.
Die naheliegendste Möglichkeit, die Schüler das Gelernte anwenden zu lassen, besteht darin, weitere Beispiele zu finden und zu erläutern. Alternativ dazu können Sie es mit folgenden Aufgaben probieren:

- Vergleiche den Begriff mit einem verwandten Begriff (z. B. Reptilien mit Amphibien).
- Erkläre eine vorgegebene Metapher oder einen Vergleich: Inwiefern gleicht die Demokratie einem Baseballspiel?
- Überlege eine eigene Metapher oder einen eigenen Vergleich: Imaginäre Zahlen sind wie __________, denn ________.
- Denk dir ein fiktives Beispiel aus: Kannst du eine fiktive Gesellschaft erfinden und sie beschreiben?
- Erstelle eine Klassifikation, die den Begriff in einen größeren Zusammenhang einordnet: Kannst du einen »Stammbaum« der literarischen Strömungen zeichnen, der die historische Stellung des Naturalismus veranschaulicht?
- Stelle den Begriff künstlerisch dar, zum Beispiel in Form eines Symbols oder eines Gedichts.

Variationen und Ergänzungen

Begriffe bzw. Kategorien sind in allen Fächern die Grundbausteine des Lernens. In diesem Abschnitt finden Sie eine Reihe von Methoden, die Ihnen das Unterrichten von Kategorien erleichtern. Ganz konkret geht es dabei um Methoden, mit deren Hilfe Ihre Schüler zentrale Begriffe grafisch darstellen, wiederholen und systematisch analysieren können.

Mindmaps

Wenn Schüler Begriffe grafisch darstellen, fördert das ihr Verständnis auf dreierlei Weise. Erstens lernen die Schüler anhand solcher speziellen Mindmaps die grundlegende Struktur kennen, die allen Kategorien gemeinsam ist. Zweitens schärft das Anfertigen von Diagrammen ihre analytischen Fähigkeiten, lernen sie dabei doch, Kategorien in ihre wichtigsten Bestandteile zu zerlegen. Und da sie Kategorien und ihre Bestandteile in ein einfaches visuelles Raster einordnen, stellen solche Diagramme drittens ein einprägsames Protokoll des Gelernten dar, mit dessen Hilfe die Schüler die wichtigsten Gedanken und Begriffe einer

Unterrichtseinheit rasch wiederholen können. Abbildung 7.2 zeigt eine Mindmap für den Begriff »Fabel«.

Hier eine Anleitung, wie Sie Ihren Schülern beibringen können, ein solches Diagramm in drei Schritten zu erstellen:

1. Mach in der Mitte der Seite einen Kreis und schreib den Begriff hinein.
2. Ziehe von deinem zentralen Begriff Verbindungslinien:
   - zum *Obergriff:* Unter welchem Oberbegriff lässt sich der Begriff einordnen? Der Begriff »Fahrrad« gehört zum Beispiel in die übergeordnete Kategorie »Transportmittel«.
   - zu den *Eigenschaften:* Wie lauten die wichtigsten Merkmale, die erklären, was der Begriff bedeutet? Schreib jedes Merkmal in ein eigenes Kästchen. Achte darauf, dass du nur die wichtigsten Merkmale aufführst. Für den Begriff »Fahrrad« könntest du zum Beispiel aufschreiben: »zwei Räder«, »Pedale« und »vom Fahrer angetrieben«.
   - zu den *Beispielen:* Kannst du Beispiele für den Begriff finden? Zu »Fahrrad« könntest du beispielsweise bestimmte Modelle oder unterschiedliche Arten von Fahrrädern, wie »Rennrad«, »Mountainbike« oder »Tandem«, notieren.
   - zu *verwandten Begriffen:* Fällt dir ein anderer Begriff ein, der mit deinem Begriff verwandt ist? Wenn du zum Beispiel ein anderes Transportmittel heranziehst und »Fahrrad« mit »Motorrad« vergleichst, wird dir die Bedeutung des Begriffs klarer.
3. Schreib die wichtigen Informationen am Ende der Verbindungslinien in Kästchen.

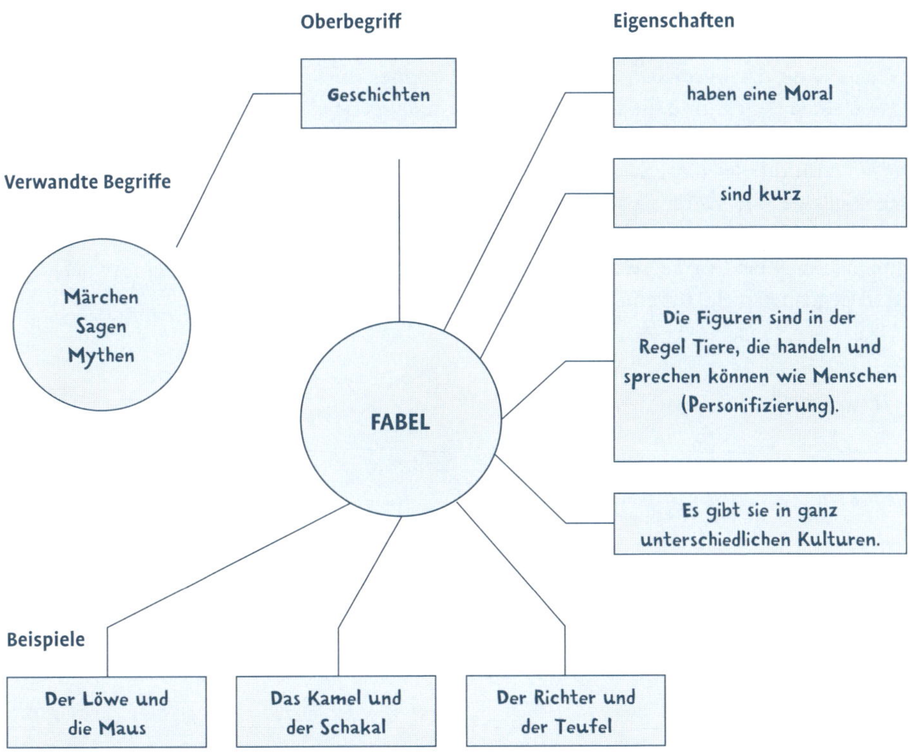

Abb. 7.2: *Mindmap am Beispiel »Fabel«*

Begriffswiederholungsspiel

Bei dieser Variation greift man zur Wiederholung von Begriffen und Inhalten auf das Format eines Ratespiels zurück. Zu Beginn erklärt der Lehrer der Klasse, das Ziel des Spiels bestehe darin, einen Begriff zu erraten. Dann nennt er zwei bis vier Beispiele, die sich unter diesem Begriff einordnen lassen. Handelt es sich bei dem Begriff beispielsweise um die »Dreizehn Kolonien«, die 1776 ihre Unabhängigkeit von Großbritannien erklärten, könnte der Lehrer als Erstes sagen, dass Massachusetts und New Hampshire beides »Ja«-Beispiele sind. Daraufhin haben die Schüler reihum die Gelegenheit, je ein weiteres Beispiel zu nennen, und der Lehrer antwortet mit »Ja« oder »Nein«. Hat ein Schüler ein »Ja«-Beispiel genannt, so darf er raten, um welchen Begriff es geht. Hat er ein »Nein«-Beispiel genannt, kommt der nächste Schüler an die Reihe. Das geht so lange, bis ein Schüler den Begriff errät.

Es gibt vielfältige Möglichkeiten, das Begriffswiederholungsspiel durch die Abänderung der Spielregeln lebendig zu gestalten. So kann der Lehrer einen Schüler aufrufen, indem er ihm einen kleinen Schaumstoffball zuwirft. Hat er sein Beispiel genannt, wirft er den Ball einem anderen Schüler zu oder zum Lehrer zurück.

Analyseraster

Schülern, die zum ersten Mal mit der Methode »Begriffsbildung« arbeiten oder Schwierigkeiten beim Vergleichen von Beispielen haben, kann ein Raster (siehe Abb. 7.3) als systematisches Werkzeug dienen, um Begriffe anhand ihrer Definitionsmerkmale zu analysieren. Wie man mit einem solchen Schema umgeht, können Sie Schülern beibringen, indem Sie ihnen einen Begriff und die wichtigsten Merkmale sowie einige Beispiele an die Hand geben, die sie analysieren sollen. Die Schüler überlegen, ob ein Beispiel die vorgegebenen Kriterien erfüllt; falls ja, machen sie in das entsprechende Kästchen einen Haken, falls nein, machen sie ein X. Wenn sie sich unsicher sind, können sie auch »weiß nicht« in das Kästchen schreiben. Haben sich die Schüler mit dem Analyseraster vertraut gemacht, so bringen Sie ihnen bei, wie sie selbst eines erstellen und nutzen können, um mehrere Beispiele (und Gegenbeispiele) für eine bestimmte Kategorie zu untersuchen.

Eigenschaften \ Beispiele	Hamlet	Macbeth	Ronald Reagan	Ödipus	Superman	Rocky Balboa	Willy Loman
hochgestellte Persönlichkeit	✓	✓	✓	×	✓	✓	×
in der Regel männlich	✓	✓	✓	✓	✓	✓	✓
hat einen verhängnisvollen Makel	✓	✓	×	✓	? (Kryptonit?)	×	✓
schaufelt sich sein eigenes Grab	✓	✓	×	✓	×	×	✓
sieht seinen Fehler ein, ehe er stirbt	✓	✓	×	✓	×	×	×

Abb. 7.3: *Schema zur Begriffsanalyse für »Tragischer Held«*

Methode 8: Rätsel lösen

Wie passt die Methode in die Unterrichtseinheit?

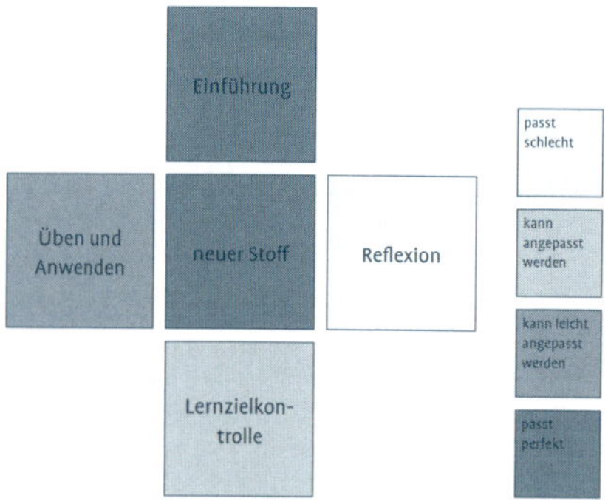

Welche Lerntypen spricht die Methode an?

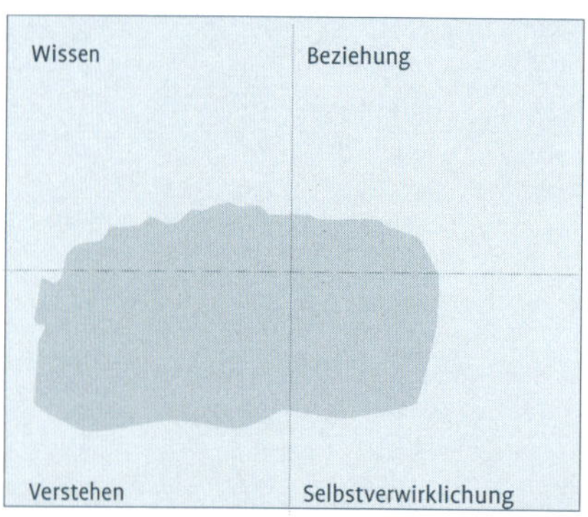

Welche Aspekte des Lernens lassen sich mithilfe der Methode weiterentwickeln?

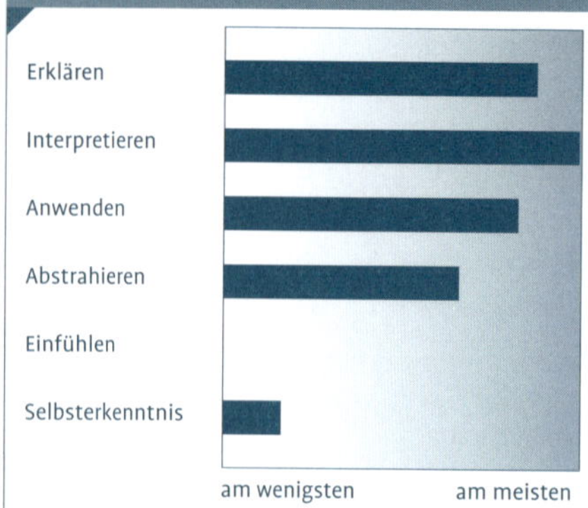

Welche Kernkompetenzen werden mit dieser Methode geschult?

Lesen und Lernen

- ● durch das Anfertigen von Notizen Ideen sammeln und ordnen
- ○ abstrakte akademische Begriffe erschließen
- ● visuelle Darstellungen erfassen und interpretieren*

Logisch denken und analysieren

- ● Schlussfolgerungen ziehen; Hypothesen und Vermutungen anstellen und überprüfen
- ○ anhand vorgegebener Kriterien Vergleiche durchführen
- ○ mit ganz unterschiedlichen Aufgabenstellungen klarkommen

Kreativ sein und kommunizieren

- ● verständlich formulierte, schlüssige Erklärungen schreiben
- ● sicherer schriftlicher Ausdruck in Sachtexten**
- ● zwei oder mehr Texte lesen und darüber schreiben

Reflektieren und Bezüge herstellen

- ● Pläne aufstellen, um komplexe Fragen oder Aufgaben zu lösen
- ○ eigene Arbeit anhand von Kriterien und Checklisten evaluieren
- ○ die eigene Stimmung und spontane Regungen kontrollieren/beeinflussen

Inwiefern berücksichtigt die Methode Forschungsergebnisse über effektiven Unterricht?

- ● Gemeinsamkeiten und Unterschiede erkennen
- ● zusammenfassen und Notizen machen
- ○ Anstrengungen verstärken und anerkennen
- ○ Hausaufgaben und Übungen
- ○ nicht sprachliche Darstellungsformen
- ● kooperatives Lernen
- ○ Ziele setzen und Feedback geben
- ● Hypothesen aufstellen und überprüfen
- ○ Hinweise, Fragen und Diagramme zur Wissensstrukturierung (»Advance Organizer«)

Welche Arten von Wissen vermittelt die Methode?

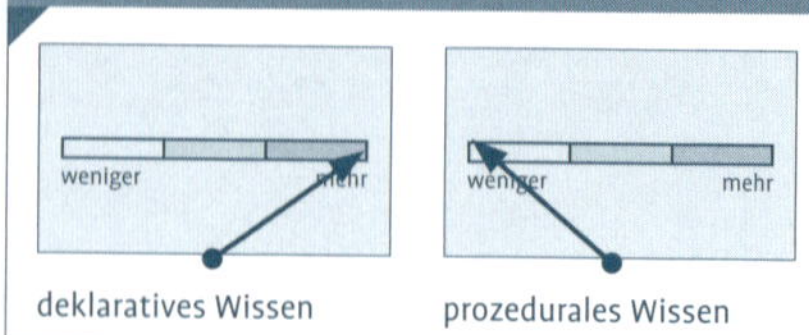

* Je nach Lernstoff kommen bei der Methode »Rätsel lösen« häufig visuelle Hinweise, Tabellen und Diagramme zum Einsatz.
** Die Methode »Rätsel lösen« fördert en passant die Fähigkeit der Schüler, beim Schreiben ihre Argumente mit Belegen zu untermauern.

Überblick

Arzt, Forscher, Wissenschaftler, Anwalt, Detektiv – gemeinsam ist diesen und vielen anderen Berufen das Ziel, Rätsel zu lösen. Nehmen Sie irgendeinen Beruf aus dieser Liste, und überlegen Sie, wie wichtig dabei das Sammeln, Ordnen und Interpretieren von Informationen sind, um Antworten auf schwierige Fragen zu finden. Doch nicht nur Menschen, die bereits im Berufsleben stehen, müssen Rätsel lösen; auch Schülern wird heute in Vergleichsarbeiten abverlangt, sich als »Rätsellöser« zu bewähren, indem sie Daten interpretieren, aus einer Vielzahl von Quellen Belege zusammensuchen und stichhaltig argumentieren.

Ausgangspunkt bei der Methode »Rätsel lösen« ist eine Frage wie: »Warum sind die Neandertaler ausgestorben, während sich der Homo sapiens auf dem ganzen Globus ausgebreitet hat?« Daraufhin verteilt der Lehrer eine Reihe von Hinweisen oder Texten, die den Schülern bei der Lösung dieses Rätsels helfen. Auf der Suche nach einer Antwort bauen die Schüler auf ganz natürliche Weise ihre Fähigkeiten aus, Belege zu sammeln, Informationen zu ordnen und zu interpretieren sowie logische Hypothesen und Erklärungen zu formulieren. Indem sie sich die menschliche Schwäche für alles Faszinierende und Verblüffende zunutze macht, weckt diese Methode die Neugier der Schüler und erhöht ihre Motivation.

Die Methode im Einsatz

Karina Singh hat mit ihrer 7. Klasse kürzlich eine Unterrichtseinheit zum Zeitalter der Entdeckungen angefangen. Damit die Schüler ein tieferes Verständnis für den Zusammenhang zwischen geschichtlichen Kräften, kulturellen Entwicklungen und den Leistungen Einzelner ausbilden, sollen sie sich heute mit den Ausgangsbedingungen in Westeuropa zum Zeitpunkt der Entdeckungsfahrten von Christoph Kolumbus beschäftigen. Um das Interesse der Schüler zu wecken, beginnt die Lehrerin mit folgender Einstimmung:

Präsident John F. Kennedy machte 1960 eine Ankündigung, bei der die ganze Welt den Atem anhielt: Innerhalb von zehn Jahren, so Kennedy, würden die Vereinigten Staaten von Amerika einen Menschen zum Mond schicken. Kennedy wusste, dass diese Ankündigung nicht unrealistisch war. Die Voraussetzungen waren vorhanden: Die nötige Technik war verfügbar, die Amerikaner befürworteten die Erforschung des Weltraums, und mutige Astronauten, die gern der erste Mensch auf dem Mond sein wollten, standen Schlange.

Auch für die berühmte Entdeckungsfahrt von Christoph Kolumbus war die Zeit reif. Obwohl das vor ihm noch niemand versucht hatte, behauptete Kolumbus, eine neue Schifffahrtsroute in den Osten finden zu können, indem er Richtung Westen segelte. Eure Aufgabe in dieser Geschichtsstunde besteht darin, herauszufinden, warum die Zeit für die historische Reise von Kolumbus reif war. Welche Voraussetzungen ermöglichten es Kolumbus, zur Neuen Welt zu segeln?

Bevor die Schüler sich ans Recherchieren machen, lässt Karina Singh sie eine Reihe vorläufiger Hypothesen aufstellen, weshalb 1492 der richtige Zeitpunkt für Kolumbus' Reise gewesen sein könnte. Nachdem die einzelnen Gruppen ihre Vermutungen vorgetragen haben, teilt die Lehrerin jeder Gruppe ein Blatt mit 24 verschiedenen »Hinweisen« aus – Fakten, Zitaten und einfachen Thesen, die sie aus zwei Quellen zusammengetragen hat: dem Geschichtsbuch der Schüler und einem Artikel mit der Überschrift: »1492 war die Zeit reif«.

Ich möchte, dass ihr als Erstes alle Hinweise ausschneidet. Anschließend sollt ihr euch im Team mit ihnen befassen und verwandte Hinweise in Gruppen zusammenfassen. Schaut euch zum Beispiel die Hinweise 12 und 15 an. Inwiefern gehören sie zusammen?

- Hinweis 12: Die meisten spanischen Expeditionen wurden von Priestern begleitet.
- Hinweis 15: »Wir sind auf der Suche nach Christen und Gewürzen« (Zitat, das dem portugiesischen Entdecker Vasco da Gama zugeschrieben wird).

Nachdem sie mit der Klasse herausgearbeitet hat, dass es in beiden Hinweisen um *Religion* geht, fährt Karina Singh fort:

Sobald ihr eure Hinweise in Gruppen eingeordnet habt, überlegt ihr euch als Nächstes für jede Gruppe eine Überschrift. Vergesst nicht, dass ihr einen Hinweis auch mehr als einer Gruppe zuordnen könnt. Außerdem könnte es sinnvoll sein, einige eurer Gruppen zu größeren Kategorien zusammenzufassen. Zieht anschließend auf der Grundlage eurer Ergebnisse mindestens drei Schlussfolgerungen, warum die Zeit für die Entdeckungsfahrt von Kolumbus reif war.

Die Schüler machen sich daran, die Hinweise zu ordnen und erste Hypothesen zu formulieren. Das Team aus Shane, Noelle und Mya fasst zum Beispiel folgende Hinweise zusammen, die alle mit Gewürzen zu tun haben:

- Hinweis 3: Gewürze waren wertvoll, da man mit ihnen verdorbene Nahrungsmittel halbwegs genießbar machen konnte.
- Hinweis 7: Selbst in wohlhabenden Familien wurde viel Verdorbenes gegessen, weil es keine Kühlschränke gab.

- Hinweis 13: »Der Orient ist mit Gewürzen getränkt und mit Gold gepflastert« (Marco Polo zugeschriebenes Zitat).
- Hinweis 15: »Wir sind auf der Suche nach Christen und Gewürzen« (Vasco da Gama zugeschriebenes Zitat).
- Hinweis 17: Gewürze kamen von den Gewürzinseln im Fernen Osten.

Ein anderes Team – Judi, Dylan und Carlos – fasst folgende Hinweise in einer Gruppe zusammen:

- Hinweis 4: Zur Zeit von Kolumbus hatte sich die Kartografie zu einer aufwendigen und immer genaueren Wissenschaft entwickelt.
- Hinweis 9: Dank neuer Erfindungen wie des Astrolabiums und des Schiffskompasses waren längere und schwierigere Schiffsreisen möglich.
- Hinweis 20: Die neuen Schiffe, sogenannte Karavellen, waren schneller und leichter zu navigieren als alle Schiffe vor ihnen.

Judi, Dylan und Carlos geben dieser Gruppe die Überschrift »Wissenschaft und Technik« und formulieren folgende Hypothese:

- Fortschritte in Wissenschaft und Technik hatten bessere Schiffe, Ausrüstung und Karten zur Folge, sodass lange Reisen wie die von Kolumbus möglich wurden.

Andere Teams kommen auf der Grundlage anderer Hinweise zu weiteren Hypothesen wie:

- Da der einzige Landweg in den Fernen Osten vom Osmanischen Reich kontrolliert wurde, wandten sich die Europäer stärker der Seefahrt zu als jemals zuvor.
- Viele Mächtige, von Königen und Königinnen über Kaufleute bis hin zum Papst, bezahlten Entdecker dafür, neue Routen nach China und zu den Gewürzinseln zu suchen.
- Im Fernen Osten gab es viele wertvolle Dinge, wie Gold, Seide, Edelsteine und Gewürze.
- Gewürze waren unglaublich wertvoll, weil man damit verdorbene Nahrungsmittel genießbar machen konnte.
- König Ferdinand und Königin Isabella erklärten sich bereit, die Reise von Kolumbus zu bezahlen, weil sie glaubten, dass er durch die Überquerung des Atlantiks schneller nach Südostasien gelangen konnte als die Portugiesen.

Während die Schüler damit beschäftigt sind, ihre Hypothesen auszuarbeiten und zu testen, geht Karina Singh herum, hilft Teams, die nicht weiterkommen, und stellt die Hypothesen von Teams infrage, die sich ihrer Sache allzu sicher sind. Das Wichtigste ist für die Lehrerin, dass die Schüler alle Hinweise berücksichtigen und ihre Hypothesen so lange überarbeiten, bis sie gut mit Belegen unterfüttert sind.

Nach einer Diskussionsrunde, in der die Schüler ihre Hypothesen und Belege vorstellen, teilt Karina Singh den Schülern einen Artikel mit der Überschrift »1492 war die Zeit reif« aus. Anhand des Artikels überprüfen oder präzisieren die Schüler ihre Hypothesen, bis alle Hypothesen historisch korrekt sind. Außerdem ist der Artikel die Grundlage für die vier Fragen der Hausaufgabe:

1. Warum wollten die Europäer nach Asien reisen?
2. Welche einflussreichen Gruppen unterstützten solche Reisen?
3. Was ging damals im Nahen und Mittleren Osten vor sich?
4. Welche Entwicklungen ermöglichten es den Europäern, Ziele anzusteuern, die vorher unerreichbar gewesen waren?

Da sie die Anforderungen vor Augen hat, die in Vergleichsarbeiten gestellt werden, lässt Karina Singh ihre Schüler mithilfe ihrer Antworten auf die Fragen der Hausaufgabe einen sauber gegliederten argumentierenden Aufsatz zu folgendem Thema schreiben:

Was war deiner Meinung nach der wichtigste Faktor, der die Reise von Kolumbus auslöste? Erläutere und begründe deinen Standpunkt.

Warum die Methode funktioniert

Denken Sie an den letzten spannenden Film, den Sie gesehen, oder an den letzten Krimi, den sie verschlungen haben. Wie hat sich das angefühlt? Wahrscheinlich achteten Sie gespannt auf jeden kleinen Hinweis, folgten gebannt allen Wendungen in der Handlung, entwickelten und verwarfen Theorien und erarbeiteten sich mit jedem spannenden Dialog und jeder unglaublichen Enthüllung eine genauere Vorstellung davon, was geschehen sein könnte oder wer der Mörder war.

Vergleichen Sie diese Erfahrung mit Erinnerungen aus Ihrer Schulzeit. Wie hat zum Beispiel Ihr Geschichtsunterricht zum amerikanischen Unabhängigkeitskrieg ausgesehen? Glauben Sie nicht, das Gelernte wäre Ihnen besser im Gedächtnis geblieben, wenn Ihr Lehrer zu Beginn der Unterrichtseinheit die Frage gestellt hätte: »Wie gelang es einer Miliz aus bunt zusammengewürfelten Soldaten ohne militärische Ausbildung, die stärkste Armee der Welt zu bezwingen?«, und Sie ermuntert hätte, das spannende Rätsel zu lösen, wie die Kolonisten sich gegen eine solche militärische Übermacht behaupten konnten?

Vergleicht man typische Unterrichtserfahrungen mit Situationen, in denen die Lösung eines Problems oder eines Rätsels im Mittelpunkt steht, so erkennt man sofort, welches Potenzial für die Aktivierung der Schüler in diesem Ansatz steckt. Aber Rätsel fesseln nicht nur die Aufmerksamkeit der Schüler, sie simulieren außerdem die wissenschaftliche Methode, mit der Forscher und Experten im richtigen Leben Informationen sammeln.

Menschen sind von Natur aus neugierig, und diesen Hang zum Fragen und Nachforschen sowie die Freude darüber, wenn sich am Ende alle Mosaiksteine zusammenfügen, macht sich die Methode »Rätsel lösen« zunutze. Sie beruht auf den Forschungen von Richard Suchman (1966), der herausgefunden hat, dass Schüler, die aus eigener Neugier einer Frage nachgehen, das Gelernte besser behalten, weil sie sich einen individuellen Zugang zum Thema erarbeitet haben. Darüber hinaus belegen zahlreiche Studien, dass es sich in allen Fächern und Jahrgangsstufen positiv auf die schulischen Leistungen auswirkt, wenn man die Schüler aktiv Hypothesen aufstellen und überprüfen lässt (Hansell 1986; Koedinger und Anderson 1993; Koedinger und Tabachnek 1994; Marzano, Pickering und Pollock 2001).

Die Methode Schritt für Schritt

1. Nennen Sie zu Beginn der Stunde das Thema, und erklären Sie die Ziele der Methode »Rätsel lösen«.
2. Wecken Sie das Interesse der Schüler, indem Sie ihnen ein Problem oder eine Frage vorstellen, die sie lösen, beantworten oder klären sollen. Ermuntern Sie die Schüler, auf ihr Vorwissen zurückzugreifen und erste Hypothesen oder Lösungsansätze zu formulieren.

3. Versorgen Sie die Schüler mit einer Reihe kurzer Hinweise. Weisen Sie die Schüler an, die Hinweise sorgfältig zu lesen, in Einzel- oder Gruppenarbeit in Kategorien einzuordnen und sich für jede Kategorie eine Überschrift zu überlegen. Ein Hinweis kann auch mehreren Kategorien zugeordnet werden.
4. Zeigen Sie den Schülern, wie sie auf der Grundlage ihrer Kategorien Hypothesen formulieren können. Geben Sie ihnen Gelegenheit, Kategorien zusammenzufassen und ihre Hypothesen zu präzisieren.
5. Führen Sie ein Unterrichtsgespräch, in dem die Schüler ihre Hypothesen vorstellen, begründen und weiter präzisieren.
6. Stellen Sie den Schülern eine Syntheseaufgabe, bei der sie das Gelernte anwenden müssen.

Eine Unterrichtsstunde mit dieser Methode planen

Um auf der Grundlage der Methode »Rätsel lösen« eine Unterrichtsstunde zu planen, bedarf es folgender Schritte:

1. Wählen Sie eine zu beantwortende Frage, ein zu lösendes Rätsel, eine zu erklärende Tatsache oder ein zu lüftendes Geheimnis.
Die meisten Themengebiete wimmeln nur so von Rätseln. Die Methode »Rätsel lösen« beruht darauf, den Schülern nur das Rätsel vorzustellen und niemals die Lösung. Diese müssen sich die Schüler selbst erarbeiten. Geeignete Fragen haben oft die Form »Ja, aber warum?« beziehungsweise »Schon, aber wie?«. Beispiel: »Wir wissen alle, dass Pflanzen – im Gegensatz zu uns Menschen – Kohlendioxid aufnehmen und Sauerstoff abgeben. Aber warum ist das so?« Bei Fragen dieser Art genügt es nicht, eine inhaltliche Antwort zu finden – sie erfordern Recherche und Überlegung. Hier ein paar weitere Beispiele:

- Wie gelangt die Energie aus der Nahrung in die Körperzellen?
- Warum gab es in der Kolonie Jamestown eine derart hohe Sterbeziffer?
- Warum sind die Dinosaurier ausgestorben?

Sobald Sie das Rätsel als Frage formuliert haben, sollten Sie sich fragen: Wie lautet des Rätsels Lösung? Überlegen Sie, zu welchen allgemeinen Schlussfolgerungen die Schüler beim Lösen des Rätsels kommen sollen, und schreiben Sie sie auf.

2. Sammeln oder erstellen Sie Hinweise.
Welche Hinweise sollen Ihren Schülern den Weg zu einer akzeptablen Lösung weisen? Achten Sie darauf, dass Sie genügend Hinweise geben, sodass jede der im ersten Schritt notierten allgemeinen Schlussfolgerungen gezogen werden kann. Je klarer Sie sich machen, welche Bezüge die Schüler herstellen sollen, desto leichter wird es Ihnen fallen, die entsprechenden Hinweise zu geben.

Natürlich können diese Hinweise sehr unterschiedlicher Natur sein, von Aussagen, Zitaten und Paragrafen über Bilder, Diagramme, Tabellen, Karten und Interviews bis hin zu Vorführungen und kleinen Experimenten. Um das Rätsel zu lösen, wie Menschen Töne und Geräusche wahrnehmen, ließ eine befreundete Grundschullehrerin ihre Viertklässler zum Beispiel vier verschiedene Experimente durchführen. Dazu bekamen die Schüler folgende Anweisungen:

- Hängt eine Wanduhr an der Decke auf und lauscht von allen Seiten, wie sie tickt.
  (Schlussfolgerung: Der Schall breitet sich in alle Richtungen aus.)
- Flüstert euch aus der Ferne etwas zu, einmal über zwei mit Faden verbundene Joghurtbecher, einmal ohne.
  (Schlussfolgerung: Der Schall breitet sich – unter bestimmten Voraussetzungen – nicht nur in der Luft aus, sondern auch in Feststoffen.)
- Hört euch die Tonaufnahme einer Walkuh an, die mit akustischen Signalen ihr Junges ortet.
  (Schlussfolgerung: Der Schall breitet sich im Wasser aus und wird von Körpern reflektiert.)
- Lasst ein Lineal übers Pult überstehen und bringt unterschiedlich lange Abschnitte zum Vibrieren.
  (Schlussfolgerung: Je schneller etwas schwingt, desto höher ist der Ton.)

3. Überlegen Sie, wie die Schüler an dem Rätsel arbeiten sollen.
Wie sollen Ihre Schüler das Rätsel lösen? Sollen sie einzeln an einer Lösung arbeiten, in kooperativen Lerngruppen oder als ganze Klasse? Falls Sie die Schüler in Kleingruppen arbeiten lassen, sollten Sie erwägen, die Hinweise gleichmäßig auf alle Mitglieder einer Gruppe zu verteilen. Dadurch fördern Sie bei den Schülern das Gefühl, aufeinander angewiesen zu sein.

4. Legen Sie fest, wie Sie die Hinweise austeilen.
Wollen Sie alle Hinweise auf einmal austeilen, so können Sie sie entweder von den Schülern ausschneiden lassen oder sie bereits in Streifen geschnitten in einen Umschlag stecken und den einzelnen Schülern oder Gruppen geben. Sie können die Hinweise aber auch nach und nach austeilen. Das bietet sich vor allem dann an, wenn die Schüler noch nicht mit dieser Methode vertraut sind oder Schwierigkeiten haben, mit einer großen Menge an Informationen umzugehen. Wollen Sie den Schülern die Hinweise nach und nach geben, so können Sie mehrere Stationen im Klassenzimmer einrichten, wo sich die Schüler die verschiedenen Hinweise abholen können.

5. Entscheiden Sie, in welcher Form die Schüler ihre Schlussfolgerungen präsentieren sollen.
Die Schüler sollten ihre Lösungen erklären und erläutern. Dies kann im Rahmen eines zusammenfassenden Unterrichtsgesprächs geschehen oder indem die Schüler eine Präsentation, eine Zeichnung oder einen Text anfertigen. Die Viertklässler, die mit verschiedenen Experimenten erkundeten, wie Menschen Geräusche wahrnehmen, sollten anschließend beispielsweise eine kleine illustrierte Broschüre dazu erstellen, wie von einer Schallquelle ausgesendete Schallwellen durch Luft, Wasser oder Feststoffe übertragen werden und schließlich das Ohr des Hörers erreichen.

Variationen und Ergänzungen

Die Grundidee der Methode »Rätsel lösen«, nämlich die Aufmerksamkeit der Schüler mithilfe eines Rätsels zu fesseln und sie selbstständig nach Belegen fahnden und Hypothesen aufstellen zu lassen, lässt sich auf vielfältige Weise abwandeln. Drei mögliche Variationen sind »Lernen aus mehreren Texten«, »Logisch anordnen« und »Problemorientiertes Lernen«.

Lernen aus mehreren Texten

Eine sehr nützliche Variante von »Rätsel lösen« ist das »Lernen aus mehreren Texten«, zumal Schülern in Lehrplänen und Vergleichsarbeiten immer häufiger abverlangt wird, zwei oder mehr Texte zu lesen und zu interpretieren. Wie bei der Methode »Rätsel lösen« wird den Schülern auch beim »Lernen aus mehreren Texten« ein interessantes Problem vorgelegt, das sie lösen müssen, indem sie Hinweise sammeln und Hypothesen aufstellen. Anders als bei »Rätsel lösen« formulieren die Schüler ihre Hypothesen beim »Lernen aus mehreren Texten« nicht auf der Basis von Dutzenden Hinweisen, sondern von einigen wenigen Texten. Hier ein kurzes Beispiel, wie das in der Praxis aussieht:

Meredith Hirsch nimmt mit ihren Achtklässlern eine Unterrichtseinheit über das Mittelalter durch. Sie möchte die Aufmerksamkeit der Schüler auf die ökonomischen und sozialen Beziehungen zwischen Lehnsherren und Vasallen lenken. Ausgangspunkt für ihre Unterrichtsplanung sind daher drei Primärquellen: ein Text, in dem ein Lehnsherr seine Rechten und Pflichten darlegt, ein Text, der das Verhältnis zwischen einem Lehnsherrn und einem Vasallen beschreibt, und ein Eid, den ein Vasall seinem Herrn geschworen hat. Die Schüler sammeln Belege aus allen drei Texten, die ihnen bei der Beantwortung dieser Frage helfen: »Wenn in einem Lehnsverhältnis der Lehnsnehmer gegenüber seinem Lehnsherrn so eindeutig benachteiligt war, warum haben die Vasallen sich dann darauf eingelassen?« Die Schüler streichen zunächst wichtige Belegstellen in den Texten an und machen sich Notizen. Anschließend fassen sie ihre Erkenntnisse in einer schriftlichen Erklärung zusammen.

Logisch anordnen

Bei dieser Variante bringen die Schüler einzelne Elemente in eine logische Reihenfolge, sodass ein sinnvolles Ganzes entsteht. Besonders eignet sich diese Methode für biologische Prozesse wie die einzelnen Phasen der Mitose, für durcheinandergewürfelte Gedichtzeilen, die von den Schülern mithilfe des roten Fadens und des Reimschemas in die richtige Reihenfolge gebracht werden müssen, oder für mathematische Sätze, aus denen die Schüler einen stichhaltigen Beweis zusammenstellen müssen. Eine Mittelstufenlehrerin teilte ihren Schülern zum Beispiel – bunt durcheinandergemischt – acht Zeilen aus Rudyard Kiplings berühmtem Gedicht »The Law of the Wolves« über das Gesetz des Dschungels aus. Aufgrund von Hinweisen wie Reimschema, Zeichensetzung, Großschreibung und Inhalt mussten die Schüler die Zeilen in die richtige Reihenfolge bringen.

Problemorientiertes Lernen

Wissenschaftler, Elternvertreter und Arbeitgeber beklagen heute mehr denn je die Kluft zwischen den Anforderungen, die im 21. Jahrhundert an Arbeitnehmer gestellt werden, und den Kompetenzen, die diese aus der Schule mitbringen. Zwar finden im Rahmen der Methode »Rätsel lösen« Problemlösekompetenzen wie das Aufstellen von Hypothesen Berücksichtigung, die für viele Berufe eine wichtige Voraussetzung sind; noch enger an das reale Leben knüpft jedoch das problemorientierte Lernen an. Beim problemorientierten

Lernen müssen die Schüler ein echtes Problem lösen oder etwas herstellen, was im Zusammenhang mit einem realen Problem Abhilfe verspricht.

Im Zentrum einer Unterrichtsstunde oder -einheit, in der die Schüler problemorientiert lernen, steht eine Denkaufgabe. Eine gute problemorientierte Aufgabe

- setzt voraus, dass die Schüler die auf dem Lehrplan stehenden Inhalte und Kompetenzen verstanden haben und anwenden können,
- erfordert Denkprozesse höherer Ordnung und
- beinhaltet die Herstellung eines konkreten Produkts oder das Vorbereiten einer Präsentation.

Der einfache und direkteste Weg zur Entwicklung einer guten problemorientierten Aufgabe liegt darin, sich Rat bei den Experten auf diesem Gebiet zu holen. Im Buch »A handbook for classroom instruction that works« zum Beispiel beschreiben die Bildungsforscher Robert Marzano, Debra Pickering und Jane Pollock (2001) sechs Arten von Aufgaben aus der Welt jenseits der Schulmauern, bei denen die Schüler Probleme lösen müssen, indem sie Hypothesen aufstellen und diese überprüfen. Wie man auf der Basis der Forschungsergebnisse dieser Wissenschaftler gute problemorientierte Aufgaben entwirft, zeigen wir in Abb. 8.1. Neben einem Überblick über die sechs Arten von Denkaufgaben, die Marzano und sein Team beschreiben, bietet diese Tabelle kurze Anregungen für eine Unterrichtsstunde oder -einheit, die auf der entsprechenden Aufgabenart beruht.

Führen Sie bei der Planung einer problemorientierten Unterrichtseinheit folgende sechs Schritte durch:

1. Definieren Sie ein Lernziel, und analysieren Sie, welche Lerninhalte und Kompetenzen die Schüler am Ende beherrschen sollen.
2. Überlegen Sie sich eine konkrete Aufgabe, die voraussetzt, dass die Schüler den Stoff verstanden haben und anwenden können, die den Schülern Denkprozesse höherer Ordnung abverlangt und bei der es um eine Präsentation oder um die Herstellung von Produkten geht, die einen möglichst engen Bezug zum realen Leben haben.
3. Teilen Sie die Schüler in Gruppen ein, und lassen Sie sie gemeinsam Informationen sammeln und an einem Produkt oder einer Präsentation arbeiten.
4. Führen Sie Unterrichtsstunden durch, die den Schülern im Hinblick auf Üben, Recherche und produktive Kompetenzen wie das Schreiben von Texten Vorbild und Ermutigung sein können.
5. Achten Sie darauf, dass Sie ein Viertel bis ein Drittel der zur Verfügung stehenden Zeit dafür reservieren, die Schülergruppen zu beraten.
6. Denken Sie sich Aktivitäten aus, die am Ende der Unterrichtseinheit zur Reflexion des Gelernten dienen und das Erreichte würdigen.

Problemorientierte Aufgabe	Beispiel für eine Unterrichtsstunde oder -einheit
Eine **Systemanalyse** erfordert, die Bestandteile und die Funktion eines Systems sorgfältig zu untersuchen und dabei zu überlegen, wie dieses System wohl auf Veränderungen reagiert und wie man es optimieren könnte.	»Nehmt das Mäuseterrarium in unserem Klassenzimmer unter die Lupe. Welche Bestandteile hat es? Welchen Bedürfnissen der Maus dienen die einzelnen Teile? Welche Bedürfnisse könnten besser befriedigt werden, indem man etwas Neues hinzufügt oder einige bestehende Teile verändert?«

Problemlösung verlangt, dass die Schüler ein reales Problem erkennen, feststellen, auf welche Schwierigkeiten sie bei der Entwicklung einer Lösung stoßen könnten, und dann einen Plan ausarbeiten und umsetzen, der das Problem aus der Welt schafft.	Als in Texas ein Schüler bei einem Fahrradunfall schwer verletzt wurde, entschlossen sich Schüler einer 5. Klasse einer nahe gelegenen Schule zum Handeln. Da sie erfahren hatten, dass der verletzte Schüler keinen Helm getragen hatte, wandten sich die Fünftklässler schriftlich an den Stadtrat und trafen sich mit einzelnen Stadträten, um sie von der Notwendigkeit einer Helmpflicht zu überzeugen. Mit Erfolg: Die Helmpflicht wurde eingeführt, und Lokalzeitungen und Fernsehsender in ganz Texas berichteten über den Fall.
Bei einer **historischen Untersuchung** müssen die Schüler historische Situationen, Texte und Daten analysieren, eine Arbeitshypothese zu den Ursachen und Folgen aufstellen, und schließlich schlüssig erklären, wie und warum es zu bestimmten Ereignissen gekommen sein könnte.	»Im ausgeteilten Schnellhefter findet ihr Zahlen, Primärquellen und Karten zu den ersten englischen Kolonien in Amerika rings um die Chesapeake Bay. Erklärt mithilfe dieser Quellen, weshalb die Sterbeziffer in diesen Kolonien im 17. Jahrhundert höher lag als in allen Regionen Europas.«
Eine **Erfindung** verlangt von den Schülern, ein Produkt oder ein Modell herzustellen, das ein bestimmtes Bedürfnis befriedigt oder ein Problem löst.	Nachdem sich eine 2. Klasse mit Verpackungen unterschiedlicher Art und Funktion beschäftigt hat, stellt der Lehrer den Schülern folgende Aufgabe: »Ein Supermarkt in unserer Stadt hat ein Problem – es gehen zu viele Eier zu Bruch. Die Leiterin hat unsere Klasse gebeten, ihr zu helfen, indem wir uns Möglichkeiten ausdenken, wie Eierkartons so gestaltet werden könnten, dass die Eier besser geschützt sind.«
Eine **experimentelle Untersuchung** erfordert, Experimente zu planen, mit denen man Hypothesen überprüfen kann, die Ergebnisse zu interpretieren und zu entscheiden, ob weitere Experimente nötig sind, um eine gesicherte Aussage zu treffen.	Ein Jahr lang haben Viertklässler die Vögel auf dem Schulgelände beobachtet. Im Verlauf dieses Jahres haben sie Hypothesen aufgestellt und mithilfe von Experimenten untersucht, wann und warum ein Weibchen ein Nest aufgibt, welche Materialien für den Nestbau am besten geeignet sind und welchen Einfluss das Verhalten von Menschen auf die Fähigkeit der Vögel hat, Material zu finden und zu verwenden.
Entscheidungsfindung setzt voraus, die verschiedenen Alternativen einzuschätzen und zu beurteilen, welche die gangbarste und sinnvollste ist oder bestimmten Kriterien am ehesten gerecht wird.	»Auf diesem Blatt siehst du Erfindungen, die vom Magazin Time zu den wichtigsten des Jahres gekürt wurden. Welche drei werden dein Leben wohl am meisten beeinflussen? Begründe deine Wahl, und nenne die Kriterien, nach denen du deine Entscheidung getroffen hast.«

***Abb. 8.1:** Sechs Arten problemorientierter Aufgaben (Marzano, Pickering und Pollock 2001)*

Teil 04 Selbstverwirklichungs-orientierte Methoden

Bei selbstverwirklichungsorientierten Methoden stehen die Vorstellungskraft und die kreativen Fähigkeiten der Schüler im Mittelpunkt. Mithilfe von Bildern, Metaphern, Mustern und »Was wäre, wenn«-Fragen kommen diese Methoden dem Bedürfnis der Schüler nach Individualität und Originalität entgegen.

Die in diesem Teil behandelten Methoden:

Methode 9: Im Rahmen der Methode **»Induktives Lernen«** ordnen die Schüler Begriffe in Kategorien ein, benennen diese und stellen auf dieser Grundlage Vermutungen an. Anschließend überprüfen und präzisieren sie ihre Vermutungen anhand eines Textes, einer Unterrichtsstunde oder einer ganzen Unterrichtseinheit.

Methode 10: Die Methode **»In Metaphern denken«** macht sich die charakteristische menschliche Fähigkeit zunutze, Dinge miteinander zu vergleichen, die eigentlich grundverschieden sind.

Methode 11: **»Muster erkennen«** ist eine Technik, die Schülern dabei helfen soll, die Muster und Strukturen zu erkennen, die Texten und Gedanken zugrunde liegen.

Methode 12: **»Das innere Auge«** ist eine Methode, bei der die Schüler die Schlüsselkompetenz erlernen, Worte in einprägsame Bilder zu übersetzen.

Methode 9: Induktives Lernen

Wie passt die Methode in eine Unterrichtseinheit?

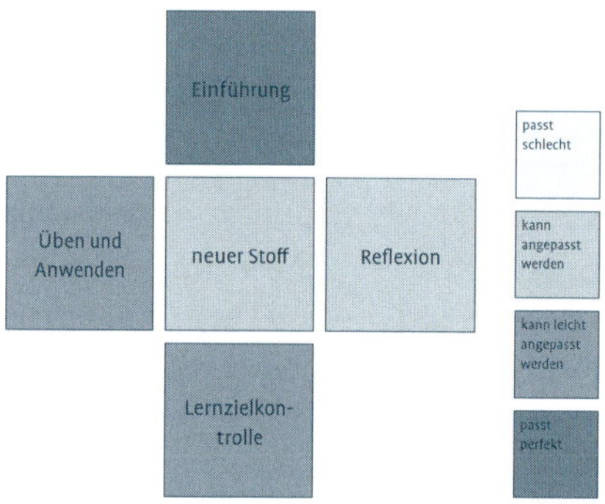

Welche Lerntypen spricht die Methode an?

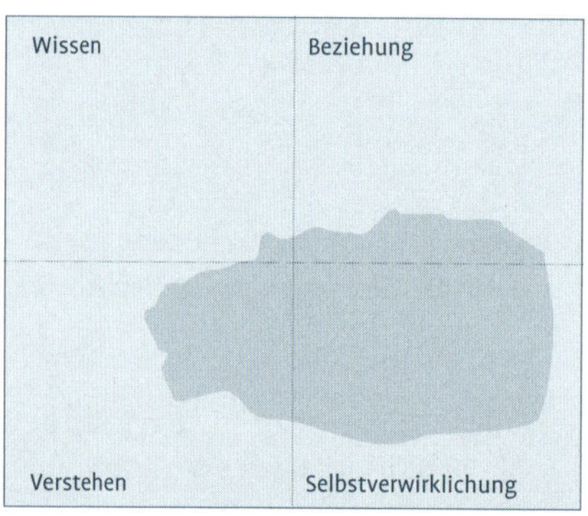

Welche Aspekte des Lernens lassen sich mithilfe der Methode weiterentwickeln?

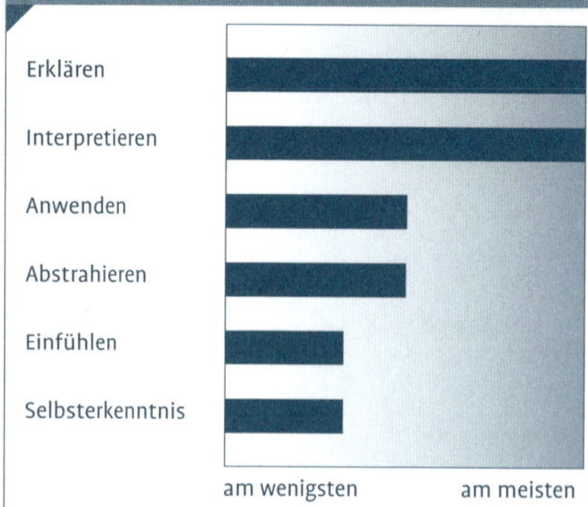

Welche Kernkompetenzen werden mit der Methode geschult?

Lesen und Lernen

● durch das Anfertigen von Notizen Ideen sammeln und ordnen
● abstrakte akademische Begriffe erschließen
○ visuelle Darstellungen erfassen und interpretieren

Logisch denken und analysieren

● Schlussfolgerungen ziehen; Hypothesen und Vermutungen anstellen und überprüfen
● anhand vorgegebener Kriterien Vergleiche durchführen
○ mit ganz unterschiedlichen Aufgabenstellungen klarkommen

Kreativ sein und kommunizieren

● verständlich formulierte, schlüssige Erklärungen schreiben
● sicherer schriftlicher Ausdruck in Sachtexten*
○ zwei oder mehr Texte lesen und darüber schreiben

Reflektieren und Bezüge herstellen

● Pläne aufstellen, um komplexe Fragen oder Aufgaben zu lösen
○ eigene Arbeit anhand von Kriterien und Checklisten evaluieren
○ die eigene Stimmung und spontane Regungen kontrollieren/beeinflussen

Inwiefern berücksichtigt die Methode Forschungsergebnisse über effektiven Unterricht?

● Gemeinsamkeiten und Unterschiede erkennen
● zusammenfassen und Notizen machen
○ Anstrengungen verstärken und anerkennen
○ Hausaufgaben und Übungen
○ nicht sprachliche Darstellungsformen
● kooperatives Lernen
○ Ziele setzen und Feedback geben
● Hypothesen aufstellen und überprüfen
○ Hinweise, Fragen und Diagramme zur Wissensstrukturierung (»Advance Organizer«)

Welche Arten von Wissen vermittelt die Methode?

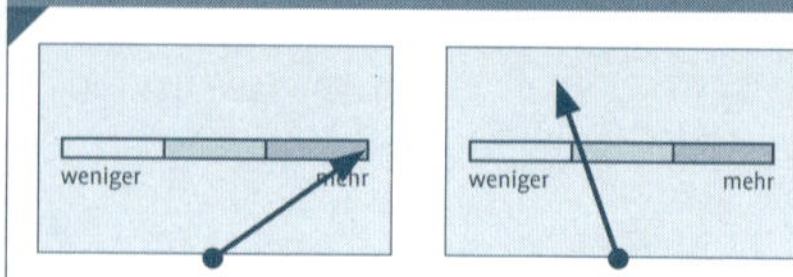

deklaratives Wissen   prozedurales Wissen

* »Induktives Lernen« kann man auch als Methode zur Schreibförderung einsetzen (siehe Abschnitt »Induktives Schreiben« am Ende des Kapitels, S. 128 ff.).

Überblick

Die Methode »Induktives Lernen« erleichtert es den Schülern, sich Themengebiete und Begriffe zu erschließen, indem sie vorgegebene Begriffe, Vokabeln oder Bilder zu Gruppen zusammenfassen und anhand gemeinsamer Eigenschaften klassifizieren. Dabei bilden die Schüler übergeordnete, umfassendere Kategorien und entwickeln so eine Klassifikation nach ihren eigenen Kriterien.

Gibt man Schülern zum Beispiel eine Reihe geometrischer Formen vor, so werden sie diese in eine Reihe unterschiedlicher Kategorien wie Kreise, Dreiecke, Formen mit vier Kanten, dreidimensionale Formen, unregelmäßige Formen, Formen mit rechtem Winkel und so weiter einordnen. Über diese reine Klassifikation geht die Methode jedoch hinaus: Die Schüler müssen für ihre Kategorien auch eindeutige Begriffe finden und dann eine Reihe von Vermutungen anstellen, die sie dann im Verlauf der Unterrichtseinheit anhand von Belegen aus Texten und anderen Übungen verifizieren können.

Das Geheimnis der Effektivität des induktiven Denkens und Lernens liegt in der Vielfalt an lernfördernden Verhaltensweisen, die den Schülern dabei abverlangt werden. Beim »Induktiven Lernen« müssen die Schüler geistig flexibel sein, Assoziationen herstellen, Elemente auf unterschiedliche Weise klassifizieren und kategorisieren, erkennen, wie umfassend eine Kategorie ist, auf Grundlage ihrer Klassifikation allgemeine Schlüsse ziehen und ihr Verständnis der Lerninhalte und ihres Lernprozesses selbst einschätzen. Auf diese Weise unterstützt die Methode »Induktives Lernen« die Schüler dabei, ihre kognitiven Fähigkeiten weiterzuentwickeln und zu unabhängigeren Denkern und Lernern zu werden.

Die Methode im Einsatz

Physiklehrer Dante Constantino sagt: »Wenn Schüler gelernt haben, wie Wissenschaftler denken, welchen Wortschatz diese verwenden und wie sie mit unerwarteten Ergebnissen umgehen, dann haben sie wirklich begriffen, was wissenschaftliches Arbeiten bedeutet.« Heute ist der zweite Unterrichtstag in diesem Schuljahr. Zu Beginn der Stunde teilt Dante Constantino seinen Schülern eine Liste mit Schlüsselbegriffen aus, die einem Artikel mit der Überschrift »Wie Wissenschaftler arbeiten« entnommen sind:

Experiment	überprüfen	hinterfragen
Hypothese	Modell	kontrollierte Bedingungen
Übung	Voreingenommenheit	staunen
Instrumente	Beobachtung	Vorwissen
korrekt	Fortschritt	Fakten
interpretieren	Vorurteile	bekannt
präzisieren	überarbeiten	fragen
sammeln	analysieren	erklären
vergleichen	Ergebnisse mitteilen	Beispiele
unbekannt	Schlussfolgerung	falsch

Der Lehrer teilt die Schüler in Kleingruppen ein und weist sie an, sich die Liste genau anzuschauen, nach Begriffen zu suchen, die zusammengehören, und diese in Kategorien einzuteilen. Für diese Aufgabe gibt er ihnen vier Richtlinien mit auf den Weg:

Keine Denkverbote! Scheut euch nicht, neue Verbindungen zwischen Begriffen zu entdecken.
Keine Angst vor Veränderungen! Ihr könnt eure Kategorien jederzeit ändern oder umbenennen.
Wörter »klonen« ist erlaubt! Es spricht nichts dagegen, ein Wort oder einen Begriff in mehr als eine Kategorie einzuordnen.
Beschreibende Überschriften! Sucht für jede Kategorie eine kurze Bezeichnung, aus der hervorgeht, was die der Kategorie zugeordneten Begriffe gemeinsam haben.

Um sicherzugehen, dass den Schülern klar ist, was er von ihnen erwartet, führt Dante Constantino kurz vor, wie er sich dieses Klassifizieren vorstellt: Er ordnet die Begriffe »Voreingenommenheit«, »Vorurteile« und »interpretieren« in eine Kategorie ein und überschreibt sie mit »Meinung«.

Anschließend lässt Dante Constantino den Schülern für die Gruppenarbeit 15 Minuten Zeit. Er beobachtet die einzelnen Gruppen, hört ihnen zu und gibt Hilfestellung, wenn ein Team mit bestimmten Begriffen Schwierigkeiten hat. Zu welchem Ergebnis eine der Schülergruppen kam, sehen Sie in Abb. 9.1.

»Als Nächstes«, erklärt Dante Constantino, »werden wir auf der Grundlage unserer Kategorien ein paar Hypothesen formulieren. Schaut euch eure Kategorien und die sie beschreibenden Begriffe genau an. Welche begründeten Vermutungen könnt ihr in der Gruppe darüber anstellen, wie Wissenschaft funktioniert und was Wissenschaftler tun?« Jedes Team notiert nun mindestens drei Hypothesen. Dazu verwenden die Schüler ein Schema, mit dessen Hilfe sie »Belege dafür« und »Belege dagegen« sammeln (siehe Abb. 9.2).

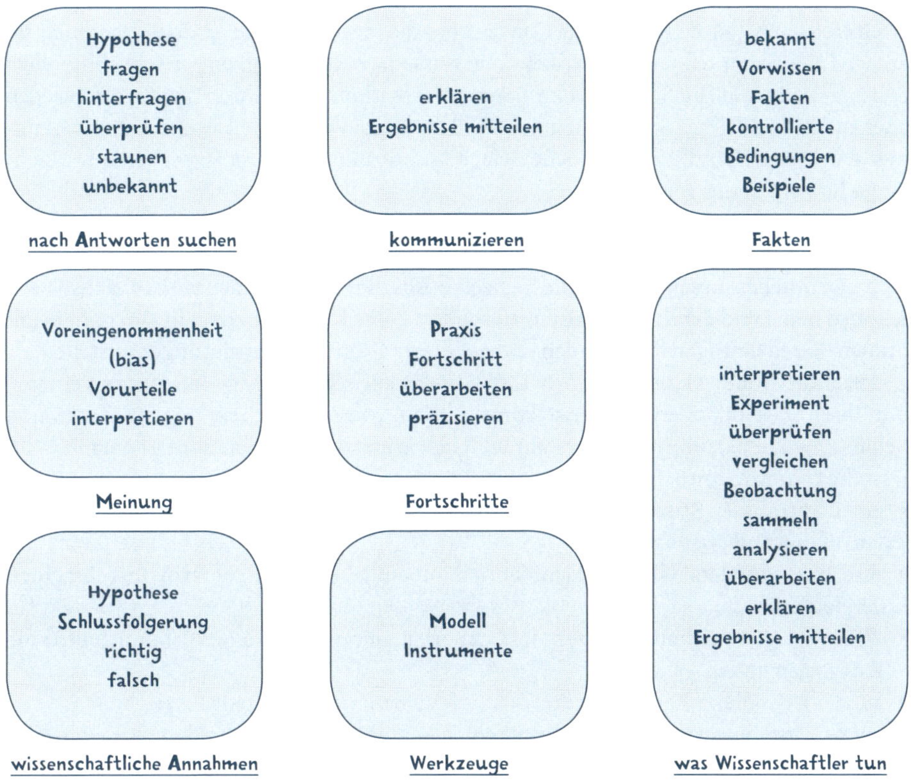

Abb. 9.1: *Beispiel für die Kategorien und Bezeichnungen einer Schülergruppe*

Belege dafür	Vermutung	Belege dagegen
	Die Wissenschaft sucht nach Antworten auf ungelöste Fragen.	
	Wissenschaftler stellen begründete Vermutungen auf und überprüfen sie anschließend.	
	Die Methoden, mit denen Wissenschaftler Informationen sammeln, sind vielfältig.	
	Wissenschaftler versuchen, sich an die Fakten zu halten und ihre persönliche Meinung außen vor zu lassen.	

Abb. 9.2: *Beispiel für ein Schema zum Sammeln von Belegen*

Nach ein paar Minuten fragt Dante Constantino die Ideen der Schüler ab und sammelt sie an der Tafel. Dann teilt er den Artikel »Wie Wissenschaftler arbeiten« aus. Mithilfe ihres Schemas sammeln die Schüler beim Lesen Informationen, die ihre Hypothesen belegen oder entkräften. Dieses Schema nehmen die Schüler im Verlauf der Unterrichtseinheit immer wieder zur Hand, notieren neue Belege und formulieren ihre Hypothesen im Licht neuer Informationen um.

Im Lauf des Schuljahres bringt Dante Constantino seinen Schülern bei, wie sie die Methode »Induktives Lernen« selbstständig anwenden können. Er zeigt ihnen, wie man vor dem eigentlichen Lesen eines Textes einzelne Abschnitte überfliegt, um zunächst nach Kerngedanken und Schlüsselbegriffen zu suchen. Diese kann man dann in Kategorien einordnen, Bezeichnungen dafür finden und auf dieser Grundlage Vermutungen anstellen.

Auch die Grundschullehrerin Ally Dubois setzt auf die Methode »Induktives Lernen«, um ihren Zweitklässlern Schlüsselkompetenzen wie Vergleichen, Klassifizieren und Schlüsseziehen beizubringen. Im Rahmen einer Unterrichtseinheit zum Thema »Stadt« lässt die Lehrerin ihre Schüler

- einen imaginären Spaziergang durch ihre Stadt machen und mindestens fünf Dinge malen, die sie unterwegs sehen
- ihre Bilder mit denen ihrer Mitschüler und mit einigen von der Lehrerin mitgebrachten vergleichen
- Bilder, die gut zueinanderpassen, in Kategorien einordnen und Bezeichnungen für die Kategorien finden
- auf der Basis dieser Kategorien drei Schlüsse ziehen, was eine Stadt auszeichnet
- auf der Grundlage dieser drei Schlüsse einen kurzen Abschnitt schreiben, der eine Stadt beschreibt
- ihre Arbeit mithilfe eines einfachen Bewertungsschemas evaluieren und über neue Ideen für das Klassifizieren und die Begriffsfindung diskutieren, auf die sie zurückgreifen können, wenn wieder einmal »Induktives Lernen« auf dem Lehrplan steht

Warum die Methode funktioniert

»Induktives Lernen« schult das kontrastierende Denken; wie »Vergleichen und Gegenüberstellen« lässt sich auch diese Methode dem übergreifenden Ansatz »Gemeinsamkeiten und Unterschiede erkennen« zuordnen, dem laut Marzano, Pickering und Pollock (2001) effektivsten Weg, um schulische Leistungen zu verbessern.

Im Mittelpunkt steht bei der Methode »Induktives Lernen« das Prinzip, dass man Gedanken nicht isoliert betrachten kann. Vielmehr erschließen sich Gedanken über den Prozess der Induktion aus anderen Gedanken. Für Werbeprofis ist diese Tatsache kein Geheimnis, weshalb sie sehr häufig auf ein ganzes Bündel verwandter Bilder zurückgreifen, um ein Produkt zu bewerben. In einem Fernsehspot wurde kürzlich zum Beispiel folgende Bilderserie gezeigt: Eine Mutter hilft ihrem Sohn beim Lesenlernen, ein Hochzeitspaar tanzt und gibt sich einen zärtlichen Kuss, eine Krankenschwester und ein alter Mann lachen miteinander, zwei Geschäftsleute schütteln sich die Hand. Die Macher dieses Werbespots wissen, dass das menschliche Gehirn von Natur aus nach Mustern sucht und aus der Vielzahl an Informationen allgemeine Schlüsse zu ziehen versucht (Jensen 1998). Bei der Verarbeitung der einzelnen Bilder in diesem Werbefilm – Mutter und Sohn, Braut und Bräutigam, Pflegerin und Patient, zwei Geschäftspartner – werden bei den meisten Zuschauern Assoziationen mit den allgemeinen Begriffen »Partnerschaft« und »Fürsorge« oder, aus Sicht der Werbeleute noch besser, »fürsorgliche Partnerschaft« wach.

Lange bevor die Hirnforschung die Erziehungswissenschaft revolutionierte, hat Hilda Taba (1971) erkannt: Macht man sich das Potenzial der Schüler zunutze, induktiv zu denken, so kann man die Schüler dazu bringen, mehr Eigenverantwortung für ihr Lernen zu übernehmen, und ihnen gleichzeitig tiefere Einblicke in die Zusammenhänge zwischen den Kerngedanken und wichtigen Details vermitteln, auf denen Unterrichtsstunden, Lerneinheiten und Fächer beruhen.

explizite Verarbeitungsschritte	implizite Verarbeitungsschritte	(allgemeine) Leitfragen
untersuchen	sich einen Überblick über die Informationen verschaffen; Vorwissen aktivieren	Was siehst/hörst/liest du? Was ist dir aufgefallen?
klassifizieren	Beziehungen erkennen; nach Gemeinsamkeiten suchen	Was gehört deiner Meinung nach zusammen? Warum glaubst du, dass A, B und C in eine Kategorie gehören?
Begriffe finden	Gemeinsamkeiten erfassen; Begriffe oder Wendungen formulieren; vergleichen; beurteilen, inwiefern eine Bezeichnung zur Kategorie passt	Was wäre ein guter Begriff für diese Kategorie? Warum findest du, dass _____ ein passender Begriff ist?
Kategorien zu übergeordneten Kategorien zusammenfassen	Hierarchien und Bezüge erkennen, die einem bisher nicht aufgefallen sind; diese Hierarchien oder Bezüge benennen beziehungsweise Begriffe dafür finden	Welche der Elemente, die hier unter einem Begriff zusammengefasst sind, lassen sich auch unter einem anderen Begriff subsumieren? Warum glaubst du, dass _____ in die Kategorie _____ gehört?
auf Grundlage anderer Kriterien andere Arten der Klassifizierung vorschlagen	aktiv nach neuen Klassifizierungsmöglichkeiten suchen und diese prüfen	Welche Elemente gehören aus ganz anderen Gründen zusammen? Warum denkst du, dass _____ und _____ zusammengehören? Siehst du noch Möglichkeiten, die wir noch nicht geprüft haben?
verallgemeinern und Vermutungen anstellen	allgemeine Regeln oder Prinzipien finden und anwenden; Ergebnisse voraussagen; Hypothesen aufstellen	Welche allgemeinen Regeln oder Prinzipien lassen sich aus deinen Kategorien ableiten? Welche Vermutungen kannst du auf der Grundlage dieser Kategorie anstellen?

Abb. 9.3: *Explizite Verarbeitungsschritte, implizite Verarbeitungsschritte und Leitfragen*

Die Methode »Induktives Lernen« ermöglicht es, sich die Vorteile des induktiven Denkens auf ideale Weise nutzbar zu machen, indem sie den Schülern sechs verschiedene Verarbeitungsschritte abverlangt. Durch diese Verarbeitungsschritte erschließen sich die Schüler Bedeutungen und entwickeln nach und nach ein tiefes konzeptuelles Verständnis, indem sie Schritt für Schritt von den konkreten, inhaltlichen Details abstrahieren und sich die Prinzipien und Verallgemeinerungen erarbeiten, die den Stoff mit Leben erfüllen. Abbildung 9.3 gibt einen Überblick über diese sechs Verarbeitungsschritte, über die impliziten, »verborgenen« Gedanken, die dem jeweiligen Schritt zugrunde liegen, sowie über eine Reihe von Leitfragen, mit denen Sie den Schülern im Unterricht helfen können, ihre Gedanken zu artikulieren.

Die Methode im Einsatz

1. Wählen und verteilen Sie Begriffe, Wendungen, Fragen, Probleme oder Bilder, die in einem Text, einem Lehrervortrag oder einer Unterrichtseinheit eine zentrale Rolle spielen.
2. Führen Sie vor, wie man diese Elemente in Kategorien einteilt und geeignete Bezeichnungen dafür findet.
3. Lassen Sie die Schüler die Elemente in Kleingruppen analysieren und unterschiedliche Möglichkeiten ausprobieren, die Informationen zu klassifizieren. Ermuntern Sie die Schüler, flexibel zu denken und Kategorien zu größeren, umfassenderen Einheiten zusammenzufassen.
4. Tragen Sie den Schülern auf, sich für jede ihrer Kategorien eine Bezeichnung auszudenken.
5. Lassen Sie die Schüler auf der Grundlage ihrer Kategorien mehrere Vermutungen anstellen beziehungsweise Hypothesen aufstellen und sie in die mittlere Spalte eines »Belege dafür/Belege dagegen«-Schemas eintragen.
6. Erteilen Sie den Schülern den Arbeitsauftrag, beim Lesen des Textes, beim Anhören des Lehrervortrags oder im Verlauf der Unterrichtseinheit nach Belegen für oder gegen ihre Vermutungen zu suchen.
7. Lassen Sie den Schülern Zeit, über ihren Lernprozess zu reflektieren, und führen Sie ein Unterrichtsgespräch darüber, was sie gelernt haben.
8. Bringen Sie den Schülern nach und nach bei, wie man durch induktives Denken allgemeine Schlüsse zieht und Elemente klassifiziert, indem man Schlüsselbegriffe auswählt, sie in Kategorien einordnet, Vermutungen anstellt und diese dann anhand von Belegen überprüft und präzisiert.

Eine Unterrichtsstunde mit dieser Methode planen

Wenn Sie mithilfe der Methode »Induktives Lernen« eine Unterrichtsstunde planen wollen, müssen Sie folgende Schritte unternehmen:

1. Legen Sie das Thema fest, und definieren Sie Schlüsselbegriffe.
Besonders geeignet ist induktives Lernen, wenn Ihre Schüler Bezüge zwischen bestimmten Elementen des Stoffs herstellen und allgemeine Schlüsse ableiten beziehungsweise das »große Ganze« verstehen sollen. Die Methode bietet sich immer dann an, wenn Sie

eine neue Unterrichtseinheit anfangen, bereits besprochenen Stoff wiederholen oder den Schülern dabei helfen wollen, Vokabeln in sinnvolle Kategorien einzuordnen. Legen Sie zunächst das Thema der Stunde fest. Definieren Sie dann die Schlüsselbegriffe, die Ihre Schüler am Ende der Stunde verstehen, beziehungsweise die allgemeinen Schlüsse, die Ihre Schüler ziehen sollen. Die Highschool-Lehrerin Justine Mueller hat es ihren Schülern mithilfe der Methode »Induktives Lernen« zum Beispiel erleichtert, ein Verständnis der Motive in Shakespeares »Hamlet« zu entwickeln. Dazu hat sie die folgenden Motive definiert: Wahnsinn, Unsicherheit, Rache/Gerechtigkeit und Tod.

2. Wählen Sie aus dem Text, der Unterrichtsstunde oder der Lerneinheit 12 bis 40 Elemente aus, anhand deren sich die Schlüsselbegriffe illustrieren beziehungsweise allgemeine Schlüsse ableiten lassen.

Bei diesen Elementen muss es sich nicht unbedingt um einzelne Wörter handeln. Es können auch Wendungen, Zitate, Gedichtzeilen, Musikinstrumente, Bilder, mathematische Terme, konkrete Gegenstände oder etwas anderes sein, was sich nach gemeinsamen Eigenschaften klassifizieren lässt. Für ihre Unterrichtsstunde zu »Hamlet« trug Justine Mueller beispielsweise für jedes Motiv, das sie im ersten Schritt festgelegt hatte, vier oder fünf Zitate aus dem Stück zusammen.

Unabhängig vom Stoff und von der Art der Elemente gelten folgende allgemeine Regeln:

- Die Elemente müssen spezifisch sein, nicht allgemein.
- Damit eine Klassifizierung möglich ist, brauchen Sie für jeden Begriff beziehungsweise jede allgemeine Schlussfolgerung mindestens zwei (besser drei oder mehr) Beispiele.
- Wenn Sie mithilfe des induktiven Lernens ein neues Thema einführen wollen, sollte die Mehrzahl der Elemente den Schülern bereits bekannt sein. Den Schülern wird es leichter fallen, logische Kategorien zu bilden, wenn sie Unbekanntes mit Bekanntem verknüpfen können.

3. Erstellen Sie (oder erarbeiten Sie gemeinsam mit den Schülern) Schemata für das Klassifizieren und für das Überprüfen von Hypothesen.

Ein visuelles Schema versetzt die Schüler in die Lage, Informationen grafisch anzuordnen, damit sie einprägsamer sind und damit ihnen die wichtigsten Zusammenhänge und Details im wahrsten Sinne des Wortes »vor Augen stehen«.

Wenn Sie die Methode »Induktives Lernen« einsetzen, sollten Sie den Schülern vormachen, wie man Elemente mithilfe eines schlichten Schemas klassifiziert (siehe Abb. 9.4). Es empfiehlt sich, mit Beispielen anzufangen, die leicht zu klassifizieren sind, wie geometrischen Formen, Spielen, Sportarten oder Nahrungsmitteln. Gehen Sie dann zu Elementen mit subtileren Gemeinsamkeiten über. Als sie ihren Schülern Beispiele gab, wie man Zeilen aus »Hamlet« in Kategorien einordnet, hat Justine Mueller unter anderem das in Abb. 9.4 gezeigte Motiv »Verfall« gewählt, um ihre Schüler zu gedanklicher Flexibilität anzuregen.

Auch das Überprüfen der Hypothesen sollte mithilfe eines Schemas durchgeführt werden. In einer dreispaltigen Tabelle (siehe Abb. 9.2) können die Schüler ihre Hypothesen, Vermutungen oder Verallgemeinerungen in die mittlere Spalte schreiben und rechts und links Belege dafür oder dagegen sammeln.

4. Legen Sie die Sozialform für den Unterricht fest.

Entscheiden Sie, ob die Schüler allein, in Kleingruppen oder als ganze Klasse arbeiten sollen.

Beispiel für ein Schema, das subtilere Bezüge veranschaulicht

Verfall
»Etwas ist faul im Staate Dänemark.«
»Sie wird den bösen Fleck nur leicht verharschen,
Indes Verderbnis, heimlich untergrabend,
Von innen angreift.«
»Wie ekel, schal und flach und unersprießlich
Scheint mir das ganze Treiben dieser Welt!
[...] 's ist ein wüster Garten,
Der auf in Samen schießt.«

Abb. 9.4: *Das Motiv des Verfalls in Shakespeares »Hamlet«*

5. Erwägen Sie, ein paar »Denkanstöße« vorzubereiten.

Seien Sie darauf vorbereitet, dass Sie den Schülern ein wenig auf die Sprünge helfen müssen, damit sie über den eigenen Tellerrand hinausschauen. Eine gute Möglichkeit, die Schüler dazu anzuregen, in ungewohnten Bahnen zu denken, sind »Denkanstöße«. Wenn die Schüler beim Klassifizieren nicht weiterkommen oder ihnen subtile Beziehungen zwischen einzelnen Elementen entgehen, können Sie Fragen stellen wie:

- Welche anderen Elemente könnten noch in diese Kategorie passen?
- Fällt euch ein Begriff ein, der diese Kategorie besser beschreibt?
- Was würde sich ändern, wenn ihr zu dieser Kategorie _____ dazunehmt? Würdet ihr die Kategorie dann umbenennen?
- Könnt ihr noch weitere Kategorien bilden?
- Wie verändert sich diese Kategorie, wenn ihr _____ herausnehmt?
- Warum gehört _____ in diese Kategorie?

6. Denken Sie sich eine Syntheseaufgabe aus.

Wie sollen die Schüler anwenden, was sie in dieser Stunde gelernt haben? Wie sollen sie zeigen, dass sie alle in dieser Stunde vermittelten Ideen und Informationen verarbeitet haben? Hier einige Beispiele für gelungene Syntheseaufgaben:

- Nachdem sie eine Geschichte gelesen und überprüft haben, ob ihre Vermutungen richtig waren, sollen Erstklässler ein Bild malen, das zeigt, dass sie die Geschichte verstanden haben.
- Nachdem sie die Bilder in Kategorien eingeordnet, Bezeichnungen dafür gefunden und am Ende drei Schlussfolgerungen über Städte gezogen haben, sollen Zweitklässler einen kurzen Text über ihre Heimatstadt schreiben.
- Nachdem sie Wörter über den Alltag in den neuenglischen Kolonien Kategorien zugeordnet, Bezeichnungen dafür gefunden, Vermutungen angestellt und ihre Vermutungen anhand eines Artikels überprüft haben, sollen Fünftklässler eine Aufgabe aus dem Aufgabenzirkel auswählen, den Sie in Abb. 9.5 sehen. (Näheres zu Aufgabenzirkeln, die es Lehrern ermöglichen, in Lernzielkontrollen nach den vier Lernstilen zu differenzieren, in Kapitel 20).

Arbeitsanweisung: Wähle eine Aufgabe und lies das zugehörige Bewertungsschema. Ziehe in deinem Text mindestens drei allgemeine Schlüsse, und unterfüttere sie mit Belegen. Vergleiche deinen fertigen Text mit dem Bewertungsschema, bevor du ihn abgibst.	
Beschreibe das Leben in einer Stadt in Neuengland um 1750.	Schreibe einen Brief, den jemand um 1750 von Neuengland nach England schickt.
Vergleiche drei Aspekte des Lebens in Neuengland um 1750 mit deinem Leben heute.	Inwiefern glich das Leben in Neuengland einem/einer ____________? Denk dir eine Metapher aus und begründe deine Wahl.

Abb. 9.5: *Aufgabenzirkel zu den Kolonien in Neuengland (Silver, Strong, Perini und Reilly 2000, S. 19)*

Variationen und Ergänzungen

Das Anwendungsspektrum der Methode »Induktives Lernen« ist vielfältig. Am häufigsten wird sie eingesetzt, um den Schülern den Wortschatz für eine neue Unterrichtseinheit zu vermitteln, um neue Themen oder Lerneinheiten einzuführen oder um bereits durchgenommenen Lernstoff zu wiederholen. Immer mehr Lehrer erkennen jedoch, dass man diese Methode mit einigen einfachen Kniffen so abwandeln kann, dass sie auch für die Leseförderung, die Schreibförderung oder für die Verbesserung des mathematisch-logischen Denkens geeignet ist.

Induktives Lesen

Überträgt man die Methode »Induktives Lernen« auf das Lesen, so kann man den Schülern beibringen, wie man begründete Vermutungen über einen Text anstellt und dann mithilfe dieser Vermutungen die zentralen Aussagen eines Textes erfasst, indem man nach Belegen für diese Vermutungen sucht. Hier eine Beispielstunde des Grundschullehrers Art Quinlan, der mit seinen Drittklässlern nach der Methode »Induktives Lesen« arbeitet. Dazu wählt der Lehrer zunächst 30 Schlüsselwörter aus einer Geschichte mit der Überschrift »Spinnen und Diamanten« aus. Im Unterrichtsgespräch mit der ganzen Klasse werden die Wörter dann in folgende Kategorien und Unterkategorien eingeteilt (siehe Abb. 9.6). Der Lehrer erinnert die Schüler daran, dass ein Wort auch mehreren Kategorien angehören kann und dass sie ihre Kategorien zu übergeordneten Einheiten verbinden sollen.

Auf der Grundlage dieser Kategorien formulieren die Schüler folgende Vermutungen. Art Quinlan schreibt sie an die Tafel:

1. In der Geschichte kommen ein egoistischer Mann, ein alter Mann, eine alte Frau und ein Bettler vor.
2. Der Bettler braucht etwas zu essen.
3. Der egoistische Mann war gemein zu dem Bettler.
4. Die Leute suchen im Wald nach einem Schatz.
5. Die Geschichte spielt in einem Wald und in einem Haus.

Nachdem die Schüler ihre Vermutungen angestellt haben, teilt Art Quinlan ihnen die Geschichte »Spinnen und Diamanten« aus und erklärt ihnen, wie sie sich beim Lesen auf das Wesentliche konzentrieren können, indem sie gezielt nach Belegen suchen, die ihre Vermutungen bestätigen oder widerlegen.

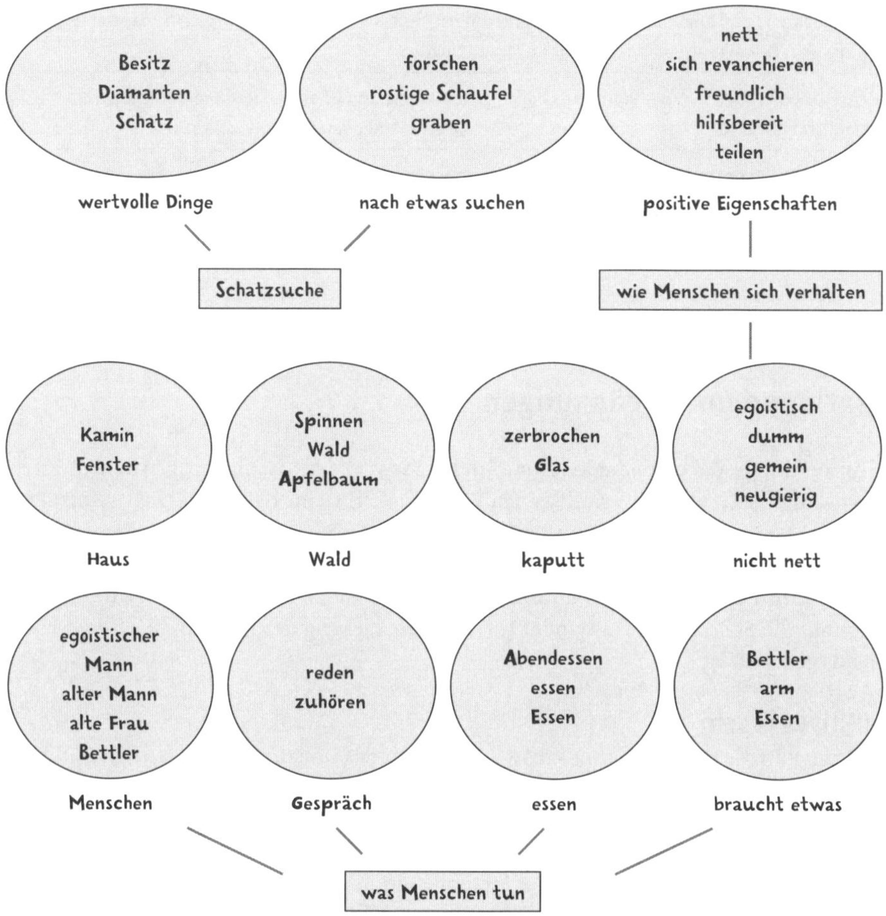

***Abb. 9.6:** Beispielkategorien für die Geschichte »Spinnen und Diamanten«*

Induktives Schreiben

»Ich arbeite schon seit Jahren mit induktivem Lernen«, sagt Grundschullehrer Michael Ledford. »Was ich erst vor Kurzem erkannt habe, ist, wie wichtig induktives Denken für den Schreibprozess ist. Bei dieser Methode stehen das Klassifizieren von Details, das Erkennen und Formulieren der Kerngedanken, die diese Details zusammenhalten, und die Gliederung großer Informationsmengen in sinnvolle Einheiten im Mittelpunkt, und das passt genau zu den Problemen, die viele meiner Schüler beim Schreiben haben.«

Eine Unterrichtsstunde zum induktiven Schreiben sieht bei Michael Ledford so aus:

- **Schritt 1:** Als Erstes lasse ich die Schüler überlegen, was sie über das Thema beziehungsweise zu dieser Unterrichtseinheit schon wissen. Um den Schülern beim Aktivieren von Vorwissen auf die Sprünge zu helfen, stelle ich Fragen wie: »Was wisst ihr bereits über ______?«, »Welche Adjektive oder Eigenschaftswörter fallen euch ein, wenn ihr an ______ denkt?« oder »Welche Gefühle löst der Gedanke an ______ bei euch aus?«. Diese Fragen variiere ich je nach Textsorte, die von den Schülern produziert werden soll. Wenn ich ihre persönliche Reaktion hören will, verwende ich eher Fragen, die Gefühle auslösen sollen, wohingegen ich bei einem erklärenden Aufsatz mehr Wie?- und Warum?-Fragen einsetze.

- **Schritt 2:** Dann lasse ich die Schüler die Wörter in Kategorien einteilen und Bezeichnungen dafür finden, wie immer beim induktiven Lernen. Der einzige Unterschied liegt darin, dass ich die Schüler anweise, als Bezeichnungen nicht einzelne Wörter, sondern immer ganze Sätze oder Wendungen zu nehmen (vgl. Abb. 9.7).
- **Schritt 3:** Danach arbeite ich mit den Schülern daran, wie sie ihre Sätze aus Schritt 2 so umformulieren können, dass sie sich gut als Einleitungssätze für einen Abschnitt eignen. Hier die Einleitungssätze des Beispielschülers:
  - In der Dunkelheit kommen viele Tiere, die man tagsüber nicht sieht, aus ihren Verstecken.
  - Kleine Kinder fürchten sich manchmal vor der Dunkelheit, weil sie Angst haben, dass etwas Unheimliches geschehen könnte.
  - Polizisten und Straßenlaternen tragen dazu bei, dass man auf einer Straße keine Angst haben muss.
  - Kinder tun viele unterschiedliche Dinge, wenn es dunkel wird.
  - Wenn es dunkel wird, gehen die Kinder ins Bett und schlafen.

Abb. 9.7: *Beispiel für die Kategorien eines Schülers zum Thema »Dunkelheit«*

- **Schritt 4:** Schließlich schreiben die Schüler ganze Absätze. Für jeden neuen Absatz wählen sie einen Einleitungssatz aus und unterfüttern ihn mit Details aus der entsprechenden Kategorie. Bevor sie mit dem Schreiben anfangen, lasse ich sie ihre Kategorien und Einleitungssätze immer noch einmal genau anschauen und überlegen, ob jede Kategorie wirklich einen eigenen Absatz verdient. In der Regel mache ich vor, wie das geht, und »denke« dabei laut mit; so sehen sie, wie ich entscheide, ob ein Einleitungssatz aus Schritt 3 genügend Substanz für einen eigenen Absatz hat. Wenn nicht, dann zeige ich ihnen, wie ich zwei Sätze beziehungsweise Kategorien zusammenfasse und in einem Absatz verarbeite. Abbildung 9.8 veranschaulicht, wie der Schüler gemerkt hat, dass sein dritter Einleitungssatz nicht lang genug war, um einen ganzen Absatz daraus zu machen. Also fasste er seine Sätze 2 und 3 sowie die dazugehörenden Details in einem Absatz zusammen.

In der Dunkelheit kommt vieles zum Vorschein, was man am Tag nicht sehen kann. Man sieht den Mond und die Sterne. Manchmal, wenn man Glück hat, sieht man eine Sternschnuppe. Auch manche Tiere, wie Biber oder Waschbären, kommen nachts, wenn die Menschen schlafen, aus ihren Verstecken und suchen nach Nahrung.
Kleine Kinder fürchten sich manchmal vor der Dunkelheit, weil sie Angst haben, dass etwas Unheimliches geschehen könnte. Geister treiben ihr Unwesen, und schwarze Katzen jaulen, sodass man nicht einschlafen kann. Viele Tiere sind nachts unterwegs, und die Menschen müssen vorsichtig sein. Straßenlaternen und Polizisten tragen dazu bei, dass unserer Straßen sicherer sind.
Kinder tun zu Hause viele unterschiedliche Dinge, wenn es dunkel wird. Sie schauen fern, essen Abendbrot, machen ihre Hausaufgaben fertig und spielen mit ihren Geschwistern.
Wenn es dunkel wird, gehen die Kinder ins Bett und schlafen. Die Eltern sagen uns, wann wir schlafen gehen sollen, und manchmal streiten wir mit ihnen, weil wir noch länger fernsehen oder spielen möchten. Wenn wir schlafen gehen, rufen wir allen in der Familie »Gute Nacht!« zu und kuscheln uns unter die Bettdecke.

Abb. 9.8: *Beispiel für einen Schüleraufsatz*

Induktives Lernen im Mathematikunterricht

Der Forscher Ed Thomas (2003) wendet neuere, wissenschaftlich erprobte Methoden auf das Fach Mathematik an. Unter anderem zeigt er, wie man im Mathematikunterricht mithilfe des induktiven Lernens neuen Stoff vermittelt.

Der Lehrer teilt den Schülern eine Reihe mathematischer Terme aus und gibt ihnen den Arbeitsauftrag, nach Ähnlichkeiten zu suchen, ähnliche Terme in Kategorien einzuteilen und Bezeichnungen dafür zu suchen. Um etwa das neue Thema »Zerlegung von Polynomen« einzuführen, könnte der Lehrer sich Beispiele für vier verschiedene Arten von Polynomen ausdenken:

Differenz von Quadratzahlen	Summe zweier dritter Potenzen
$x^2 - 49$ $(x^2)^2 - (y^2)^2$ $x^4 - y^4$ $9r^2 - {}^4$ $1 - d2$ $x^2 - 1$ $y^2 - 81$ $(2x)^2 - (3x)^2$ $x^2 - 1^2$	$m^3 + n^3$ $q^3 + 27$ $(a+b)^3 + (c+d)^3$
Polynome mit Quadratzahlen	**Differenz zweier dritter Potenzen**
$x^2 + 6x + 9$ $x^2 - 10x + 25$ $a^2 + 2ab + b^2$ $x^2 + 14x + 49$ $x^2 - 12x + 36$	$r^3 - 2^3$ $r^3 - 8$ $64 - z^3$ $a^3 - b^3$

Abb. 9.9: *Einführende Beispiele für das Thema »Zerlegung von Polynomen«*

Diese Beispiele verteilt der Lehrer auf einer Seite, lässt sie von den Schülern klassifizieren und Bezeichnungen für jede Kategorie finden. Dann weist er die Schüler an, zu jeder Kategorie drei bis fünf allgemeine Aussagen zu machen. Im Verlauf der Unterrichtseinheit über Polynome sammeln die Schüler weitere Informationen, verbessern ihre Klassifizierung und präzisieren die Überschriften.

Der Grund dafür, dass dieses Vorgehen auf den ersten Blick nicht zum Fach Mathematik zu passen scheint (und dafür, dass so mancher Mathematiklehrer spontan eher abgeschreckt sein dürfte), lässt sich in einer einzigen, naheliegenden Frage zusammenfassen: Was, wenn die Schüler sich vertun? Wie Thomas (2003) erklärt, geht es bei diesem Vorgehen jedoch nicht in erster Linie um die »richtigen« Kategorien. Im Mittelpunkt der Stunde sollten Thomas zufolge vielmehr das Diskutieren und Vergleichen stehen. Die Schüler sollten sich über ihre Kategorien austauschen und mit ihren Klassenkameraden und dem Lehrer daran arbeiten, einzelne Kategorien zu vergleichen und einander gegenüberzustellen, um herauszuarbeiten, welche Ideen ihnen zugrunde liegen. Im Verlauf der Lerneinheit überarbeiten die Schüler dann ihre Kategorien und ihre Schlussfolgerungen. Dadurch »erschließen sie sich aktiv das große Ganze« (Thomas 2003, S. 127).

Methode 10: In Metaphern denken

Wie passt die Strategie in die Unterrichtseinheit?

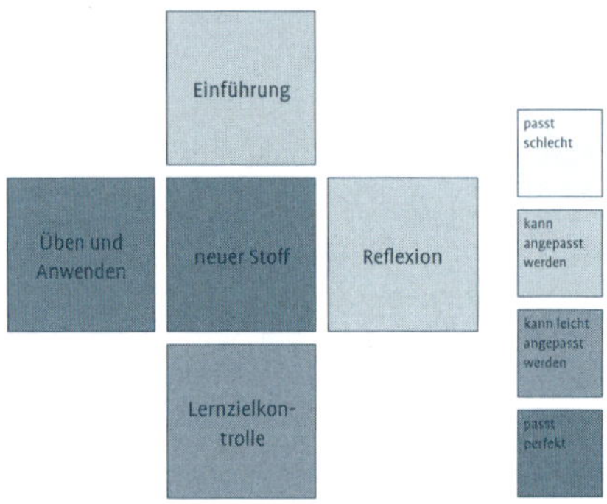

Welche Lerntypen spricht die Strategie an?

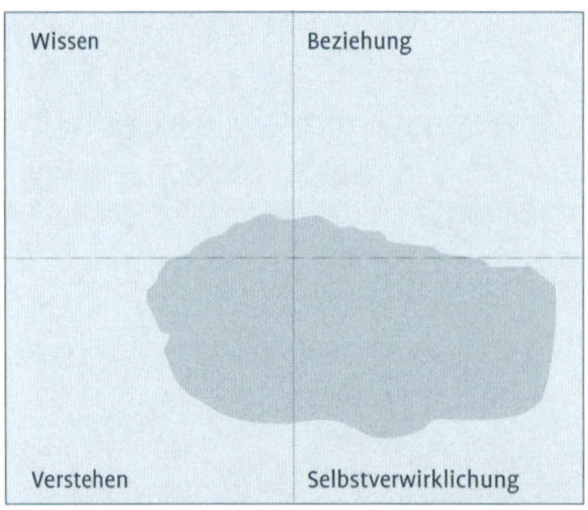

Welche Aspekte des Lernens lassen sich mithilfe der Strategie weiterentwickeln?

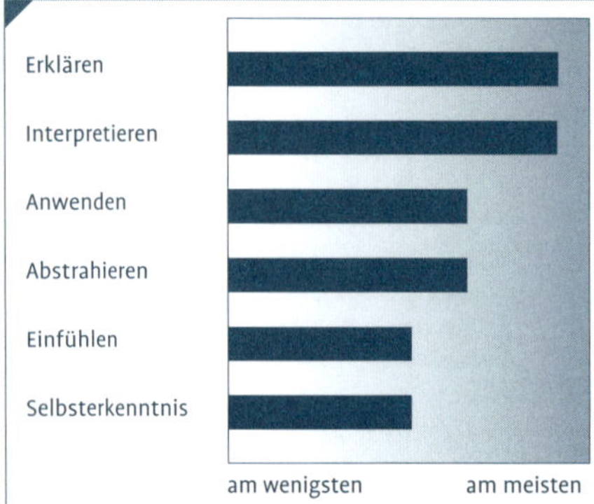

Welche Kernkompetenzen werden mit dieser Strategie geschult?

Lesen und Lernen

- ○ durch das Anfertigen von Notizen Ideen sammeln und ordnen
- ● abstrakte akademische Begriffe erschließen
- ○ visuelle Darstellungen erfassen und interpretieren

Logisch denken und analysieren

- ● Schlussfolgerungen ziehen; Hypothesen und Vermutungen anstellen und überprüfen
- ● anhand vorgegebener Kriterien Vergleiche durchführen
- ○ mit ganz unterschiedlichen Aufgabenstellungen klarkommen

Kreativ sein und kommunizieren

- ○ verständlich formulierte, schlüssige Erklärungen schreiben
- ○ sicherer schriftlicher Ausdruck in Sachtexten*
- ○ zwei oder mehr Texte lesen und darüber schreiben

Reflektieren und Bezüge herstellen

- ○ Pläne aufstellen, um komplexe Fragen oder Aufgaben zu lösen
- ○ eigene Arbeit anhand von Kriterien und Checklisten evaluieren
- ● die eigene Stimmung und spontane Regungen kontrollieren/beeinflussen

Inwiefern berücksichtigt die Strategie Forschungsergebnisse über effektiven Unterricht?

- ● Gemeinsamkeiten und Unterschiede erkennen
- ○ zusammenfassen und Notizen machen
- ○ Anstrengungen verstärken und anerkennen
- ○ Hausaufgaben und Übungen
- ● nicht sprachliche Darstellungsformen
- ○ kooperatives Lernen
- ○ Ziele setzen und Feedback geben
- ● Hypothesen aufstellen und überprüfen
- ○ Hinweise, Fragen und Diagramme zur Wissensstrukturierung (»Advance Organizer«)

Welche Arten von Wissen vermittelt die Strategie?

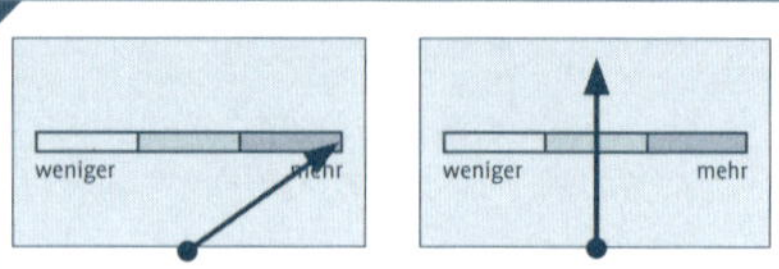

deklaratives Wissen | prozedurales Wissen

Überblick

Inwiefern ist Schuld wie ein Mühlstein? In welcher Hinsicht gleicht eine Freundschaft einem Floß? Inwiefern lässt sich eine mathematische Gleichung mit einem Tauziehen vergleichen? Studien haben gezeigt: Wenn man erreichen will, dass Schüler den Stoff besser verstehen und bessere Leistungen erzielen, so gibt es kaum eine effektivere Methode, als die Schüler Bezüge herstellen und Dinge vergleichen zu lassen, die sich eigentlich sehr unähnlich sind. Solche Vergleiche oder Metaphern sind eine der anschaulichsten, kreativsten und aufschlussreichsten Formen des sprachlichen Ausdrucks überhaupt. Nicht nur Dichter und Songwriter, auch wir Lehrer können Vergleiche und Metaphern dazu einsetzen, das Gesagte einprägsamer zu machen oder unerwartete Querverbindungen zwischen Dingen herzustellen, die eigentlich als grundverschieden gelten.

Die Methode »In Metaphern denken« macht sich diese einzigartige menschliche Fähigkeit zunutze, um den Lernstoff durch kreative Vergleiche zu veranschaulichen. Indem er sie zum metaphorischen Denken anregt, gibt ein Lehrer seinen Schülern Gelegenheit, eine eigene Sichtweise der Lerninhalte zu entwickeln. Das ebnet den Weg für aufschlussreiche Erkenntnisse, einleuchtende Erklärungen und Verständnisprozesse auf höchstem Niveau.

Die Methode im Einsatz

»Metaphern und Mathematik passen besser zusammen, als die meisten Leute glauben«, sagt die Mathematiklehrerin Sandra Billows. »Ich arbeite sehr gern mit Metaphern, zum Beispiel wenn ich erreichen will, dass meine Schüler eine wirklich gefestigte Vorstellung von einem mathematischen Konzept wie ›Primzahl‹ entwickeln. Oder dass sie wichtige Rechenverfahren so verinnerlichen, dass sie sie anwenden können.«

Heute setzt Sandra Billows die Methode »In Metaphern denken« ein, um ihren Schülern die Schritte beizubringen, die zur Lösung einer Algebra-Aufgabe notwendig sind. Da die Klasse mit dieser Methode noch nicht vertraut ist, führt die Lehrerin zunächst ein Unterrichtsgespräch über den Gebrauch von Metaphern im Alltag. Die Schüler sprechen über Beispiele für Metaphern, die sie aus der Alltagssprache, aus Songs, aus der Werbung oder von den Spitznamen berühmter Leute her kennen (zum Beispiel Michael »Air« Jordan). Zusammenfassend betont die Lehrerin, dass eine Metapher einen Bezug zwischen zwei Dingen herstellt, die sich eigentlich sehr unähnlich sind. Dadurch erscheinen sie in einem neuen, ungewöhnlichen Licht, und das macht sie einprägsamer.

Sandra Billows sagt den Schülern, das Ziel dieser Stunde sei, eine Metapher für die Lösung von Algebra-Aufgaben zu finden. Daraufhin löst sie gemeinsam mit den Schülern drei unterschiedliche Gleichungen mit einer Variablen. Die Lehrerin lässt die Klasse die einzelnen Schritte herausarbeiten und schreibt sie an die Tafel:

1. Lies die Aufgabenstellung sorgfältig durch.
2. Fasse die Aufgabe in Form von mathematischen Termen.
3. Stelle eine Gleichung auf und beachte die Rangfolge der Rechenoperationen.
4. Vereinfache komplexe Terme durch Subtraktion und Division.
5. Löse die Gleichung.

Als Nächstes teilt Sandra Billows die Klasse in Vierergruppen ein und wiederholt mit ihnen, was sie über das Verdauungssystem des Menschen wissen. Als sie die Phasen des Verdauungsprozesses an die Tafel schreibt, fällt einigen Schülern eine unmittelbare Parallele auf: Sowohl das Lösen einer Gleichung als auch die Verdauung folgen einer eindeutig vorgegebenen Abfolge der Teilprozesse. Die Lehrerin zeigt den Schülern, wie sie die Metapher weiterspinnen können, indem sie eine Parallele zwischen dem ersten Schritt bei der Lösung einer Gleichung und der entsprechenden Phase des Verdauungsprozesses ziehen: der Nahrungsaufnahme. Gemeinsam mit den Schülern erstellt sie ein Vergleichsschema mit drei Spalten. Als Überschrift schreibt sie über die linke Spalte: »Schritte des Verdauungsprozesses«, über die rechte Spalte: »Schritte beim Lösen einer Gleichung«, und über die mittlere Spalte: »Beispielaufgabe«.

Nachdem sie den ersten Schritt vorgeführt hat, erteilt die Lehrerin den Schülern den Arbeitsauftrag, die Metapher in der Gruppe weiterzuspinnen, indem sie nach weiteren Parallelen zwischen den einzelnen Schritten beim Verdauen und beim Lösen einer Gleichung suchen. Während der Gruppenarbeit geht Sandra Billows im Klassenzimmer umher, beobachtet die einzelnen Gruppen und gibt bei Bedarf Hilfestellung. Die Schüler hangeln sich mithilfe ihres Vergleichsschemas von Schritt zu Schritt, lösen die Beispielaufgabe und schmücken gleichzeitig die Metapher weiter aus. Ein Beispiel für ein ausgefülltes Vergleichsschema finden Sie in Abb. 10.1.

Schritte des Verdauungsprozesses	Beispielaufgabe	Schritte beim Lösen einer Gleichung
Nahrungsaufnahme: Das Essen wird mit der Gabel zum Mund geführt.	Du hast 5- und 10-Cent-Stücke im Wert von 1,25 € im Geldbeutel. Insgesamt sind es 18 Münzen. Wie viele 10-Cent-Stücke sind darunter?	**Lies sorgfältig die Aufgabenstellung:** Vor der Lösung kommt die Bestandsaufnahme.
Im Mund wird das Essen gekaut und eingespeichelt, sodass man es leichter schlucken kann.	Sei x: Anzahl der 10-Cent-Stücke, $18-x$: Anzahl der 5-Cent-Stücke, $10x$: Wert der 10-Cent-Stücke, $5(18-x)$: Wert der 5-Cent-Stücke.	**Fasse die Aufgabe in Form mathematischer Terme:** Die Aufgabe wird in ihre Teile zerlegt und in mathematische Terme gefasst, sodass man sie leichter lösen kann.
Das Essen wird geschluckt und folgt dann einem vorgegebenen Pfad durch die Speiseröhre in den Magen und weiter in den Darm.	$10x + 5(18-x) = 125$ $10x + 90 - 5x = 125$ $10x - 5x + 90 = 125$ $5x + 90 = 125$	**Stelle eine Gleichung auf, und beachte die Rangfolge der Rechenoperationen:** Beim Lösen der Gleichung gilt die Rangfolge der Rechenoperationen: Klammern vor Exponenten vor Multiplikation und Division vor Addition und Subtraktion.
Enzyme in Magen und Darm spalten komplexe Moleküle auf, damit sie durch die Darmwand ins Blut aufgenommen werden können.	$5x + 90\ (-90) = 125\ (-90)$ $5x = 35$ $5x : 5 = 35 : 5$	**Vereinfache komplexe Terme durch Subtraktion und Division:** Mittels Subtraktion und Division werden komplexe Terme aufgespalten.
Die Nährstoffe werden isoliert, im Blut gelöst und zu den Zellen transportiert, um diese mit Energie zu versorgen.	$x = 7$	**Löse die Gleichung:** Die Variable wird isoliert, die Gleichung gelöst und somit mathematische Energie freigesetzt.

***Abb. 10.1:** Metaphorischer Vergleich zwischen der Verdauung und dem Lösen einer Algebra-Aufgabe*

Im Verlauf des abschließenden Unterrichtsgesprächs arbeitet die Lehrerin die Unterschiede bei der Herangehensweise der einzelnen Gruppen heraus. Für den zweiten Schritt beim Lösen einer Gleichung zum Beispiel (»Schreibe die Aufgabe in Form mathematischer Terme auf«) wählt eine Gruppe als Metapher das Kauen, werde das Problem hier doch in »kleinere Teile zerlegt«. Eine andere Gruppe rückt demgegenüber die Arbeit der Speicheldrüsen in den Mittelpunkt: So wie sie den »weiteren Verdauungsprozess erleichtern«, wird auch der weitere Rechenprozess leichter, wenn man die Aufgabe in Form mathematischer Terme ausdrückt. Die Lehrerin ist sich mit den Schülern darin einig, dass beide Vergleiche gut funktionieren, und sie nutzt diese Gelegenheit, um hervorzuheben, wie man mit Metaphern komplexe Ideen auf vielfältige und individuelle Art und Weise erklären kann.

Am Ende der Stunde soll jeder Schüler für sich eine weitere Metapher für das Lösen einer Gleichung finden. Wie bei der Analogie zum Verdauungssystem soll auch die neue Metapher alle Schritte des Lösungsprozesses widerspiegeln.

Warum die Methode funktioniert

Eine Metapher ist nichts anderes als ein Vergleich zweier scheinbar grundverschiedener Dinge. Was Metaphern so spannend – und für den Unterricht so wertvoll – macht, ist der Reichtum an Bedeutung, der dabei in einige wenige Worte gepackt wird. Denken Sie nur an die vielfältigen Assoziationen, die Shakespeares berühmte Metapher »Die ganze Welt ist eine Bühne« wachruft (das Leben ist wie ein Theaterstück, Menschen sind Schauspieler, jeder muss seine Rolle spielen, manchmal ist das Leben lustig, manchmal traurig – die Liste ließe sich beliebig fortführen), und schon wird deutlich, wie sechs einfache Wörter einen nahezu grenzenlosen Kosmos an Bedeutungen eröffnen können.

Dass der Gebrauch von Metaphern sich positiv auf die schulische Leistung auswirkt, ist vielfach wissenschaftlich belegt (vgl. Chen 1999; Cole und McLeod 1999; Gottfried 1998). Für Marzano, Pickering und Pollock (2001) ist das Denken in Metaphern sogar eine der sichersten Methoden, die Lernfähigkeit von Schülern zu erhöhen. Die Methode »In Metaphern denken« nutzt das Potenzial, das in Metaphern steckt. Durch die Aktivierung beider Gehirnhälften (des logischen wie des kreativen Denkens) und durch »doppelte Encodierung« – also indem gleichzeitig eine sprachliche und eine visuelle Verbindung zum Lernstoff hergestellt werden – sorgt sie dafür, dass die Schüler den Lernstoff besser durchdringen und verstehen.

Außerdem kann man mithilfe dieser Methode neue Inhalte vermitteln, indem man sich das Vorwissen der Schüler zunutze macht. Wenn man zum Beispiel im Informatikunterricht den Begriff »Firewall« erklärt, indem man einen Vergleich mit einem Wachmann anstellt, können sich die Schüler sofort etwas darunter vorstellen.

Ursprünglich beruht die Methode »In Metaphern denken« auf der Forschung von William J. J. Gordon (1961). Gelenkte kreative Aufgaben, wie das Suchen nach passenden Metaphern, so die Erkenntnis Gordons, lösen bei den Schülern auf ganz natürliche Weise hochproduktive kognitive Zustände aus, die zu einem plötzlichen Erkenntnisschub führen können. Beispiele für solche Zustände sind:

- **innere Distanz:** Auf der Suche nach einer kreativen Idee gewinnen die Schüler Abstand und lösen sich vom konkreten Problem.
- **Abwendung:** Die intensive Suche nach Metaphern führt in der Regel zur Abkehr von der einfachsten, naheliegendsten oder oberflächlichsten Metapher. Der Schüler ver-

sucht, etwas Interessanteres und Kreativeres zu finden als »Das Leben ist ein ewiges Auf und Ab«.

- **Spekulation:** Haben sie sich einmal von den naheliegendsten Möglichkeiten verabschiedet, beginnen die Schüler, ihre Gedanken wandern zu lassen und nach neuen Bezügen zu suchen.
- **Autonomie:** Autonomie wird dann erreicht, wenn der Schüler selbstständig über das Problem, mögliche Verbindungen und denkbare Lösungen nachdenken und so einem Erkenntnisschub den Weg bereiten kann.
- **hedonistische Reaktion:** Mit hedonistischen Reaktionen sind unerwartete Erkenntnisschübe gemeint, »Aha«-Momente, die plötzlich aus dem Unbewussten auftauchen. Hedonistische Reaktionen haben ein großes kreatives Potenzial und sind für den Schüler ein Zeichen für eine aufschlussreiche oder elegante Lösung. Vor allem aber fühlen sich hedonistische Reaktionen gut an.

Die Methode im Einsatz

1. Führen Sie das Thema ein, und fesseln Sie die Aufmerksamkeit der Schüler mit einem Einstieg, der zur Auflockerung dient und das Gehirn der Schüler auf Touren bringt.
2. Versorgen Sie die Schüler mittels eines Textes, eines Vortrags oder einer anderen Informationsquelle mit den wichtigsten Lerninhalten der Stunde. Lassen Sie die Schüler anhand vorgegebener (oder gemeinsam erarbeiteter) Kriterien Informationen sammeln (oder wiederholen).
3. Geben Sie den Schülern auf der Grundlage dieser Informationen ein Beispiel für metaphorisches Denken.
4. Geben Sie den Schülern zwei Begriffe vor, die sie als Ausgangspunkte für einen metaphorischen Vergleich verwenden sollen, oder überlassen Sie es den Schülern, ihre eigenen Metaphern zu finden. Ermuntern Sie die Schüler zu kreativem und flexiblem Denken.
5. Bitten Sie die Schüler, ihre Metaphern der ganzen Klasse vorzustellen und zu erklären. Diskutieren Sie über unterschiedliche Varianten und über die Möglichkeiten, mit Metaphern Dinge auf ganz unterschiedliche Weise zu erklären.
6. Bauen Sie für die Schüler Gelegenheiten ein, darüber zu reflektieren, wie gut sie den Stoff verstanden haben und wie gut sie damit zurechtkommen, sich Metaphern auszudenken und sie weiterzuspinnen.
7. Lassen Sie die Schüler das Gelernte in Form einer schriftlichen Übung, einer mündlichen Präsentation, eines kreativen Projekts oder einer anderen sinnvollen Syntheseaufgabe anwenden.

Eine Unterrichtsstunde mit dieser Methode planen

Wollen Sie auf der Grundlage der Methode »In Metaphern denken« eine Unterrichtsstunde planen, so führen Sie folgende fünf Schritte durch:

1. Legen Sie den Stoff und das Lernziel der Stunde fest.
Welche Inhalte sollen die Schüler mithilfe einer Metapher erkunden? Was sollen die Schüler aus der Stunde mitnehmen? Verwenden Sie die Methode, um neuen Stoff zu vermitteln, die Kreativität der Schüler zu fördern, ihre Empathiefähigkeit zu stärken, ihnen neue Perspektiven zu eröffnen oder fächerübergreifende Bezüge herzustellen?

Ein möglicher Ansatz für die Unterrichtsplanung ist die Frage: Möchte ich erreichen, dass den Schülern Vertrautes fremd wird oder dass ihnen Fremdes vertrauter wird? »Vertrautes fremd werden lassen« bedeutet, von bereits Gelerntem auszugehen und den Schülern durch metaphorisches Denken neue, weiterführende Erkenntnisse zu ermöglichen. »Fremdes vertraut machen« bedeutet, von etwas auszugehen, was den Schülern wohlbekannt ist, und von dort aus Bezüge zu neuen Inhalten herzustellen.

Vielleicht wird Ihnen der Unterschied klarer, wenn Sie über folgende Frage nachdenken: »Inwiefern gleicht eine Kolonie einem Kind?« Stellen Sie sich zunächst eine Klasse vor, die sich bereits mit Kolonien und ihrem Verhältnis zum »Mutterland« beschäftigt hat. Diesen Schülern wird die Metapher eine neue Sichtweise auf Kolonien eröffnen, die sie in ein anderes Licht rückt. Das Vertraute (die Kolonie) wird ihnen jetzt »fremd«, weil sie es durch diese Metapher aus einer ganz neuen Perspektive betrachten. Stellen Sie sich jetzt eine Klasse vor, die noch nichts über Kolonien gelernt hat. Indem der Lehrer ihnen den neuen Begriff über den wohlbekannten Begriff »Kind« näherbringt, erleichtert er ihnen den Zugang.

2. Denken Sie sich einen Einstieg beziehungsweise eine mentale Aufwärmübung aus.
Eine solche Aufwärmübung signalisiert der Klasse, dass diese Unterrichtsstunde in einer entspannten, kreativen Atmosphäre ablaufen wird. Gleichzeitig sollte die Übung die Aufmerksamkeit der Schüler fesseln und ihre Gedanken auf den Lernstoff der Stunde lenken. Ist die Arbeit mit Metaphern für Ihre Schüler etwas Neues, so sollten Sie diese Aufwärmphase möglichst dazu nutzen, den Begriff »Metapher« zu definieren und Beispiele zu geben. Dabei empfiehlt es sich, Fragen zu stellen, die die Schüler zum Nachdenken darüber anregen, was Metaphern sind und wie sie funktionieren. Beispiele:

- Warum empören wir uns nicht darüber, wenn jemand sagt, die Liebe sei wie eine Rose, Krieg sei die Hölle oder die ganze Welt sei eine Bühne?
- Sind solche Aussagen im wörtlichen Sinn »wahr«?
- Was lösen solche Aussagen bei uns aus?
- Fallen euch weitere Beispiele ein?

Sie können die Schüler auch zu ganz spontanem metaphorischem Denken anregen, indem Sie Fragen stellen wie: Inwiefern gleicht eine Kurzgeschichte einem Gebäude? Inwiefern gleicht ein mathematischer Beweis einer Maschine? Inwiefern gleicht eine chemische Gleichung einem Rezept? Inwiefern gleicht eine Idee einer Katze?

Durch das Brainstorming zu metaphorischen Bezügen und das Herausarbeiten der Überlegungen, die verschiedenen Metaphern zugrunde liegen, bereiten Sie die Schüler darauf vor, während der eigentlichen Unterrichtsstunde flexibel und kreativ zu denken.

3. Entscheiden Sie, wie Sie die Schüler anleiten wollen, metaphorisch zu denken und die Metapher zu erweitern.

Zu Beginn der Unterrichtsstunde werden Sie in der Regel eine direkte Analogie zwischen dem Unterrichtsthema und etwas anderem herstellen, womit die Schüler das Thema vergleichen sollen. Anders als bei Methode 5, »Vergleichen und Gegenüberstellen«, sollten die beiden Vergleichsgegenstände jedoch diesmal keine offensichtlichen Gemeinsamkeiten aufweisen.

Anstatt die Schüler Kapitalismus mit Sozialismus vergleichen zu lassen (wie man es in einer »Vergleichen und Gegenüberstellen«-Stunde tun würde), könnte man sie den Kapitalismus beispielsweise mit einem Baseballspiel, einer Lokomotive oder einem Bienenstock vergleichen lassen. Dabei können Sie der Klasse entweder beide Vergleichsgegenstände vorgeben (z. B.: »Inwiefern ist eine Kolonie wie ein Kind?« » Inwiefern gleicht der menschliche Blutkreislauf einem Nahverkehrssystem?«) oder sie besonders fordern, indem Sie sie sich eine eigene Metapher ausdenken lassen (»Eine Gedichtinterpretation ist wie ______, weil _____.«)

Haben die Schüler die zentrale Analogie der Stunde erkundet, möchten Sie das metaphorische Denken vielleicht noch erweitern und vertiefen. Dazu im Folgenden ein paar Anregungen:

- Sagen Sie den Schülern, sie sollen sich in das Thema hineinversetzen und sich und ihre Gefühle beschreiben (*persönliche Analogie*). Eine solche »persönliche Analogie« gibt den Schülern die Gelegenheit, in das Thema hineinzuschlüpfen und sich damit zu identifizieren.
- Um den Schülern die dem Thema immanenten Widersprüche und »begrifflichen Konfliktlinien« nahezubringen, können Sie *gegensätzliche Begriffspaare* mit ihnen diskutieren (zwei Wörter, die ein Thema charakterisieren, sich jedoch auf den ersten Blick widersprechen, beim Kapitalismus z. B. »mächtig« und »abhängig«).
- Erteilen Sie den Schülern den Arbeitsauftrag, sich neue *direkte Analogien* zu überlegen, um ihr Denken zu fokussieren und neue Querverbindungen zwischen zwei Ideen herzustellen. (»Mit welchem anderen Begriff könnten wir den Kapitalismus vergleichen?«)

Mehr Ideen, wie Sie die Schüler mithilfe persönlicher Analogien und gegensätzlicher Begriffspaare zum Weiterdenken animieren können, finden Sie unten im Abschnitt »Variationen und Ergänzungen«.

4. Überlegen Sie, wie die Schüler sich die nötigen Informationen beschaffen und wie sie diese ordnen sollen.

Wollen Sie, dass die Schüler Bekanntes mit Bekanntem vergleichen, dürfte es genügen, den Stoff kurz zu wiederholen oder die Schüler das Wichtigste zusammentragen zu lassen. Sollen die Schüler im Rahmen der Metaphernübung dagegen neue Inhalte einbeziehen, müssen Sie ihnen diese Inhalte zugänglich machen. Bei der Methode »Fremdes vertraut machen« versorgt der Lehrer die Schüler zum Beispiel mit Informationen zum »fremden«, sprich: neuen Stoff, den sie zum Gelernten in Beziehung setzen sollen. Möchte etwa ein Biologielehrer seinen Schülern den menschlichen Blutkreislauf näherbringen, indem er ihn mit einem Nahverkehrssystem vergleicht, muss der Lehrer ein Arbeitsblatt zu den Bestandteilen des Blutkreislaufs austeilen oder die nötigen Informationen referieren.

Und schließlich werden Sie ein Schema brauchen, das den Schülern beim Ordnen der Informationen hilft. Ein Beispielschema, das auf die Methode »In Metaphern denken« zugeschnitten ist, finden Sie in Abb. 10.1.

5. Legen Sie fest, wie die Schüler ihre Ideen präsentieren sollen.
Sie müssen den Schülern Gelegenheit geben, das beim metaphorischen Denken Gelernte zu zeigen. Als Syntheseaufgabe bietet es sich an, dass die Schüler sich eine eigene Metapher überlegen und diese erklären, sei es in Form einer schriftlichen Beschreibung oder eines Gedichts, einer visuellen Darstellung, eines Kunstprojekts oder einer mündlichen Präsentation, um nur einige Darstellungsformen zu nennen.

Variationen und Ergänzungen

Metaphern helfen Schülern, Bezüge zwischen Bekanntem und Unbekanntem herzustellen. Außerdem können sie ihnen ein tieferes Verständnis von etwas Bekanntem vermitteln, indem sie es in einem neuen Licht präsentieren. Bisher haben wir uns fast ausschließlich mit einer Form des metaphorischen Denkens beschäftigt: mit *direkten Analogien*, Vergleichen zwischen zwei Gegenständen oder Begriffen. Die meisten Unterrichtsstunden, in denen die Schüler zum metaphorischen Denken angeleitet werden sollen, beruhen auf einer solchen direkten Analogie. Das enorme Lernpotenzial, das in dieser Methode steckt, kann man jedoch auch mithilfe zweier weiterer Formen des metaphorischen Denkens entfesseln. Eine *persönliche Analogie* beschreibt, wie es sich anfühlt, wenn man sich in einen Begriff, einen Prozess, ein Lebewesen oder einen unbelebten Gegenstand hineinversetzt. Sie ermöglicht es Schülern, einen engeren und persönlicheren Bezug zum Lerngegenstand herzustellen. Beispiele:

- Stell dir vor, du wärst ein Stein. Welche Art von Gestein (Sediment-, Eruptiv- oder metamorphes Gestein) würde am besten deiner Persönlichkeit entsprechen? Warum?
- Wie fühlt es sich an, ein Jazz-Standard zu sein?

Oftmals wird eine solche persönliche Analogie mit »freiem Schreiben« verknüpft. Dabei sollen die Schüler drei bis fünf Minuten lang aufschreiben, was immer ihnen in den Sinn kommt. Ein Beispiel:

Stell dir vor, du wärst eine Zimmerpflanze, die eine ganze Woche lang nicht gegossen wurde. Versetze dich in diese Pflanze hinein. Wie fühlst du dich? Wie siehst du aus? Wie steht es um deine Überlebenschancen? Nimm dein Lerntagebuch zur Hand und schreib fünf Minuten lang ohne Unterbrechung. Wenn du nicht weiterkommst, dann schreib darüber, dass du nicht weiterkommst, aber setze den Stift niemals ab, bis die Zeit um ist. Lass deinen Gedanken freien Lauf; warte nicht, bis dir die perfekte Formulierung einfällt.

Eine dritte Art von Metapher sind *gegensätzliche Begriffspaare*. Dabei wird ein Gegenstand oder ein Begriff mithilfe zweier Wörter beschrieben, die sich widersprechen oder im Gegensatz zueinander stehen. Die beiden Wörter geben einen paradoxen, aber höchst anschaulichen Bedeutungsrahmen für den Gegenstand beziehungsweise den Begriff ab, auf den sie sich beziehen. Beispiele für solche gegensätzliche Begriffspaare:

- Inwiefern ist es ein Akt der passiven Gewalt, seinen Abfall einfach auf die Straße zu werfen?
- Inwiefern sind Romeo und Julia gefangen und frei zugleich?
- Was versteht man unter einem »katastrophalen Erfolg«?

Alle drei Arten von Metaphern (direkte Analogien, persönliche Analogien und gegensätzliche Begriffspaare) eignen sich sehr gut für spontane Übungen. Metaphern sind in jeder Stunde ein Gewinn, da sie das kritische Denken, die Kreativität und (im Fall persönlicher

Analogien) das Einfühlungsvermögen der Schüler fördern. Außerdem kann man alle drei Arten auch innerhalb einer Unterrichtsstunde verwenden, sodass die Schüler ihr Verständnis immer weiter vertiefen, während sie den Begriff mithilfe unterschiedlicher Metaphern erkunden. In einer Unterrichtsstunde zum Thema »Demokratie« ließ ein Lehrer in der 5. Klasse seine Schüler zum Beispiel:

- Demokratie mit Diamanten vergleichen (direkte Analogie)
- frei assoziieren, um Wörter zu sammeln, die mit »Demokratie« und »Diamanten« in Beziehung stehen, und zwei Wörter aus ihren beiden Listen heraussuchen, die scheinbar im Gegensatz zueinander stehen (gegensätzliches Begriffspaar)
  Zu den Beispielen, die von den Schülern genannt wurden, zählten »empfindlich« und »stark«, »schön« und »niemals perfekt« sowie »hart« und »zerbrechlich«. Daraufhin sollten die Schüler Gedanken notieren, inwiefern man sagen könne, dass Demokratie diese Gegensätze verkörpert.
- sich in die Demokratie hineinversetzen (persönliche Analogie) und fünf Minuten lang in der Ich-Form frei über sich (also über die Demokratie) schreiben
- als Syntheseaufgabe eine zweiminütige Rede schreiben, in der sie mithilfe einer Metapher ihrer Wahl einem Zweitklässler erklären sollten, was Demokratie ist

Methode 11: **Muster erkennen**

Wie passt die Methode in eine Unterrichtseinheit?

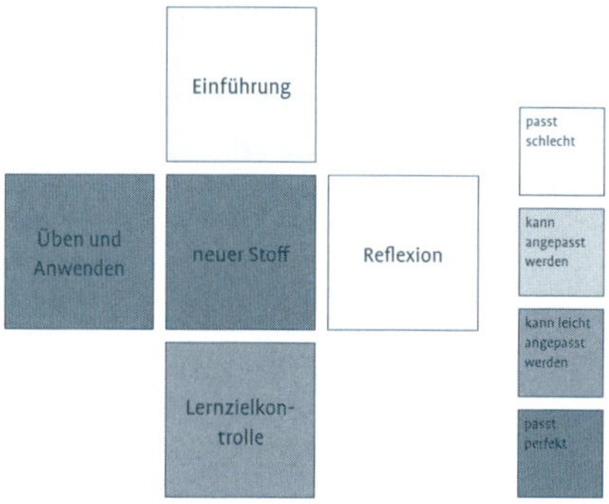

Welche Lerntypen spricht die Methode an?

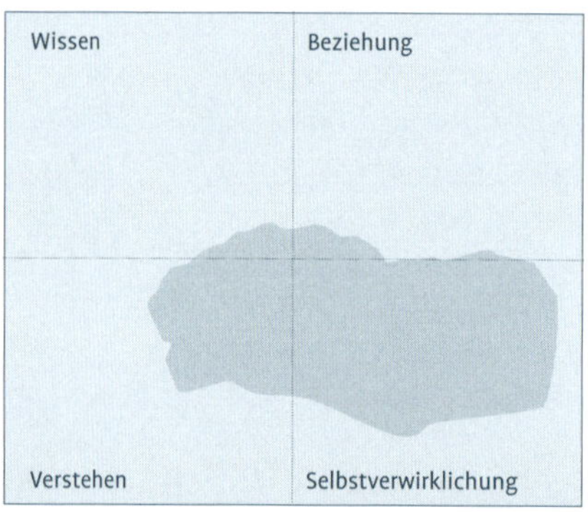

Welche Aspekte des Lernens lassen sich mithilfe der Methode weiterentwickeln?

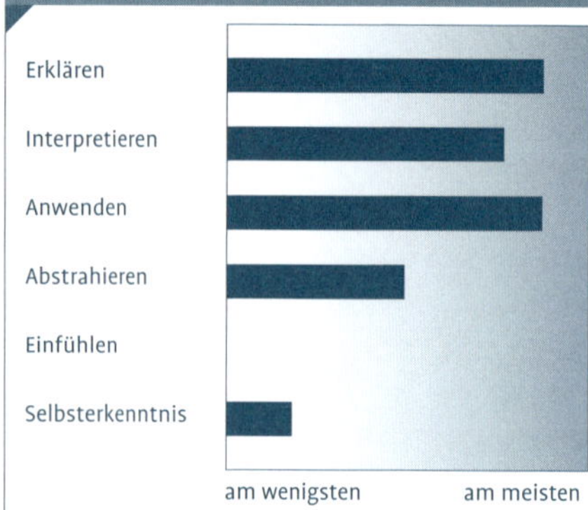

Welche Kernkompetenzen werden mit der Methode geschult?

Lesen und Lernen

○ durch das Anfertigen von Notizen Ideen sammeln und ordnen
○ abstrakte akademische Begriffe erschließen
○ visuelle Darstellungen erfassen und interpretieren

Logisch denken und analysieren

● Schlussfolgerungen ziehen; Hypothesen und Vermutungen anstellen und überprüfen
● anhand vorgegebener Kriterien Vergleiche durchführen
○ mit ganz unterschiedlichen Aufgabenstellungen klarkommen

Kreativ sein und kommunizieren

● verständlich formulierte, schlüssige Erklärungen schreiben
● sicherer schriftlicher Ausdruck in Sachtexten*
● zwei oder mehr Texte lesen und darüber schreiben

Reflektieren und Bezüge herstellen

● Pläne aufstellen, um komplexe Fragen oder Aufgaben zu lösen
○ eigene Arbeit anhand von Kriterien und Checklisten evaluieren
○ die eigene Stimmung und spontane Regungen kontrollieren/beeinflussen

Inwiefern berücksichtigt die Methode Forschungsergebnisse über effektiven Unterricht?

● Gemeinsamkeiten und Unterschiede erkennen
○ zusammenfassen und Notizen machen
○ Anstrengungen verstärken und anerkennen
○ Hausaufgaben und Übungen
○ nicht sprachliche Darstellungsformen
○ kooperatives Lernen
○ Ziele setzen und Feedback geben
● Hypothesen aufstellen und überprüfen
○ Hinweise, Fragen und Diagramme zur Wissensstrukturierung (»Advance Organizer«)

Welche Arten von Wissen vermittelt die Methode?

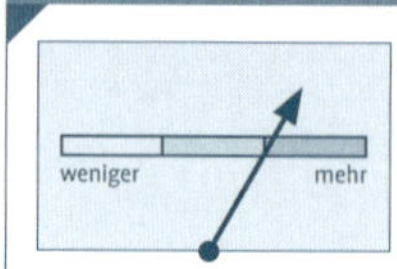

deklaratives Wissen

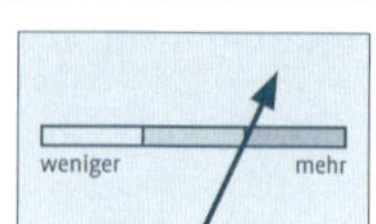

prozedurales Wissen

*»Die Methode »Muster erkennen« eignet sich besonders gut, Schülern dabei zu helfen, sprachliche Strukturen zu analysieren und selbst einzusetzen.

Überblick

Die meisten Inhalte, die Schüler lernen, haben eine »Struktur« – sie passen in einen Rahmen oder ein Muster, nach dem sich einzelne Informationen in eine Reihe von Schubladen einordnen lassen. Wenn die Schüler die Struktur des Lernstoffs erfasst haben – wenn sie wissen, dass ein Märchen einen Anfang, einen Hauptteil und einen Schluss hat, wie die drei Gewalten im Staat sich gegenseitig kontrollieren oder dass Atome aus Protonen, Neutronen und Elektronen bestehen –, zeigt das nicht nur, dass sie das »große Ganze« verstanden haben, sondern auch, dass sie auf dieser Grundlage weiterlernen können. Die Methode »Muster erkennen« (auch »Extrapolation« genannt) hilft den Schülern, die Muster und Strukturen zu »sehen«, die Texten und Theorien zugrunde liegen. Um diese Zusammenhänge zu durchschauen, müssen die Schüler »extrapolieren«, das heißt, sie müssen

- bereits bekannte oder leicht verständliche Quellen genau analysieren,
- die wichtigsten Strukturelemente dieser Quellen herausarbeiten und dann
- ihr neu gewonnenes strukturelles Verständnis anwenden, um eine neue Quelle besser zu verstehen, selbst etwas zu produzieren (wie einen Text oder eine Grafik) oder einen Alltagsgegenstand zu verbessern.

Die Methode im Einsatz

Die Biologielehrerin Claudia Geocaris war unzufrieden mit Arbeitsaufträgen, bei denen Schüler etwas erklären mussten. Das Problem war die fehlende Begeisterung. Es langweilte die Schüler, Erklärungen im Schulbuchstil zu schreiben, und diese Langeweile zeigte sich in der mangelnden Mitarbeit ebenso wie in den Texten, die ihre Schüler produzierten.

Auf ihrer Suche nach interessanten Methoden, den Schülern beizubringen, wie man etwas erklärt, stieß Claudia Geocaris auf eine unerwartete Inspirationsquelle: Kinderbücher. Sie erkannte, dass wissenschaftliche Beschreibungen in Kinderbüchern, ganz anders als in Schulbüchern, ebenso leicht verständlich wie interessant sind. Das brachte die Lehrerin auf eine Idee.

In der nächsten Biologiestunde teilte sie die Klasse in Gruppen ein und gab jeder Gruppe eine Mappe mit Beschreibungen, die Kinderbüchern entnommen waren. Dazu erklärte sie:

Hört gut zu. Eure Aufgabe besteht darin, auf interessante und leicht verständliche Art und Weise die Funktionsweise einer Zelle zu erklären. Denkt daran, dass wir uns vorgenommen haben, ein Schulbuchkapitel für den nächsten Jahrgang zu schreiben. Unsere Hausaufgaben haben wir gemacht: Wir wissen, wie eine Zelle funktioniert, nicht wahr? Das ist schon mal eine wichtige Voraussetzung. Außerdem haben wir uns schon mit den Erklärungen in unserem Buch beschäftigt und die Kernbestandteile einer guten Erklärung herausgearbeitet.

Sie legte eine Folie auf den Overhead-Projektor, die zusammenfasste, was sie über gute Erklärungen herausgefunden hatten: Eine gute Erklärung

- beschreibt das Phänomen
- zeigt die Elemente auf, aus denen der Prozess besteht
- liefert eine gut verständliche Beschreibung des Prozesses

Daraufhin erteilte Claudia Geocaris den Schülern den Auftrag, sich die Erklärungen in ihrem Schulbuch noch einmal anzuschauen und dabei über zwei Fragen nachzudenken: Woran mangelt es ihnen? Und: Wie könnte man sie verbessern? Nach ein paar Minuten sammelt die Lehrerin, was den Schülern aufgefallen war:

- Na ja, also sie sind ziemlich langweilig.
- Manchmal versuchen sie, zu viele Informationen hineinzuquetschen.
- Zum Teil ist es schwer, ihnen zu folgen.
- Es fehlt ihnen an – wie soll ich sagen? – an Stil, an Eleganz.

Nachdem sie mit den Schülern über deren Eindrücke diskutiert hatte, fuhr die Lehrerin fort:

Wir stehen also vor dem Problem, dass die Beispiele, die wir uns angeschaut haben, langweilig sind. Sie sind effektiv, aber uninteressant, und meistens sind sie so umständlich formuliert, dass man ihnen kaum folgen kann. Das wollen wir besser machen. Wir müssen also anders an die Sache herangehen. Dazu werden wir uns einige Autoren vornehmen, die von Berufs wegen spannend und leicht verständlich schreiben, nämlich Kinderbuchautoren, und überlegen, ob wir der Lösung unseres Problems näher kommen, indem wir uns diese Autoren zum Vorbild nehmen. Ich schlage Folgendes vor: Schaut euch in der Gruppe die Beschreibungen an, die ich euch zu Beginn der Stunde gegeben habe, und versucht dabei, die Fragen auf dem Arbeitsblatt zu beantworten, das ich euch gleich austeile (siehe Abb.11.1). Macht euch eine Notiz, sooft ihr auf ein Beispiel stoßt, das eine dieser Fragen beantwortet. Wir wollen doch mal sehen, was wir von diesen Autoren lernen können.

Wie schaffen es diese Autoren, ...	Nenne Beispiele
... das Interesse der Leser für die beschriebenen Phänomene zu wecken? ... dass die Leser durch die verschiedenen Bestandteile nicht verwirrt sind? ... dass das Interesse der Leser nicht abflacht, während sie einen Prozess detailliert beschreiben?	Sie beginnen mit einem überraschenden Beispiel oder Vergleich. Sie arbeiten mit nummerierten Aufzählungen oder Diagrammen. Sie verweisen auf eine praktische Anwendungsmöglichkeit.

Abb. 11.1: *Analyse guter Erklärungen*

Während die Schüler sich mit den Erklärungen befassten und festhielten, wie es diesen Autoren gelingt (oder misslingt), etwas ansprechend, anschaulich und leicht verständlich zu erklären, ging Claudia Geocaris herum und half den Schülern, ihre Gedanken zu formulieren. Nachdem die Schüler die Texte in der Gruppe analysiert hatten, trug die Lehrerin im Unterrichtsgespräch die Erkenntnisse zusammen. Das Ergebnis beschreibt Claudia Geocaris so:

Als die Schüler schließlich ihre Schulbuchkapitel über die Funktionsweise einer Zelle schrieben, waren ihre Texte voller Bilder, Metaphern und Stilmittel, die nicht nur ihr Wissen dokumentierten, sondern von einem tieferen Verständnis des Aufbaus und der Funktionsweise einer Zelle zeugten, als ich es je bei einer Klasse erlebt habe. Es hat ungeheuer viel Spaß gemacht, und es war fantastisch und lehrreich – alles andere als langweilig (Strong, Silver und Perini 2001, S. 15 f.).

Warum die Methode funktioniert

Für die enorme Effektivität von »Muster erkennen« als Lehr-Lern-Methode gibt es drei Gründe:

1. Die Methode weckt die Neugier und das Interesse der Schüler.

Wenn Sie Lehrer oder Hirnforscher fragen, welche Rolle das Interesse der Schüler beim Erlernen neuer Inhalte spielt, werden Sie stets die gleiche Antwort zu hören bekommen: Interessierte und neugierige Schüler lernen mehr, haben mehr Freude am Lernen und sind sehr viel eher bereit, sich auf komplexe, anspruchsvolle Lernmaterialien einzulassen. Stellen Sie sich vor, Sie halten eine Unterrichtsstunde über die amerikanische Unabhängigkeitserklärung. Sie sagen Ihren Schülern, dass sie dieses wichtige historische Dokument heute genau analysieren werden. Wie viele Ihrer Schüler sind bereit, eine Zeitreise ins Jahr 1776 mit Ihnen zu unternehmen? Wie viele sind bereit, mit dem Schreibstil von Thomas Jefferson zu ringen? Haben Sie wenigstens die Neugier der Schüler auf Ihrer Seite?

Stellen Sie sich jetzt vor, Sie beginnen die gleiche Stunde mit einem kurzen Text. Dabei handelt es sich nicht um die Unabhängigkeitserklärung und auch nicht um einen Abschnitt aus dem Schulbuch. Stattdessen sollen die Schüler einen Brief lesen, mit dem jemand eine Beziehung beendet. In diesem Brief erklärt Marcia ihrem (Ex-)Freund John,

- *weshalb sie ihm diesen Brief schreibt:* »Wenn zwei Menschen so lange zusammengelebt haben wie du und ich, und der eine beschließt, die Beziehung zu beenden, ist es das Mindeste, sich ein wenig Zeit zu nehmen, um die Gründe für diese Trennung zu erklären.«

- *wie sie sich eine gute Beziehung vorstellt:* »In einer guten Beziehung unterstützen sich die beiden Partner gegenseitig, teilen sich die Aufgaben im Haushalt und helfen einander dabei, sich zu entfalten und weiterzuentwickeln.«
- *warum sie die Beziehung beendet:* »Du trägst nie den Müll runter.« – »Wenn du mit Kochen dran bist, bestellst du jedes Mal einfach was vom Chinesen – und ich bin auch noch gegen chinesisches Essen allergisch!« – »Als ich befördert wurde, warst du einen ganzen Monat lang eingeschnappt, weil ich jetzt mehr verdiene als du.« – »Wenn ich versuche, über all das mit dir zu reden, schaltest du einfach den Fernseher ein.«
- *wie sie sich ihre Zukunft vorstellt:* »Du wirst mir fehlen. Ich werde einsam sein. Aber auch frei.«

Glauben Sie, dieser Brief könnte Ihnen dabei helfen, die Schüler neugierig zu machen und ihre Aufmerksamkeit zu wecken? Wissen Sie was? Wenn die Schüler fragen: »Was hat das denn mit Geschichte zu tun?«, oder: »Wozu um alles in der Welt lesen wir einen Text über eine gescheiterte Beziehung?«, dann haben Sie sie schon an der Angel.

2. Die Methode bereitet den Boden für den eigentlichen Lernprozess.
In der zweiten Auflage seines Buches »Teaching with the brain in mind« (2005) legt der Hirnforscher Eric Jensen dar, wie wichtig und effektiv es ist, die Schüler mittels unterschiedlicher Fokussierungsmethoden auf das Lernen neuer Inhalte vorzubereiten. Diese Methoden dienen dazu, die Schüler mit möglichst vielen neuen Ideen in Kontakt zu bringen, ihr Vorwissen zu aktivieren und ihnen Wege zu eröffnen, auf diesem Vorwissen aufzubauen. Werden dann neue Inhalte eingeführt, können die Schüler sie besser aufnehmen und intensiver verarbeiten.

»Muster erkennen« ist eine Methode, die sich den Effekt des Neuen zunutze macht (Was hat eine gescheiterte Beziehung mit Geschichte zu tun?) und die Schüler vor der eigentlichen Stoffvermittlung aktiviert, um so den Boden für intensive Lernprozesse zu bereiten. Wie das funktioniert, können Sie sich anhand der vier Strukturelemente des oben erwähnten Briefes vor Augen führen. Wie viel besser werden die Schüler die amerikanische Unabhängigkeitserklärung verstehen, wenn Lehrer und Schüler diese vier Elemente (Grund, weshalb der Text entstanden ist, Prinzipien einer guten Beziehung, Beschwerden über die derzeitige Situation und Vision für die Zukunft) gemeinsam herausarbeiten und dann anhand dieser Struktur die »Trennung« von England und seinen Kolonien analysieren, wie sie von Thomas Jefferson beschrieben wurde?

3. Die Methode beruht auf einer kognitiven Fähigkeit, die man als »Problemlösung mittels Analogieschluss« bezeichnet.
Im Rahmen einer berühmten, viel zitierten Studie haben Mary Gick und Keith Holyoak (1980) untersucht, wie Menschen Probleme lösen, indem sie Analogieschlüsse ziehen – also indem sie Ideen, Lösungen und Muster aus bekannten Situationen auf neue, schwierige Fragen und Dilemmata übertragen. Gick und Holyoak legten den Probanden ein »medizinisches Rätsel« vor: Sie sollten die knifflige Frage beantworten, wie man durch Strahlentherapie Krebszellen abtöten kann, ohne dass das gesunde Gewebe Schaden nimmt. Nur zehn Prozent der Teilnehmer gelang es, die Aufgabe ohne Hilfestellung zu lösen.

Legte man den Probanden jedoch eine Geschichte vor, die auf den ersten Blick gar nichts damit zu tun hatte, nämlich die eines Generals, dem es gelang, eine mit Minen gesicherte Festung einzunehmen, indem er seine Armee in kleine Einheiten aufteilte und von allen Seiten gleichzeitig angriff, konnten nicht weniger als 90 Prozent das medizinische Rätsel lüften. Die Geschichte über den General war ein Modell, das die Probanden analog auf das medizinische Problem übertragen konnten. Die kluge Taktik des Generals brachte die Teilnehmer auf die Idee, dass man den Tumor mit geringer Intensität von allen Seiten bestrahlen könnte, sodass die Strahlung die Krebszellen mit voller Wucht treffen, ohne das gesunde Gewebe zu schädigen.

Denken Sie jetzt noch einmal an die Unterrichtsstunde zur Unabhängigkeitserklärung zurück. Wie viel mehr Schüler, die sich mit dem Lesen schwertun, werden mit dieser anspruchsvollen geschichtlichen Quelle gut zurechtkommen, nachdem sie mit dem Vorwissen bewaffnet sind, das sie sich durch die Beschäftigung mit einem analog aufgebauten, leicht verständlichen Text angeeignet haben?

Die Methode im Einsatz

1. Erklären Sie den Schülern das Lernziel und den Lernstoff der Stunde. Führen Sie ein Unterrichtsgespräch darüber, wie man Erkenntnisse aus der Beschäftigung mit einer Quelle auf eine andere Quelle übertragen kann (Denken in Analogien).
2. Lassen Sie die Schüler den Vergleichstext (die Informationsquelle, die Schülern dabei helfen soll, den neuen Stoff zu verstehen) analysieren.
3. Unterstützen Sie die Schüler dabei, anhand klarer Kriterien die Struktur (nicht die Details!) des Vergleichstexts herauszuarbeiten. Es empfiehlt sich, den Schülern für diesen Schritt ein Schema an die Hand zu geben.
4. Geben Sie der Klasse Gelegenheit, die bei der Analyse des Vergleichstexts gewonnenen Erkenntnisse zusammenzufassen und zu diskutieren.
5. Führen Sie das neue Thema ein, und leiten Sie die Schüler an, das anhand der Struktur des Vergleichstextes Gelernte auf den neuen Stoff zu übertragen. Alternativ können Sie die Schüler das bei der Analyse des Vergleichstexts Gelernte auch unmittelbar anwenden lassen, indem sie etwas produzieren (z. B. eine überzeugende Werbeanzeige nach dem Muster vorgegebener Beispiele erstellen) oder einen Verbesserungsvorschlag ausarbeiten (z. B. einen besseren Eierkarton entwerfen).

Eine Unterrichtsstunde mit dieser Methode planen

Die Methoden »Muster erkennen« und »In Metaphern denken« sind eng miteinander verwandt; dementsprechend fließen auch ähnliche Überlegungen in die Unterrichtsplanung ein. Allerdings liegt der Schwerpunkt bei »Muster erkennen« sehr viel stärker als bei der Schwestermethode auf dem Analysieren und Herausarbeiten klar definierter Strukturmerkmale. Möchten Sie auf der Grundlage der Methode »Muster erkennen« eine Unterrichtsstunde planen, sollten Sie sich folgende Fragen stellen:

- Was ist das Ziel dieser Stunde?
- Aus welchen Quellen sollen die Schüler die wichtigsten Informationen herausarbeiten?
- Anhand welcher Kriterien sollen die Schüler die gewünschten Strukturmerkmale herausarbeiten?
- Benötigen die Schüler ein Schema, das ihnen beim Finden und Notieren der wichtigsten Informationen hilft?

Was ist das Ziel dieser Stunde?

Sollen die Schüler das per Analogieschluss Gelernte anwenden,

- um neue Inhalte besser zu verstehen (Beispiel: Die Schüler wenden die Erkenntnisse aus der Analyse eines Abschiedsbriefs auf die amerikanische Unabhängigkeitserklärung an)?
- um etwas zu produzieren (Beispiel: Ausgehend davon, wie schwierige Begriffe in Sachbüchern für Kinder erklärt werden, schreiben die Schüler eine spannende Erklärung, wie eine Zelle funktioniert)?
- um etwas zu modifizieren oder zu verbessern (Beispiel: Nachdem die Schüler das amerikanische Währungssystem analysiert haben, stellen sie eine Schwachstelle fest und entwickeln einen Plan, wie man diese beseitigen könnte)?

Aus welchen Quellen sollen die Schüler die wichtigsten Informationen herausarbeiten?

Wie kommen die Schüler an die Informationen, die sie im Lauf der Stunde anwenden sollen? Welche(n) Text(e) oder anderen Quellen müssen Sie ihnen austeilen?

Anhand welcher Kriterien sollen die Schüler die gewünschten Strukturmerkmale herausarbeiten?

Die Lösungswege, die Schüler in einer »Muster erkennen«-Stunde entwickeln, sollten sich weniger stark unterscheiden als die einer »In Metaphern denken«-Stunde, in der Kreativität und das Finden möglichst vieler Bezüge im Mittelpunkt stehen. Bei »Muster erkennen« wollen Sie, dass Ihre Schüler aus der einen Quelle ganz bestimmte Merkmale herausarbeiten, von denen absehbar ist, dass sie den Merkmalen von etwas anderem entsprechen – seien es neue Inhalte, etwas von den Schülern Herzustellendes oder eine »verbesserte Version« von etwas, die von den Schülern erdacht werden soll. Um ihre Fünftklässler dazu anzuleiten, die Merkmale eines guten Reiseprospekts herauszuarbeiten (damit sie anschließend selbst eines zusammenstellen konnten), gab eine Lehrerin den Schülern beispielsweise folgende drei Kriterien an die Hand:

- Wie erregt das Deckblatt der Reiseprospekte die Aufmerksamkeit des Lesers?
- Mit welchen sprachlichen Mitteln bringen Reiseprospekte Aussagen auf den Punkt?
- Wie setzen die Prospekte Bilder ein, um ihre Botschaft überzeugender zu machen?

Benötigen die Schüler ein Schema, das ihnen beim Finden und Notieren der wichtigsten Informationen hilft?

Ein Advance Organizer kann zum Gelingen einer Unterrichtsstunde beitragen, indem er das Denken der Schüler beim Analysieren der Quellen fokussiert. Außerdem erleichtert es ein visuelles Schema den Schülern, das beim Analysieren des Vergleichstexts Gelernte festzuhalten und auf den neuen Stoff beziehungsweise das herzustellende Produkt anzuwenden. Bei dieser Methode bedarf es keines komplizierten Schemas; in der Regel genügt eine Tabelle mit zwei oder drei Spalten, in denen die Schüler Beispiele (und allgemeine Prinzipien) sammeln können (siehe etwa Abb. 11.1).

Variationen und Ergänzungen

Wie sind die Themen, mit denen sich die Schüler im Unterricht beschäftigen, gegliedert und aufgebaut? Inwiefern verschafft es den Schülern tiefere Einblicke, wenn sie die Strukturen erfassen, die den vermittelten Informationen zugrunde liegen? Diese Fragen stehen bei der Methode »Muster erkennen« im Vordergrund, und sie spielen auch bei den folgenden Variationen eine wichtige Rolle.

Wissensmuster

Im Jahr 1986 konfrontierte David Perkins Pädagogen mit einer Frage, die heute so aktuell ist wie vor einem Vierteljahrhundert: Was wäre, wenn wir unseren Schülern wichtige Ideen nicht mehr als Informationen präsentieren würden, die man auswendig lernen muss, sondern als *Muster*, als Strukturen, die auf einen ganz bestimmten Zweck zugeschnitten sind? Wenn wir unseren Schülern beibrächten, sich die Börse, die Verdauung, den Film noir, die Bösewichte aus Comics, Flaschenzüge, Schlangen, den Blues, das Wahlsystem, Gruselgeschichten, expressionistische Malerei, die schriftliche Division, Werbung auf Grundlage von Statistiken, Städte – die Liste ließe sich beliebig fortsetzen – als Muster vorzustellen, würde das im Unterricht ganz neue Möglichkeiten entfesseln. Denkprozesse höherer Ordnung würden die Norm. Dem Unterricht würde neues Leben eingehaucht, weil Lehrer und Schüler gemeinsam einer Reihe von gezielten Fragen zum Unterrichtsgegenstand auf den Grund gehen würden:

- Welchem Zweck dient er?
- Woraus setzt er sich zusammen? Welche Strukturmerkmale oder Muster charakterisieren ihn?
- Welche typischen Beispiele oder Fälle kennen wir?
- Wie lauten die Argumente dafür – und dagegen?

Im Lauf der Beschäftigung mit den Ideen von David Perkins haben wir festgestellt, dass man mehr Gelegenheiten für kreatives Denken schaffen kann (beziehungsweise, wenn der Lernstil das »Muster« ist, anhand dessen man sich das Konzept der kognitiven Vielfalt erschließt: für mehr Gelegenheiten zur »Selbstverwirklichung«), indem man die Schüler überlegen lässt, wie man ein Konzept modifizieren oder verbessern könnte.

In Abb. 11.2 sehen Sie das Ergebnis einer fächerübergreifenden Unterrichtseinheit über Denkmäler, die ein Sozialkunde- und ein Kunstlehrer auf der Grundlage der Methode »Wissensmuster« durchgeführt haben. Zu Beginn der Unterrichtseinheit ließ der Sozialkundelehrer die Schüler ein Bild des Vietnam Veterans' Memorial in Washington beschreiben und analysieren. Nach einem Unterrichtsgespräch über die Intention dieses Denkmals sammelte die Klasse weitere Beispiele für Denkmäler, von der Freiheitsstatue bis hin zu den improvisierten Schreinen, die trauernde Familien z. B. neben der Leitplanke ihren verunglückten Lieben errichten.

Daraufhin führte der Lehrer die Klasse durch den typischen Ablauf einer »Wissensmuster«-Stunde (siehe Abb. 11.2). Höhe- und Endpunkt der Unterrichtseinheit waren das Kunstprojekt und der Rundgang durch den »Skulpturenpark« in der Bibliothek. Anmerkung: Was Sie in Abb. 11.2 unter »Struktur«, »Zweck« und »Argumente« finden, sind die gesammelten Ideen, die von den Schülern im Lauf der Unterrichtseinheit erarbeitet wurden; unter »Muster« lesen Sie die vom Lehrer erdachte Syntheseaufgabe.

Struktur

Welche Merkmale machen ein Denkmal zu einem Denkmal?

- meist dreidimensional
- aufgestellt, wo es von vielen Leuten gesehen wird
- hat in der Regel (aber nicht immer) einen festen Platz
- soll ansprechend sein und Blicke auf sich ziehen
- kann aus unterschiedlichem Material bestehen, von Stein bis hin zu Fotos

Zweck

Was soll mit einem Denkmal erreicht werden?

Denkmäler erinnern an berühmte Persönlichkeiten, an ihre Taten oder an wichtige Ereignisse. Man findet sie auf öffentlichen Plätzen, damit alle sie sehen können. Denkmäler sind ansprechend gestaltet und vermitteln eine emotionale Botschaft, die jeder versteht.

DENKMÄLER

Argumente

Welche Argumente sprechen für Denkmäler?

- Sie tragen dazu bei, dass wichtige Persönlichkeiten und Ereignisse nicht in Vergessenheit geraten (Grab des unbekannten Soldaten, Iwo-Jima-Denkmal).
- Sie helfen den Hinterbliebenen, mit ihrer Trauer umzugehen (Vietnam Veterans' Memorial, Grabsteine, Kreuze am Straßenrand).
- Sie erinnern an das Vermächtnis berühmter Persönlichkeiten (Lincoln Memorial).
- Sie einen ganze Völker und Kulturen (Freiheitsstatue).

Welche Nachteile bringen Denkmäler mit sich? Manchmal gibt es Streit, an wen oder was ein Denkmal erinnern soll (Holocaust-Denkmal in Berlin).

- In manchen Ländern entscheidet die Regierung, welche Menschen und Ereignisse mit einem Denkmal geehrt werden, ohne dass es dafür breiten Rückhalt in der Bevölkerung gäbe (Statuen von Lenin und Stalin in Zeiten der Sowjetunion).
- Denkmäler sind manchmal teuer und werden häufig aus öffentlichen Kassen finanziert.

Muster

Syntheseaufgabe

Du wurdest dafür ausgewählt, das nächste Nationaldenkmal der USA zu entwerfen. Dazu musst du Folgendes einreichen:

- einen kurzen Text, in dem du darlegst, an wen oder was dein Denkmal erinnern soll und warum
- die künstlerische Ausarbeitung deines Denkmals (z. B. als Zeichnung, Skulptur, Computermodell)
- eine ein- bis zweiseitige Erläuterung, inwiefern es der Struktur und dem Zweck eines Denkmals entspricht, die Vorteile von Denkmälern verkörpert und die Nachteile zu minimieren sucht

Ausgestellt werden die Denkmäler in der Bibliothek. Am Ende werdet ihr – jeder für sich – einen Rundgang durch diesen Skulpturenpark machen und Kommentare hinterlassen, die für den jeweiligen Künstler bestimmt sind.

Abb. 11.2: *Wissensmuster – Denkmäler*

Wenn Sie eine »Wissensmuster«-Stunde durchführen wollen, folgen Sie am besten diesen Schritten:

1. Wählen Sie einen Begriff (z. B. Nachbarschaft), ein Prinzip (erstes newtonsches Gesetz), einen Prozess (z. B. die Atmung oder die Berechnung von Steigungen mit der Formel $y = mx + b$), oder ein konkretes Beispiel (z. B. einen Schraubenzieher oder eine irreführende Werbeanzeige).
2. Beschreiben Sie gemeinsam mit den Schülern den Zweck des gewählten Themas.
3. Lassen Sie die Schüler die charakteristischen (Struktur-)Merkmale des Themas beschreiben.
4. Lassen Sie die Schüler nach möglichen Argumenten für und gegen das gewählte Thema suchen. Welche Vor- und Nachteile sind mit dem Thema und seiner Struktur verbunden?
5. Regen Sie die Schüler zum Nachdenken darüber an, wie man das gewählte Thema modifizieren oder verbessern könnte, damit es seinen Zweck besser erfüllt.

Von Beispielen zum Prinzip

Manchmal tun sich Schüler mit neuem Stoff schwer, weil er auf abstrakten Prinzipien beruht. Doch die Auswirkungen dieser abstrakten Prinzipien zeigen sich in konkreten Beispielen, und diese geistig zu erfassen fällt den Schülern meist deutlich leichter. Haben die Schüler die Beispiele erfasst, können sie die abstrakten Prinzipien herausarbeiten und so auf dem Umweg über das Konkrete das Abstrakte verstehen. Ein Biologielehrer, der einer Klasse die Prinzipien der Osmose beibringen wollte, nannte den Schülern zwei konkrete Beispiele für Osmose und gab ihnen ein Schema an die Hand, mit dessen Hilfe sie die Gemeinsamkeiten der beiden Beispiele herausfiltern sollten (siehe Abb. 11.3).

Beispiel 1	Gemeinsamkeiten	Beispiel 2
Wasseraufnahme einer Pflanze		**Austausch von Stoffen zwischen Kapillaren und Zellen**
1. Wasser im Boden 2. weniger Wasser in den Wurzelhaaren	ungleiche Verteilung des Wassers	1. mehr Wasser in der Zelle 2. weniger Wasser in der Kapillare
3. Zellwände der Wurzelhaare sind wasserdurchlässig.	Zellen sind wasserdurchlässig.	3. Zellmembran und Kapillarwand sind wasserdurchlässig.
4. Das Wasser gelangt durch die Zellwände der Wurzelhaare in die Pflanze.	Von dort, wo mehr Wasser ist, strömt das Wasser dorthin, wo weniger Wasser ist.	4. Wasser gelangt aus der Zelle in die Kapillare.

Abb. 11.3: *Prinzipien herausarbeiten am Beispiel der Osmose*

Methode 12: Das innere Auge

Wie passt die Methode in eine Unterrichtseinheit?

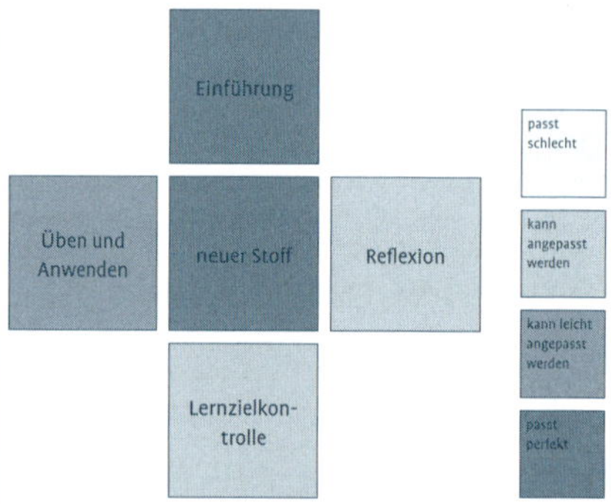

Welche Lerntypen spricht die Methode an?

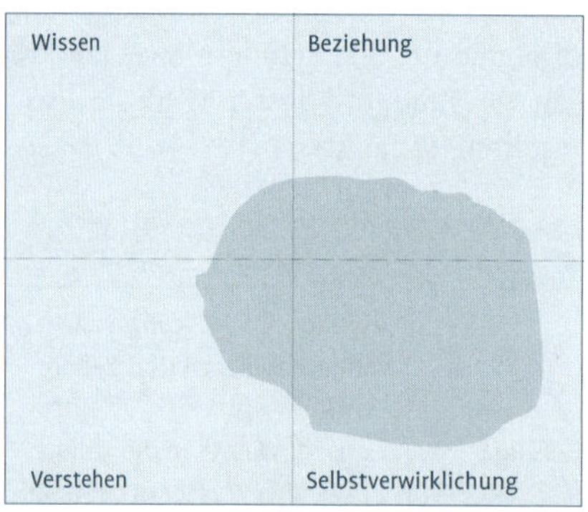

Welche Aspekte des Lernens lassen sich mithilfe der Methode weiterentwickeln?

Welche Kernkompetenzen werden mit der Methode geschult?

Lesen und Lernen

- ● durch das Anfertigen von Notizen Ideen sammeln und ordnen
- ● abstrakte akademische Begriffe erschließen
- ● visuelle Darstellungen erfassen und interpretieren

Logisch denken und analysieren

- ● Schlussfolgerungen ziehen; Hypothesen und Vermutungen anstellen und überprüfen
- ○ anhand vorgegebener Kriterien Vergleiche durchführen
- ○ mit ganz unterschiedlichen Aufgabenstellungen klarkommen

Kreativ sein und kommunizieren

- ● verständlich formulierte, schlüssige Erklärungen schreiben
- ● sicherer schriftlicher Ausdruck in Sachtexten*
- ○ zwei oder mehr Texte lesen und darüber schreiben

Reflektieren und Bezüge herstellen

- ○ Pläne aufstellen, um komplexe Fragen oder Aufgaben zu lösen
- ○ eigene Arbeit anhand von Kriterien und Checklisten evaluieren
- ● die eigene Stimmung und spontane Regungen kontrollieren/beeinflussen

Inwiefern berücksichtigt die Methode Forschungsergebnisse über effektiven Unterricht?

- ○ Gemeinsamkeiten und Unterschiede erkennen
- ● zusammenfassen und Notizen machen
- ○ Anstrengungen verstärken und anerkennen
- ○ Hausaufgaben und Übungen
- ● nicht sprachliche Darstellungsformen
- ○ kooperatives Lernen
- ○ Ziele setzen und Feedback geben
- ● Hypothesen aufstellen und überprüfen
- ○ Hinweise, Fragen und Diagramme zur Wissensstrukturierung (»Advance Organizer«)

Welche Arten von Wissen vermittelt die Methode?

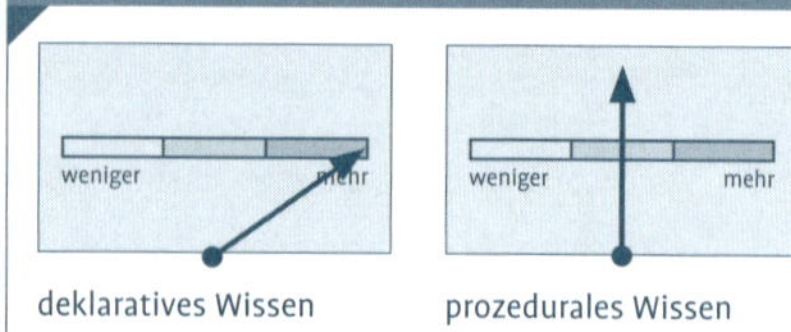

*»Das innere Auge« ist besonders nützlich, um die Fähigkeit der Schüler zu fördern, Dinge zu beschreiben.

Überblick

Die Schüler von heute sind einer wahren Bilderflut ausgesetzt. Durch Fernsehen, Kinofilme, Internetseiten, Zeitschriften, Werbeplakate, Comics, ja sogar Schulbücher werden unsere Schüler mit bewegten und unbewegten Hochglanzbildern in schrillen Farben förmlich bombardiert. Lesen stellt demgegenüber ganz andere Anforderungen. Die meisten Texte zeigen dem Leser keine Bilder. Es ist Aufgabe des Lesers, sich selbst »ein Bild zu machen«, indem er die gedruckten Wörter in realistische Schauplätze, Figuren und Szenen beziehungsweise bei Sachtexten in einprägsame Darstellungen der Kernaussagen »übersetzt«.

Für das genaue Lesen ist die Fähigkeit, den Inhalt eines Textes vor dem geistigen Auge »lebendig« werden zu lassen, eine Grundvoraussetzung. Doch eben diese Kompetenz fehlt vielen durchschnittlichen und unterdurchschnittlichen Lesern. Die Methode »Das innere Auge« fördert die Fähigkeit der Schüler, beim Lesen von Texten Bilder vor ihrem geistigen Auge erstehen zu lassen, indem sie

- ihre Aufmerksamkeit auf bildhafte Wörter lenkt;
- sie dazu ermuntert, auf der Grundlage der Bilder vor ihrem geistigen Auge Vermutungen zum Inhalt des Textes anzustellen;
- ihnen verschiedene Möglichkeiten zur Auswahl gibt, diese Bilder zu verarbeiten und sich mit anderen Schülern über ihre Vermutungen auszutauschen;
- sie zum aktiven Lesen animiert, da sie ihre Vermutungen anhand des Textes überprüfen sollen; und
- ihnen beibringt, wie sie beim Lesen selbstständig mit Bildern arbeiten können.

Die Methode im Einsatz

Robin Cederblad ist frustriert über die Reaktion – oder vielmehr Nichtreaktion – ihrer Schüler auf den Roman »Eine Geschichte aus zwei Städten« von Charles Dickens. Obwohl die Highschool-Lehrerin den Roman jetzt schon über eine Woche lang mit ihrer Klasse bespricht, scheint kaum ein Schüler auch nur den Inhalt erfasst zu haben (oder sich dafür zu interessieren). Robin Cederblad ist überzeugt, dass der Roman den Schülern sehr gefiele, wenn sie sich die spannende Geschichte, die sich hinter der altertümlichen Sprache verbirgt, nur bildhaft vorstellen würden. Daher beschließt sie, es einmal mit der Methode »Das innere Auge« zu versuchen.

Zu Beginn der Stunde kündigt die Lehrerin an, dass sie den Schülern jetzt eine Liste mit Schlüsselwörtern aus dem nächsten Kapitel der »Geschichte aus zwei Städten« vorlesen werde. Nachdem sie das erste Wort vorgelesen hat, fordert sie die Schüler auf, sich zu diesem Wort ein Bild vor ihr geistiges Auge zu rufen. Sobald alle Schüler sich das Wort »Stürme« bildhaft vorgestellt haben, fährt sie mit dem nächsten Wort auf ihrer Liste fort. Sie liest die Wörter langsam und mit viel Ausdruck vor:

Stürme
Kind
Leichtsinn
still
Augen
Geldbeutel
Pferde
verflogen
Wachsamkeit
Innenhof
Kutsche
Schreie
ermordet
Münze
verächtlich
entkommen
stricken

Robin Cederblad ermuntert ihre Schüler, mit jedem Wort, das sie vorliest, das Bild vor ihrem geistigen Auge anzupassen. Die Schüler sollen sich ein Bild in Form eines »Schnappschusses« oder eines »Films« machen, der veranschaulicht, was ihrer Meinung nach in diesem Kapitel geschieht. Nachdem sie alle Wörter vorgelesen hat, gibt sie den Schülern Gelegenheit, ihr Bild zu verarbeiten. Dafür stellt sie ihnen vier Aufgaben zur Auswahl. Sie können

- eine Zeichnung anfertigen
- eine Frage formulieren, auf die das Kapitel hoffentlich eine Antwort geben wird
- eine Vermutung anstellen, was in diesem Kapitel passiert
- die Gefühle beschreiben, die das Bild vor ihrem geistigen Auge bei ihnen ausgelöst hat

Anschließend sollen die Schüler sich mit ihren Klassenkameraden über ihre Ergebnisse austauschen und diskutieren, wie das Kapitel sich wohl entwickeln wird. Dann lesen sie das Kapitel – jeder für sich. Als alle Schüler zu Ende gelesen haben, lässt die Lehrerin sie darüber sprechen, inwiefern ihre Gedanken und Vermutungen durch den Text bestätigt (oder widerlegt) wurden. Außerdem fragt sie, ob die vorbereitenden Aufgaben – sprich ihre Bilder und Vermutungen – einen Einfluss darauf gehabt hätten, wie und mit welcher Haltung sie den Text gelesen haben. Robin Cederblad ist angenehm überrascht, wie lebhaft die Antworten ihrer Schüler ausfallen:

- Das war cool, als plötzlich der Teil kam, der mit meiner Zeichnung zu tun hatte, und ich verstanden habe, worum es tatsächlich ging.
- Die Wörter, die Sie vorgelesen haben, sind mir beim Lesen richtig ins Auge gestochen.
- Das Kapitel war dieses Mal wie ein Film. Ich hatte die Handlung richtig plastisch vor Augen.
- Ich fand's toll, dass sich meine Vermutung als richtig herausgestellt hat. Ich hab bereits ein paar Vermutungen, wie es im nächsten Kapitel weitergeht. Ich kann es gar nicht erwarten, herauszufinden, ob ich auch diesmal richtig liege.

Im Lauf der folgenden Wochen arbeitet Robin Cederblad mit ihren Schülern weiter an deren Kompetenz, sich Texte bildhaft vorzustellen. Als die Schüler mit der Methode »Das innere Auge« vertraut sind, sagt die Lehrerin zu ihnen:

Damit ihr die Methode, euch ein Bild zu machen und Vermutungen anzustellen, selbstständig anwenden lernt, beschäftigen wir uns heute mit der Frage, wie man bildhafte Wörter aus einem Text auswählt. Dieses Mal bekommt ihr deshalb keine Wörterliste von mir. Stattdessen zeige ich euch, wie ich geeignete Wörter aussuche, damit ihr es anschließend selbst ausprobieren könnt.

Anhand besonders bilderreicher Passagen verschiedener Texte führt die Lehrerin den Schülern vor, wie sie Schlüsselwörter und Wendungen auswählt, die vor ihrem geistigen Auge Bilder entstehen lassen. Dann lässt sie die Schüler in Kleingruppen diese neue Methode, sich ein Bild zu machen, einüben. Nach mehreren Übungsaufgaben setzt Robin Cederblad sich mit den einzelnen Kleingruppen zusammen, um herauszufinden, welche Schüler noch mehr Übung brauchen und welche bereits selbstständig arbeiten können.

Warum die Methode funktioniert

Die positiven Auswirkungen der Methode »Das innere Auge« auf die Lesefähigkeit lassen sich mithilfe dreier unterschiedlicher Forschungsansätze belegen.

1. Forschungsansatz: Studien mit geübten Lesern

Um 1980 herum wandte sich die Leseforschung einer neuen Frage zu: Was verschafft geübten Lesern einen Vorsprung gegenüber ungeübten? Was geht in ihrem Kopf vor? Das Ergebnis: Was geübte Leser durchschnittlichen und unterdurchschnittlichen Lesern voraushaben, ist die Schlüsselkompetenz, vor ihrem geistigen Auge spontan Bilder entstehen zu lassen (Keene und Zimmerman 1997; Pressley 2002). Die gute Nachricht für durchschnittliche und unterdurchschnittliche Leser (und deren Lehrer) lautet: Bereits Drittklässlern kann man innerhalb einer einzigen Unterrichtsstunde beibringen, sich das Gelesene bildhaft vorzustellen (Pressley 1976; Gambrell und Bales 1986).

Darüber hinaus machen geübte Leser noch etwas anderes richtig: Sie aktivieren ihr Vorwissen, um Vermutungen zum Inhalt des Textes anzustellen (Pressley 2002) – eine weitere Schlüsselkompetenz, die mithilfe der Methode »Das innere Auge« gefördert wird. Und schließlich beruht »Das innere Auge« auf jenen drei Phasen, die der Forschung an geübten Lesern zufolge für das Leseverständnis eine zentrale Rolle spielen: vor dem Lesen (Vorbereitungsphase), während des Lesens (aktives, konzentriertes Lesen mit Kontrolle des Verständnisses) und nach dem Lesen (Reflexion über den Leseprozess).

2. Forschungsansatz: Doppelte Encodierung
Eine weitere Grundlage dieser Methode ist das aus der Psychologie vertraute Prinzip der »doppelten Encodierung« (Paivio 1990), dem zufolge Lerninhalte besser verankert werden und leichter abrufbar sind, wenn sie über zwei Kanäle abgespeichert werden – über die Sprache und über Bilder. Sadoski und Paivio (2001, 2004) haben das Prinzip der doppelten Encodierung zu einer allgemeinen Theorie des Lesens ausgearbeitet, wonach der Schlüssel zum Verständnis eines Textes im Erschließen bildhafter Sprache und in der Informationsaufnahme mit mehreren Sinnen liegt. Untermauert wird der Vorteil der doppelten Encodierung von Studien, die zu dem Schluss gekommen sind, dass es sich positiv auf die Fähigkeit von Schülern auswirkt, Schlüsse zu ziehen, Vermutungen anzustellen und das Gelesene abzuspeichern, wenn man ihnen beibringt, beim Lesen Bilder vor dem geistigen Augen entstehen zu lassen (Gambrell und Bales 1986; Sadoski und Paivio 2004).

3. Forschungsansatz: Feldforschung
Leseförderprogramme, die auf dem Prinzip der doppelten Encodierung beruhen, führen zahlreichen Studien an Schulen und im klinischen Bereich zufolge zu spürbaren Verbesserungen beim Leseverständnis (Lindamood, Bell und Lindamood 1997). Ein neueres, ehrgeiziges Beispiel für derartige Feldforschung ist die groß angelegte Studie von Sadoski und Willson (2006), mit der die Auswirkungen eines auf doppelter Encodierung basierenden Förderprogramms untersucht wurden. Durchgeführt wurde die Studie an Brennpunktschulen mit hohem Minderheitenanteil. Insgesamt nahmen die Forscher zwischen 1998 und 2003 28 Schulen unter die Lupe; an 18 davon stammten mindestens 40 Prozent der Schüler aus einkommensschwachen Familien. Sadoski und Willson verfolgten die Entwicklung des Leseverständnisses zwischen der 3. und 5. Klasse und stellten quer durch alle Leistungsgruppen eine Zunahme des Leseverständnisses fest. Schüler, die an dem Leseförderprogramm teilgenommen hatten, konnten in puncto Leseverständnis deutlich mehr zulegen als Vergleichsgruppen an anderen Schulen mit hohem Minderheitenanteil.

Die Methode im Einsatz

1. Wählen Sie 20 bis 30 Schlüsselwörter des Textes aus.
2. Erklären Sie den Schülern, dass Sie ihnen jetzt einzelne Wörter aus dem Text vorlesen werden und dass sie währenddessen im Kopf »einen Film ablaufen lassen« sollen. Sagen Sie den Schülern, sie sollen sich überlegen, ob sie lieber ein Bild malen, eine Frage formulieren, eine Vermutung anstellen oder ihre emotionale Reaktion auf die vorgelesenen Wörter beschreiben wollen. Das gewählte »Endprodukt« (ein Bild, eine Frage, eine Vermutung oder die Beschreibung ihrer Gefühle) soll ihnen als Bezugsrahmen für die Visualisierung des Gehörten dienen.
3. Lesen Sie die Wörter eines nach dem anderen langsam und betont vor. Weisen Sie die Schüler an, im Kopf ein Bild entstehen oder einen Film ablaufen zu lassen und diese Bilder mit jedem vorgelesenen Wort zu ergänzen oder zu konkretisieren. Lassen Sie den Schülern Zeit, ihr »Endprodukt« zu erstellen und es ihrem Banknachbarn, einer Kleingruppe oder der ganzen Klasse vorzustellen.
4. Geben Sie der Klasse den Arbeitsauftrag, den Text zu lesen und ihre ursprünglichen Gedanken mit dem zu vergleichen, was sie beim Lesen herausfinden.

5. Regen Sie die Schüler an, über den Prozess und über die Denkmuster zu reflektieren, die sie bevorzugen (Visualisierung, Fragen formulieren, den eigenen Gefühlen nachspüren oder Vermutungen anstellen).
6. Bringen Sie den Schülern bei, wie sie die Methode selbstständig anwenden können. Führen Sie ihnen zu diesem Zweck vor, wie man Wörter auswählt, sich Bilder dazu vorstellt, Vermutungen anstellt und aktiv liest, um die Vermutungen zu bestätigen/widerlegen.

Eine Unterrichtsstunde mit dieser Methode planen

»Das innere Auge« ist eine Methode, die sehr wirkungsvoll ist, aber nur einen geringen Planungsaufwand erfordert. Wenn Sie diese Methode im Unterricht einsetzen wollen, müssen Sie aus dem zu besprechenden Text 20 bis 30 Schlüsselwörter oder -wendungen auswählen. Dabei gilt es, sehr sorgfältig vorzugehen, dienen diese Begriffe Ihren Schülern doch als Ausgangspunkt für die Visualisierungen und Vermutungen, die sie vor dem Lesen anstellen. Behalten Sie beim Auswählen folgende Fragen im Auge:

- Ist dieses eine Wort beziehungsweise dieser eine Ausdruck für den ausgewählten Text von besonderer Bedeutung?
- Liefert dieses Wort Informationen zum Inhalt, Schauplatz, Thema usw. des Textes?
- Transportiert dieses Wort beziehungsweise dieser Ausdruck visuelle Informationen oder andere Sinneseindrücke, die Schülern dabei helfen können, sich anschauliche Bilder zu machen?

Bei der Zusammenstellung der Liste sollten Sie sich fragen, ob die Wörter in ihrer Gesamtheit den Schülern genügend Informationen liefern, dass sie fundierte Vermutungen über den Text anstellen können. Ist die Wörterliste fertig, müssen Sie sich die Reihenfolge überlegen, in der sie die Wörter der Klasse vorlesen – vergessen Sie nicht, dass die Reihenfolge, in der die Schüler die Wörter hören, erhebliche Auswirkungen auf die Bilder haben kann, die bei ihnen entstehen.

Wenn Sie Ihren Schülern beibringen wollen, beim Lesen selbstständig mit Bildern zu arbeiten, müssen Sie sich Gedanken darüber machen, wie Sie ihren Lernprozess in die richtigen Bahnen lenken und wie Sie ihren Lernfortschritt auf diesem Gebiet messen können. Silver, Strong und Perini (2000) geben vier einfache Tipps, wie Sie Ihre Schüler dabei unterstützen können, sich von einem Text »ein Bild zu machen«:

1. Fangen Sie mit einfachen, textunabhängigen Bildern an.
Am schnellsten lernen Schüler die Kunst der Visualisierung, wenn Sie mit schlichten Alltagsgegenständen anfangen. Weisen Sie die Schüler an, sich einen Apfel, einen überfüllten Strand oder ein Aquarium vorzustellen. Arbeiten Sie auch mit anderen Sinnen, zum Beispiel einem Kojoten, der um Mitternacht den Mond anheult, oder dem Aussehen, dem Geschmack und dem Geruch einer Salamipizza. Lassen Sie die Schüler verschiedene Visualisierungen und Wahrnehmungen übereinanderschichten, indem Sie sie sich zuerst den Geschmack von Schokolade vorstellen lassen, dann Nüsse hinzufügen und schließlich Rosinen. Mischen Sie etwas Saures mit hinein und beobachten Sie die Gesichter – zucken die Schüler zusammen oder verziehen sie das Gesicht, so wissen Sie, dass sie im Kopf die entsprechende Gefühlsregung durchleben. Fragen Sie die Schüler während dieser ersten Visu-

alisierungsübungen: »Was siehst du? Was hörst, riechst, schmeckst du? Wie fühlt sich das an?« Sie sollten, auf mehrere Tage verteilt, mehrere kurze Phasen mit solchen Visualisierungsübungen einstreuen.

2. Zeigen Sie den Schülern, wie man einen Abschnitt überfliegt.
Machen Sie den Schülern vor, wie man Absätze überfliegt und Schlüsselwörter herausfiltert, die gut geeignet sind, Bilder im Kopf entstehen zu lassen. Schärfen Sie den Schülern ein, dass sie sich auf wenige Wörter und Formulierungen konzentrieren sollen, die zentrale visuelle oder sensorische Informationen transportieren.

3. Lassen Sie die Schüler in kleinen Gruppen arbeiten.
Es hat sich bewährt, die Schüler Abschnitte laut vorlesen und in Kleingruppen darüber diskutieren zu lassen, wie sie ihre Schlüsselwörter ausgewählt und welche Bilder diese bei ihnen ausgelöst haben.

4. Setzen Sie sich mit den einzelnen Gruppen zusammen, um herauszufinden, wie gut die einzelnen Schüler visualisieren können.
Schülern, die sich schwertun, geben Sie weitere Tipps und Hilfestellung. Schüler, die gut visualisieren können, sollten Sie ermuntern, selbstständig zu arbeiten.

Variationen und Ergänzungen

Die Methode »Das innere Auge« baut auf einem einfachen psychologischen Prinzip auf: Informationen, die über mehr als einen Pfad im Gedächtnis gespeichert werden – nicht nur über Worte, sondern auch über Bilder oder andere Sinne – sind einprägsamer und im Bedarfsfall leichter abrufbar, und sie bilden ein festeres Fundament für zukünftiges Lernen. Für dieses Prinzip, das man als »doppelte Encodierung« bezeichnet (Paivio 1990), gibt es im Unterricht vielfältige Anwendungsmöglichkeiten.

Notiz-Skizzen

In ihrem Buch »Tomorrow's classrooms today« (auf Deutsch etwa: »Schon heute den Unterricht von morgen«) beschreiben Brownlie, Close und Wingren (1990) eine Vielfalt von Techniken, sich Notizen zu machen, bei denen zum Zweck des vertieften Lernens Wörter und Bilder miteinander kombiniert werden. Eine dieser Techniken sind sogenannte »Notiz-Skizzen« (siehe Abb. 12.1). Möchte ein Lehrer diese Methode im Unterricht einsetzen, gibt er den Schülern als Erstes einen kurzen Überblick über den Inhalt eines Textes oder eines Lehrervortrags. Dann trägt er die Informationen vor und spricht dabei langsam und betont. Währenddessen zeichnen die Schüler drei bis fünf Skizzen oder Symbole, die bildhaft darstellen, was sie verstanden haben. Daraufhin gehen die Schüler paarweise zusammen, raten, was die Zeichnungen des Partners ausdrücken sollen, und erarbeiten gemeinsam die Kerngedanken und die wichtigsten Details der Präsentation. Der Lehrer sammelt die Ergebnisse und fährt dann mit seinem Vortrag fort. Am Ende des Vortrags fassen die Schüler das Gelernte schriftlich, in einer Zeichnung oder in einer Kombination aus beidem zusammen. Abbildung 12.1 zeigt die Notiz-Skizzen, die eine Highschool-Schülerin anfertigte, während ihr Lehrer den Text »Sünder in den Händen eines zornigen Gottes« des puritanischen Predigers Jonathan Edwards vorlas.

Thema: Sünder in den Händen eines zornigen Gottes		
	Skizze	Kerngedanken und wichtige Details
1		Der Mensch kann jederzeit sterben und in der ewigen Verdammnis enden. Er weiß nie, wann der Tod und die Verdammnis kommen werden.
2		Die Hand Gottes ist das Einzige, was die Sünde und den Teufel vom Menschen fernhält.
3		Gott vergibt sein Erbarmen und seine Gnade willkürlich.

Abb. 12.1: Notiz-Skizzen (Silver, Strong, Perini und Reilly 2001, S. 55)

Vokabeln visualisieren

Das Prinzip der doppelten Encodierung liegt auch Methoden zugrunde, die das Lernen von Vokabeln erleichtern sollen, wie zum Beispiel:

- **Vokabeln visualisieren:** Zum Zeichen, dass sie ein wichtiges neues Wort verstanden haben, fertigen die Schüler ein Bild, eine Skizze oder ein Symbol an und erklären ihre Zeichnung in einem Satz.
- **Intensive Verarbeitung:** Intensive Beschäftigung mit der Bedeutung eines wichtigen Begriffs, indem die Schüler die Definition mit eigenen Worten wiedergeben, eine einfache Zeichnung anfertigen, den Begriff mit den Händen oder dem ganzen Körper darstellen oder die Gefühle beschreiben, die er bei ihnen auslöst.

Lösungsfenster

Mithilfe der doppelten Encodierung lässt sich auch die Problemlösefähigkeit der Schüler in der Mathematik schulen. Methode 17, »Lösungsfenster«, hilft Schülern, durch schriftliche Beschreibungen und visuelle Darstellungen auch komplexe Mathematikaufgaben zu lösen.

Teil 05 Beziehungsorientierte Methoden

Beziehungsorientierte Methoden gehen auf das Bedürfnis der Schüler ein, einen persönlichen Bezug zum Unterrichtsstoff und zu ihren Mitschülern herzustellen. Sie beruhen auf Teamarbeit, Partnerarbeit und individueller Förderung und motivieren die Schüler über ihren Wunsch, dazuzugehören und *Beziehungen* aufzubauen.

Die in diesem Teil behandelten Methoden:

Methode 13: Die Methode **»Lerntandem«** erhöht den Lernerfolg, indem je zwei Schüler sich gegenseitig unterstützen und den Lernprozess des Tandempartners begleiten.

Methode 14: **»Entscheidungen fällen«** ist eine stark personalisierte Form des Vergleichens, bei der die Schüler auf der Grundlage ihrer individuellen Kriterien und Wertvorstellungen Entscheidungen treffen und bewerten.

Methode 15: Das **»Gruppenpuzzle«** ist eine kooperative Lernmethode, bei der die Schüler Expertengruppen bilden, um einen bestimmten Themenbereich zu recherchieren, und dann in die Ausgangsgruppe zurückkehren und sich das Gelernte gegenseitig beibringen.

Methode 16: Der **»Gemeinschaftskreis«** ist eine Methode, bei der die Schüler im Rahmen einer Gruppendiskussion ein Gefühl der Zusammengehörigkeit, des gegenseitigen Respekts und der Toleranz entwickeln sollen.

Methode 13: **Lerntandem**

Wie passt die Strategie in die Unterrichtseinheit?

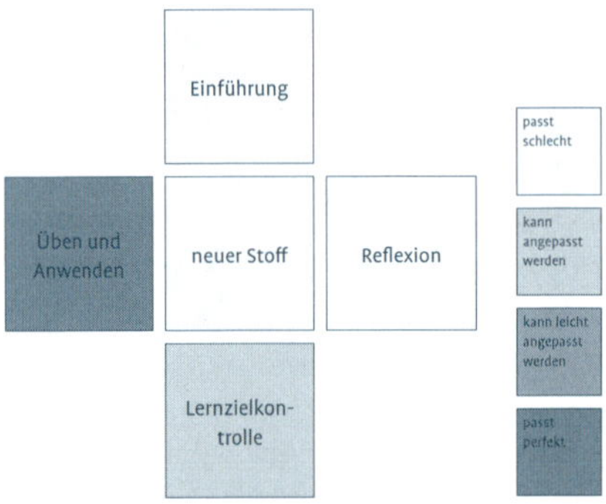

Welche Lerntypen spricht die Strategie an?

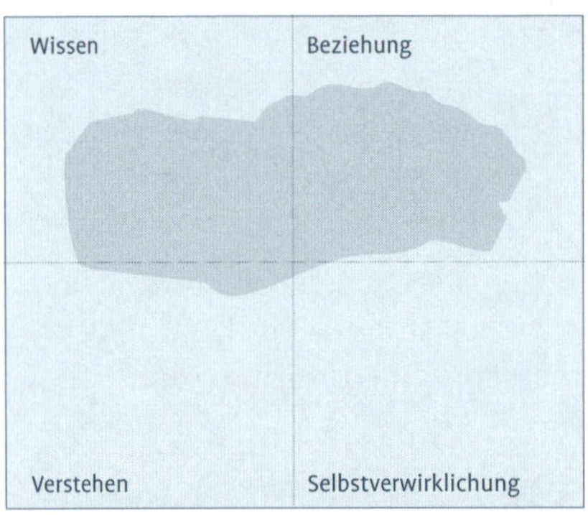

Welche Aspekte des Lernens lassen sich mithilfe der Strategie weiterentwickeln?

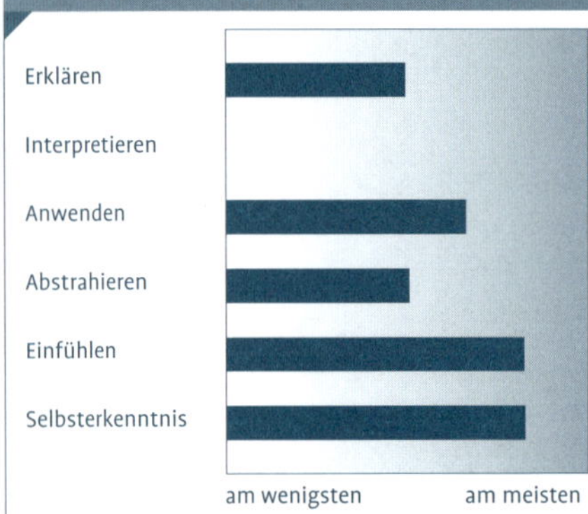

Welche Kernkompetenzen werden mit dieser Strategie geschult?

Lesen und Lernen

- ○ durch das Anfertigen von Notizen Ideen sammeln und ordnen
- ○ abstrakte akademische Begriffe erschließen
- ○ visuelle Darstellungen erfassen und interpretieren

Logisch denken und analysieren

- ○ Schlussfolgerungen ziehen; Hypothesen und Vermutungen anstellen und überprüfen
- ○ anhand vorgegebener Kriterien Vergleiche durchführen
- ● mit ganz unterschiedlichen Aufgabenstellungen klarkommen

Kreativ sein und kommunizieren

- ○ verständlich formulierte, schlüssige Erklärungen schreiben
- ○ sicherer schriftlicher Ausdruck in Sachtexten
- ○ zwei oder mehr Texte lesen und darüber schreiben

Reflektieren und Bezüge herstellen

- ○ Pläne aufstellen, um komplexe Fragen oder Aufgaben zu lösen
- ● eigene Arbeit anhand von Kriterien und Checklisten evaluieren
- ● die eigene Stimmung und spontane Regungen kontrollieren/beeinflussen

Inwiefern berücksichtigt die Strategie Forschungsergebnisse über effektiven Unterricht?

- ○ Gemeinsamkeiten und Unterschiede erkennen
- ○ zusammenfassen und Notizen machen
- ● Anstrengungen verstärken und anerkennen
- ● Hausaufgaben und Übungen
- ○ nicht sprachliche Darstellungsformen
- ● kooperatives Lernen
- ● Ziele setzen und Feedback geben
- ○ Hypothesen aufstellen und überprüfen
- ● Hinweise, Fragen und Diagramme zur Wissensstrukturierung (»Advance Organizer«)

Welche Arten von Wissen vermittelt die Strategie?

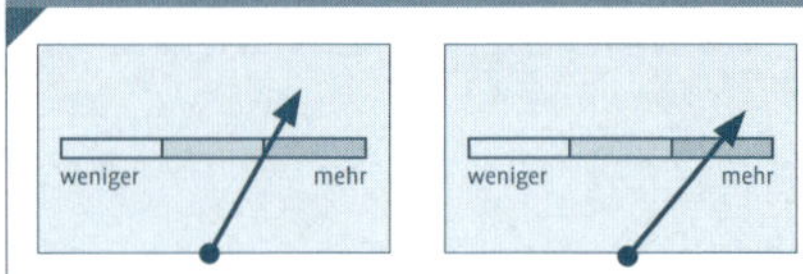

deklaratives Wissen | prozedurales Wissen

Überblick

Denken Sie an einen großartigen Trainer, den Sie selbst erlebt oder bei der Arbeit beobachtet haben. Wie hat es dieser Trainer geschafft, die Spieler zu Höchstleistungen anzuspornen? Wie haben die Spieler auf den Trainer reagiert? Die Methode »Lerntandem« macht sich die Prinzipien erfolgreicher Trainingsarbeit zunutze: Je zwei Schüler bilden ein Team, »trainieren« sich gegenseitig und helfen einander, ein bestimmtes Lernziel zu erreichen. Jeder Schüler spielt in diesem Team zwei Rollen: Als *Spieler* arbeitet er an der Lösung einer Aufgabe und »denkt« dabei laut mit; als *Trainer* verfolgt er die Arbeit des Spielers, hört ihm beim »Denken« zu und hilft ihm durch Lob, Feedback und Hinweise, die Aufgabe zu lösen. Dass jeder Schüler innerhalb des Tandems beide Rollen einnimmt, führt zu einer Verdoppelung des Lernerfolgs. Gleichzeitig entwickeln die Schüler die Eigenschaften und Kompetenzen eines erstklassigen Trainers: Geduld, aktives Zuhören, konstruktives Feedback sowie die Fähigkeit, andere für ihre Leistungen zu loben oder zu kritisieren.

Die Methode im Einsatz

Grundschullehrer Raphael Figueroa weiß, wie wichtig es für seine Schüler ist, neu Gelerntes zu festigen. Deshalb arbeitet er so gern mit Lerntandems. Raphael Figueroa zufolge wirkt es sich in dreifacher Weise positiv aus, wenn die Schüler mit einem Lern- und Trainingspartner zusammenarbeiten:

1. Der Lehrer bekommt dadurch einen guten Überblick über den Wissensstand der Schüler – welche Kompetenzen sie gelernt haben, welche noch ausbaufähig sind und wie gut sie den Stoff bislang erfasst haben.
2. Die Methode hilft den Schülern beim Erwerb von Schlüsselbegriffen und -kompetenzen.
3. Die Methode hat positive Auswirkungen auf das Klima und den Umgangston in der Klasse. Der regelmäßige Einsatz dieser Methode vermittelt den Schülern, dass die Schule ein Ort der Zusammenarbeit und des gegenseitigen Respekts ist, an dem man einander beim Lernen unterstützt.

Heute wiederholt Raphael Figueroa mit seinen Zweitklässlern, was sie darüber gelernt haben, was Brüche sind, wie man sie mathematisch korrekt darstellt und wie man sie bildhaft veranschaulichen kann. Zum Einstieg lässt er die Schüler daran zurückdenken, wie jemand ihnen einmal etwas Wichtiges beigebracht hat. Die Schüler erzählen Geschichten darüber, wie sie Radfahren, einen Baseball werfen und fangen oder lesen und schreiben gelernt haben. Daraufhin lenkt der Lehrer die Aufmerksamkeit der Schüler auf die Menschen, die in ihren Geschichten vorkommen: Wie hat der »Trainer« ihnen geholfen? Wie haben sie reagiert? Dann schreibt er zwei Fragen an die Tafel:

- Wie hilft ein guter Trainer seinem Schüler, etwas zu lernen?
- Wie reagiert ein guter Schüler beziehungsweise Spieler auf die Tipps des Trainers?

Die Schüler diskutieren und beantworten die Fragen in Gruppen. Anschließend sammelt der Lehrer die Antworten an der Tafel. Innerhalb weniger Minuten erstellen Raphael Figueroa und seine Schüler eine Liste mit Verhaltensweisen, die gute Trainer und gute Spieler an den Tag legen.

Als Nächstes erklärt Raphael Figueroa seinen Schülern, dass sie heute im Rahmen einer Partnerarbeit sowohl die Rolle des Trainers als auch die des Spielers übernehmen werden. Der Lehrer stellt die Schüler zu Tandems zusammen und teilt die Lerntandem-Arbeitsblätter aus (siehe Abb. 13.1). Damit sich die Schüler ein Bild machen können, wie ein solches Lerntandem funktioniert, lässt er zwei Schüler – Ian und Li – vormachen, wie das in der Praxis aussieht. Raphael Figueroa schärft den Schülern ein, genau darauf zu achten, wie die beiden Partner sich verhalten.

Während die Schüler mit ihrem Tandempartner arbeiten, geht der Lehrer von Pult zu Pult und achtet besonders auf Spieler, die sich schwertun. Er erinnert sie daran, laut zu »denken«, damit ihr Denkprozess nachvollziehbar wird. Die Trainer erinnert er daran, ihre Schützlinge zu loben und das Verhältnis eines Bruchteils zum Ganzen zu wiederholen, aber keine Lösungen zu verraten. An Tandems, die früher fertig sind, teilt Raphael Figueroa eine Gemeinschaftsaufgabe aus, die die Schüler als Team lösen müssen:

Joe betreibt die beliebteste Pizzeria in der Stadt, und nach seiner neuen, quadratischen »Super Square Pizza« sind alle ganz verrückt. Normalerweise schneidet Joe sie so, dass sich neun Stücke ergeben. Am Samstag nach dem Fußballspiel gehen Christine und Elizabeth bei Joe eine Pizza essen. Sie wollen sich eine

quadratische Pizza teilen. Könnt ihr Joe dabei helfen, die Pizza so zu schneiden, dass beide gleich viele quadratische Stücke bekommen, ohne dass etwas übrig bleibt?
(Tipp: Zeichnet zuerst die normale quadratische Pizza mit neun Stücken, und versucht dann, sie anders zu schneiden.)

Sobald alle Schüler die Arbeitsblätter durchgearbeitet haben, führt der Lehrer mit der Klasse ein Unterrichtsgespräch. Er regt die Schüler dazu an, die mathematische und die bildhafte Darstellung von Brüchen zu vergleichen und darüber nachzudenken, was sie als »Trainer«, als »Schützling« und beim Lösen der Gemeinschaftsaufgabe gelernt haben. Am Ende der Stunde erteilt Raphael Figueroa den Schülern den Arbeitsauftrag, einen Eintrag in ihrem Lerntagebuch zu machen. Das Thema lautet:

Wie kannst du ein besserer Trainer und ein besserer Schüler werden?
Notiere mindestens zwei Ratschläge, wie du ein besserer Trainer, und zwei Ratschläge, wie du ein besserer Schüler werden kannst.

Arbeitsblatt von Spieler A	**Arbeitsblatt von Spieler B**
Fragen für Spieler A	Fragen für Spieler B

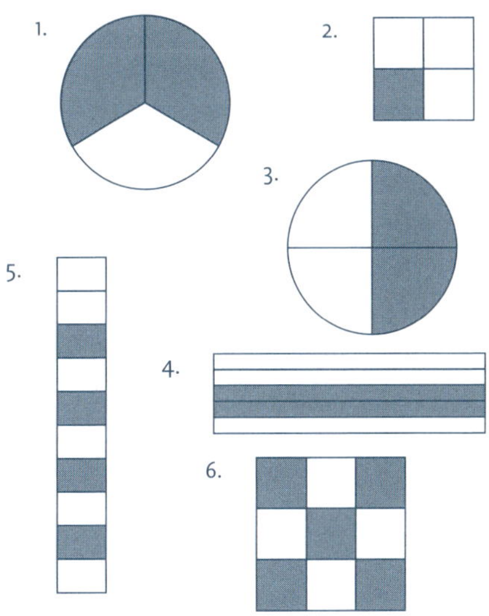

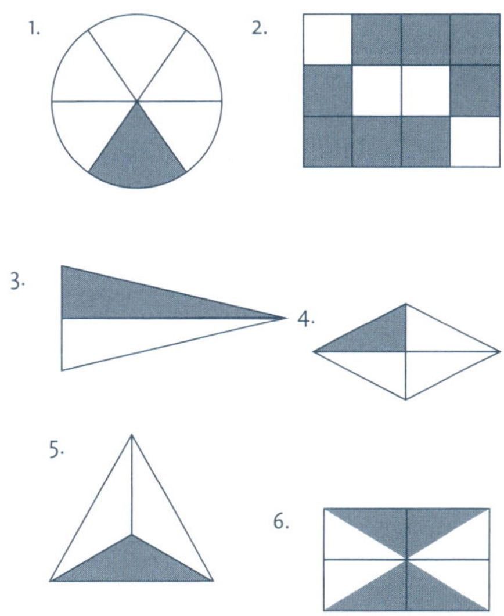

Lösungen für die Fragen von Spieler B				Lösungen für die Fragen von Spieler A			
Aufgabe	Gesamtzahl	Schraffierte	Bruchteil	Aufgabe	Gesamtzahl	Schraffierte	Bruchteil
1.	6	1	1/6	1.	3	2	2/3
2.	12	8	8/12 oder 2/3	2.	4	1	1/4
3.	2	1	1/2	3.	4	2	2/4 oder 1/2
4.	4	1	1/4	4.	5	2	2/5
5.	3	1	1/3	5.	10	4	4/10 oder 2/5
6.	8	4	4/8 oder 1/2	6.	9	5	5/9

Abb. 13.1: *Beispielarbeitsblätter für ein Lerntandem zum Thema »Bruchrechnen«*

Beachten Sie, dass auf dem Arbeitsblatt von Schüler A die Lösungen für die Fragen von Schüler B stehen und umgekehrt. Das muss so sein, damit Schüler A seinem Tandempartner Hilfestellung geben kann, während dieser an seinen Aufgaben arbeitet. Beachten Sie außerdem, dass die Arbeitsblätter nicht nur die Lösungen enthalten, sondern dem jeweiligen Trainer eine klare Methode vorgeben, wie er seinen Schützling bei der Suche nach der richtigen Lösung unterstützen kann: Der Trainer sollte die Aufmerksamkeit des Schülers immer wieder auf die Gesamtzahl der Teilstücke und die Anzahl der schraffierten Teilstücke lenken.

Warum die Methode funktioniert

Die positiven Auswirkungen des Arbeitens mit Lerntandems sind ebenso zahlreich wie überzeugend. Unter anderem kamen Studien zu folgenden Ergebnissen:

- Lerntandems verbessern das soziale Klima in einer Klasse (Butler 1999).
- Lerntandems führen zu intensiveren und substanzielleren Unterrichtsgesprächen (Hashey und Connors 2003).
- Lerntandems haben eine bessere Durchdringung des Unterrichtsstoffs zur Folge, ohne dass dafür zusätzliche Unterrichtszeit aufgewendet werden müsste (Fuchs, Fuchs, Mathes und Simmons 1997).
- Im Vergleich zur Einzelarbeit bleiben die Schüler während der Partnerarbeit länger bei der Sache (King-Sears und Bradley 1995).
- Durch die Arbeit im Lerntandem machen die Schüler messbare Lernfortschritte und entwickeln eine positivere Einstellung zum Unterrichtsstoff (King-Sears und Bradley 1995).
- Lerntandems führen zu einer angenehmeren, produktiveren Lernatmosphäre. Die Schüler sind selbstständiger und unabhängiger vom Lehrer (King-Sears und Bradley 1995).
- Im Bereich der Leseförderung sorgen Lerntandems dafür, dass Schüler Texte besser entschlüsseln können, vertiefen das Verständnis und erleichtern das Lesen schwieriger Texte mit hoher Informationsdichte (Hashey und Connors 2003).

Mithilfe eines Lerntandems können Schüler ihr Lernpotenzial optimal zu nutzen, weil sie in zwei unterschiedliche Rollen schlüpfen müssen. Als *Spieler* versuchen die Schüler, eine vom Lehrer vorgegebene Aufgabe zu lösen. Dabei sollte der Schüler versuchen, laut zu denken – und so seinen Denkprozess für den Trainer nachvollziehbar zu machen. Als *Trainer* hört der Schüler seinem Schützling zu und hilft ihm mit Aufmunterungen, Lob, Feedback und Tipps, wenn er nicht weiterkommt. Dabei darf der Trainer die Lösung nicht verraten. Vielmehr sollte er seinen Schützling dazu anhalten, laut zu denken, und ihn mit Hinweisen zur richtigen Antwort leiten. Weil jeder Schüler zwei unterschiedliche Rollen wahrnimmt – als Spieler, der Begriffe und Kompetenzen erlernen will, und als Trainer, der den Denkprozess des Schützlings in die richtigen Bahnen lenkt und so dessen Können verbessert –, verdoppelt sich der Lerneffekt. Außerdem schärft es den Sinn der Schüler für die Dynamik und die Verhaltensweisen, die Grundlage erfolgreicher Lehr- und Lernprozesse sind.

Die Methode im Einsatz

1. Erstellen Sie zwei korrespondierende Arbeitsblätter, mit denen die Lerntandems arbeiten sollen.
2. Stellen Sie je zwei Schüler zu einem Lerntandem zusammen, und führen Sie die kooperativen Kompetenzen vor, die man als Trainer beziehungsweise Spieler beherrschen muss.
3. Weisen Sie Spieler A an, die Aufgaben auf seinem Arbeitsblatt zu lösen, während der Trainer ihm mithilfe der Hinweise auf seinem Arbeitsblatt beratend zur Seite steht.
4. Helfen Sie nicht dem Spieler, sondern dem Trainer, wenn ein Lerntandem nicht weiterkommt.
5. Lassen Sie die Schüler die Rollen tauschen. Spieler A übernimmt die Funktion des Trainers, während der Trainer fortan Spieler B ist. Spieler A gibt Hilfestellung, während Spieler B die Aufgaben auf seinem Arbeitsblatt löst.
6. Halten Sie eine Gemeinschaftsaufgabe bereit, die von beiden Schülern im Team gelöst werden soll, nachdem beide einmal Spieler und einmal Trainer waren.
7. Geben Sie den Schülern Gelegenheit, über die Stunde und ihre Rollen als Spieler und Trainer zu reflektieren.

Eine Unterrichtsstunde mit dieser Methode planen

Wenn Sie in einer Unterrichtsstunde mit Lerntandems arbeiten wollen, müssen Sie vier Planungsschritte absolvieren:

1. Wählen oder entwerfen Sie die Aufgaben.
Da Lerntandems in der Regel für das Wiederholen von Inhalten oder das Üben von Kompetenzen eingesetzt werden, bieten sich insbesondere Aufgaben mit einer eindeutigen Lösung an. Besonders eignet sich diese Methode daher für das Einüben von Rechtschreib- und Grammatikregeln, das Lösen von Analogie- und Mathematikaufgaben sowie das Wiederholen wichtiger Vokabeln, historischer Daten und Fakten oder naturwissenschaftlicher Termini. Außerdem lassen sich mithilfe von Lerntandems auch das Leseverständnis oder die Problemlösekompetenzen verbessern. Mehr zu der Frage, wie man mit Lerntandems Denkprozesse höherer Ordnung fördern kann, finden Sie im Abschnitt »Variationen und Ergänzungen«.

2. Notieren Sie die Lösungen, und entwickeln Sie die Hinweise.
Welche Hinweise Sie den Trainern mit auf den Weg geben, liegt ganz bei Ihnen. Denkbar sind zum Beispiel Erinnerungshilfen (»Weißt du noch, wie wir den Frosch seziert haben? Hast du noch vor Augen, wie sein Herz aussah? Kannst du es beschreiben?«), inhaltliche Zusatzinformationen (»Dieser Präsident war auch General im amerikanischen Bürgerkrieg«) oder die einzelnen Schritte (»Vergiss nicht: Die Schritte entsprechen ›LESEN‹«). Ermuntern Sie die Trainer, kreativ zu sein und sich eigene Hinweise auszudenken.

3. Entwerfen Sie die Arbeitsblätter.
Sie können die Fragen und Antworten für die Schüler auf eine oder mehrere Seiten kopieren. Die Grundregel ist einfach: Spieler A bekommt eine Reihe von Fragen bzw. Aufgaben sowie die Hinweise und Lösungen zu den Fragen bzw. Aufgaben von Spieler B; Spieler B erhält eine Reihe von Fragen bzw. Aufgaben sowie die Hinweise und Lösungen zu den Fragen bzw. Aufgaben von Spieler A.

Fügen Sie nach Möglichkeit auf jedem Arbeitsblatt unten eine »Gemeinschaftsaufgabe« an. Diese Aufgabe können die beiden Schüler gemeinsam lösen (nicht mehr als Trainer und Spieler, sondern als gleichberechtigte Partner), während sie warten, bis alle Tandems die regulären Aufgaben gelöst haben. Gemeinschaftsaufgaben sollten in der Regel aufwendiger sein und mehr analytisches Denken erfordern als die regulären Aufgaben auf dem Arbeitsblatt. Gemeinschaftsaufgaben können Fragen mit eindeutiger Antwort, schwierige Probleme oder kleine Syntheseaufgaben sein. Ein Spanischlehrer, der seine Schüler in Lerntandems das Imperfekt wiederholen ließ, stellte den Schülern zum Beispiel folgende Gemeinschaftsaufgabe:
- Inwiefern unterscheiden sich Perfekt, Imperfekt und »indefinido«?
- Übersetzt eure Antwort ins Spanische.

4. Entscheiden Sie, wie Sie die Schüler in Paare einteilen wollen und wie die Sitzordnung aussehen soll.
Um zu vermeiden, dass ein Schüler sich ausgeschlossen fühlt, weil niemand ihn als Tandempartner ausgewählt hat, sollten Sie die Tandems am besten auslosen. Wenn Sie die Methode häufiger einsetzen, sollten Sie die Schüler regelmäßig den Partner wechseln lassen. Dieser regelmäßige Partnerwechsel sendet eine wichtige Botschaft darüber, welche Erwartungen Sie an die Schüler haben: Bei Ihnen im Unterricht hilft jeder jedem.

Als Lehrer betrachten wir es gern als selbstverständlich, dass die Schüler sich kennen, wenn sie in derselben Klasse sind. Oft stimmt das aber gar nicht. Planen Sie daher eine kurze Kennenlernphase ein. Sie könnten die Schüler ihrem Tandempartner zu Beginn der Stunde beispielsweise eine einfache Frage stellen lassen (Wer ist dein größtes Idol? In welches Land würdest du am liebsten einmal reisen?).

Weitere Überlegungen betreffen den Zeitplan (Wie lange haben die Tandems Zeit, die Aufgaben zu lösen?) und die Sitzordnung. Es empfiehlt sich, Trainer und Spieler nebeneinandersitzen zu lassen, weil sie sich dann eher als ein Team fühlen. In dieser Sitzordnung kann der Trainer die Arbeit seines Schützlings gut mitverfolgen. Sitzen die Schüler einander gegenüber, bewirkt das eine eher konkurrenzorientierte Atmosphäre, und der Spieler hat leicht das Gefühl, dass der Trainer ihn berichtigt und maßregelt, anstatt ihm zu helfen.

Variationen und Ergänzungen

In der gebräuchlichsten Variante sind Lerntandems eine Wiederholungs- und Übungsmethode mit Aufgaben, bei denen objektives Wissen oder die Demonstration einer ganz bestimmten Kompetenz im Mittelpunkt steht. Wie sowohl Studien als auch die Unterrichtspraxis zeigen, eignet sich diese Methode aber auch sehr gut zur Förderung des Leseverständnisses und zum Ausbau der Problemlösefähigkeit. In diesem Abschnitt stellen wir Ihnen deshalb zwei Variationen vor, die auf das Leseverständnis und das Lösen schwieriger Probleme abzielen – »Lesetandems« und »Partnerschaftliches Problemlösen«.

Lesetandems

Wie Studien gezeigt haben, lässt sich mithilfe von Lerntandems die Fähigkeit, anspruchsvolle Texte zu lesen und zusammenzufassen, deutlich verbessern (Hashey und Connors 2003). Man nennt diese Variante »Lesetandem«. Lesetandems eignen sich insbesondere dazu, Schülern über die Hürden hinwegzuhelfen, die beim Lesen von Lehrbüchern und anderen Texten mit hoher Informationsdichte zu überwinden sind: zu viele Details, Schwierigkeiten, Wichtiges von Unwichtigem zu trennen, mangelnder Überblick über die Struktur des Textes.

Die Methode »Lesetandem« erfordert sieben Schritte:

1. Wählen Sie einen Text aus, und gliedern Sie ihn in überschaubare Abschnitte.
2. Formulieren Sie zu jedem Abschnitt eine Frage oder eine Reihe von Fragen, zu deren Beantwortung die beiden Schüler (Leser A und Leser B) den Abschnitt zusammenfassen müssen.
   Zu einem Text mit der Überschrift »Everest – auf Leben und Tod« teilte der Lehrer Paul Costas seinen Schülern in der 4. Klasse zum Beispiel folgende Fragen aus:

   Fragen zu Abschnitt 1 (für Leser A)
   - Aus welchen Gründen ist es so gefährlich, den Mount Everest zu besteigen?
   - Wie können Bergsteiger in so dünner Luft überleben?

   Fragen zu Abschnitt 2 (für Leser B)
   - Wie wirkt sich der Jetstream auf Bergsteiger aus, die es auf den Gipfel des Mount Everest schaffen?

   Fragen zu Abschnitt 3 (für Leser A)
   - Wie können sich Bergsteiger gegen die extreme Kälte und die hohen Windgeschwindigkeiten wappnen?

   Fragen zu Abschnitt 4 (für Leser B)
   - Was passiert, wenn ein Bergsteiger die Todeszone erreicht?
   - Warum ist der Abstieg gefährlicher als der Aufstieg?

3. Stellen Sie die Schüler zu Tandems zusammen. Verteilen Sie den Text und die Fragen.
4. Erteilen Sie den Schülern den Arbeitsauftrag, den ersten Abschnitt zu lesen, das Wichtigste anzustreichen und anschließend den Inhalt zusammenzufassen (Leser A dreht seinen Text um, während der Trainer ihm die Fragen vorliest und ihm anhand der Anstreichungen in seinem eigenen Text hilft, sie möglichst präzise zu beantworten).
5. Weisen Sie die Schüler an, nach demselben Prinzip die weiteren Abschnitte durchzuarbeiten und bei jedem Abschnitt die Rollen zu tauschen.
6. Wenn sie alle Fragen beantwortet haben, sollen die Schüler mithilfe der Fragen und ihres angestrichenen Textes im Tandem eine Zusammenfassung des gesamten Textes anfertigen.
7. Versetzen Sie die Schüler in die Lage, die Methode selbstständig anzuwenden, indem Sie ihnen vormachen, wie man einen Text in überschaubare Abschnitte unterteilt und zusammenfassende Fragen dazu formuliert, und ihnen beim ersten Mal Hilfestellung geben.

Partnerschaftliches Problemlösen

Wie Whimbey und Lochhead (1999) gezeigt haben, sind Lerntandems auch ein guter Ansatz, um die Problemlösefähigkeiten der Schüler auszubauen. Beim »Partnerschaftlichen Problemlösen« erhält jeder Schüler eine schwierige Aufgabe, die eine Transferleistung erfordert. Zwei Beispielaufgaben, die von den beiden Mitgliedern eines Lerntandems zu lösen sind, finden Sie in Abb. 13.2. Wie Sie sehen, erhält jeder Partner neben seiner eigenen Aufgabe auch Hinweise für die Lösung der Aufgabe seines Partners.

Bevor die Schüler in Tandems zusammengehen, treffen sich zunächst alle Trainer in Kleingruppen (vergessen Sie nicht: Bei dieser Methode sind alle Schüler Trainer!) mit »Trainerkollegen«. Diese Trainergruppen lösen gemeinsam die Aufgabe ihrer Spieler und überlegen sich weitere Hinweise, die ihren Schützlingen beim Lösen der Aufgabe behilflich sein könnten. Dann kommen die Schüler in Tandems zusammen, und einer von beiden arbeitet an seiner Aufgabe. Dabei soll er laut mitdenken und beschreiben, wie er vorgeht. Der andere Schüler ist der Trainer. Dieser muss darauf achten, dass der Spieler laut mitspricht, muss gut zuhören und anhand des in der Trainergruppe Erarbeiteten Hinweise und Hilfestellung geben, die dem Partner seinen Denkprozess klarmachen. Dann tauschen die Partner die Rollen und lösen die zweite Aufgabe.

Aufgabe für Partner A

Ein Bauer möchte seinen Landbesitz gerecht auf seine vier Kinder verteilen. Auf der Abbildung unten siehst du, wie sein Land aussieht. Die vier Parzellen sollen alle die gleiche Form und Größe haben. Zeichne sie in die Abbildung unten ein!

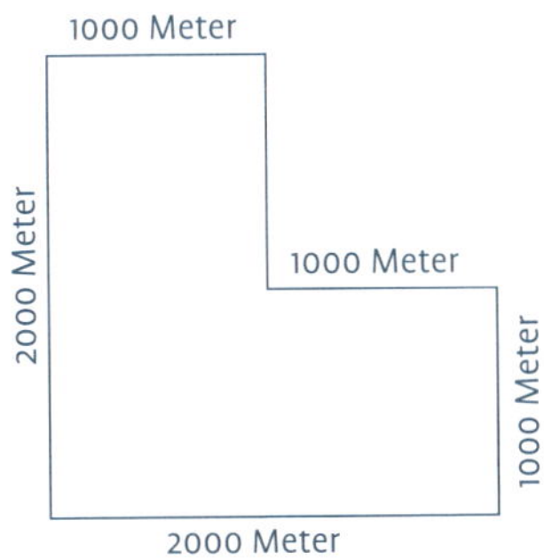

Aufgabe für Partner B

Du hast acht Kugeln, die alle genau gleich aussehen. Sieben davon sind gleich schwer, die achte ist etwas leichter als die anderen. Du hast eine Waage mit zwei Waagschalen. Wie kannst du mit nur zweimaligem Wiegen herausfinden, welche Kugel leichter ist als alle anderen?

Hinweise und Lösungen für die Aufgabe von Partner A

Hinweise

1. Gib deinem Partner den Tipp, den Besitz in drei gleiche Teile aufzuteilen.

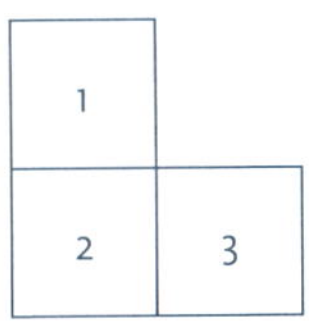

2. Unterteile anschließend jede der drei Parzellen in vier kleinere Teile.

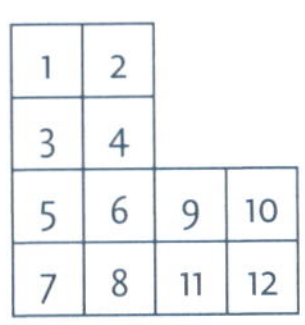

3. Lass deinen Partner die kleinen Teile zählen (es sollten zwölf sein). Als Nächstes muss er die 12 Teile durch 4 teilen, da der Bauer vier Kinder hat.
4. Lass deinen Partner zum Schluss die kleinen Teile so anordnen, dass jedes Kind eine Parzelle mit derselben Form bekommt.

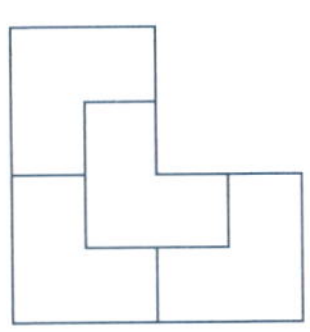

Hinweise und Lösungen für die Aufgabe von Partner B

Hinweise

1. Die meisten Leute wiegen zuerst alle acht Kugeln gleichzeitig.
2. Wie kannst du herausfinden, welche die leichteste ist, wenn du nur drei Kugeln hast?

Lösung

1. Wiege sechs Kugeln (auf jeder Seite drei).
2. Wiegen sie das Gleiche, so muss eine der beiden nicht gewogenen Kugeln die leichtere sein. Wiege die beiden verbleibenden Kugeln, um herauszufinden, welche leichter ist.
3. Sind die je drei Kugeln aus Schritt 1 unterschiedlich schwer, so wiege zwei der drei Kugeln auf der leichteren Seite. Sind sie gleich schwer, so ist die verbleibende Kugel die leichteste. Wenn eine von beiden leichter ist, hast du die leichteste Kugel gefunden.

Abb. 13.2: *Zwei Beispielaufgaben für das »Partnerschaftliche Problemlösen« (adaptiert nach Silver, Hanson, Strong und Schwartz 2003, S. 207–210).*

Methode 14: Entscheidungen fällen

Wie passt die Strategie in die Unterrichtseinheit?

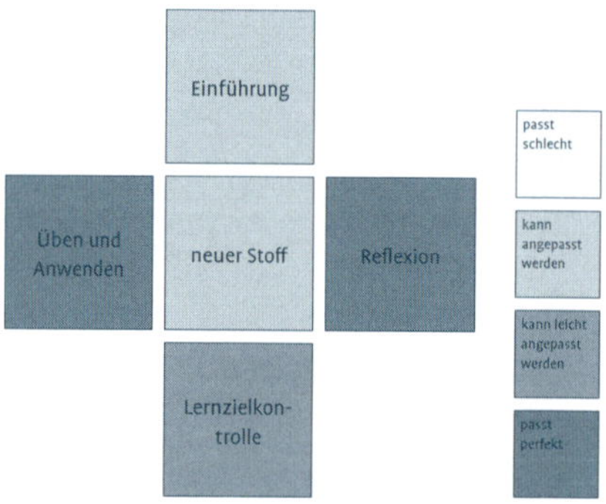

Welche Lerntypen spricht die Strategie an?

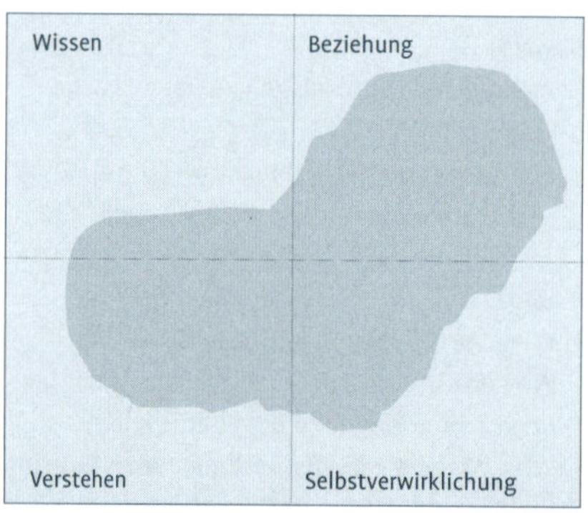

Welche Aspekte des Lernens lassen sich mithilfe der Strategie weiterentwickeln?

Welche Kernkompetenzen werden mit dieser Strategie geschult?

Lesen und Lernen

● durch das Anfertigen von Notizen Ideen sammeln und ordnen
○ abstrakte akademische Begriffe erschließen
○ visuelle Darstellungen erfassen und interpretieren

Logisch denken und analysieren

● Schlussfolgerungen ziehen; Hypothesen und Vermutungen anstellen und überprüfen
● anhand vorgegebener Kriterien Vergleiche durchführen
○ mit ganz unterschiedlichen Aufgabenstellungen klarkommen

Kreativ sein und kommunizieren

○ verständlich formulierte, schlüssige Erklärungen schreiben
● sicherer schriftlicher Ausdruck in Sachtexten*
● zwei oder mehr Texte lesen und darüber schreiben

Reflektieren und Bezüge herstellen

○ Pläne aufstellen, um komplexe Fragen oder Aufgaben zu lösen
● eigene Arbeit anhand von Kriterien und Checklisten evaluieren
● die eigene Stimmung und spontane Regungen kontrollieren/beeinflussen

Inwiefern berücksichtigt die Strategie Forschungsergebnisse über effektiven Unterricht?

● Gemeinsamkeiten und Unterschiede erkennen
● zusammenfassen und Notizen machen
○ Anstrengungen verstärken und anerkennen
○ Hausaufgaben und Übungen
○ nicht sprachliche Darstellungsformen
○ kooperatives Lernen
○ Ziele setzen und Feedback geben
● Hypothesen aufstellen und überprüfen
○ Hinweise, Fragen und Diagramme zur Wissensstrukturierung (»Advance Organizer«)

Welche Arten von Wissen vermittelt die Strategie?

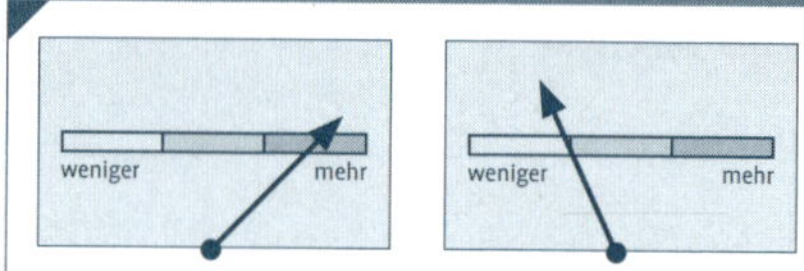

deklaratives Wissen

prozedurales Wissen

* Die Methode »Entscheidungen fällen« sorgt für bessere Leistungen bei schriftlichen Aufgaben, die verlangen, eine persönliche Entscheidung zu treffen und zu begründen.

Überblick

Entscheidungen zu fällen ist eine sehr persönliche Angelegenheit und geschieht doch nach objektiven Kriterien; es ist eine Fähigkeit, die in der Schule ebenso wichtig ist wie im Alltag; eine Fähigkeit, die man leicht als selbstverständlich betrachtet, und die für den individuellen Erfolg doch von entscheidender Bedeutung ist. Das Treffen von Entscheidungen ist Teil unseres täglichen Lebens – von den kleinen Entscheidungen beim Einkaufen im Supermarkt bis hin zu weitreichenden Entscheidungen, die Folgen für unsere Zukunft, unsere Karriere und unsere Familien haben.

Die Methode »Entscheidungen fällen« zielt darauf ab, diese Schlüsselkompetenz zu schärfen, indem sie den Schülern die Möglichkeit gibt, einen persönlichen Bezug zum Lernstoff herzustellen. Dazu dienen Fragen wie:

- Wer war der wichtigste Präsident der Vereinigten Staaten?
- Stell dir vor, du wärst in der Geschichte »My Brother Sam Is Dead« an Tims Stelle. Auf wessen Seite wärst du im Streit zwischen Sam und eurem Vater?
- Welchen Spieler würdest du auf der Grundlage der Spielerstatistiken in der 92. Minute einen Elfmeter schießen lassen?

Diese Methode lädt die Schüler nicht nur ein, in den Stoff »einzutauchen«, was die Chance für weiter reichende Erkenntnisse erhöht; sie lehrt die Schüler einen strategischen Ansatz für das Treffen von Entscheidungen, der sich auf andere Themen, kontroverse Fragen und das Leben jenseits der Schulmauern übertragen lässt.

Die Methode im Einsatz

Die Physiklehrerin Maya LeVond glaubt, viele Schüler betrachteten wissenschaftliche Errungenschaften als allzu selbstverständlich:

Es gibt zu viele Schüler, die gar keinen Sinn für die Zusammenhänge haben. Sie verabreden sich per SMS, surfen im Internet, laden Tausende von Songs und Videos auf ihre MP3-Spieler herunter – und im Physikunterricht murren sie nur. Es ist ihnen gar nicht bewusst, wie sehr die Wissenschaft unseren Alltag verändert hat und wie abhängig wir Tag für Tag von ihr sind.
Vor ein paar Jahren bin ich zu dem Schluss gekommen, dass die Schüler keinen Bezug zwischen Wissenschaft und Technik auf der einen und ihrem Leben auf der anderen Seite herstellen, weil niemand sie dazu bringt, diesen Zusammenhängen nachzugehen. Also habe ich beschlossen, mehr Zeit darauf zu verwenden, die Schüler zum Nachdenken darüber zu bringen, was Wissenschaft mit ihnen persönlich zu tun hat und welche Entscheidungen sie erfordert. Die Methode »Entscheidungen fällen« ist eine wunderbare Möglichkeit, die Schüler dazu zu bringen, sich eingehend mit wissenschaftlichen Fragen zu beschäftigen – ohne dabei Lerninhalte oder das kritische Denken dem individuellen Zugang zu opfern.

Heute möchte Maya LeVond ihre Schüler mithilfe der Methode »Entscheidungen fällen« dazu bringen, die Auswirkungen der weitreichendsten Erfindungen der vergangenen 100 Jahre zu analysieren. Sie teilt die Klasse in Vierergruppen ein und gibt jeder Gruppe einen Schnellhefter, der Folgendes enthält:

1. Motivierender Einstieg

Ein Fernsehsender möchte für seine alljährliche Serie »Die Besten der Besten« einen Dokumentarfilm über die fünf wissenschaftlichen Errungenschaften der letzten 100 Jahre mit der größten Tragweite drehen. Aus Millionen wissenschaftlicher Erfindungen, Entdeckungen, Ideen und Beiträge hat die Produktionsfirma fünf ausgewählt: das *Internet*, die *Atomtheorie*, die *Genetik*, *Flugreisen* und *Computer*. Allerdings ist sich die Firma noch unsicher, wie sie ihre Auswahl hinsichtlich der Wichtigkeit ordnen soll. Daher hat sie eure Agentur, »Wissenschaftliche Perspektiven«, beauftragt, eine Rangordnung dieser fünf Errungenschaften zu erstellen.

2. Ein Beispiel dafür, wie ein Experte Kriterien für die Entscheidungsfindung heranzieht

In einem Abschnitt aus der Einleitung zu seinem Buch »The 100« über die 100 einflussreichsten Persönlichkeiten der Weltgeschichte beschreibt der Historiker Michael H. Hart (1992) die Kriterien, nach denen er seine Auswahl getroffen hat. Während die Schüler sich mit diesen Kriterien beschäftigen, betont Maya LeVond, dass sie diese nicht einfach übernehmen sollen. Vielmehr sollen sie sich mit Harts Kriterien und Begründungen auseinandersetzen, damit sie sehen, wie eindeutig formulierte Kriterien aussehen, und nachvollziehen können, wie Hart bei der Auswahl vorgegangen ist.

3. Fünf Kurztexte über Ursprung und Folgen der fünf wichtigsten wissenschaftlichen Errungenschaften

Maya LeVond teilt den Schülern fünf Kurztexte aus, die beispielsweise so aussehen:

Flugreisen

Innerhalb eines Jahres werden an einem modernen Flughafen mehr als 1,5 Millionen Tonnen Fracht umgeschlagen und mehr als 70 Millionen Fluggäste abgefertigt. Im Lauf der vergangenen Jahre hat der Flugverkehr stark zugenommen, und die Zahl der Flugreisenden steigt nach wie vor an. Die Flugzeughersteller arbeiten an neuen Flugzeugen, die mehr Passagiere befördern und weitere Strecken zurücklegen können. Das derzeit größte Passagierflugzeug ist der Airbus A380 mit einer Spannweite von 80 Metern. Das Flugzeug hat zwei Passagierdecks, vier Gänge, eine Cocktailbar und Tagungsräume für Geschäftsreisende. Der Airbus A380 bietet Platz für bis zu 850 Passagiere, und er ist halb so laut wie und sparsamer als das nächstgrößte Flugzeug, die Boeing 747.

4. Ein Raster, anhand dessen die Schüler die Entwicklungen systematisch in eine Rangfolge bringen können

Während die Gruppen ihre Ideen diskutieren und die Auswahl der Kriterien aushandeln, geht die Lehrerin von einer Gruppe zu anderen und hilft den Schülern, Belege zu finden, Schlussfolgerungen zu ziehen und sich auf eine Rangfolge zu einigen (vgl. Abb. 14.1). Sobald die Schüler ihre Kriterien festgelegt und das Raster entsprechend ausgefüllt haben, stellt Maya LeVond ihnen die Syntheseaufgabe:

Nachdem ihr nun alle eine Rangfolge der fünf Errungenschaften ausgearbeitet habt, müsst ihr dem Auswahlkomitee der Produktionsfirma mitteilen, wie eure Empfehlung lautet. Dazu muss jeder von euch einen kurzen Brief an das Komitee verfassen. Achtet darauf, dass das Komitee eurem Brief entnehmen kann, wie eure Gruppe ihre Kriterien entwickelt hat und welche Gründe für die vorgeschlagene Rangfolge sprechen. Erklärt vor allem, warum ihr die Errungenschaft auf Platz 1 eurer Rangliste für besonders einflussreich haltet.

Erstellt für jedes Kriterium eine Rangliste von 1 bis 5 (wobei 1 die Errungenschaft ist, auf die das Kriterium am stärksten zutrifft). Wenn eines eurer Kriterien zum Beispiel lautet: »beeinflusst das Leben vieler Menschen«, so landet das Internet vermutlich auf Rang 1, Computer auf Platz 2, Flugreisen auf Rang 3, die Atomtheorie auf dem 4. und die Genetik auf dem 5. Platz. Die Errungenschaft, die am Ende die geringste Punktezahl hat, ist die einflussreichste Errungenschaft. Sollte es einen Gleichstand zwischen zwei Errungenschaften geben, so zieht ein weiteres Kriterium heran.

In welchem Maß treffen eure Kriterien auf die einzelnen Errungenschaften zu?
(1 = trifft am stärksten zu, 5 = trifft am wenigsten zu)

Wissenschaftliche Errungenschaft	1. Kriterium	2. Kriterium	3. Kriterium	4. Kriterium
Internet				
Atomtheorie				
Computer				
Flugreisen				
Genetik				

Abb. 14.2: *Vergleichs- bzw. Entscheidungsschema*

Warum die Methode funktioniert

Unter den verschiedenen Formen des vergleichenden Denkens (wie Vergleich, Klassifikation, Metaphern, Analogien) ist das Fällen von Entscheidungen die individuellste und wohl auch motivierendste. Die Methode »Entscheidungen fällen« erfordert, dass die Schüler ein Problem oder eine Situation genau unter die Lupe nehmen, daraufhin eine Entscheidung treffen und diese begründen. Dadurch stellen die Schüler einen persönlichen Bezug zum Lernstoff her. Die Methode führt den Schülern vor Augen, dass es sich lohnt, die denkbaren Alternativen systematisch auf den Prüfstand zu stellen, und sie hilft ihnen, Vertrauen in die eigene Entscheidungskompetenz aufbauen.

Neuere Studien belegen, welche positiven Auswirkungen es hat, wenn Schüler im Unterricht Methoden der Entscheidungsfindung lernen. Die Arbeit von Jimenez-Aleixandre und Pereiro-Munoz (2002) zeigt, dass Lernen durch Entscheidungsfindung ein tiefgreifenderes Begriffsverständnis zur Folge hat, da so den Schülern ein Zugang zum Lernstoff eröffnet wird, der auf ihrem individuellem Wertesystem beruht. Andere Forscher, darunter Rowland und Adkins (1992) oder Naftel (1993), betonen, wie wichtig es sei, Schülern Gelegenheit zu geben, im geschützten Raum des Unterrichts das Treffen von Entscheidungen und die Beurteilung der Auswirkungen zu üben – schließlich stehen sie vor der Aufgabe, ihre eigenen ethischen Grundsätze zu entwickeln, auf deren Grundlage sie im richtigen Leben Entscheidungen treffen können. Diesen Forschungen zufolge wenden Schüler, die zur Ausbildung einer hohen Entscheidungskompetenz ermuntert werden, diese Kompetenzen und Denkgewohnheiten auch außerhalb des Unterrichts an.

Je nach Lehrstoff und Unterrichtsziel kann die Methode »Entscheidungen fällen« eingesetzt werden, um unterschiedliche Denkstrategien zu fördern, von der Aufstellung einer persönlichen Rangliste (»Wer war der wichtigste US-Präsident aller Zeiten?«) über das Lösen ethischer und moralischer Dilemmata (»Was denkst du über Georges Entscheidung, am Ende von ›Von Mäusen und Menschen‹ Lennie zu erschießen? Was hättest du an seiner Stelle getan?«) bis hin zur Analyse von Daten (»Analysiere die Spezifikationen der einzelnen Computer, und entscheide dann, welcher der preiswerteste ist!«). Unabhängig von der Denkstrategie, die sie den Schülern abverlangt, stehen bei der Methode »Entscheidungen fällen« stets vier Prinzipien im Mittelpunkt: Hintergrundwissen, Alternativen, Kriterien und Reflexion.

Das Prinzip »Hintergrundwissen«

Je mehr die Schüler über eine Situation wissen, desto besser verstehen sie die zur Verfügung stehenden Alternativen. Um eine gute Entscheidung zu treffen, bedarf es eines großen Wissensreservoirs, aus dem man relevante Informationen schöpfen kann. Wenn Sie die Schüler mit ausreichenden Hintergrundinformationen versorgen, können diese sich ein umfassendes Bild machen und unbrauchbare Alternativen ausklammern.

Das Prinzip »Alternativen«

Entscheidungen fällen bedeutet, zwischen Alternativen auszuwählen. Damit sie eine Wahl treffen können, brauchen die Schüler realistische Optionen. Indem sie vorgegebene Alternativen untersuchen oder selbst Optionen formulieren, sehen die Schüler das Spektrum der Wahlmöglichkeiten und lernen, dass es für Probleme viele unterschiedliche Lösungen gibt.

Das Prinzip »Kriterien«
Entscheidungen beruhen, implizit oder explizit, auf Kriterien. Je besser die Schüler die Kriterien artikulieren können, desto leichter fällt es ihnen, die Alternativen zu sondieren. Eindeutig formulierte Kriterien helfen den Schülern, unpraktikable oder unvorteilhafte Alternativen auszumerzen. Indem die Schüler Kriterien aussuchen oder erstellen, gleichen sie diese zudem automatisch mit ihrem eigenen Wertesystem ab.

Das Prinzip »Reflexion«
Durch die kritische Betrachtung von Entscheidungen, die sie selbst oder andere getroffen haben, schärfen die Schüler ihre Entscheidungskompetenz. Da diese Kompetenz ein Leben lang unter immer neuen Umständen auf die Probe gestellt wird, ist die gezielte Reflexion ein wichtiges Mittel, den Entscheidungsprozess an wechselnde Situationen anzupassen.

Die Methode im Einsatz

1. Führen Sie die Schüler in Thema und Zielsetzung der Unterrichtsstunde ein, und erklären Sie ihnen, was auf sie zukommt. Um das Interesse der Schüler zu wecken, bietet es sich an, die Schüler im Unterrichtsgespräch von ihren Erfahrungen bei der Entscheidungsfindung berichten zu lassen.
2. Versorgen Sie die Schüler mit den nötigen Hintergrundinformationen, oder stellen Sie ihnen Quellen zur Verfügung, auf deren Basis sie eine eingehende Analyse der Situation und der denkbaren Alternativen durchführen können. Beantworten Sie eventuelle Fragen, und wiederholen Sie wichtige Inhalte und Begriffe.
3. Nennen Sie (oder erarbeiten Sie gemeinsam mit den Schülern) die Alternativen und die Kriterien für die Prüfung dieser Alternativen.
4. Weisen Sie die Schüler an, die Alternativen miteinander zu vergleichen, sich Notizen zu machen und eine Entscheidung zu fällen.
5. Geben Sie den Schülern Gelegenheit, ihre Entscheidung in Kleingruppen, vor der ganzen Klasse oder im Rahmen einer Syntheseaufgabe zu begründen.
6. Planen Sie Zeit dafür ein, dass die Schüler das Thema und ihren Entscheidungsprozess reflektieren und über ihre persönlichen Gedanken und Gefühle sprechen können.

Eine Unterrichtsstunde mit dieser Methode planen

Wenn Sie auf der Grundlage der Methode »Entscheidungen fällen« eine Unterrichtsstunde planen, gehen Sie wie folgt vor:

1. Legen Sie das Thema fest, über das die Schüler mehr lernen und Entscheidungen treffen sollen.
Die Methode »Entscheidungen fällen« eignet sich für drei unterschiedliche Arten von Themen:
- moralische und ethische Dilemmata (z. B. die Beurteilung des Einsatzes der Atombombe im Zweiten Weltkrieg aus politischer und ethischer Sicht)
- Fragen, bei denen es mehrere Möglichkeiten gibt (z. B. verschiedene Müllentsorgungssysteme analysieren und entscheiden, welches für die eigene Stadt das geeignetste wäre)

- Auswertung von Daten (z. B. umfassende statistische Daten sondieren, um herauszufinden, welcher Basketballspieler am verlässlichsten Freiwürfe verwandelt)

Bei den meisten Entscheidungen geht es um alle drei Elemente – moralische und ethische Dilemmata, mehrere Alternativen und die Auswertung von Daten –, aber im Rahmen einer Unterrichtsstunde steht in der Regel einer dieser drei Aspekte im Mittelpunkt. Die Gestaltung Ihrer Unterrichtsstunde ist demnach meist eine Frage der Schwerpunktsetzung:

- Spielen bei diesem Thema moralische Fragen die entscheidende Rolle?
- Steht das sorgsame Abwägen von Alternativen und ihren Folgen im Mittelpunkt?
- Kommt es in erster Linie auf die Auswertung von Fakten an?

2. Legen Sie fest, wie Sie den Schülern die Frage, das Dilemma oder die Situation und die möglichen Alternativen präsentieren wollen.

Sie sollten den Schülern das Thema immer auf möglichst interessante und authentische Art und Weise nahebringen. Eine Lehrerin, die eine »Entscheidungen fällen«-Stunde über die Suche nach dem besten Müllentsorgungssystem plante, führte den Schülern beispielsweise die widerstreitenden Interessen der Bürger, der Gewerbetreibenden, der Entsorgungsfirmen und verschiedener Umweltverbände vor Augen. Dadurch waren die Schüler mit einer realistischen Situation konfrontiert, und indem sie die verschiedenen Interessen und Forderungen gegeneinander abwägten, tauchten sie tiefer in das Thema ein.

Sie sollten auch nach Möglichkeiten suchen, Querverbindungen zwischen dem Unterrichtsgegenstand und den persönlichen Interessen und Sorgen Ihrer Schüler herzustellen. So kann ein Mathematiklehrer eine realistische und spannende Situation simulieren, indem er den Schülern von einem knappen Basketballspiel erzählt, in dem ein Spieler mithilfe eines Freiwurfs ein Unentschieden oder sogar den Sieg seiner Mannschaft herbeiführen kann. Eine solche Einbettung in einen realistischen Kontext erleichtert den Schülern den Zugang, und sie werden sich sehr viel eifriger an die Auswertung der komplexen statistischen Daten machen.

Nachdem Sie sich überlegt haben, wie Sie den Schülern die Situation nahebringen wollen, müssen Sie sich Gedanken darüber machen, wie Sie ihnen die verschiedenen Optionen präsentieren. Sie können den Schülern die Optionen zum Beispiel vorgeben, Sie können die Schüler recherchieren und selbst Optionen finden lassen, oder Sie können mit ihnen gemeinsam verschiedene Optionen erarbeiten.

3. Entscheiden Sie, ob die Schüler selbst eine Entscheidung fällen oder ob sie eine Entscheidung beurteilen sollen.

Die Herangehensweise ist zwar ähnlich, doch die selbstständige Entscheidungsfindung (zum Beispiel für das beste Müllentsorgungssystem) führt zu einer stärkeren Identifikation mit dem Thema, weil die Schüler sich in die Rolle eines Beteiligten hineinversetzen und selbst eine Entscheidung treffen müssen. Beim Beurteilen einer Entscheidung (etwa des Befehls von Truman, die Atombombe einzusetzen) ist die Distanz zum Thema größer, weil die Schüler an der Entscheidung selbst nicht beteiligt sind. Sie können die Schüler auch in beide Rollen schlüpfen und über die Unterschiede beider Perspektiven reflektieren lassen.

4. Überlegen Sie, welche Informationsquellen die Schüler benötigen, um eine fundierte Entscheidung zu fällen.

Sowohl für das Fällen als auch für das Beurteilen einer Entscheidung benötigt man Informationen, die Einblicke in das Thema gewähren. Vergessen Sie bei der Planung der Unterrichtsstunde deshalb nicht, die Informationsquellen festzulegen, die Ihren Schülern zur Verfügung stehen sollen, damit sie eine wohlüberlegte Entscheidung treffen können. Genügen ihre Notizen, die Erinnerung an das bereits Gelernte und das Schulbuch, oder sind zusätzliche Quellen vonnöten? Denken Sie daran, dass als zusätzliche Informationsquellen nicht nur Bücher und Texte infrage kommen, sondern auch Filme, Lehrervorträge, praktische Vorführungen, Karten, Diagramme, Internetseiten und vieles mehr.

5. Wählen oder formulieren Sie die Kriterien, auf deren Basis die Schüler die verschiedenen Optionen vergleichen und einander gegenüberstellen sollen.
Die Kriterien dienen den Schülern als eindeutige Richtschnur, um zu beurteilen, wie positiv oder negativ die jeweiligen Optionen sich auswirken könnten. Je nachdem, wie das Unterrichtsziel lautet und welche Rolle die Schüler spielen sollen, können Sie den Schülern die Kriterien entweder vorgeben oder sie ihre eigenen Kriterien aufstellen lassen. Außerdem können die Kriterien unterschiedlich gewichtet werden.

6. Legen Sie fest, wie die Entscheidung kommuniziert werden soll.
Die Methode »Entscheidungen fällen« lässt sich mit einer Vielzahl unterschiedlicher Aufgabenformen kombinieren. Ihre Entscheidung und die dahinterstehenden Überlegungen können die Schüler zum Beispiel in Form eines mündlichen Vortrags, eines argumentativen Aufsatzes, einer Debatte, eines Rollenspiels, einer Fallbeschreibung oder einer anderen Syntheseaufgabe erläutern.

Variationen und Ergänzungen

Die in diesem Abschnitt vorgestellten Methoden verfolgen zwei Ziele: Man kann sie spontan im Unterricht einsetzen, um die Schüler zu aktivieren und ihre Entscheidungskompetenz auszubauen; man kann sie aber auch gezielt in eine »Entscheidungen fällen«-Stunde integrieren und so mit Blick auf übergeordnete Lernziele den Lernerfolg erhöhen.

Körperbarometer

Die Methode »Körperbarometer« gibt den Schülern Gelegenheit, zu einem Thema im wahrsten Sinne des Wortes eine »Position« zu beziehen, die Positionen ihrer Mitschüler kennenzulernen und ihren Standpunkt mit Gleichgesinnten und Andersdenkenden zu diskutieren. Der Lehrer legt bei dieser Methode fest, welche Bereiche des Klassenzimmers für unterschiedliche Meinungen oder einen unterschiedlichen Zustimmungsgrad stehen. So könnten fünf verschiedene Bereiche des Klassenzimmers für »Stimme voll und ganz zu«, »Stimme zu«, »Bin unentschieden« (oder »Brauche mehr Informationen«), »Stimme nicht zu« und »Stimme überhaupt nicht zu« stehen. Sind die Bereiche festgelegt, sagt der Lehrer einen Satz wie: »Die Bärenjagd ist eine schonende Methode, die Anzahl der Bären zu begrenzen und Menschen zu schützen.« Daraufhin begeben sich alle Schüler in den Bereich des Klassenzimmers, der ihre Meinung zum Thema Jagd widerspiegelt.

Dann lässt der Lehrer die Schüler in jedem Bereich untereinander die Gründe diskutieren, weshalb sie dieser Meinung sind. Jede Gruppe erklärt der ganzen Klasse ihre Position. Danach haben die Gruppen Gelegenheit, sich gegenseitig Fragen zu stellen. Am Ende dürfen die Schüler in einen anderen Bereich wechseln, wenn sie erklären, was sie zu diesem Sinneswandel bewogen hat.

Prioritätenpyramide

Um eine wohlüberlegte Entscheidung zu treffen, müssen wir uns oft über unsere eigenen Wertvorstellungen und Prioritäten klar werden. Die Methode »Prioritätenpyramide« schult die Reflexionsfähigkeit der Schüler, denn sie erfordert, dass die Schüler eine Reihe von Begriffen nach der Priorität ordnen, die sie ihnen einräumen. Danach müssen die Schüler ihre Entscheidung erläutern. Beispiel: Die Schüler erhalten ein pyramidenförmiges Schema, in das sie folgende Begriffe einordnen sollen: Bildung, Freunde, finanzielle Absicherung, Freude an der Arbeit, Gesundheit, Urlaub und eigenes Haus. Am Ende sollen die Schüler schriftlich kurz begründen, was für sie an erster Stelle steht.

Konsensfindung

Damit eine Gruppe eine fundierte Entscheidung fällen kann, bedarf es einer gründlichen, offenen Diskussion über die möglichen Optionen. Nur wenn alle Möglichkeiten auf dem Tisch liegen und eingehend besprochen worden sind, kann man davon ausgehen, dass alle Mitglieder der Gruppe ausreichend informiert sind, um eine sinnvolle Entscheidung zu treffen. Und erst wenn alle Mitglieder Gelegenheit hatten, ihre Meinung darzulegen und zu begründen, sollten die Gruppenmitglieder einen Wechsel ihres Standpunkts in Betracht ziehen. Wird die Methode zum ersten Mal angewandt, sollte der Lehrer den Schülern die Regeln in schriftlicher Form austeilen oder sie, noch besser, aushängen:

1. Arbeitet in Vierer- oder Fünfergruppen.
2. Achtet darauf, dass alle Gruppenmitglieder die gleiche Chance erhalten, Informationen, Gedanken und Bedenken einzubringen.
3. Denkt daran, dass die Auseinandersetzung mit unterschiedlichen Auffassungen die Diskussion befeuert und zu innovativeren und effektiveren Lösungen beiträgt.
4. Wenn ihr an einem Punkt nicht weiterkommt, dann sucht nach einer Lösung, die für alle gleichermaßen akzeptabel ist. Gebt eure Position niemals auf, nur um einem Konflikt aus dem Weg zu gehen.
5. Macht es euch nicht leicht, indem ihr mit Methoden wie Auslosen, Münze-Werfen oder Streichhölzerziehen den Zufall entscheiden lasst.

Rangliste

Im Rahmen der Methode »Rangliste« untersuchen und ordnen die Schüler objektive Daten anhand festgelegter Kriterien.

Ordne folgende Staaten einmal nach ihrer Bevölkerungszahl und einmal nach der Größe des Staatsgebiets: China, Japan, Indonesien, USA, Nigeria und Brasilien. Überlege auf der Grundlage deiner Ranglisten, welcher Staat mit dem drängendsten Bevölkerungsproblem zu kämpfen hat.

Nachdem die Schüler ihre Ranglisten erstellt haben, sollten sie ihre Entscheidungen erklären und begründen. Der Lehrer sollte mit der ganzen Klasse darüber diskutieren, welche Kriterien die Schüler angewandt haben und wie wichtig es ist, beim Treffen von Entscheidungen logisch vorzugehen.

Entscheidungsschema

Ein Entscheidungsschema hilft den Schülern dabei, Optionen systematisch zu analysieren und zu vergleichen. Es ermöglicht, Entscheidungen mithilfe eines mathematischen Bewertungssystems zu treffen. In die erste Zeile des Schemas tragen die Schüler die zu vergleichenden Optionen ein. In die linke Spalte schreiben sie die Kriterien, die für ihre Entscheidung wichtig sind. Diese Kriterien werden von den Schülern je nach ihrer Bedeutung »gewichtet« (3 = sehr wichtig, 2 = wichtig, 1 = unwichtig).

Daraufhin überprüfen die Schüler, inwiefern die Optionen den gewünschten Kriterien entsprechen, und bewerten die Übereinstimmung ebenfalls mit einer Zahl zwischen 0 und 3 (3 = erfüllt das Kriterium voll und ganz, 2 = erfüllt das Kriterium weitgehend, 1 = erfüllt das Kriterium teilweise, 0 = erfüllt das Kriterium gar nicht). Dann multiplizieren die Schüler die beiden Zahlen miteinander und bilden die Gesamtsumme. Die Gesamtpunktzahl dient ihnen als Grundlage für ihre Entscheidung. Abbildung 14.3 zeigt, wie sich ein Schüler mithilfe eines Entscheidungsschemas zwischen drei MP3-Spielern entschieden hat.

		Hersteller von MP3-Spielern		
Kriterien	**Wichtigkeit**	*iRiver*	*Creative*	*Apple*
	3 = sehr wichtig 2 = wichtig 1 = unwichtig	Diese MP3-Spieler erfüllen das Kriterium: 3 = voll und ganz, 2 = weitgehend, 1 = zum Teil, 0 = gar nicht		
Preis	3	2 x 3 = 6	3 x 3 = 9	1 x 3 = 3
Speicherkapazität	3	2 x 3 = 6	2 x 3 = 6	3 x 3 = 9
UKW-Radio	1	3 x 1 = 3	3 x 1 = 3	0 x 1 = 0
Bildschirm (Größe, Farbwiedergabe)	2	2 x 2 = 4	1 x 2 = 2	3 x 2 = 6
Akkulaufzeit	1	3 x 1 = 3	3 x 1 = 3	2 x 1 = 2
Farben und Accessoires	2	2 x 2 = 4	3 x 2 = 6	2 x 2 = 4
Gesamtpunktzahl	-	26	29	24
Diesem Vergleich zufolge ist für mich der MP3-Spieler von Creative die beste Wahl.				

Abb. 14.3: *Entscheidungsschema für die Wahl eines MP3-Spielers*

Methode 15: Gruppenpuzzle

Wie passt die Methode in eine Unterrichtseinheit?

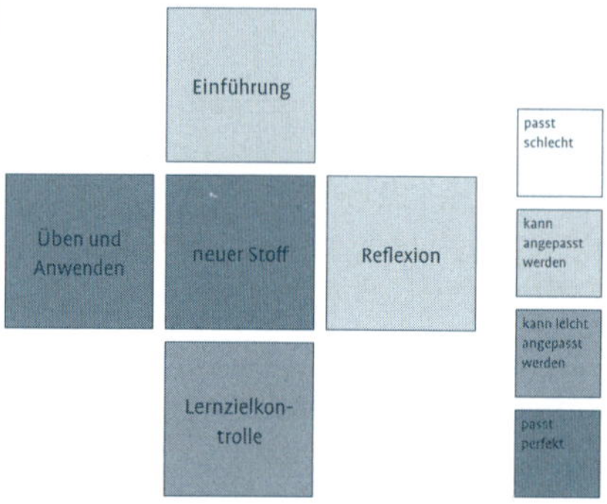

Welche Lerntypen spricht die Methode an?

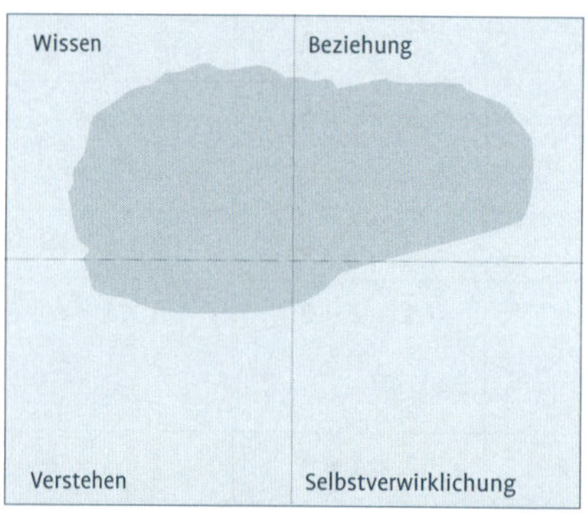

Welche Aspekte des Lernens lassen sich mithilfe der Methode weiterentwickeln?

Welche Kernkompetenzen werden mit der Methode geschult?

Lesen und Lernen

● durch das Anfertigen von Notizen Ideen sammeln und ordnen
○ abstrakte akademische Begriffe erschließen
○ visuelle Darstellungen erfassen und interpretieren

Logisch denken und analysieren

● Schlussfolgerungen ziehen; Hypothesen und Vermutungen anstellen und überprüfen
○ anhand vorgegebener Kriterien Vergleiche durchführen
● mit ganz unterschiedlichen Aufgabenstellungen klarkommen

Kreativ sein und kommunizieren

● verständlich formulierte, schlüssige Erklärungen schreiben
○ sicherer schriftlicher Ausdruck in Sachtexten
○ zwei oder mehr Texte lesen und darüber schreiben

Reflektieren und Bezüge herstellen

● Pläne aufstellen, um komplexe Fragen oder Aufgaben zu lösen
○ eigene Arbeit anhand von Kriterien und Checklisten evaluieren
● die eigene Stimmung und spontane Regungen kontrollieren/beeinflussen

Inwiefern berücksichtigt die Methode Forschungsergebnisse über effektiven Unterricht?

○ Gemeinsamkeiten und Unterschiede erkennen
● zusammenfassen und Notizen machen
● Anstrengungen verstärken und anerkennen
○ Hausaufgaben und Übungen
○ nicht sprachliche Darstellungsformen
● kooperatives Lernen
○ Ziele setzen und Feedback geben
○ Hypothesen aufstellen und überprüfen
○ Hinweise, Fragen und Diagramme zur Wissensstrukturierung (»Advance Organizer«)

Welche Arten von Wissen vermittelt die Methode?

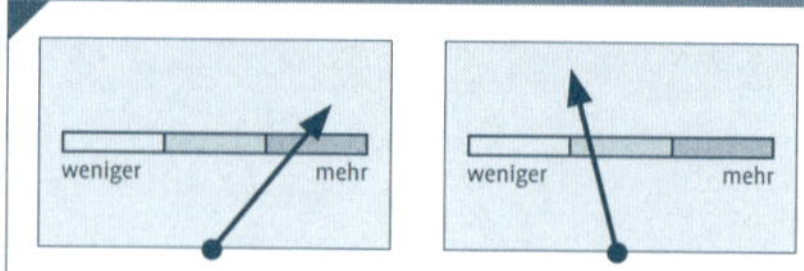

deklaratives Wissen   prozedurales Wissen

Überblick

Viele der erfolgreichsten Unternehmen unserer Tage haben ihre Belegschaft längst umgebaut. Aus Einzelkämpfern sind autonome Teams geworden. Diese Unternehmen haben begriffen: Wenn Arbeitnehmer zusammenarbeiten und gemeinsame Ziele verfolgen, kommt das der Arbeitszufriedenheit, dem Unternehmensklima und der Produktivität insgesamt zugute. Das gleiche Prinzip gilt auch in der Schule: Schüler mit den Kompetenzen für kooperatives Lernen – als Schüler, die aktiv zuhören, effektiv kommunizieren, einen Konsens herstellen und Konflikte lösen können – sind besser in der Lage, schwierige Probleme zu lösen, ihre Meinung unmissverständlich und überzeugend darzulegen und erstklassige Ergebnisse zu erzielen. Und im Hinblick auf den heutigen Arbeitsmarkt haben Schüler, die effektiv kommunizieren und mit anderen zusammenarbeiten können, einen klaren Vorteil gegenüber Altersgenossen, die den größten Teil ihrer Schullaufbahn mit Stillarbeit verbracht haben.

Dieses Kapitel beschäftigt sich mit dem »Gruppenpuzzle«, einer enorm effektiven kooperativen Lernmethode. Das Gruppenpuzzle fördert Kompetenzen wie Recherchieren, Kommunizieren und Planen sowie die allgemeine Kooperationsfähigkeit. Das funktioniert so:

- Die Schüler bilden Gruppen aus drei bis fünf Mitgliedern. Jedes Gruppenmitglied ist als »Experte« für einen bestimmten Aspekt oder Teilbereich des Themas zuständig.
- Die Schüler gehen in Expertengruppen zusammen, um alles Wichtige zu ihrem Teilbereich zu recherchieren.
- Die Expertengruppen denken sich einen Plan aus, wie sie das Gelernte den anderen Mitgliedern ihrer Ausgangsgruppe vermitteln können.
- Die Schüler treffen sich wieder mit ihrer Ausgangsgruppe und setzen die einzelnen »Puzzleteile« zusammen, indem sie ihren Mitschülern beibringen, was sie über ihren Teilbereich gelernt haben, und von den anderen Gruppenmitgliedern die anderen Teilbereiche erklärt bekommen.

Die Methode im Einsatz

»Gruppenpuzzle ist eine unglaublich vielseitige Methode«, sagt Biologielehrer Carl Carrozza: »Das Gruppenpuzzle fördert die Recherchekompetenz und die Kommunikationsfähigkeit, die Sozialkompetenz und die Kooperationsfähigkeit. Das Gruppenpuzzle ermöglicht es Schülern, in vergleichsweise kurzer Zeit große Mengen an Stoff zu bewältigen. Was ich erst im Lauf der Jahre gemerkt habe ist, dass sich diese Methode nicht nur für einzelne Unterrichtsstunden eignet. Mittlerweile plane ich regelmäßig Gruppenpuzzles, die Mini-Unterrichtseinheiten von drei bis fünf Unterrichtsstunden abdecken.«

Heute beginnt Carl Carrozza eine »Mini-Unterrichtseinheit« zum Thema Reptilien. Zum Einstieg sollen die Schüler überlegen, wie ein Frosch sich anpassen müsste, um an Land überleben zu können (indem er sich im Prinzip in ein Reptil verwandelt). Dann folgt ein interaktiver Lehrervortrag, der auf dem aufbaut, was die Schüler über Amphibien gelernt haben. Nach einem allgemeinen Überblick über die charakteristischen Eigenschaften von Reptilien stellt Carl Carrozza die Gemeinsamkeiten und Unterschiede zwischen Amphibien und Reptilien einander gegenüber.

Zu Beginn der nächsten Stunde erklärt Carl Carrozza seinen Schülern, dass sie sich den Rest des Unterrichtsstoffes mithilfe eines Gruppenpuzzles gegenseitig beibringen werden. Im Verlauf der Unterrichtseinheit sollen die Schüler Antworten auf zwei grundlegende Fragen finden:

- Welche Arten von Reptilien gibt es?
- Wie passen sich Reptilien an ihre Umwelt an?

Im Folgenden arbeitet Carl Carrozza mit einem Gruppenpuzzle:

1. Gruppeneinteilung und Rechercheschema

Als Erstes teilt er die Schüler in Vierergruppen ein und gibt jedem ein Rechercheschema an die Hand, das den Stoff in klar abgegrenzte Teilbereiche gliedert (siehe Abb. 15.1). Dann wiederholt er mit der Klasse den Ablauf eines Gruppenpuzzles. Er ruft den Schülern in Erinnerung, dass jedes Gruppenmitglied als Experte für einen Teilbereich des Stoffes zuständig ist, den es den anderen Mitgliedern erklären muss.

	Nahrung	Temperatur/ Wasser	Überlebens-strategie	Jungenaufzucht
Echsen				
Schlangen				
Schildkröten				
Krokodile/Alligatoren				

***Abb. 15.1:** Allgemeines Rechercheschema zum Thema »Reptilien«*

2. Experten bestimmen

Anschließend lässt Carl Carrozza die Gruppen selbst entscheiden, welches Gruppenmitglied Experte für welchen Teilbereich werden soll. Um zu verhindern, dass die Experten ihr Blickfeld zu sehr einengen, ihre Recherche auf eine einzige Untergruppe von Reptilien konzentrieren und dadurch womöglich das große Ganze aus dem Auge verlieren, lässt der Lehrer die Expertengruppen nicht die vier wichtigsten Untergruppen recherchieren, sondern vier Themen, die die Anpassungsfähigkeit von Reptilien aufzeigen. Je ein Mitglied der Ausgangsgruppen wird daher ein Experte für Ernährung, Temperatur- und Wasserhaushalt, Überlebensstrategien und Jungenaufzucht. Dadurch müssen die Schüler quer über alle vier Untergruppen hinweg nach relevanten Informationen suchen.

3. Arbeit in Expertenteams

Die Experten aller Gruppen gehen zu Expertenteams zusammen, suchen gemeinsam nach wichtigen Informationen und sammeln sie in ihrem Experten-Rechercheschema (siehe Abb. 15.2). Carl Carrozza verwendet zwei verschiedene Schemata, weil er erkannt hat, dass das allgemeine Rechercheschema den Schülern zwar einen guten Überblick über den Stoff gibt, ein zusätzliches Schema mit Fragen an die Experten die Schüler jedoch anspornt, auf der Suche nach Antworten weiter vorzudringen. Außerdem hilft dieses zweite Schema den Schülern, das Ziel ihrer Recherche im Auge zu behalten: ihre Ergebnisse den anderen Schülern in ihrer Ausgangsgruppe vorzustellen.

Experten für Ernährung: Welche Art von Nahrung wird aufgenommen, und wie wird sie beschafft? Echsen: Schlangen: Schildkröten: Krokodile/Alligatoren:	**Experten für Jungenaufzucht:** Welche Muster zeichnen sich in puncto Fortpflanzung, Brutverhalten und Jungenaufzucht ab? Echsen: Schlangen: Schildkröten: Krokodile/Alligatoren:
Experten für Temperatur- und Wasserhaushalt: Wie sind die Reptilien für das Leben an Land angepasst? Wie passen Reptilien sich an Temperaturschwankungen an? Echsen: Schlangen: Schildkröten: Krokodile/Alligatoren:	**Experten für Überlebensstrategien:** Mit welchen Mechanismen sichern die verschiedenen Arten von Reptilien ihr Überleben? Echsen: Schlangen: Schildkröten: Krokodile/Alligatoren:

Abb. 15.2: *Rechercheschema für Experten zum Thema »Reptilien«*

4. Vermittlung planen

Als Ausgangspunkt ihrer Recherche dient den Expertengruppen das Schulbuch. Carl Carrozza spricht mit den Schülern aber auch über mögliche Nachteile einer Recherche, die sich ausschließlich auf das Schulbuch verlässt. Er ermuntert die Schüler, die ganze Palette an Informationsquellen auszuschöpfen, die im Klassenzimmer zur Verfügung steht, von Büchern und Artikeln bis hin zum Internet. Kommen die Expertengruppen zu dem Schluss, dass sie alle nötigen Informationen gesammelt haben, überlegen sie, wie sie das Gelernte den anderen Schülern in ihren Ausgangsgruppen vermitteln könnten. Der Lehrer unterstützt die Expertengruppen bei der Ausarbeitung einer faktisch korrekten und ansprechenden Präsentation, die den zentralen Punkten und den wichtigsten Details gerecht wird. Am Ende müssen alle Expertengruppen zu ihrem jeweiligen Thema drei Testfragen vorschlagen: zwei, auf die eine kurze Antwort genügt, und ein Aufsatzthema, das auf den Kern ihrer Präsentation abzielt.

5. Gegenseitiger Austausch

Die Experten kehren wieder in die Ausgangsgruppen zurück und bringen sich reihum gegenseitig das im Expertenteam Gelernte bei. Alle Schüler notieren die wichtigsten Informationen in ihrem allgemeinen Rechercheschema (Abb. 15.1). Währenddessen geht der Lehrer von Gruppe zu Gruppe und hört zu. Nachdem alle Experten fertig sind, führt Carl Carrozza mit der ganzen Klasse ein vertiefendes Unterrichtsgespräch zu den Kernpunkten, in dessen Verlauf er gezielt auf das Wissen der jeweiligen Experten zurückgreift.

6. Abschluss der Unterrichtseinheit

- Carl Carrozza überprüft das Wissen der Schüler mit einem Test, der auf von den Expertengruppen vorgeschlagenen Fragen beruht. Um sowohl die Leistung des Einzelnen als auch die der Gruppen zu würdigen, gibt der Lehrer jedem Schüler eine individuelle Note und jeder Ausgangsgruppe eine gemeinsame Note. Außerdem verteilt er Bonuspunkte an diejenige Expertengruppe, die ihren Mitschülern (den Testergebnissen zufolge) die erarbeiteten Inhalte am besten vermittelt hat. Schüler A. J. zum Beispiel erzielt im Abschlusstest 89 Punkte. Da seine Ausgangsgruppe die zweithöchste Gesamtpunktzahl erreicht hat, bekommt er 2 Punkte dazu, und einen zusätzlichen Bonuspunkt erhält er dafür, dass die Klasse insgesamt auf seinem Spezialgebiet am besten abgeschnitten hat. Die Ergebnisse der Gruppen werden im Klassenzimmer ausgehängt.
- Der Lehrer leitet die Schüler in einem Unterrichtsgespräch dazu an, über den Verlauf des Gruppenpuzzles zu reflektieren und ihre Leistung zu evaluieren. Die Schüler notieren ihre Gedanken und Fragen in ihrem Lerntagebuch und geben sich selbst Ratschläge, was sie beim nächsten Mal besser machen können.
- Carl Carrozza gibt den Schülern Gelegenheit, ihr neu erworbenes Wissen kreativ anzuwenden, indem er sie noch einmal in den Ausgangsgruppen zusammengehen und eine Syntheseaufgabe mit Bezug zu ihrer Lebenswelt lösen lässt (z. B. könnten sich die Schüler für eine Ausstellung des Naturkundemuseums zum Thema »Anpassungsfähigkeit« ein Reptil ausdenken, das in einem kalten Klima überleben kann).

Warum die Methode funktioniert

Kooperatives Lernen ist von allen heute gebräuchlichen Unterrichtsmethoden vermutlich die am besten erforschte. Marzano, Pickering und Pollock zählen sie in »Classroom instruction that works« (2001) zu jenen neun Unterrichtsmethoden, die erwiesenermaßen eine spürbare Steigerung der schulischen Leistungen zur Folge haben. Laut Ellis und Fouts (1997) verfügt kooperatives Lernen von allen wissenschaftlich erprobten Unterrichtsmethoden über die »beste und breiteste empirische Grundlage« (S. 173). Und Johnson, Johnson und Holubec (1994) zeigen im Rahmen ihrer Meta-Analyse von 375 Studien, dass kooperatives Lernen durch die Bank zu besseren Leistungen führt als konkurrenzorientiertes oder selbstständiges Lernen.

Beeindruckend ist jedoch nicht nur die schiere Menge an Studien, die den Erfolg des kooperativen Lernens belegen. Ins Auge springen auch die positiven Auswirkungen, die die Forscher festgestellt haben. Dazu gehören:

- Kooperatives Lernen führt in der Peergroup zu einem Klima, in dem gute Schulleistungen positiv gesehen werden. Das ist deshalb so wichtig, weil die Peergroup das Verhalten von Jugendlichen entscheidend beeinflusst (Slavin 1995).
- Lehrer, die mit kooperativem Lernen arbeiten, berichten regelmäßig von einem Anstieg der Motivation, der Zusammenarbeit und der schulischen Leistungen (Slavin und Cooper 1999).
- Kooperatives Lernen fördert Denkprozesse höherer Ordnung und die Fähigkeit der Schüler, neue Lösungswege zu gehen und das Gelernte in einem anderen Zusammenhang anzuwenden (Johnson und Johnson 1999).
- Kooperatives Lernen begünstigt Freundschaften zwischen sehr unterschiedlichen Schülern (Johnson und Johnson 1999).

Das Gruppenpuzzle ist eine der bekanntesten und effektivsten Methoden des kooperativen Lernens. In der ursprünglichen Form des Gruppenpuzzles (Aronson et al. 1978) lernen die Schüler in heterogenen Gruppen Inhalte, die der Lehrer in kleinere Abschnitte gegliedert hat (beispielsweise könnte ein Grundschullehrer eine Unterrichtseinheit über die Jahreszeiten in Frühling, Sommer, Herbst und Winter einteilen). Jedes Gruppenmitglied wird zum Experten für einen dieser Abschnitte ernannt. Die Schüler aus den verschiedenen Gruppen, die dasselbe Spezialgebiet haben, kommen in einer Expertengruppe zusammen, wo sie sich gegenseitig helfen, den Stoff zu lernen (oder zu recherchieren), und einen Plan erarbeiten, wie sie diesen Stoff den anderen Mitgliedern ihrer Ausgangsgruppe vermitteln können. Dann kehren die Experten in die Ausgangsgruppen zurück, wo die Schüler sich reihum gegenseitig das Gelernte beibringen. Zur Lernzielkontrolle lässt der Lehrer die Schüler einen Test schreiben; die Noten ergeben sich aus ihrer individuellen Leistung.

Robert Slavin (1986) hat dieses Modell weiterentwickelt. Seine Version betont den Zusammenhang zwischen effektiver Gruppenarbeit und individueller Leistung durch die Einführung eines Belohnungssystems für die Gruppe. Die Schüler bekommen zusätzlich zu ihrer individuellen Note eine Gruppennote, die auf den Ergebnissen aller Gruppenmitglieder beruht. Die Gruppennote sorgt dafür, dass die einzelnen Gruppen miteinander konkurrieren. Studien zufolge fördern beide Modelle das Selbstvertrauen der Schüler und verbessern das Verhältnis zu den Mitschülern, die Motivation und die schulischen Leistungen; das Modell von Slavin ist darin jedoch offenbar noch erfolgreicher (Slavin 1995).

Um noch bessere Ergebnisse zu erzielen, empfehlen wir darüber hinaus, durch die Vergabe von Bonuspunkten an die Expertengruppen die erfolgreiche Vermittlung zu belohnen. Schneiden die Schüler insgesamt bei den Fragen, die sich auf das Thema einer Expertengruppe beziehen, besonders gut ab, so ist das ein Zeichen dafür, dass es den Mitgliedern dieses Expertenteams besonders gut gelungen ist, ihr Wissen an die Mitschüler weiterzugeben.

Die Methode im Einsatz

1. Teilen Sie die Klasse in heterogene Gruppen von drei bis fünf Schülern ein. Jedes Gruppenmitglied ist für einen Teilbereich des Themas zuständig. Geben Sie den Schülern ein Schema an die Hand, aus dem die Teilbereiche eindeutig hervorgehen.
2. Lassen Sie die Schüler aller Gruppen mit anderen Schülern zusammengehen, die für denselben Teilbereich zuständig sind.
3. Weisen Sie die Mitglieder der Expertengruppen an, in den zur Verfügung gestellten Quellen zu ihrem Teilbereich zu recherchieren. Nachdem die Experten sich einzeln informiert haben, kommen die Expertengruppen zusammen, um ihre Ergebnisse abzugleichen, zu diskutieren und die Kernpunkte des Themas festzulegen.
4. Erarbeiten Sie zusammen mit den Expertengruppen einen Plan, wie sie ihrer jeweiligen Ausgangsgruppe das Wichtigste zu ihrem Teilbereich vermitteln können. Lassen Sie für den abschließenden Test jede Expertengruppe einige Fragen zu ihrem Spezialgebiet formulieren.
5. Schicken Sie die Schüler zurück in ihre Ausgangsgruppen. Lassen Sie die Experten reihum den anderen ihr Spezialgebiet vermitteln, während die anderen Gruppenmitglieder das Wichtigste in ihrem Schema festhalten. Gehen Sie in dieser Phase von Gruppe zu Gruppe, und achten Sie darauf, dass alle zentralen Punkte Erwähnung finden.
6. Führen Sie mit der ganzen Klasse ein Unterrichtsgespräch zu allen Teilbereichen des Themas.
7. Machen Sie auf der Grundlage der von den Expertengruppen erarbeiteten Fragen eine Lernzielkontrolle. Geben Sie jedem Schüler zwei Noten: eine Einzel- und eine Teamnote (die Teamnote ergibt sich aus dem Durchschnitt aller Gruppenmitglieder). Geben Sie den Expertengruppen, in deren Teilbereich die Klasse insgesamt besonders gut abgeschnitten hat, einen Bonus. Hängen Sie die Gruppenergebnisse aus, und loben Sie die Ausgangs- und Expertengruppen mit den besten Ergebnissen, um so ein positives Konkurrenzgefühl zu wecken.

Eine Unterrichtsstunde mit dieser Methode planen

Im Rahmen der Planung eines Gruppenpuzzles müssen Sie sich folgende Fragen stellen:

1. Welche Themen eignen sich für ein Gruppenpuzzle?
In der Regel führt man Gruppenpuzzles zu Themen durch, die sich gut in drei bis fünf Teilbereiche einteilen lassen, etwa zu den drei Gewalten im Staat, den vier wichtigsten Wortarten (Substantive, Verben, Adjektive und Adverbien) oder den fünf Kontinenten. Natürlich sind bei jedem Thema viele weitere kreative Einteilungen möglich. Die Highschool-Lehrerin Sherry Gibbon, die mit ihrer Klasse die Folgen der amerikanischen Unabhängigkeitserklärung durchnahm und gleichzeitig die Fähigkeit der Schüler fördern wollte, unterschiedliche Arten von historischen Quellen zu interpretieren, plante zum Beispiel ein Gruppenpuzzle, bei dem die multiplen Intelligenzen nach Howard Gardner (1999) Pate standen:

- Das *Adleraugenteam* analysierte eine Reihe von Karten (räumliche Intelligenz).
- Das *Biografieteam* beschäftigte sich mit Auszügen aus Tagebüchern und Autobiografien (soziale und sprachliche Intelligenz).

- Das *Politikteam* befasste sich mit politischen Dokumenten (logisch-mathematische und sprachliche Intelligenz).
- Das *Buchhaltungsteam* analysierte Tabellen, Diagramme und Schaubilder (logisch-mathematische und räumliche Intelligenz).
- Das *Kunstteam* wandte sich der Darstellung des Krieges und seiner Folgen in Kunstwerken und Gedichten zu (räumliche und sprachliche Intelligenz).

Außerdem müssen Sie sich überlegen, ob Sie zu dem Thema eine einzelne Unterrichtsstunde durchführen wollen, eine »Mini-Unterrichtseinheit« nach dem Vorbild von Carl Carrozza im Abschnitt »Die Methode im Einsatz« oder irgendetwas dazwischen.

2. Wie viel Unterstützung werden die Schüler benötigen?

Haben die Schüler einer Klasse in der Vergangenheit bereits ihre Teamfähigkeit, die Bereitschaft zu gegenseitiger Unterstützung und eine positive Arbeitshaltung unter Beweis gestellt, so können sie ein anspruchsvolles Thema bewältigen. Haben die Schüler auf diesen Gebieten dagegen noch Nachholbedarf, sollten Sie das Thema sorgsam auswählen und viel Zeit dafür einplanen, die einzelnen Schritte vorzumachen. Tipps und Hinweise, wie Sie den Schülern helfen können, die Anforderungen des kooperativen Lernens zu bewältigen, finden Sie in der »Anleitung zur Problemlösung beim kooperativen Lernen« (siehe Abb. 15.4).

**3. Welche Quellen brauchen die Schüler,
um die nötigen Informationen zu sammeln?**

Für ein einfaches Gruppenpuzzle genügt als Quelle ein Abschnitt des Schulbuchs oder ein in mehrere Abschnitte aufgeteilter Artikel. Vertiefte Varianten, die den Schwerpunkt auf die Recherche legen, können zahlreiche Quellen einbeziehen, von Texten, Artikeln, Primärquellen und Aufsätzen über Bildmaterial und Internetseiten bis hin zu handlungsorientierten Lernaktivitäten an Lernstationen.

4. Wie soll die Einteilung in Ausgangs- und Expertengruppen erfolgen?

Berücksichtigen Sie bei der Zusammenstellung der Ausgangs- und Expertengruppen die individuellen Stärken der Schüler. Kooperatives Lernen funktioniert am besten, wenn die einzelnen Gruppenmitglieder unterschiedliche Talente einbringen (etwa für das konzeptuelle oder kreative Denken, das Ordnen von Informationen oder das Erfassen von Details).

**5. Welche Art von Schema geben Sie den Schülern an die Hand,
um den Lernprozess zu strukturieren und zu organisieren?**

Am häufigsten findet eine einfache Tabelle Verwendung, die das Thema gliedert und den Schülern Platz lässt, um die wichtigsten Informationen zu jedem Teilbereich zu sammeln. Daneben sind bei der Wahl des Schemas aber auch viele andere Formate denkbar. Anregungen und Beispiele finden Sie bei Methode 1, »Interaktiver Lehrervortrag« (vgl. beispielsweise Abb. 1.3, S. 35).

**6. Wie stellen Sie sicher, dass die Experten
qualitativ hochwertige Lektionen unterrichten?**

Da die Schüler darauf angewiesen sind, alle wichtigen Informationen von ihren Mitschülern zu erhalten, ist es wichtig, dass das Wissen, das die Experten in den Ausgangsgruppen vermitteln, gut gegliedert ist und alle notwendigen Informationen enthält. Im Folgenden einige Tipps, wie Sie dafür sorgen können, dass die Expertenteams qualitativ hochwertige Lektionen vorbereiten:

- Erstellen Sie für jedes Expertenteam ein gesondertes Rechercheschema beziehungsweise ein eigenes Arbeitsblatt, wie es Carl Carrozza in seiner Unterrichtseinheit über Reptilien getan hat (s. o.).
- Überzeugen Sie sich, ob die Expertenteams alle notwendigen Informationen zusammengetragen haben, und erarbeiten Sie gemeinsam mit den Experten eine Lektion, indem Sie Vorschläge machen, Ratschläge erteilen und Beispiele aus Ihrer Unterrichtserfahrung geben.
- Lassen Sie die Schüler in den Expertengruppen ein oder zwei Schlüsselfragen formulieren, auf die ihre Lektion eine Antwort geben muss. Helfen Sie den Schülern dabei, ihre Lektion auf diese Frage(n) abzustimmen.
- Und: Gehen Sie von Gruppe zu Gruppe, während die Experten ihr Wissen weitergeben. Loben Sie Experten, die gut erklären. Hat ein Experte Schwierigkeiten, den Stoff zu vermitteln, so rufen Sie ihm mit Leitfragen die Kerngedanken und wichtigsten Details in Erinnerung.

7. Wie sollen der Lernerfolg und die Leistung der Schüler bewertet werden?
In der Weiterentwicklung des Gruppenpuzzles von Robert Slavin (1986) schreiben die Schüler am Ende einen Test, für den sie zwei Noten bekommen: eine Einzelnote, mit der die individuelle Leistung gewürdigt wird, und eine Gruppennote, die auf den Leistungen aller Gruppenmitglieder beruht. Das fördert den Wettbewerb und motiviert die Schüler, als Team möglichst produktiv zusammenzuarbeiten. Ziehen Sie in Erwägung, die Fragen für den Abschlusstest von den Expertengruppen ausarbeiten zu lassen. Und schließlich: Falls es sich um ein vertieftes Gruppenpuzzle zu einem wichtigen Thema handelt, bietet es sich an, die Schüler das Gelernte im Rahmen einer Syntheseaufgabe auf einen anderen Zusammenhang übertragen zu lassen.

8. Wie helfen Sie den Schülern, die Stunde und ihre Rolle darin zu verarbeiten?
Eines der zentralen Elemente einer kooperativen Lernmethode wie »Gruppenpuzzle« ist das heimliche Ziel von »Lernen lernen«. Vergessen Sie nicht, den Schülern Gelegenheit zu geben, über den Lernprozess zu reflektieren und zu diskutieren. Dazu können Sie Fragen stellen wie:

- Was hat dir an dieser Unterrichtsstunde am besten gefallen, was am schlechtesten? Warum?
- Welche Informationen konntest du dir am wenigsten gut einprägen?
- Welche Informationen hast du am leichtesten behalten?
- Hat die Zusammenarbeit im Expertenteam die Recherche erleichtert? Inwiefern?
- Was hast du über deine Fähigkeiten im Recherchieren und Unterrichten gelernt?
- Was könntest du beim nächsten Mal besser machen?

Variationen und Ergänzungen

In diesem Abschnitt wollen wir Ihnen erstens eine innovative Methode für das kooperative Lernen vorstellen und zweitens ein Hilfsmittel an die Hand geben, mit dem Sie die Zusammenarbeit in jeder Klasse verbessern können. Die Methode »Lernkonferenz« simuliert die authentische Situation einer Redaktionskonferenz, um die Schüler zu motivieren, gemeinsam ein qualitativ hochwertiges Produkt herzustellen. Der Abschnitt »Troubleshooting beim kooperativen Lernen« (siehe Abb. 15.3) beinhaltet eine Fülle praxisorientierter Anregungen, wie Sie verschiedene Schwierigkeiten überwinden können, die beim kooperativen Lernen besonders häufig auftauchen.

Lernkonferenz

Die »Lernkonferenz« (Silver, Strong und Perini 1999) ist eine Lernmethode für kooperatives Lernen, die Schüler zur Kreativität anregt und gleichzeitig ein Schlaglicht auf die wichtigsten Inhalte einer Unterrichtseinheit wirft. Im Mittelpunkt dieser Methode steht die Simulation der Arbeit einer Zeitungsredaktion, die einen Produktionsplan für die nächste Ausgabe entwickeln und umsetzen muss. In einer typischen »Lernkonferenz«-Stunde teilen sich die Schüler in vier Gruppen ein:

- Die **Nachrichtenredaktion** ist für die »aktuelle Berichterstattung« zuständig. Jedes Mitglied dieser Gruppe wählt ein Thema oder Ereignis und schreibt unter Beachtung historischer Tatsachen selbstständig einen Artikel darüber.
- Das **Meinungsressort** konzentriert sich auf ein kontroverses Thema. Zwei Gruppenmitglieder setzen einander widersprechende Leitartikel auf, und alle anderen schreiben als Reaktion auf einen der Leitartikel einen Leserbrief.
- Die Mitglieder der **Feature-Redaktion** denken sich ein fiktives Interview mit einer historischen Persönlichkeit aus oder wählen einen wichtigen Ort oder eine wichtige Idee, über die sie schreiben wollen. Jedes Gruppenmitglied sollte einen Beitrag zu einem emotional ansprechenden Thema verfassen, der den gewählten Bereich intensiv beleuchtet.
- Die Mitglieder der **Artdirection** kümmern sich in enger Abstimmung mit der Redaktion um die grafische Gestaltung der Zeitung. Sie entwerfen Schaubilder, Tabellen, Karten, Zeitleisten, grafische Darstellungen von Schlachten, politische Karikaturen und so weiter.

Während die Schüler arbeiten, überzeugt sich der Lehrer davon, wie gut sie vorankommen und zusammenarbeiten. Gerät eine Gruppe in eine Sackgasse, sollte der Lehrer Tipps geben, wie die Schüler besser kooperieren und welche anderen Gruppen ihnen dafür Anregungen geben könnten. Sobald die Schüler ihre Entwürfe fertiggestellt haben, machen alle Gruppenmitglieder sich gemeinsam daran, die Texte und Grafiken zu überarbeiten und den Inhalt, den Stil und die Verständlichkeit zu prüfen. Haben alle Schüler eine endgültige Version ihres Textes beziehungsweise ihrer Grafik, kommt die ganze Klasse zusammen, um aus den einzelnen schriftlichen und grafischen Beiträgen eine Zeitung zusammenzustellen.

Hier ein Beispiel für einen entsprechenden Arbeitsauftrag:

Das Neueste aus dem Mittelalter!

Wie ihr mittlerweile wisst, war das Mittelalter eine der dynamischsten Phasen der Geschichte. Es war das Zeitalter von Königen und Königinnen, von Adligen, ausgebeuteten Bauern und geschickten Handwerkern. Zugleich war es eine Zeit voller Intrigen und Ränkespiele, in der Päpste und Könige um die Vormacht im Reich Schach spielten, mit Ideen und den Türmen echter Burgen als Spielfiguren. Die Menschen in Europa erlebten im Laufe dieser Epoche eine Pestepidemie, die ein Drittel der Bevölkerung hinwegraffte, legten den Keim, aus dem sich später die Demokratie entwickelte, ersannen die Idee der »Nation« und führten den ersten internationalen Krieg.

Als Reporter des *Mittelalterboten* ist es eure Aufgabe, in einer Ausgabe eurer Zeitung den Kern dessen zu erfassen, was diese dynamische Ära ausmachte. Nach unserem gemeinsamen Unterrichtsgespräch teilt ihr euch in Gruppen ein:

- die Nachrichtenredaktion
- das Meinungsressort
- die Feature-Redaktion
- die Artdirection

Jede Gruppe hat die Aufgabe, gemeinsam die wichtigsten Fakten für ihr jeweiliges Nachrichtenformat zusammenzutragen und dann in Einzelarbeit Entwürfe zu erstellen. Die Mitglieder der Gruppe helfen sich gegenseitig, ihre Entwürfe zu überarbeiten und den Inhalt, den Stil und die Verständlichkeit zu überprüfen. Die Ausschüsse werden auch danach bewertet, wie produktiv sie zusammengearbeitet haben. Jedes Mitglied muss am Ende auf einem sauberen Blatt eine endgültige Fassung seines Artikels beziehungsweise seiner Grafik abgeben.

Nachdem alle Gruppenmitglieder ihre Beiträge fertiggestellt haben, trifft sich die ganze Klasse zu einer großen Redaktionssitzung, in der eine vollständige Ausgabe des *Mittelalterboten* zusammengestellt wird.

Troubleshooting beim kooperativen Lernen

Trotz aller Vorzüge, die das kooperative Lernen erwiesenermaßen mit sich bringt, hat fast jeder Lehrer schon Stunden erlebt, in denen diese Unterrichtsmethode gescheitert ist oder jedenfalls nicht die erhofften Ergebnisse gezeitigt hat. Eine häufige Ursache für solche Misserfolge ist, dass viele nicht zwischen Gruppenarbeit und kooperativem Lernen unterscheiden. Kooperatives Lernen erfordert sehr viel mehr, als eine Klasse einfach nur in Gruppen einzuteilen und diese zur Zusammenarbeit aufzufordern. Tatsächlich beruht der Erfolg des kooperativen Lernens auf fünf Prinzipien, die Johnson und Johnson (1999) formuliert haben. Die Tabelle »Troubleshooting beim kooperativen Lernen« (Abb. 15.4) beschreibt diese fünf Prinzipien, führt Anzeichen von Problemen auf, die immer dann auftauchen, wenn ein Prinzip nicht eingehalten wird, und zeigt mögliche Lösungen auf, mit denen man den Prinzipien gerecht werden und laufende oder zukünftige Stunden verbessern kann.

Prinzip	Anzeichen von Problemen	Tipps zur Problemlösung
Interdependenz: Interdependenz im positiven Sinne meint das Gefühl der Schüler, wechselseitig voneinander abhängig zu sein, sodass kein Schüler Erfolg haben kann, ohne dass auch die anderen Erfolg haben.	• Fraktionen innerhalb der Gruppe • Gruppenmitglieder, die ihre eigenen Ziele verfolgen • nicht kooperative Aufgabenteilung (»Du machst Teil A, ich mache Teil B, und Peter kann Teil C machen.«)	• Erinnern Sie die Gruppen daran, dass die Leistungen aller Gruppenmitglieder untrennbar miteinander verbunden sind. • Verwenden Sie ein zweistufiges Benotungssystem, das nicht nur individuelle Leistungen, sondern auch Beiträge zum Erfolg der ganzen Gruppe belohnt. • Heben Sie die Arbeit effektiver Gruppen hervor, damit andere Gruppen ein positives Vorbild haben.

Individuelle Verantwortung: Allen Schülern muss bewusst sein, dass sie für ihre Arbeit selbst verantwortlich sind und sich nicht an andere »dranhängen« können.	• Die Gruppenmitglieder tragen unterschiedlich viel bei. • Einige Schüler faulenzen, während die gewissenhaften Schüler die ganze Arbeit machen.	• Gehen Sie im Klassenzimmer umher, und beobachten Sie, wie sehr sich die einzelnen Schüler und Gruppen anstrengen. • Ermöglichen Sie es den Schülern, die Zusammenarbeit innerhalb der Gruppe anonym zu bewerten. • Verwenden Sie ein zweistufiges Benotungssystem, das Beiträge zum Erfolg der ganzen Gruppe ebenso belohnt wie individuelle Leistungen.
Unmittelbare Interaktion: Kooperatives Lernen setzt Nähe voraus; die Schüler müssen wissen, wie man produktiv und harmonisch mit den Mitschülern zusammenarbeitet.	• Widerstände, Feindseligkeiten, Beschimpfungen • unkonstruktive Kritik • »Alles muss nach meinem Kopf gehen.« • fehlende Anerkennung der Bemühungen anderer	• Üben Sie mit den Schülern wünschenswertes Gruppenverhalten wie Lob, die Anerkennung des Einsatzes anderer, aktives Zuhören und so weiter. • Bringen Sie den Schülern die Regeln der Konsensfindung bei: 1. Versucht, eine Win-win-Situation herzustellen. 2. Vermeidet einfache, schnelle Lösungen. 3. Achtet darauf, dass jeder Standpunkt gut begründet ist. 4. Bleibt immer konstruktiv.
Soziale Kompetenzen und Gruppenkompetenz: Lerngruppen sind nur dann produktiv, wenn die Mitglieder über die Fähigkeit verfügen, effektiv zusammenzuarbeiten.	• Die Gruppe steckt in einer Sackgasse. • wenig Vertrauen und Harmonie zwischen den Gruppenmitgliedern • Unkonzentriertheit	• Bilden Sie kleine Gruppen (aus drei bis fünf Schülern). • Stellen Sie bei jedem Einsatz des kooperativen Lernens eine andere Schlüsselkompetenz in den Mittelpunkt (Konflikte lösen, Entscheidungen treffen, effektiv kommunizieren). • Führen Sie Übungen zur Förderung der Gruppenkompetenz durch.
Gruppenreflexion: Effektive Gruppen diskutieren darüber, wie es um den Lernfortschritt der Gruppenmitglieder bestellt ist und ob sie ein produktives Verhältnis zueinander haben.	• rein »geschäftsmäßige« Einstellung – wenig Sinn für den Gruppenprozess • untätiges Herumsitzen, sobald die Arbeit getan ist	• Planen Sie Zeit für Reflexion und Diskussion ein. • Stellen Sie gezielt Fragen, die zur Reflexion anregen (z. B.: Seid ihr als Gruppe in einer Sackgasse gelandet? Wie seid ihr wieder herausgekommen?). • Erinnern Sie die Schüler daran, beim Wiederholen des Stoffs darüber nachzudenken, was in der Stunde passiert ist.

Abb. 15.3: *Troubleshooting beim kooperativen Lernen (nach Johnson und Johnson 1999).*

Methode 16: Gemeinschaftskreis

Wie passt die Methode in eine Unterrichtseinheit?

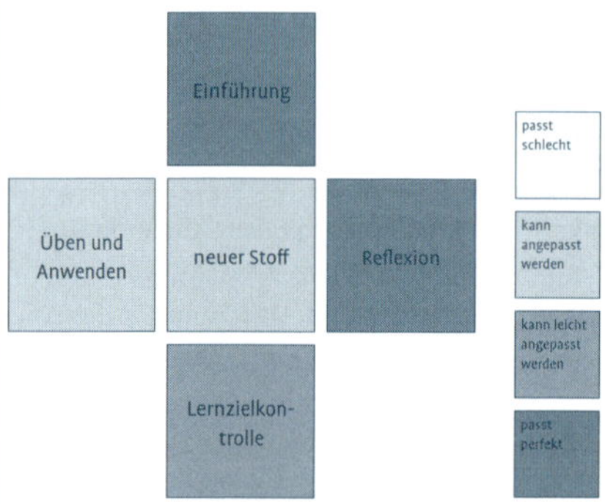

Welche Lerntypen spricht die Methode an?

Welche Aspekte des Lernens lassen sich mithilfe der Methode weiterentwickeln?

Welche Kernkompetenzen werden mit der Methode geschult?

Lesen und Lernen

- ○ durch das Anfertigen von Notizen Ideen sammeln und ordnen
- ○ abstrakte akademische Begriffe erschließen
- ○ visuelle Darstellungen erfassen und interpretieren

Logisch denken und analysieren

- ● Schlussfolgerungen ziehen; Hypothesen und Vermutungen anstellen und überprüfen
- ○ anhand vorgegebener Kriterien Vergleiche durchführen
- ○ mit ganz unterschiedlichen Aufgabenstellungen klarkommen

Kreativ sein und kommunizieren

- ○ verständlich formulierte, schlüssige Erklärungen schreiben
- ○ sicherer schriftlicher Ausdruck in Sachtexten*
- ○ zwei oder mehr Texte lesen und darüber schreiben

Reflektieren und Bezüge herstellen

- ○ Pläne aufstellen, um komplexe Fragen oder Aufgaben zu lösen
- ○ eigene Arbeit anhand von Kriterien und Checklisten evaluieren
- ● die eigene Stimmung und spontane Regungen kontrollieren/beeinflussen

Inwiefern berücksichtigt die Methode Forschungsergebnisse über effektiven Unterricht?

- ○ Gemeinsamkeiten und Unterschiede erkennen
- ○ zusammenfassen und Notizen machen
- ● Anstrengungen verstärken und anerkennen
- ○ Hausaufgaben und Übungen
- ○ nicht sprachliche Darstellungsformen
- ● kooperatives Lernen
- ○ Ziele setzen und Feedback geben
- ● Hypothesen aufstellen und überprüfen
- ○ Hinweise, Fragen und Diagramme zur Wissensstrukturierung (»Advance Organizer«)

Welche Arten von Wissen vermittelt die Methode?

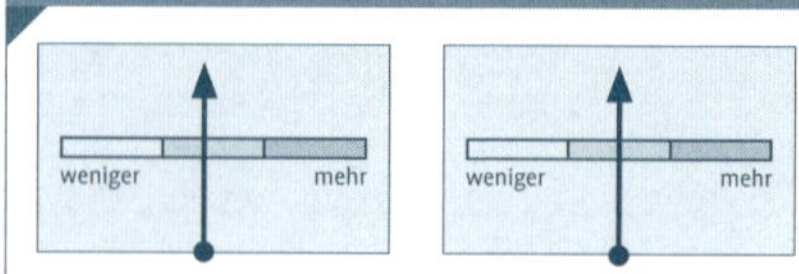

deklaratives Wissen

prozedurales Wissen

Überblick

In einem Schulklima, das von hohen Leistungsstandards, zentralen Leistungstests und vielfältigen Dokumentationspflichten geprägt ist, laufen Lehrer Gefahr, die weniger leicht »überprüfbaren« Aspekte der Bildung zu vernachlässigen. Das Gefühl, dazuzugehören, die persönlichen Gefühle und Wertvorstellungen der Schüler, der Aufbau einer Lerngemeinschaft – all das wird um guter Testergebnisse willen allzu oft geopfert. Doch dieses Opfer verstößt nicht nur gegen unser natürliches Gespür für guten Unterricht, es bewirkt auch das genaue Gegenteil dessen, was damit erreicht werden soll: Werden das seelische Wohlbefinden und die Klassengemeinschaft der Stoffvermittlung untergeordnet, das belegen immer mehr Forschungsergebnisse, so geht der Lernerfolg drastisch zurück.

Die Methode »Gemeinschaftskreis« stärkt das Selbstbewusstsein der Schüler und schult ihren Blick für ihre eigenen Gefühle und Wertvorstellungen – und für die Gefühle und Wertvorstellungen ihrer Mitschüler. Durch die Diskussion in einem Kreis ohne Hierarchien, in der Lehrer wie Schüler auf Augenhöhe und ohne Angst vor Verurteilung ihre persönlichen Erfahrungen und Gefühle einbringen, fördert diese Methode bei den einzelnen Schülern die Ausbildung eines Selbstkonzeptes und in der ganzen Klasse das Gefühl der Zusammengehörigkeit und den Respekt vor Unterschieden.

Die Methode im Einsatz

Meyer Sharmat steigt mit seinen Viertklässlern in eine Unterrichtseinheit zum Thema »Autobiografie« ein. In der heutigen Stunde verfolgt der Lehrer zwei Ziele. Erstens sollen die Schüler einen ersten Eindruck vom Aufbau der meisten Autobiografien bekommen: In der Regel handelt es sich um Erzählungen in der ersten Person von der Überwindung eines Hindernisses. Zweitens sollen die Schüler als ersten Schritt hin zur Darstellung ihrer eigenen Biografie aus ihren eigenen Erfahrungen, Erinnerungen und Gefühlen schöpfen und diesen reichhaltigen Fundus miteinander teilen.

Meyer Sharmat lässt die Schüler ihre Pulte im Kreis anordnen. Dann sollen sie mit geschlossenen Augen aufmerksam zuhören, während er einen Auszug aus der Autobiografie von Jackie Robinson vorliest, des ersten Schwarzen, der es in die höchste Baseball-Liga der USA geschafft hat. Darin beschreibt Jackie Robinson,

- wie er von Fans und anderen Spielern beschimpft wurde und wie einige seiner weißen Teamkollegen Pee Wee Reese so aufzustacheln versuchten, dass er es ablehnen sollte, mit Robinson in einer Mannschaft zu spielen
- zwei Begebenheiten, die zeigen, wie Pee Wee Reese ihm den Rücken stärkte
- wie die Freundschaft mit Pee Wee Reese ihm half, alle Hindernisse zu überwinden und unter widrigen Umständen erfolgreich zu sein

Nachdem er den Text mit den Schülern besprochen und ihre Aufmerksamkeit auf den Aufbau gelenkt hat (Hindernis – Begebenheit(en) – wie das Hindernis am Ende überwunden wird), fordert der Lehrer die Schüler auf, an eine ähnliche Episode aus ihrem Leben zu denken. »Mit welchem Hindernis oder mit welchem Problem warst du konfrontiert? Wie hast du es letztlich überwunden? Welche Schritte oder Begebenheiten spielten auf dem Weg zur Überwindung des Hindernisses eine wichtige Rolle?«, fragt Meyer Sharmat die Schüler. Dann lässt er ihnen Zeit, in Ruhe über diese Fragen nachzudenken. Er ermuntert die Schüler, die Augen zu schließen, das Erlebte vor ihrem geistigen Auge noch einmal ablaufen zu lassen und sich an möglichst viele Details, Ereignisse, Umstände, Gefühle und Assoziationen zu erinnern, aus denen sich das Erlebnis zusammensetzt.

Bevor er die Schüler von ihrem Erlebnis berichten lässt, ruft Meyer Sharmat ihnen in Erinnerung, dass in einem Kreis alle die gleiche Chance und genauso viel Zeit erhalten, etwas zu erzählen, dass sie sich auch dafür entscheiden können, nichts zu erzählen, und dass alle dem jeweiligen Erzähler aufmerksam zuhören müssen, ohne ihm ins Wort zu fallen. Dann macht der Lehrer selbst den Anfang und erzählt, wie er trotz seiner Höhenangst Drachenfliegen gelernt hat.

Daraufhin erzählen die Schüler (bis auf Kim und Mikhail) reihum ihre Erlebnisse. Der Lehrer nickt ihnen immer wieder aufmunternd zu und lobt sie mit Sätzen wie: »Das ist eine tolle Geschichte, Cammie.« Nachdem alle Schüler Gelegenheit hatten, ihre Begebenheiten zu erzählen, bespricht Meyer Sharmat das Gehörte mit der ganzen Klasse. Er erleichtert es den Schülern, ihre Erzählungen zu vergleichen und Muster zu erkennen, indem er Fragen stellt wie:

Was Adil vom Umzug seiner Familie erzählt hat, hat mich ein wenig an die Geschichte Rachels über ihren Aufenthalt im Zeltlager erinnert. Sind dir auch Parallelen aufgefallen, Adil? Was meinst du dazu, Rachel? Hat Adils Geschichte dich an deine eigenen Erlebnisse erinnert? Gab es noch andere Geschichten, in denen sich jemand an neue Orte oder Menschen gewöhnen musste?

Der Lehrer achtet sorgsam darauf, dass es nicht so klingt, als wolle er den Beitrag irgendeines Schülers werten.

Nachdem alle Schüler Gelegenheit hatten, ihre Erfahrungen zu schildern, bittet Meyer Sharmat die Schüler zu einer zweiten Runde. Diesmal sollen sie sich vor allem auf das konzentrieren, was sie bei der von ihnen erzählten Begebenheit *gefühlt* haben. Wieder macht der Lehrer den Anfang und erzählt, wie ihm jedes Mal vor Angst die Knie geschlottert haben, wenn er am Abgrund stand und in die Tiefe blickte; wie er langsam zuversichtlicher wurde, als er Drachenfliegen lernte, zuerst ganz nah am Boden und dann in immer größeren Höhen; und schließlich, was für ein Hochgefühl er erlebte, als er wie ein Vogel über den Baumspitzen kreiste. Als die Schüler in dieser zweiten Runde erzählen, geschieht gleich mehreres:

Der Lehrer sagt sehr viel weniger und lässt auch einmal längere Gesprächspausen zu. Wenn die Schüler den Blick auf ihn richten und darauf warten, dass er die Pause füllt oder einen Bezug herstellt, ermuntert der Lehrer sie, selbst das Heft in die Hand zu nehmen und vorübergehend die Gesprächsführung zu übernehmen, falls und solange sie wollen. Drittens machen in dieser Runde auch Kim und Mikhail kleine Diskussionsbeiträge.

Als alle im Kreis erzählt haben, lassen Meyer Sharmat und seine Schüler das Gehörte noch einmal Revue passieren, vergleichen ihre Eindrücke und arbeiten das gemeinsame Thema heraus: Aus negativen Gefühlen werden positive Gefühle. Dann fasst der Lehrer die Stunde zusammen: »Eine Autobiografie, heißt es, sei in Wirklichkeit eine emotionale Reise, und die besten Autobiografien würden uns lehren, wie Menschen negative Gefühle, wie Angst oder Wut, in positive Gefühle verwandeln können.«

Meyer Sharmat lässt der Klasse einen Augenblick Zeit, über diesen Satz nachzudenken, bevor er mit folgenden Synthesefragen das abschließende Unterrichtsgespräch einleitet:

- Was hältst du von diesem Gedanken?
- Was vom heute Gehörten passt mit diesem Gedanken zusammen?
- Was scheint ihm zu widersprechen?

Wiederum überlässt Meyer Sharmat die Gesprächsführung weitgehend den Schülern selbst. Er greift nur einmal ein, als drei Schüler gleichzeitig sprechen. Nachdem er die Klasse auf das Problem aufmerksam gemacht und Tipps gegeben hat, wie man diese Klippe umschiffen kann, lässt der Lehrer die Diskussion weiterlaufen. Noch nie hat er diese Klasse so angeregt diskutieren und so viele Schüler sich beteiligen sehen.

Warum die Methode funktioniert

Das Gefühl, dazuzugehören und als Teil einer Gemeinschaft wertgeschätzt zu sein, ist eines unserer Grundbedürfnisse als Menschen. Nirgends gilt das mehr als in der Schule. Die Schulzeit ist eine entscheidende und prägende Phase, in der die Schüler die soziale Identität ausbilden, die sie durch ihr ganzes Leben begleiten wird. Wenn die Schule beziehungsweise der Unterricht diese Tatsache außer Acht lässt, zahlen die Schüler einen hohen Preis dafür. So schreibt Barbara Given (2002, S. 44): »Bei Schülern, für die die soziale Zugehörigkeit unerreichbar erscheint, kommen häufig primitive Instinkte und Bedürfnisse zum Vorschein, was aggressive und andere unerwünschte Verhaltensweisen zur Folge hat.«

Die Methode »Gemeinschaftskreis« transportiert eine wichtige Botschaft darüber, wie Lernbeziehungen (und menschliche Beziehungen überhaupt) funktionieren sollten, indem sie gezielt eine Diskussionskultur etabliert, die auf gegenseitigem Respekt, Gleichberechtigung (von Lehrer und Schülern wie auch der Schüler untereinander) und dem Bewusstsein für persönliche Gemeinsamkeiten und Unterschiede beruht.

Die Förderung positiver Beziehungen ist jedoch nur ein Grund, weshalb diese Methode so erfolgversprechend ist. Der andere liegt darin, dass sie die emotionalen Interessen und Vorlieben der Schüler anspricht. Welchen Vorteil bringt es, wenn man den Schülern die Möglichkeit eröffnet, einen emotionalen Bezug zum Lernstoff herzustellen? Während die Antwort für die meisten Lehrer seit Langem feststand, tat sich die Hirnforschung mit dieser Frage bis vor Kurzem schwer. Bis in die 90er-Jahre hinein hielten sich die meisten Hirnforscher vom »dunklen«, »mysteriösen« Gebiet der menschlichen Gefühle fern, so gut es ging. Stattdessen konzentrierten sie sich auf die Funktionsweise des Gedächtnisses und die Mechanismen des kritischen Denkens und schufen so implizit eine Trennung zwischen der kognitiven und der affektiven Seite des Lernens. Heute wissen wir, dass das eine künstliche Trennung war. Kognition und Emotion sind zwei Seiten einer Medaille; Gefühle spielen beim Lernen eine entscheidende Rolle. Seit dem Beginn der dringend nötigen »affektiven Revolution« haben Wissenschaftler festgestellt:

- Die Emotionsverarbeitung verteilt sich auf das ganze Gehirn; Emotionen beeinflussen fast alle Lernprozesse (Kolb und Taylor 2000).
- Es gibt einen engen Zusammenhang zwischen Emotionen und lebhaften Erinnerungen, die dann auch leichter abgerufen werden können (Cahill, Prins, Weber, und McGaugh 1994).
- Emotionen signalisieren dem Lernenden, wann er aufmerksam sein soll und wann nicht (LeDoux 1994).
- Emotionen helfen uns dabei, neue Erfahrungen einzuordnen und die Außenwelt zu interpretieren (Damasio 1994).
- Positive Gefühle haben besseres Verhalten und eine größere Anpassungs- und Aufnahmefähigkeit zur Folge (Ashby, Isen und Turken 1999).
- Problemlösung gemeinsam mit anderen, die Steuerung der Aufmerksamkeit und die Begeisterung für das Lernen werden allesamt entscheidend von unseren Emotionen beeinflusst (Jensen 2005).
- Emotional positiv besetzte Erfahrungen im Unterricht stärken das Selbstvertrauen der Schüler und führen zu einem besseren Selbstkonzept (Sousa 2001).

Das Ziel eines »Gemeinschaftskreises« besteht darin, durch die Schaffung einer angenehmen Lernumgebung und durch einen starken emotionalen Bezug zu den Inhalten den Lernerfolg zu steigern. Die Art und Weise, wie diese Methode die Gefühle und emotionalen Reaktionen der Schüler in den Mittelpunkt rückt und es ihnen ermöglicht, ihre Gefühle in einer harmonischen, konstruktiven Lernatmosphäre mitzuteilen, ist für jede Klasse eine Bereicherung. Die Aufmerksamkeit und die Aufnahmefähigkeit der Schüler, ihr Selbstkonzept, ihr Zugehörigkeitsgefühl sowie ihre Fähigkeit, neue Inhalte zu verarbeiten, abzuspeichern und zu begreifen – all das erfährt einen deutlichen Schub.

Die Methode im Einsatz

1. Legen Sie das Thema fest, oder lassen Sie die Schüler ein Thema wählen.
2. Lassen Sie die Schüler einen Kreis bilden. Im Idealfall sollte ein Gemeinschaftskreis aus etwa zehn Schülern bestehen. Auch größere Gruppen sind denkbar, doch dauert die Stunde dann länger.
3. Geben Sie allen Schülern die Chance, sich einzubringen, indem Sie die Schüler reihum aufrufen. Die Schüler sind nicht verpflichtet, etwas zu sagen. Sie können auch mehrere Runden durchführen; wichtig ist nur, dass die Schüler im Lauf der Diskussion irgendwann Gelegenheit haben, ihre Gefühle und persönlichen Ansichten zum Ausdruck zu bringen.
4. Fassen Sie das Gesagte nach jeder Runde zusammen. Regen Sie die Schüler dazu an, die Antworten miteinander zu vergleichen und nach Mustern zu suchen.
5. Helfen Sie den Schülern nach Abschluss aller Runden, Schlussfolgerungen zu ziehen und weiterzudenken, indem Sie Synthesefragen stellen. Unterstützen Sie die Schüler mit Reflexionsfragen dabei, über den Diskussionsverlauf und ihr eigenes Verhalten nachzudenken.
6. Erleichtern Sie es den Schülern, in zukünftigen Diskussionen eine leitende Rolle einzunehmen, indem Sie ihre Aufmerksamkeit auf positive und negative Verhaltensweisen lenken und indem Sie ihnen vormachen und erklären, wie man typische Fehler beim Diskutieren vermeidet.

Eine Unterrichtsstunde mit dieser Methode planen

»Gemeinschaftskreis« ist eine Methode mit geringem Planungsaufwand im Vorfeld. Dies sind die wichtigsten Fragen, die es zu klären gilt:

- Welches Thema eignet sich gut für eine solche ergebnisoffene Diskussion?
- Wer nimmt an der Diskussion teil (eine kleine Gruppe oder die ganze Klasse), und wie können die Teilnehmer einen Kreis bilden?
- Wie werden die Gefühle und persönlichen Wertvorstellungen der Schüler in die Diskussion einfließen?
- Wie werden Sie das Gesagte mit den Schülern wiederholen und nach Gemeinsamkeiten und Unterschieden suchen?
- Wie werden Sie und Ihre Schüler aus der Diskussion Schlussfolgerungen ziehen, weiterdenken und über den Verlauf reflektieren?

Grundsätzlich beruht die Methode »Gemeinschaftskreis« auf der Annahme, dass jeder Schüler über die nötigen Fähigkeiten verfügt, eine Gruppe zu leiten – vorausgesetzt, man gibt ihm Gelegenheit dazu und weist ihn entsprechend ein. Eine letzte Überlegung betrifft daher die Rolle, die Sie als Lehrer in der Stunde spielen werden: Wie viel wird an Ihnen hängen, und welche Schritte können Sie unternehmen, um die Gesprächsführung den Schülern zu übertragen? Sobald die Schüler miteinander und mit den Abläufen vertraut sind, sollten Sie erwägen, die Rolle des Diskussionsleiters an Schüler abzugeben und sie entsprechend anzuleiten. Bei der Durchführung eines Gemeinschaftskreises empfiehlt es sich, vor allem am Anfang, den Schülern positive Verhaltensweisen eines Diskussionsleiters vorzuleben wie:

- **Fokussieren:** Dazu gehört, ein Diskussionsthema vorzugeben oder zu erkennen, wenn ein Schüler ein geeignetes Thema vorgeschlagen hat: »Ein Punkt, über den wir nachdenken und den wir diskutieren könnten, ist die Frage, warum Huckleberry Finn am Ende des Romans zulässt, dass Tom Sawyer Jim so schlecht behandelt.«
- **Strukturieren:** Dazu gehört, die Grundregeln für den Ablauf der Stunde festzulegen und die Rollen des Lehrers und der Schüler abzuklären (»Moment, Chris, einer nach dem anderen. Jeder hat das Recht, seine Meinung zu äußern«).
- **Akzeptieren:** Dazu gehört es, Gedanken und Meinungsäußerungen neutral zur Kenntnis zu nehmen, ohne sie zu beurteilen oder zu werten (»Okay«, »Ja«, »Möglich«, »Das könnte sein«).
- **Klären:** Dazu gehört es, unklare Meinungsäußerungen oder Fragen von Schülern zu präzisieren oder näher auszuführen (»Du hast jetzt mehrere Punkte genannt, Kelly. Willst du damit sagen, dass das Problem bei den Leuten liegt oder dass wir die Gesetze ändern müssen, die den Waffenbesitz regeln?«).
- **Auf von Schülern genannte Informationen eingehen:** Dazu gehört es, die Schüler, wenn möglich, dabei zu unterstützen, aussagekräftigere Daten und Fakten zu finden (»In einer Studie sagte mehr als die Hälfte der jugendlichen Raucher, sie hätten damit angefangen, weil alle ihre Freunde rauchten. Lass uns mal nach der Stunde schauen, ob wir diese Studie im Internet finden«).
- **Bewusstes Schweigen:** Dazu gehört es, die Schüler zu animieren, selbstständig eine Entscheidung zu treffen oder ihre eigenen Schlüsse zu ziehen, indem man im entscheidenden Moment nichts sagt.

Variationen und Ergänzungen

Im Mittelpunkt der Methode »Gemeinschaftskreis« steht der Gedanke der Zusammengehörigkeit: die Bande, die unterschiedliche Schüler mit ihren je eigenen Interessen zu einer Lerngemeinschaft mit gemeinsamen Zielen formen. In diesem Abschnitt stellen wir drei Methoden vor, bei denen die Schüler in kleinen Gruppen zusammenarbeiten und so ihre sozialen Bedürfnisse befriedigen: Lesezirkel, Neigungsgruppen und Autorenzirkel.

Lesezirkel

Manchmal vergessen wir, dass das Lesen und die Auseinandersetzung mit Literatur eine höchst individuelle Angelegenheit sind. Jeder Leser eines Textes bringt andere Erfahrungen, andere Gefühle und ein anderes Vorwissen mit. Fragen zu anspruchsvollen literarischen Themen wie dem Geisteszustand Hamlets, dem Schluss von »Huckleberry Finn« oder den Beweggründen der Spinne Charlotte aus »Wilbur und Charlotte« von Elwyn Brooks White geben Anlass zu einer Vielzahl spannender Interpretationen – und das gilt für Schüler und Literaturkritiker gleichermaßen.

Doch ein Leser, der für sich allein über einen Text nachdenkt, stößt früher oder später an gewisse Grenzen. Lesezirkel geben Schülern Gelegenheit, darüber zu reflektieren und zu diskutieren, was ein Text bei ihnen und anderen ausgelöst hat. In einem solchen Gespräch geht es zum einen um »große« Ideen und »pikante« Themen, zum anderen um die unterschiedlichen Sichtweisen der Schüler. So gesehen ähnelt ein solcher Lesezirkel einer Lesegruppe, in der Menschen in trauter Runde über einen Text und ihre persönlichen Reaktionen auf den Inhalt diskutieren.

Peterson und Eeds (1990) empfehlen, dass man den an einem Lesezirkel teilnehmenden Schülern nur zwei Regeln vorgeben sollte:

1. Respektiere stets die Interpretationen anderer, und hilf ihnen nach Kräften dabei, ihre Interpretation weiterzuentwickeln.
2. Versuche, ohne einen vorgefassten Plan in den Lesezirkel hineinzugehen. Spontaneität, Zuhören und Feedback sind der Boden, auf dem neue Erkenntnisse gedeihen.

Es ist eine große Bereicherung für jeden Lesezirkel, wenn man den Teilnehmern einen Fragenkatalog mit auf den Weg gibt. Die Fragen sollen die Schüler anregen, den Text und die Reaktionen der Mitschüler aus vielen unterschiedlichen Perspektiven zu analysieren. Hier ein Beispiel für einen Fragenkatalog, der im Lesezirkel für angeregte Diskussionen sorgen kann, indem er die Schüler ermutigt, aus inhaltlicher, analytischer, kreativer und persönlicher Perspektive über Literatur nachzudenken:

Inhaltsbezogene Fragen:
- Wie heißen die Hauptfiguren?
- Welche Charaktereigenschaften haben sie?
- Was ist der Schauplatz?
- Was geschieht in der Geschichte?

Analytische Fragen:
- Welche Bedeutung hat ein bestimmtes Zitat?
- Warum macht/sagt eine bestimmte Figur ______?
- Wie interpretierst du ______?
- Welche Belege kannst du für deine Sichtweise angeben?

Kreative Fragen:
- Was, glaubst du, wird als Nächstes passieren?
- Welche Bilder oder Symbole sind dir besonders aufgefallen?
- Was denkt eine bestimmte Figur deiner Meinung nach?
- Inwiefern ist ______ wie ein(e) ______? (Überlege dir einen Vergleich und erläutere ihn.)

Persönliche Fragen:
- Welche Gefühle löst ______ bei dir aus?
- Ist dir oder jemandem, den du kennst, schon einmal etwas Ähnliches passiert?
- Welchen Zusammenhang siehst du zwischen dem Text und deinen persönlichen Erfahrungen?
- Ist dir eine bestimmte Figur sympathisch oder unsympathisch? Warum?

Neigungsgruppen

Bei dieser Methode sollen die Schüler einen bestimmten Aspekt des Unterrichtsstoffs auswählen, der sie besonders interessiert, und sich mit Mitschülern, die ähnliche Interessen haben, zu einer Neigungsgruppe zusammenschließen. Dadurch können die Schüler an ihrer Gruppen- und Problemlösekompetenz arbeiten und dabei ihre Vorliebe für bestimmte Themen oder Inhalte einbringen.

Die Aufteilung des Stoffes durch den Lehrer kann nach unterschiedlichen Kriterien erfolgen: nach Schwierigkeitsgrad, Thema oder Stil (z. B. nach Schreibstil oder Kunstrichtung), nach der Art des Denkens, die zur Lösung eines bestimmten Problems nötig ist, nach der Sichtweise (z. B. nach der Einstellung zur Frage des Klonens beim Menschen), nach vom Stoff vorgegebenen Teilbereichen oder Aspekten (etwa nach Exekutive, Legislative und Judikative) oder nach den verschiedenen Lernstilen oder Intelligenzen, die der Stoff oder die Übung anspricht.

Die Schüler sichten die Wahlmöglichkeiten und entscheiden sich dann für die, die sie am meisten anspricht. Ein Deutschlehrer könnte seinen Schülern zum Beispiel die ersten 100 Wörter von fünf verschiedenen Kurzgeschichten vorlegen, ein Mathematiklehrer fünf unterschiedliche Aufgaben, bei denen es um »Teile vom Ganzen« geht: um Brüche, Dezimalzahlen, Prozente, Verhältnisse und Proportionen. Die Schüler treffen ihre Wahl und bilden dann mit den Schülern, die sich ebenso entschieden haben, eine Neigungsgruppe. In diesen nach gemeinsamen Interessen zusammengesetzten Gruppen setzen sie sich dann intensiv mit dem Stoff auseinander.

Autorenzirkel

Um einen Text in geschliffener Sprache zu verfassen, ist ein Autor auf Feedback angewiesen. Nur so kann er Schwachpunkte ausmerzen und den eigenen Stil immer weiter verbessern. Ein »Autorenzirkel« ist eine Gruppe von Schülern, die sich gegenseitig helfen, ihre Texte zu verbessern, indem sie einander Feedback geben.

Ein solcher Autorenzirkel kann unterschiedlich funktionieren. Die Teilnehmer können ihre Texte reihum laut vorlesen, während die anderen Mitglieder kommentieren. Die Texte können aber auch von einem anderen Mitglied vorgelesen werden, damit der Autor selbst merkt, wo die Leser möglicherweise ins Stocken geraten. Eine weitere Möglichkeit ist ein »moderierter« Zirkel. Dabei dient ein Katalog mit Fragen und Übungen dazu, den Autoren dabei zu helfen, ihre eigenen Texte besser zu durchdringen. Wie die Regeln und die Übungen in einem solchen moderierten Autorenzirkel aussehen könnten, zeigt Abb. 16.1.

Inhaltliche Fragen

- Wie kannst du den Text zusammenfassen?
- Was sind die wichtigsten Punkte für dich?
- Was für eine Überschrift bzw. was für einen Titel würdest du dem Text geben?

Persönliche Fragen

- Wie hat der Text auf dich gewirkt?
- Welche Gefühle hat der Text bei dir ausgelöst?

Regeln des Autorenzirkels

1. Alle lesen ihren Text vor.
2. Die Zuhörer beantworten die vom Moderator ausgewählten Fragen.
3. Der Autor hört zu, ohne sich zu rechtfertigen oder seinen Text zu verteidigen.
4. Liest der Moderator vor, so übernimmt jemand anders die Moderation.

Interpretationsfragen

- Was ist dir besonders aufgefallen?
- Welcher Abschnitt dieses Textes ist der wichtigste?
- Was würdest du verändern, wenn es dein Text wäre?

Kreative Fragen

Wenn dieser Text
- ein Kleidungsstück,
- ein Musikstück,
- eine geschichtliche Epoche,
- eine Wetterlage

wäre, was wäre er dann?

Abb. 16.1: *Moderierter Autorenzirkel (nach Silver, Strong und Perini 2001)*

Teil 06 Allround-Methoden

Allround-Methoden sprechen mehrere Lernstile gleichzeitig an. Dadurch werden die Schüler angeregt, einen ausgewogenen und dynamischen Zugang zum Lernen zu entwickeln.

Die in diesem Teil behandelten Methoden:

Methode 17: Die Methode **»Notizfenster«** basiert auf einer speziellen Technik, Informationen zu sammeln. Sie fördert die Reflexionsfähigkeit und gibt den Schülern Raum, ihre eigenen Gedanken, Gefühle und Fragen einzubringen.

Methode 18: Bei einem **»Wissenskreis«** sorgt eine Reihe von Diskussionsmethoden für eine hohe Schülerbeteiligung und eine gründliche Durchdringung des Lernstoffs.

Methode 19: **»Hörst du, was ich höre?«** ist ein ganzheitlicher Ansatz für das Unterrichten schwieriger Lerninhalte, bei dem die Schüler mehrere Kompetenzen gleichzeitig trainieren: Lesen, Schreiben, Sprechen und Zuhören.

Methode 20: Die Methode **»Aufgabenzirkel«** ist ein überschaubarer und lehrerfreundlicher Rahmen, mit dessen Hilfe sich der Unterricht oder Lernzielkontrollen nach Lernstilen differenzieren lassen.

Methode 17: Notizfenster

Wie passt die Methode in eine Unterrichtseinheit?

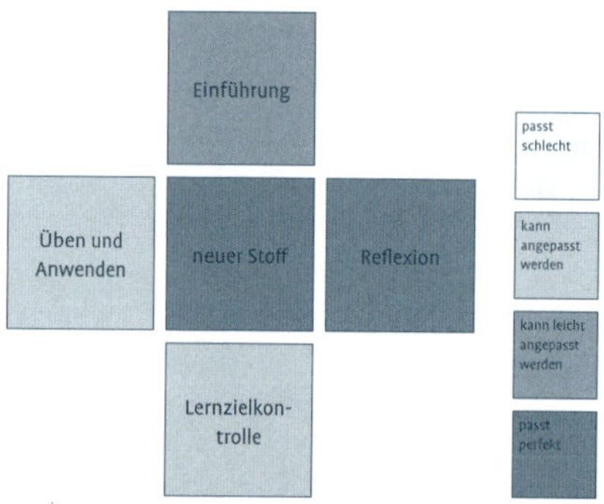

Welche Lerntypen spricht die Methode an?

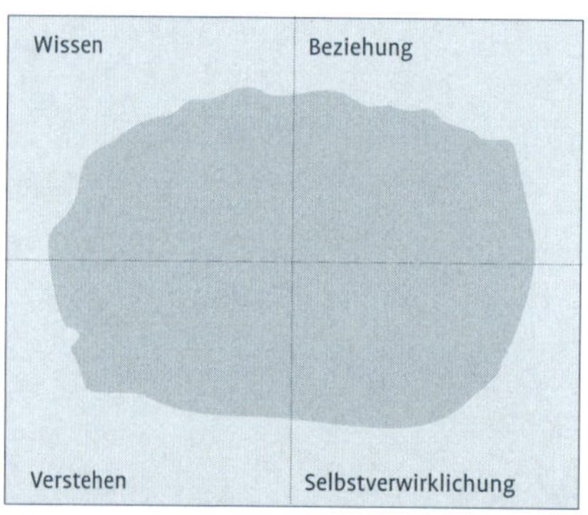

Welche Aspekte des Lernens lassen sich mithilfe der Methode weiterentwickeln?

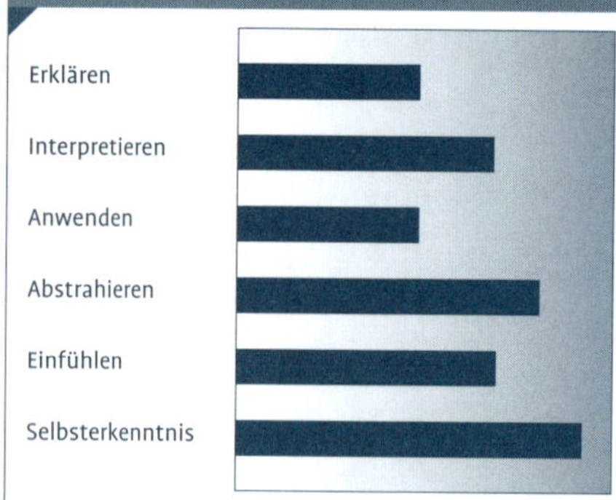

Welche Kernkompetenzen werden mit der Methode geschult?

Lesen und Lernen
- ● durch das Anfertigen von Notizen Ideen sammeln und ordnen
- ● abstrakte akademische Begriffe erschließen
- ○ visuelle Darstellungen erfassen und interpretieren

Logisch denken und analysieren
- ● Schlussfolgerungen ziehen; Hypothesen und Vermutungen anstellen und überprüfen
- ○ anhand vorgegebener Kriterien Vergleiche durchführen
- ○ mit ganz unterschiedlichen Aufgabenstellungen klarkommen

Kreativ sein und kommunizieren
- ○ verständlich formulierte, schlüssige Erklärungen schreiben
- ○ sicherer schriftlicher Ausdruck in Sachtexten
- ○ zwei oder mehr Texte lesen und darüber schreiben

Reflektieren und Bezüge herstellen
- ○ Pläne aufstellen, um komplexe Fragen oder Aufgaben zu lösen
- ○ eigene Arbeit anhand von Kriterien und Checklisten evaluieren
- ● die eigene Stimmung und spontane Regungen kontrollieren/beeinflussen

Inwiefern berücksichtigt die Methode Forschungsergebnisse über effektiven Unterricht?

- ○ Gemeinsamkeiten und Unterschiede erkennen
- ● zusammenfassen und Notizen machen
- ○ Anstrengungen verstärken und anerkennen
- ○ Hausaufgaben und Übungen
- ○ nicht sprachliche Darstellungsformen
- ○ kooperatives Lernen
- ○ Ziele setzen und Feedback geben
- ○ Hypothesen aufstellen und überprüfen
- ● Hinweise, Fragen und Diagramme zur Wissensstrukturierung (»Advance Organizer«)

Welche Arten von Wissen vermittelt die Methode?

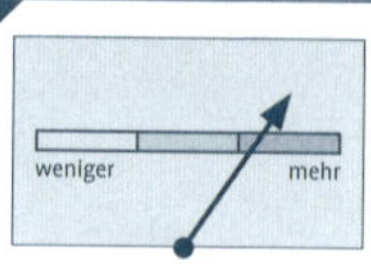

deklaratives Wissen

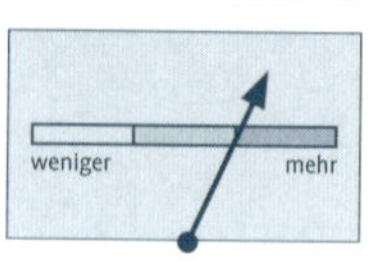

prozedurales Wissen

Überblick

Die meisten von uns haben in der Schule gelernt, wichtige Lerninhalte von der Tafel abzuschreiben oder Gedanken und Informationen in nummerierte Punkte und Unterpunkte zu gliedern. Oft verschleiern solche Methoden jedoch, welche kognitive Leistung nötig ist, um gute, brauchbare Notizen anzufertigen. Nicht so die Methode »Notizfenster«. Dabei handelt es sich um ein Gerüst, das Schülern beim Notizenmachen hilft,

- ihr Verständnis zu vertiefen, indem sie beim Lesen und Lernen aktiv mitdenken;
- die Fähigkeit zu entwickeln, durch Metakognition über ihre Leistungsfähigkeit als Leser und Lernende zu reflektieren und sie zu steigern; und
- eigene Gedanken, Gefühle, Fragen und Assoziationen festzuhalten und fruchtbar zu machen.

Die Methode im Einsatz

DaShawn Lewis möchte mit seinen Schülern den berühmten Roman »Der Fänger im Roggen« von J. D. Salinger lesen. In der ersten Stunde erklärt er den Schülern, dass sie an diesem Tag nur das erste Kapitel lesen und dabei genau auf den Erzähler Holden Caulfield achten sollen:

Was diesen Roman so interessant und faszinierend macht, ist unter anderem, wie viel wir allein dadurch über den Erzähler erfahren, wie er die Geschichte erzählt. Wir haben dieses Phänomen schon einmal angesprochen, als wir einige Kurzgeschichten von Edgar Allen Poe gelesen haben. Aber hier, beim »Fänger im Roggen«, werden wir sehr viel genauer darauf achten, was die Worte und Gedanken Holdens uns über seinen Charakter verraten.

DaShawn Lewis lässt die Schüler eine neue Seite in ihrem Heft aufschlagen und in vier Notizfenster einteilen. Als Überschrift sollen sie über die einzelnen Fenster die Wörter »Fakten«, »Fragen«, »Gefühle« und »Gedanken« schreiben.

Dann fährt der Lehrer fort:

Während wir den Roman lesen, wollen wir herausfinden, was wir aus der Erzählweise von Holden Caulfield auf seinen Charakter schließen können. Dabei wenden wir eine Technik an, die sich »Notizfenster« nennt. Notizfenster sind eine wunderbare Möglichkeit, alles zu sammeln, was ein literarischer Text in uns auslöst, weil wir darin nicht nur die Fakten festhalten können, sondern auch unsere persönlichen Fragen, Gedanken und Gefühle.

Fakten	Gefühle
• Ich war beim Friseur. • Meine Frau und meine Tochter fanden, ich hätte mir die Haare zu kurz schneiden lassen. • Ich habe eineinhalb Stunden damit verbracht, die Unterrichtsstunden von heute vorzubereiten.	• Es ist ein wunderbares Gefühl, nach Hause zu kommen – selbst dann, wenn einem dort nur Gelächter entgegenschlägt. • Ich konnte gestern lange nicht einschlafen, weil ich kaum erwarten konnte, endlich mit meinen Schülern den „Fänger im Roggen" anzufangen.
Fragen	**Gedanken**
• Warum machen sich meine Frau und meine Tochter ständig über meine Frisur lustig? • Hat mein Lieblings-Baseballteam mit dem gestrigen Sieg die Trendwende in dieser verkorksten Saison geschafft?	• Vielleicht sollte ich meine Haare einfach mal ein ganzes Jahr wachsen lassen, bis meine Frau und meine Tochter mich anflehen, ich solle zum Friseur gehen. • Zum Glück sind mein Friseur und ich Fans desselben Baseballteams.

Abb. 17.1: *Beispielhafte Fensternotizen des Lehrers*

Bevor er die Schüler Notizfenster zum kurzen ersten Kapitel von »Der Fänger im Roggen« anfertigen lässt, führt DaShawn Lewis zunächst vor, wie man diese Technik einsetzt. Als Beispiel hat er auf einer Folie in Notizfenstern festgehalten, wie er den gestrigen Tag erlebt hat. Diese Folie legt er auf den Overhead-Projektor und liest den Schülern die Fakten, seine Fragen, seine Gedanken und seine Gefühle zum Vortag vor (vgl. Abb. 17.1). Dann gibt er den Schülern fünf Minuten Zeit, die Technik zu üben, indem sie in Notizfenstern das Wichtigste aufschreiben, was ihnen zum gestrigen Tag einfällt.

Nach dieser Übung lesen die Schüler das erste Kapitel von »Der Fänger im Roggen«. Während der Lektüre halten sie in Notizfenstern fest, was sie über Holden Caulfield und seine Persönlichkeit herausfinden. Ein Beispiel dafür, was die Schüler aufgeschrieben haben, finden Sie in Abb. 17.2.

Fakten	Gefühle
• Holden ist von der Schule geflogen. • Holden besucht einen seiner Lehrer, Mr. Spencer. • Holden ist sehr intelligent.	• Ich bin sehr verwirrt wegen Holden. Immer wenn er mir ein bisschen sympathisch wird, sagt er etwas, was mich auf die Palme bringt. • Für mich ist Holden für sein Alter ein bisschen zu schlau.
Fragen	**Gedanken**
• Was ist in Holdens Familie passiert, was er niemandem erzählen kann, weil seine Eltern sonst „jeweils ungefähr zwei Blutstürze" bekämen? • Warum hat Holden so ein gutes Verhältnis zu Mr. Spencer? • Warum ist Holden offenbar auf alle und jeden wütend?	Holden erinnert mich an meinen Onkel Phil. Onkel Phil macht bei Familienfeiern einen Kommentar nach dem anderen. Manchmal treffen seine Kommentare ins Schwarze, aber manchmal sind sie auch ganz schön verletzend.

Abb. 17.2: *Beispiel für die Fensternotizen eines Schülers zu »Der Fänger im Roggen«*

Während die Schüler lesen und ihre Notizfenster füllen, geht der Lehrer von Pult zu Pult und beobachtet, wie die Schüler den Text verarbeiten und interpretieren und was er in ihnen auslöst.

Nach 15 Minuten sammelt DaShawn Lewis die Gedanken der Schüler an der Tafel. Sagt ein Schüler etwas zum Inhalt, hält der Lehrer das unter »Fakten« fest. Stellt ein Schüler eine Frage, notiert er sie im Fenster »Fragen«, usw. Bei jeder Wortmeldung stellt der Lehrer den Bezug zur Frage her, um die es ihm geht: »Was sagt uns das über Holden?«

Kurz vor Ende der Stunde stellt DaShawn Lewis der Klasse eine Hausaufgabe:

Schreib Holden einen Brief von einer Seite Länge, und erzähle ihm, was du an ihm sympathisch findest und welche Charaktereigenschaften ihn deiner Meinung nach in Schwierigkeiten bringen könnten.

Im Verlauf der Lektüre des Romans setzt der Lehrer diese Methode noch dreimal ein, um den Schülern einen Zugang zu Schlüsselpassagen zu eröffnen und um die Erforschung von Holdens Persönlichkeit fortzusetzen. Nachdem die Schüler die Methode ein paarmal angewendet haben, zeichnen sich bei ihnen Vorlieben für bestimmte »Fenster« ab. Der Lehrer lässt die Schüler zählen, wie viele Einträge sie in die verschiedenen Fenster (*Fakten*, *Fragen*, *Gefühle* und *Gedanken*) insgesamt gemacht haben, und spricht immer wieder mit ihnen darüber, wie sie lernen und wie ihre Präferenzen ihren Zugang zu Literatur beeinflussen. Nachdem er die Methode zweimal angewendet hat, diskutiert DaShawn Lewis mit der Klasse Fragen wie:

- Inwiefern können Notizfenster ein Fenster in deine Gedankenwelt öffnen?
- Nehmen wir an, du achtest beim Lesen hauptsächlich auf die Fakten: Warum könnte das beim Lesen von Literatur von Vorteil sein?

- Wenn dein Augenmerk in erster Linie auf Gefühlen liegt, welche Fähigkeiten sind bei dir dann besonders ausgeprägt?
- Wenn es dir besonders liegt, Fragen zu stellen oder eigene Gedanken zu entwickeln – welche Vorteile bringt das mit sich?
- Wie könntest du diese Methode selbstständig und auch in anderen Fächern einsetzen?

Warum die Methode funktioniert

Die Forschungsergebnisse sprechen eine deutliche Sprache: Schüler, die gelernt haben, sich gute Notizen zu machen, bringen durch die Bank deutlich bessere Leistungen. In Meta-Analysen, in denen Dutzende Studien ausgewertet wurden, haben Beecher (1988), Kierwa (1985), Marzano, Pickering und Pollock (2001) und Kobayashi (2006) deutlich herausgearbeitet, welche positiven Auswirkungen es hat, wenn man Schülern beibringt, wie man sich Notizen macht.

So unumstritten die Effektivität dieser Methode ist – weniger eindeutig ist, wie Lehrer ihre Schüler dafür begeistern können. Viele Schüler legen großen Wert darauf, wie die Umschläge ihrer Hefte gestaltet sind, aber die wenigsten (meist die besonders guten Schüler, und das ist kein Zufall) haben Freude daran, sich Gedanken über die Gestaltung des Inhalts zu machen.

Die Abneigung gegen das Anfertigen von Notizen ist jedoch nicht nur auf Schüler beschränkt. Fragt man Erwachsene nach ihren Erfahrungen mit dem Notizenmachen, so hört man nicht selten Geschichten von den vielen Stunden, die sie damit verschwendet hätten, Fakten von der Tafel abzuschreiben oder Lexikonartikel zu exzerpieren, oder von den Krämpfen, die sie in der Hand bekommen hätten, als sie verzweifelt mitzuschreiben versuchten, während ein Professor monoton seine Vorlesung hielt.

Selbst Lehrer, die sich der Bedeutung und der Vorteile des Notizenmachens sehr bewusst sind, verwenden allzu oft Wörter wie »freudlos« oder »anstrengend«, wenn sie von ihren Erfahrungen berichten, Schülern auf diesem Gebiet bessere Methoden beizubringen. Die Quelle dieser Abneigung und dieser Widerstände lässt sich in einem einzigen Wort zusammenfassen: Langeweile.

Die Methode »Notizfenster« ist das Ergebnis der Arbeit von Richard Strong, Harvey Silver und ihrer Kollegen (Strong, Silver, Perini und Tuculescu 2003). Die Ursache dieser Langeweile, stellten die Wissenschaftler im Lauf ihrer Forschungen fest, liegt darin begründet, dass die Schule zu wenig auf die natürlichen Bedürfnisse der Schüler eingeht. Genauer gesagt: Die Schüler verlieren das Interesse am Lernen und langweilen sich, wenn im Unterricht ihre Bedürfnisse vernachlässigt werden, sich neue Kompetenzen anzueignen, sich den Sinn neuer Gedanken zu erschließen, unverwechselbare Aspekte ihrer Persönlichkeit auszuleben und einen persönlichen Bezug zum Lernstoff herzustellen.

»Notizfenster« sind das Ergebnis der Anwendung dieser Forschungsergebnisse zum Thema Langeweile auf das Notizenmachen. Die zugrunde liegende Idee ist einfach: Notizen sind so wichtig für den Schulerfolg, dass wir das Notizenmachen nicht länger als monotone Routineaufgabe betrachten sollten. Wenn wir erreichen wollen, dass unsere Schüler sich für das Sammeln und Festhalten ihrer Gedanken interessieren, dann brauchen wir Methoden, mit deren Hilfe wir Schülern beibringen können, dass Notizenmachen mehr ist als passives Mitschreiben: nämlich ein aktiver, dynamischer, individueller und kreativer Prozess.

Neben den in zahlreichen Studien belegten positiven Auswirkungen auf den Lernerfolg haben »Notizfenster« noch zwei weitere Vorzüge. Zum einen hat sich diese Methode als besonders effektiv erwiesen, wenn man sie bei lernunwilligen und leistungsschwachen Schülern anwendet. Die Gründe erklärt Richard Strong (2005, ohne Seite) so:

> Lernunwillige Schüler glauben, dass sich niemand dafür interessiert, was sie denken [...]. [Die Methode »Notizfenster«] fragt nach ihren Gedanken und Meinungen. Kinder langweilen sich immer dann, wenn der Unterrichtsstoff nichts mit ihrem Leben zu tun hat oder zu sehr an der Oberfläche bleibt [...]. Notizfenster erfordern, dass sich [die Schüler] über das reine Auswendiglernen von Fakten hinaus mit dem eigenen Lernen beschäftigen. Die vier Fenster dienen dabei als Richtschnur, welche Fragen sie sich stellen sollen.

Zum anderen ermöglicht diese Methode dem Lehrer tiefe Einblicke in die Gedankenwelt der einzelnen Schüler. Indem er seine Schüler beobachtet und mit ihnen über ihre Präferenzen für bestimmte Notizfenster diskutiert, erfährt ein Lehrer nach und nach, welche Bedürfnisse und welche Lernstile bei seinen Schülern am deutlichsten ausgeprägt sind. Dank dieses Wissens kann er dann gemeinsam mit den Schülern daran arbeiten, ihre Stärken zur Geltung zu bringen und die Auswirkungen ihrer Schwächen zu minimieren.

Die Methode im Einsatz

1. Führen Sie die Schüler in die Methode ein, indem Sie ihnen vormachen, wie man zu einem bestimmten Thema oder Text Fakten, Fragen, Gedanken und Gefühle sammelt.
2. Lassen Sie die Schüler eine leere Seite in vier Quadranten einteilen und über diese »Fenster« die Überschriften »Fakten«, »Fragen«, »Gedanken« und »Gefühle« schreiben.
3. Führen Sie den Text beziehungsweise das zu behandelnde Thema ein. Lassen Sie die Schüler beim Lesen des Textes beziehungsweise im Lauf des Unterrichts Notizen in den jeweiligen Fenstern machen.
4. Laden Sie die Schüler dazu ein, ihre Notizen vor der ganzen Klasse vorzustellen, und führen Sie ein Unterrichtsgespräch darüber, was die Schüler über den Stoff und über ihre persönlichen Präferenzen beim Notizenmachen gelernt haben.
5. Stellen Sie eine Aufgabe, bei der die Schüler auf ihre Notizen zurückgreifen müssen.
6. Bringen Sie den Schülern nach und nach bei, die Methode selbstständig einzusetzen, um neuen Stoff in sinnvolle Einheiten zu gliedern und ihre eigenen Denkprozesse und Vorlieben besser zu verstehen.

Eine Unterrichtsstunde mit dieser Methode planen

Der Planungsaufwand ist bei dieser Methode vergleichsweise gering. Hier die wichtigsten Fragen, die Sie sich stellen sollten, bevor Sie Ihre Schüler mit Notizfenstern arbeiten lassen:

- Warum sollen die Schüler sich Notizen machen? (Was ist das Unterrichtsziel?)
- Wie werde ich den Schülern die Benutzung von Notizfenstern vormachen?
- Wie werde ich die Ergebnisse der Schüler sammeln und einen Bezug zwischen ihren Ergebnissen und dem Unterrichtsziel herstellen?
- Welche sinnvolle Aufgabe sollen die Schüler mithilfe ihrer Notizen lösen?
- Wie kann ich die Schüler dazu ermuntern, die Methode »Notizfenster« selbstständig anzuwenden?

- Wie kann ich die unterschiedlichen Denkmuster, um die es bei dieser Methode geht (Fakten sammeln, Fragen stellen, Gedanken überprüfen und Gefühlen nachspüren), fruchtbar machen, damit den Schülern ihre Lernpräferenzen und eventuelle Schwächen bewusst werden?

Variationen und Ergänzungen

Die Methode »Notizfenster« hilft Schülern (und Lehrern), den Sprung vom passiven Mitschreiben zum aktiven, kreativen Notizenmachen zu bewältigen. Außerdem geben Notizfenster durch ihre klare Struktur den Schülern eine Art »Landkarte« an die Hand, die die komplexen Wechselbeziehungen zwischen dem Lernstoff und ihrem individuellen Lernprozess aufzeigt. In diesem Abschnitt wollen wir Ihnen zwei weitere Methoden vorstellen, die auf der Idee der »Notizfenster« beruhen: »Lösungsfenster« für Textaufgaben in der Mathematik und »Gedankenfenster« für die Stoffsammlung bei Aufsätzen und vielschichtigen Interpretationen.

Lösungsfenster

Textaufgaben sorgen bei Schülern und Lehrern oftmals für Frustration. Anders als bei anderen Mathematikaufgaben ist für die Lösung von Textaufgaben neben der Rechen- auch die Lesekompetenz gefragt. Die Methode »Lösungsfenster« ermöglicht es Schülern, mithilfe von Notizen beide Anforderungen zu erfüllen. Dazu müssen sie die Textaufgabe in folgende Aspekte zerlegen:

- die Fakten (einschließlich dessen, was gesucht ist)
- die zentrale Frage, die sie beantworten müssen, sowie eventuelle versteckte Fragen, die mit der Aufgabenstellung indirekt einhergehen
- ein Diagramm, das die Aufgabe in nicht sprachlicher Form darstellt
- eine Reihe von Handlungsschritten, mit deren Hilfe man das Problem lösen kann

Ein Beispiel für solche Lösungsfenster sehen Sie in Abb. 17.3. Ein großer zusätzlicher Vorteil dieser Methode besteht darin, dass die Schüler die im Lauf der Zeit mit dieser Methode gelösten Aufgaben in ihrem Heft sammeln. Beim Lösen neuer Aufgaben können sie dann in ihrem »Archiv« nach ähnlichen Aufgaben fahnden und Lösungsansätze übernehmen oder abändern. Beim Lösen der in Abb. 17.3 gezeigten Aufgabe haben sich zum Beispiel viele Schüler an Lösungswegen orientiert, die sie Wochen zuvor entwickelt hatten, als sie an ähnlichen Aufgaben saßen.

Aufgabenstellung: Drei 5. Klassen machen eine Exkursion. Zwei Klassen bestehen aus 22 Schülern, die dritte aus 21. Die Schule möchte jedem teilnehmenden Schüler ein Trinkpäckchen mitgeben. Trinkpäckchen werden in 9er- und in 4er-Packungen verkauft. Wie viele Trinkpäckchen muss die Schule kaufen? Wie viele Packungen müssen mindestens gekauft werden, damit jeder Schüler ein Trinkpäckchen erhält und die Schule möglichst wenige Trinkpäckchen übrig hat?

Die Fakten

Was sind die Fakten?

- Eine große Packung enthält 9 Trinkpäckchen.
- Eine kleine Packung enthält 4 Trinkpäckchen.

Was ist gesucht?

- Anzahl der Schüler in den 5. Klassen
- Anzahl der Trinkpäckchen, die die Schule kaufen sollte

Die Schritte

Welche Schritte sind notwendig, um die Aufgabe zu lösen?

- Ich muss ausrechnen, wie viele Schüler an der Exkursion teilnehmen, dann weiß ich, wie viele Trinkpäckchen gebraucht werden.
- Ich muss schauen, wie viele 9er-Packungen ich auf die Gesamtzahl der Schüler verteilen kann.
- Wenn der Rest kleiner als neun ist, weiß ich, dass ich nicht mehr 9er-Packungen kaufen darf.
- Ist der Rest kleiner als neun, muss ich schauen, ob es besser ist, eine 4er- oder eine 9er-Packung zu kaufen.

Die Frage

Welche Frage gilt es zu beantworten?

- Wie viele 9er- und wie viele 4er-Packungen muss die Schule kaufen?

Gibt es versteckte Fragen, die ebenfalls beantwortet werden müssen?

- Wie viele Personen nehmen an der Exkursion teil?
- Gibt es mehrere richtige Antworten?

Das Diagramm

Wie lässt sich die Aufgabe bildhaft darstellen?

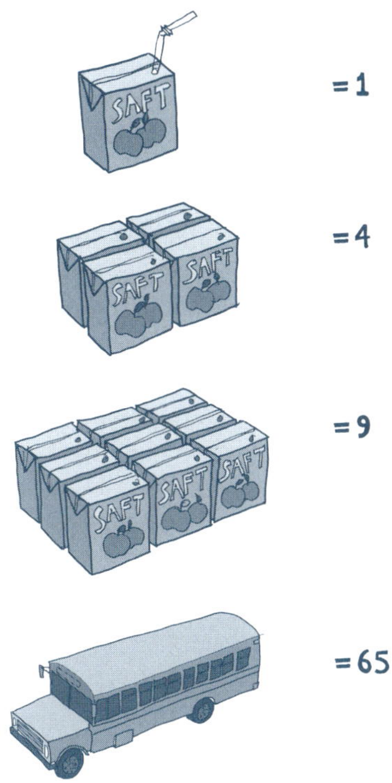

Abb. 17.3: Beispiel für das »Lösungsfenster«-Schema eines Schülers

Gedankenfenster

Gute Interpretationen sind vielschichtig – man kann in einem einzigen Aufsatz beschreiben, erklären, beurteilen, Gedanken untersuchen, Lösungsansätze überprüfen und sogar persönliche Ansichten transportieren. Doch für viele Schüler sind diese unterschiedlichen Ebenen unsichtbar. Wenn die Schüler zwischen den verschiedenen Ebenen, die einen guten Aufsatz ausmachen, nicht unterscheiden können, kranken ihre eigenen Aufsätze meist an einem der folgenden Probleme:

- Sie vereinfachen zu sehr und kommen zu einseitigen Interpretationen.
- Ihre Gedanken mäandern bald hierhin, bald dorthin – eine kleine Beurteilung hier, ein wenig Beschreibung dort, gefolgt von einer kleinen Schimpfkanonade, ohne dass das alles miteinander verknüpft und zu einem sinnvollen Schluss geführt wird.

Diesen Schülern ist vielleicht bewusst, dass eine Interpretation unterschiedliche Ebenen hat, aber in ihren eigenen Texten finden sich keinerlei Anzeichen, dass sie mit diesen verschiedenen Ebenen umgehen können. Besorgniserregend ist dieses weitverbreitete Problem nicht zuletzt deshalb, weil die Fähigkeit, mit diesen unterschiedlichen Ebenen zu arbeiten, in den offenen Fragen von Vergleichsarbeiten oft als selbstverständlich vorausgesetzt wird.

Mithilfe der Methode »Gedankenfenster« (Silver, Strong und Perini 2001) kann man Schüler in sechs Schritten zu guten, vielschichtigen Aufsätzen und Interpretationen führen:

1. Stellen Sie den Schülern ein Thema und sammeln Sie erste Ideen und Assoziationen dazu.
2. Zeigen Sie den Schülern, wie man mithilfe eines Schemas mit vier »Gedankenfenstern« das Thema beschreibt, analysiert, die eigene Einschätzung formuliert und Lösungsansätze entwickelt. Abbildung 17.4 zeigt das Gedankenfenster-Schema eines Sechstklässlers zum Thema »Hurrikan Katrina«.
3. Warten Sie, bis alle Schüler ihr Schema ausgefüllt haben, und lassen Sie die Schüler dann in Kleingruppen ihre Antworten vergleichen und diskutieren.
4. Bringen Sie den Schülern bei, wie sie auf der Grundlage der Einträge in ihren Gedankenfenstern einen ersten Entwurf für einen Aufsatz schreiben.
5. Lassen Sie die Schüler in Autorenzirkeln zusammenkommen (siehe S. 202) und sich gegenseitig Feedback zu ihren Aufsätzen geben. Dabei sollten sich die Zuhörer auf folgende Punkte konzentrieren:
   - Verwendung ausdrucksstarker Wörter
   - Nachvollziehbarkeit der Argumentation
   - Einbeziehung aller vier »Gedankenfenster«
   - Beherrschung der Schreibkonventionen
6. Ermuntern Sie die Schüler, über das Feedback nachzudenken und ihre Entwürfe zu überarbeiten.

Thema: Der Hurrikan Katrina

Assoziationen vor dem Lesen

Hurrikan	Golf von Mexiko	Wind	Tod
New Orleans	Rotes Kreuz	Überflutungen	Krankheiten
Mississippi	Superdome	Deiche	Evakuierung

Gedankenfenster

Beschreibung	Reaktion
Der Hurrikan Katrina traf vom Golf von Mexiko aus auf die USA. Weite Teile von New Orleans standen unter Wasser. Nicht nur in Mississippi gab es Überschwemmungen. Nach dem Sturm waren viele Menschen ohne sauberes Trinkwasser, Strom, Nahrung und Medikamente, und Krankheiten breiteten sich aus.	Unglaublich, dass ein Wirbelsturm in so kurzer Zeit eine ganze Stadt zerstören konnte! So viele Menschen wurden verletzt oder getötet. Und die Überlebenden haben keinen Job, keine Schule und keine Häuser, in die sie zurückkehren könnten. Die Lage ist immer noch schlimm.
Analyse	**Lösung**
Starke und gefährliche Wirbelstürme wie Katrina wird es immer wieder geben. Da die Deiche den Wassermassen nicht standhalten konnten, wurde New Orleans in kürzester Zeit überflutet. Das Beste ist, vor dem Sturm zu evakuieren. Aber nicht alle können weg.	Es gibt heutzutage sehr gute Wettervorhersagen. Die Verantwortlichen sollten früh genug Bescheid wissen, um die Menschen evakuieren zu können. Schon vor dem Eintreffen eines Sturms sollten Vorräte in die Notunterkünfte gebracht werden, damit sie sofort zur Verfügung stehen. Die Deiche in New Orleans müssen verstärkt werden, damit die Stadt nie wieder überflutet wird. Jeder sollte für Stürme und andere Katastrophen gerüstet sein. Unsere Familien, Freunde und Haustiere sind so wichtig. Alles andere kann man reparieren oder ersetzen.

Abb. 17.4: *Beispiel für das »Gedankenfenster«-Schema eines Schülers*

Methode 18: Wissenskreis

Wie passt die Methode in eine Unterrichtseinheit?

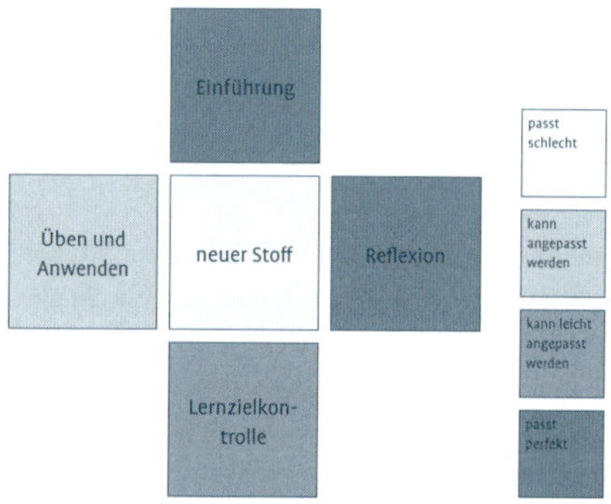

Welche Lerntypen spricht die Methode an?

Welche Aspekte des Lernens lassen sich mithilfe der Methode weiterentwickeln?

Welche Kernkompetenzen werden mit der Methode geschult?

Lesen und Lernen
- ● durch das Anfertigen von Notizen Ideen sammeln und ordnen
- ○ abstrakte akademische Begriffe erschließen
- ○ visuelle Darstellungen erfassen und interpretieren

Logisch denken und analysieren
- ● Schlussfolgerungen ziehen; Hypothesen und Vermutungen anstellen und überprüfen
- ○ anhand vorgegebener Kriterien Vergleiche durchführen
- ● mit ganz unterschiedlichen Aufgabenstellungen klarkommen

Kreativ sein und kommunizieren
- ● verständlich formulierte, schlüssige Erklärungen schreiben
- ○ sicherer schriftlicher Ausdruck in Sachtexten
- ● zwei oder mehr Texte lesen und darüber schreiben*

Reflektieren und Bezüge herstellen
- ○ Pläne aufstellen, um komplexe Fragen oder Aufgaben zu lösen
- ○ eigene Arbeit anhand von Kriterien und Checklisten evaluieren
- ● die eigene Stimmung und spontane Regungen kontrollieren/beeinflussen

Inwiefern berücksichtigt die Methode Forschungsergebnisse über effektiven Unterricht?

- ○ Gemeinsamkeiten und Unterschiede erkennen
- ● zusammenfassen und Notizen machen
- ● Anstrengungen verstärken und anerkennen
- ○ Hausaufgaben und Übungen
- ○ nicht sprachliche Darstellungsformen
- ● kooperatives Lernen
- ○ Ziele setzen und Feedback geben
- ○ Hypothesen aufstellen und überprüfen
- ● Hinweise, Fragen und Diagramme zur Wissensstrukturierung (»Advance Organizer«)

Welche Arten von Wissen vermittelt die Methode?

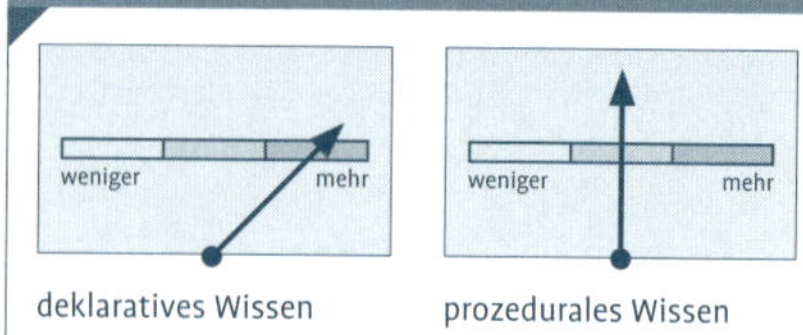

* Noch wichtiger sind textbasierte Diskussionen für die Methode »Sokratisches Seminar« (S. 223 ff.)

Überblick

Diskussionen sind ein wichtiger Teil unseres Lebens. In der Schule sind sie der Nährboden für die geistige und persönliche Entwicklung der Schüler. Sich Informationen anzueignen, indem man anderen zuhört und auf dieser Grundlage eigene Ideen und Überzeugungen ausbildet, ist eine der wertvollsten Kompetenzen, die man Schülern beibringen kann. Im fundierten Dialog und im Austausch von Ideen mit anderen eignen sich die Schüler eine Fähigkeit an, deren soziale, schulische und berufliche Bedeutung kaum überschätzt werden kann.

Doch so groß das Potenzial von Diskussionen als Unterrichtsmethode ist, so störanfällig ist diese Methode auch. Keine Methode ist besser geeignet, die Aufmerksamkeit der Schüler zu fesseln, doch keine leidet auch mehr darunter, wenn Schüler sich ausklinken. Bei keiner Methode gelangen die Schüler häufiger zu neuen Erkenntnissen, andererseits ist bei keiner die Gefahr größer, sich in unwichtigen Details zu verzetteln. Die Leitung einer ergebnisorientierten Diskussion ist zweifellos eine der wichtigsten Methoden im Repertoire jedes Lehrers. Die Methode »Wissenskreis« (und die stärker textorientierte Schwestermethode »Sokratisches Seminar«, S. 223 ff.) bietet Lehrern einen strategischen Rahmen für die Planung und Durchführung von Klassendiskussionen, die von einer hohen Beteiligung geprägt und ergebnisorientiert sind und den Schülern aktives, gründliches Mitdenken abverlangen.

Die Methode im Einsatz

Die Mathematiklehrerin Eileen Cho ist der Meinung, dass wichtige Konzepte im Mathematikunterricht allzu oft zu schnell »abgehakt« werden:

> Ein Gedanke jagt den anderen, sodass die Schüler nie Gelegenheit haben, die zentralen Ideen wirklich zu verstehen und das »große Ganze« zu erfassen. Meiner Meinung nach ist diese mangelnde Verknüpfung – das Versäumnis, Schülern einen Einblick in die spannenden, kontroversen Probleme und Fragen zu geben, die das Fach Mathematik so faszinierend machen – einer der Hauptgründe dafür, dass so viele Schüler Mathe »abschreiben« und nach dem Schulabschluss nur negative Erfahrungen damit verbinden.

Um dem entgegenzuwirken, unterrichtet Eileen Cho nicht nur die wichtigsten Rechenverfahren, sondern baut in ihren Unterricht auch Diskussionen zu den übergreifenden Ideen des Fachs Mathematik ein.

Wir befinden uns in der zweiten Woche des Schuljahres. Die Schüler haben bereits wichtige Grundlagen der Geometrie gelernt und sich bildliche und sprachliche Notizen zu Schlüsselbegriffen wie *Punkt, Ebene, Gerade, Strecke, Strahl, Winkel* und so weiter gemacht. Einen typischen Hefteintrag sehen Sie in Abb. 18.1.

Definition	Konkretes Beispiel	Bildliche Darstellung
Eine Strecke ist eine Gerade, die nicht unendlich lang ist, sondern zwei Endpunkte hat.	Konkrete Beispiele für Strecken sind die roten und blauen Linien eines Eishockeyfeldes oder die weißen Linien eines Fußballplatzes.	 Die Strecke $\overline{CD}$ ist nach ihren beiden Endpunkten benannt.

Abb. 18.1: *Beispiel für einen Hefteintrag eines Schülers*

Dank dieses Hintergrundwissens sind die Schüler nach Auffassung von Eileen Cho gut für eine Diskussion über eine kontroverse mathematische Frage gerüstet. Sie stellt den Schülern die Methode »Wissenskreis« vor und sagt: »Ausgangspunkt unserer Diskussion soll eine schlichte, aber sehr grundlegende Frage sein: Woher wissen wir, dass etwas real ist? Nehmt euch ein paar Minuten Zeit, um einige Gedanken dazu in eurem Lerntagebuch festzuhalten.«

Nachdem die Schüler ihre spontanen Gedanken zu dieser Frage aufgeschrieben haben, teilt die Lehrerin die Klasse in Vierergruppen ein. Die Schüler tauschen sich zunächst innerhalb der Gruppen aus, dann lässt Eileen Cho die ganze Klasse diskutieren. Im folgenden Ausschnitt (und im Verlauf des gesamten Unterrichtsgesprächs) sorgt die Lehrerin für eine hohe Schülerbeteiligung, indem sie unterschiedliche Methoden der Gesprächsführung anwendet: Sie ruft Schüler nach dem Zufallsprinzip auf, bittet um Wortmeldungen, gibt Fragen an andere Schüler weiter, macht kleine Umfragen und lässt die Schüler einander Fragen stellen.

Lehrerin: Okay, wer hat eine Idee? Stephan?

Stephan: Also, ich glaube, man weiß, dass etwas real ist, wenn man es mit eigenen Augen sieht.

Lehrerin: Okay, da sind jetzt eine ganze Reihe Hände nach oben gegangen, als du das gesagt hast. Ich frage mal bei Casey nach: Warum hast du gerade so heftig den Kopf geschüttelt?

Casey: Weil es eine ganze Menge Dinge gibt, die man sehen kann, die aber nicht real sind. In Filmen zum Beispiel. Durch Spezialeffekte kann man im Film Dinosaurier, Drachen, Raumschiffe und so weiter »sehen« – verstehst du, worauf ich hinauswill, Stephan?

Stephan: Na ja, ich glaube schon … Stimmt, du hast recht. Was ich meine, ist, wenn man etwas sinnlich wahrnehmen kann, wenn man es sehen und anfassen und riechen kann, dann ist es real.

Lehrerin: Vielleicht können wir uns auf Folgendes einigen: Eine Möglichkeit, wie wir etwas als real erkennen können, sind unsere Sinne. Okay? Gut. Wer hat noch eine andere Idee? Tonia?

Tonia: Na ja, es stimmt schon, dass unsere Sinne eine Möglichkeit sind, um zu überprüfen, ob etwas real ist, aber nicht die einzige Möglichkeit. Ich weiß nicht, aber für mich ist etwas nur dann wirklich real, wenn … wie soll ich sagen? … wenn man es spüren kann. Wie Freude oder Traurigkeit … oder Liebe. Wenn man etwas im Herzen fühlt, dann ist es real.

Lehrerin: Das ist ein sehr interessanter Punkt, Tonia. Fassen wir zusammen. Wir haben zwei Ansätze genannt: Der eine ist, dass wir mit unseren Sinnen feststellen, ob etwas »real« ist. Der andere besagt, dass etwas »real« ist, wenn wir es fühlen können. Was meinen die anderen? Welchem Ansatz würdet ihr eher zustimmen? Bitte mal alle die Hand hoch, die der Meinung von Stephan sind …

Nach einigen weiteren Minuten der Diskussion beschließt Eileen Cho, das Thema der Stunde stärker einzugrenzen. »Ob ihr's glaubt oder nicht«, erzählt sie den Schülern, »die Frage, was real ist, beschäftigt die klügsten Köpfe der Welt seit Jahrtausenden. Im Hinblick auf die Geometrie haben sich unter anderem der griechische Philosoph Platon und Albert Einstein mit diesem Problem beschäftigt.«

Eileen Cho teilt ihren Schülern drei kurze Texte aus, die sich mit der Frage beschäftigen, ob die Geometrie eine Entsprechung in der Realität habe. Einen Auszug aus Platons Buch »Der Staat«, dem zufolge geometrische Figuren Idealtypen sind, die nur in unserer Vorstellung existieren, einen Auszug aus einem Vortrag von Albert Einstein, wonach »die Geometrie ihre Entstehung dem Bedürfnis verdankt, etwas zu erfahren über das Verhalten wirklicher Dinge« (1921, S. 5), sowie einen Text, der die entgegengesetzte Position vertritt: Die Geometrie ist schlicht ein Abbild dessen, was wir in der Natur wahrnehmen (Beispiel: Aus dem Horizont wird in der Geometrie die Gerade). Die Lehrerin gibt den Schülern eine Leitfrage mit auf den Weg – »Inwiefern tragen diese drei Sichtweisen zu deinem Verständnis der Geometrie bei, bzw. inwiefern stehen sie im Widerspruch dazu?« – und lässt ihnen dann ein paar Minuten Zeit, die Texte zu lesen, sich Notizen zu machen und sich auf die nächste Diskussionsrunde vorzubereiten.

Auch in der nächsten Runde fördert Eileen Cho mit einer Reihe von Gesprächsführungstechniken die Schülerbeteiligung. Zugleich variiert sie ihre Reaktion auf Schülerbeiträge: Manchmal sagt sie nichts, manchmal korrigiert sie etwas, manchmal fragt sie nach oder bittet Schüler, ihre Gedanken genauer auszuführen. Im Lauf der Diskussion hält die Lehrerin immer wieder inne, um Schülerbeiträge festzuhalten und die Schüler das bisher Gesagte zusammenfassen zu lassen.

Einige Minuten vor dem Ende der Unterrichtsstunde fragt Eileen Cho die Schüler, was sie heute gelernt haben. Die Antworten der Schüler hält sie an der Tafel fest:

- Über die Frage, ob die Geometrie »real« sei, herrscht Uneinigkeit.
- Einer Theorie zufolge ist die Geometrie ein Spiegelbild der Natur.

- Platon war der Ansicht, geometrische Figuren seien »Idealtypen«, die wir im Kopf haben.
- Für Einstein wurde die Geometrie aus der Erfahrung geboren, und sie würde ganz anders aussehen, wenn die kürzeste Verbindung zwischen zwei Orten eine gekrümmte Linie wäre.
- Die meisten von uns hatten keine Ahnung, dass das eine so kontroverse Frage ist.

Als Hausaufgabe sollen die Schüler diejenige Position wählen, die am ehesten ihrer eigenen Sichtweise entspricht, und sie gegen die anderen verteidigen.

Warum die Methode funktioniert

Diskussionen sind ein zentraler Bestandteil eines durchdachten Unterrichts. Dialoge und Gespräche sind die Grundlage allen weiterführenden Denkens, und deshalb hat ein Unterricht, in dem Diskussionen eine wichtige Rolle spielen, unbestreitbar positive Auswirkungen auf die Schüler: Er sorgt für tiefer gehendes Verständnis, steigert das Vermögen, komplexe, anspruchsvolle Unterrichtsinhalte zu verarbeiten, fördert die Konfliktlösefähigkeit und sorgt ganz allgemein für mehr Freude am Lernen (Polite und Adams 1996; Tredway 1995). Den genannten Forschern zufolge erfüllen effektive Diskussionen drei Kriterien:

- hohe Schülerbeteiligung
- ausgeprägte Fokussierung auf das Thema
- hohes Denkniveau

Die Methode »Wissenskreis« stellt einen Rahmen dar, mit dessen Hilfe Lehrer Diskussionen planen und durchführen können, die diesen Kriterien konsequent entsprechen. Dieser Rahmen besteht aus einer Reihe von Maßnahmen, die Lehrer ergreifen können, um die Schülerbeteiligung, die Fokussierung auf das Thema und das Denkniveau zu steigern.

Schülerbeteiligung erhöhen

Mit diesen Maßnahmen erhöhen Sie die Schülerbeteiligung:

Geben Sie den Schülern Gelegenheit, ihre Gedanken zunächst in Kleingruppen auszutauschen und zu »testen«.
Üben führt nicht immer zu Höchstleistungen, aber es sorgt fast immer für bessere Leistungen. Wenn wir von den Schülern erwarten, sich am Unterrichtsgespräch zu beteiligen, ist es eigentlich nur fair, ihnen Gelegenheit zum Üben zu geben. Stellen Sie eine offene Frage, und lassen Sie die Schüler ihre Antworten zunächst mit ihrem Banknachbarn oder in einer kleinen Gruppe diskutieren. Sorgen Sie dafür, dass die Schüler in der Gruppenarbeit bei der Sache bleiben, indem Sie den Gruppen eine klare Aufgabe stellen: »Tausche dich mit den anderen Gruppenmitgliedern aus, und erstelle eine Liste, inwiefern eure Antworten ähnlich oder unterschiedlich sind.«

Setzen Sie unterschiedliche Techniken der Gesprächsführung ein.
Wenn Sie die Diskussion so moderieren wollen, dass sie zielführend ist und möglichst viele Schüler sich einbringen, müssen Sie über ein breites Spektrum an Gesprächsführungstechniken verfügen. Durch den Einsatz der folgenden sechs Methoden lassen sich die Anzahl und Qualität der Schülerbeiträge erheblich steigern:

- *Nur Freiwillige aufrufen* (also nur Schüler, die sich gemeldet haben) sollten Sie, wenn es sich um eine schwierige Frage handelt und Sie keinen Schüler bloßstellen wollen.

- *Potenziell alle aufrufen* (also auch Schüler, die sich nicht gemeldet haben – der Lehrer entscheidet) sollten Sie immer dann, wenn Sie den Schülern signalisieren wollen, dass Sie von allen erwarten, diese Frage beantworten zu können, wenn Sie merken, dass ein bestimmter Schüler etwas zu sagen hat, oder wenn Sie Buch führen wollen, damit alle Schüler Gelegenheit bekommen, ihre Meinung zu äußern.
- Zu *Schülerfragen* (die gezielt an einen Mitschüler gerichtet sind) sollten Sie Ihre Schüler ermuntern, wenn Sie den Austausch der Schüler untereinander fördern wollen und wenn Sie erreichen wollen, dass die Schüler nicht nur mit Ihnen, sondern miteinander sprechen.
- Ein *Blitzlicht* (bei dem reihum alle Schüler zu Wort kommen) sollten Sie durchführen, wenn Sie den Schülern signalisieren wollen, dass alle etwas sagen können und müssen. Diese Methode bietet sich insbesondere bei zurückhaltenden Schülern an.
- Mit *Umfragen* (alle tun ihre Meinung gleichzeitig kund, indem sie z. B. die Hand heben) und *Stichproben* (Sie stellen mehreren Schülern nacheinander die gleiche Frage, um einen Eindruck von der Haltung der Klasse zu bekommen) sollten Sie arbeiten, wenn Sie den Schülern vor Augen führen wollen, wie ihre Klassenkameraden über eine bestimmte Frage denken.
- Fragen (an einen anderen Schüler oder die ganze Klasse) *weitergeben* sollten Sie, wenn Ihre Schüler über eine These nachdenken sollen, die ein Schüler eingebracht hat und die die Diskussion in die von Ihnen gewünschte Richtung voranbringt.

Das Wichtigste an dieser Liste ist die Vielfalt der Methoden. Wenn eine Diskussion auf die Schüler beschränkt bleibt, die Sie aufrufen oder die sich freiwillig melden, ist das so, als würde ein Maler nur mit einer einzigen Farbe arbeiten. Indem Sie eine breite Palette an Gesprächsführungstechniken einsetzen, wird aus einem reinen Frage-Antwort-Spiel ein echtes Gespräch.

Fokussierung auf das Thema fördern

Mit diesen Maßnahmen fördern Sie die Fokussierung auf das Thema:

Setzen Sie unterschiedliche Methoden ein, um den Schülern Gelegenheit zu geben, ihre Gedanken zu ordnen.

Häufig kommen Schüler in Diskussionen ins Schwimmen, weil sie ihre vielen Gedanken nicht zu einer schlüssigen Antwort oder Position gebündelt haben. Helfen Sie den Schülern, ihre Gedanken zu einer bestimmten Frage zu ordnen, indem Sie ihnen ein Blatt Papier in die Hand drücken und sie bitten, sich ein paar Notizen zu machen, eine Skizze anzufertigen, die ihre Antwort veranschaulicht, oder (in den unteren Jahrgangsstufen) einfach alles aufzuschreiben, was ihnen zu dieser Frage in den Sinn kommt.

Halten Sie die Antworten schriftlich fest, und fassen Sie sie regelmäßig zusammen.

Da eine Diskussion aus vielen einzelnen Beiträgen besteht, ist es oft schwierig, ihre Struktur zu überblicken. Damit die Aufmerksamkeit der Schüler auf das Wesentliche gerichtet wird und gerichtet bleibt, müssen Sie das Gesagte dokumentieren, verdeutlichen und immer wieder zusammenfassen.

Um den Verlauf der Diskussion zu dokumentieren, sollten Sie die wichtigsten Gedanken der Schüler an der Tafel, mit einem Flipchart oder auf dem Overhead-Projektor festhalten. Deuten Sie mit Verbindungslinien an, welche Punkte miteinander in Zusammenhang stehen oder sich widersprechen. Dieses Dokumentieren verlangsamt den Fortgang der Diskussion. Manchmal ist das von Vorteil, weil den Schülern dadurch mehr Zeit zum Nachdenken bleibt. Wenn Sie befürchten, eine lebhafte Diskussion könnte durch zu viele Pausen ins Stocken geraten, können Sie auch bis zum Ende warten und dann die Dokumentation des Besprochenen gleichzeitig als Wiederholungsphase nutzen.

Um den Inhalt einer Diskussion zu verdeutlichen, sollten Sie die Schüler häufig wiederholen lassen, was ihr Vorredner gesagt hat. Um eine Diskussion zusammenzufassen, sollten Sie etwa alle fünf Minuten kurz innehalten und die Schüler die diskutierten Punkte mit eigenen Worten wiedergeben lassen. Tun sich die Schüler damit schwer, geben Sie Hilfestellung: »Du meinst also, ...?« Nach mehreren Zusammenfassungen sollten Sie die Schüler einen Gesamtüberblick über das bisher Gesagte geben lassen.

Maßnahmen zur Erhöhung des Denkniveaus

Mit diesen Maßnahmen erhöhen Sie das Denkniveau Ihrer Schüler:

Ermuntern Sie die Schüler, zunächst in Ruhe über die Frage nachzudenken.
Die vielleicht häufigste Ursache für gedankenlose Diskussionsbeiträge ist die Impulsivität vieler Schüler. Wenn die Schüler einfach die nächstbeste Antwort geben, die ihnen in den Sinn kommt, fällt diese nicht selten zu pauschal und oberflächlich aus oder geht am Thema vorbei. Eine ernsthafte Diskussion setzt voraus, dass die Schüler sich zunächst in Ruhe Gedanken machen. Damit die Schüler sich Zeit nehmen und die Fragestellung ganz erfassen, sollte der Lehrer die Frage an die Tafel schreiben, die Schüler die Frage still für sich wiederholen lassen und sie auffordern, die Frage und mögliche Antworten zu visualisieren.

Lenken Sie die Diskussion mithilfe der FANALE-Methode (Strong, Hanson und Silver 1995).
Das Akronym »FANALE« steht für:
- **F**rage stellen
- **A**bwarten und Schweigen
- **N**achhaken
- **A**nerkennen
- (**L**eichtes) Korrigieren und Klarstellen
- **E**rläutern und Vertiefen

Mit dem Stellen einer Frage ist es nicht getan. Entscheidend für den weiteren Verlauf der Diskussion ist, wie Sie als Lehrer sich verhalten. Vergessen Sie nicht: »Schweigen ist Gold.« Da Schüler drei bis fünf Sekunden Zeit brauchen, um die Frage wirklich zu verarbeiten (Rowe 1978; Stahl 1994), heißt es zunächst abwarten. Danach gilt es, nachzuhaken: Machen Sie es den Schülern nicht zu einfach – lassen Sie sie ihre Antworten näher ausführen, und leiten Sie sie zu der immer schwierigen Suche nach Belegen an. Sparen Sie nicht mit Anerkennung, denn dadurch können Sie die Zahl und Vielfalt der Antworten erhöhen, zurückhaltende Schüler ermutigen, sich einzubringen, und einen Vorrat an Antworten sammeln, auf den Sie im Rahmen der Reflexion zurückgreifen können. Um die Antworten der Schüler zu präzisieren, sollten Sie mit Augenmaß klarstellen und korrigieren. Wenn Sie zu stark korrigierend eingreifen, werden die Antworten der Schüler tendenziell kürzer ausfallen, und aus einer Diskussion wird allzu schnell ein Frage-Antwort-Spiel. Und schließlich sollten Sie die Schüler anregen, das Gesagte zu vertiefen, indem sie ihre Gedanken erläutern und die verschiedenen Thesen, die im Lauf der Diskussion aufgestellt wurden, verallgemeinern.

Die Methode im Einsatz

1. Stellen Sie zum Einstieg eine offene Frage, die das Interesse der Schüler weckt.
2. Geben Sie den Schülern Zeit, in Ruhe über die Frage nachzudenken. Sie können die Schüler ihre Antworten auch notieren und sich dann mit ihrem Banknachbarn oder einer kleinen Gruppe austauschen lassen, bevor Sie die Diskussion mit der ganzen Klasse eröffnen.
3. Grenzen Sie die Diskussion ein, indem Sie eine Leitfrage stellen, die ein Schlaglicht auf das zentrale Thema wirft.
4. Lassen Sie die Schüler ihre Antworten »anreichern«, indem sie zunächst ihre Gedanken notieren und sich dann in Kleingruppen miteinander austauschen.
5. Beziehen Sie die ganze Klasse in die Diskussion ein. Ermuntern Sie die Schüler, sich einzubringen, auf Ihre Fragen und die der Mitschüler einzugehen, ihre Gedanken zu präzisieren und die Tiefe ihres Verständnisses zu überprüfen.
6. Maximieren Sie die Schülerbeteiligung, indem Sie ein breites Spektrum an Gesprächsführungstechniken einsetzen und die Diskussion mithilfe der FANALE-Methode lenken.
7. Dokumentieren Sie die Antworten der Schüler, und fassen Sie die wichtigsten Punkte unter Mithilfe der Schüler zusammen.
8. Geben Sie den Schülern Gelegenheit, über die Diskussion und ihren eigenen Beitrag zu reflektieren.
9. Lassen Sie die Schüler das im Verlauf der Diskussion Gelernte anwenden, indem Sie eine Syntheseaufgabe stellen.

Eine Unterrichtsstunde mit dieser Methode planen

Gute Diskussionen sind selten ein Produkt des Zufalls. In den meisten Fällen sind sie das Ergebnis gezielter Planung. Wenn Sie auf der Grundlage der Methode »Wissenskreis« eine Unterrichtsstunde planen möchten, sollten Sie die folgenden sechs Schritte beachten:

1. Legen Sie das Thema und den Zweck der Diskussion fest.
Suchen Sie bei der Auswahl des Unterrichtsstoffs nach Themen, die geeignet sind, Kontroversen auszulösen, Assoziationen zu wecken und das Interesse der Schüler zu entfachen. Steht das *Thema* fest, so gilt es, den *Zweck* der Diskussion zu bestimmen. Sollen die Schüler sich neues Wissen aneignen, sich eine neue Perspektive erarbeiten, Bezüge zwischen unterschiedlichen Themen herstellen, versteckte Informationen ans Licht bringen oder Empathie für die Figuren eines Textes entwickeln?

2. Formulieren Sie eine Leitfrage.
Die Leitfrage soll die Richtung der Unterrichtsstunde vorgeben und den Schülern einen ersten Zugang zum Thema eröffnen. In der Leitfrage ist bereits die Struktur der Diskussion angelegt. Eine gute Leitfrage ist eindeutig formuliert und eröffnet ein breites Spektrum möglicher Antworten. Sie fordert die Schüler auf, ihre Position mit Belegen zu untermauern. Hier einige Beispiele für gelungene Leitfragen:

- Ein Geschichtslehrer, der seine Schüler über das Prinzip der Gewaltenteilung in der amerikanischen Verfassung diskutieren lassen wollte, begann mit der Frage: »Gibt es in den USA zwischen Exekutive, Legislative und Judikative ein echtes Gleichgewicht der Kräfte?«
- Eine Mathematiklehrerin wollte mit ihren Schülern über die Grundlagen der Infinitesimalrechnung diskutieren. Sie teilte einen kurzen Text über Isaac Newton aus und stellte die Frage: »Was meinen wir damit, wenn wir sagen, jemand habe die Infinitesimalrechnung erfunden?«
- Ein Grundschullehrer hat mit seinen Schülern eine Geschichte gelesen, in der ein Junge einen Vogel behalten will, den er verletzt im Wald gefunden hat. Der Lehrer fragt seine Schüler: »Können ein Mensch und ein Tier Freunde sein?«

3. Formulieren Sie eine Einstiegsfrage.
In der Unterrichtsstunde kommt die Einstiegsfrage vor der Leitfrage. Sie soll eine Brücke zwischen dem Vorwissen der Schüler und dem Diskussionsthema bauen und die Schüler neugierig machen. Um die nötigen Bezüge herzustellen, können Sie auch mehrere Einstiegsfragen stellen. Beim Formulieren dieser Fragen müssen Sie sich in Ihre Schüler hineinversetzen. Was wissen sie aus eigener Erfahrung oder aus dem bisher Besprochenen bereits? Wie können Sie dieses Vorwissen aktivieren und für diese Unterrichtsstunde fruchtbar machen? Hier die Einstiegsfragen der im vorigen Abschnitt erwähnten Lehrer:
- Stunde zur Gewaltenteilung: »Welche von der Verfassung garantierten Rechte sind für euch besonders wichtig? Inwiefern sind alle drei Gewalten daran beteiligt, diese Rechte zu schützen?«
- Stunde zu den Anfängen der Infinitesimalrechnung: »Welche Erfindungen fallen euch ein, die die Welt verändert haben?«
- Stunde zum Verhältnis von Mensch und Tier: »Hattest du schon einmal ein Haustier, das du sehr gemocht hast? Welche Gefühle empfinden Menschen für Haustiere und Tiere im Allgemeinen?«

4. Überlegen Sie, wie sich die Schüler die Informationen aneignen sollen, die sie zur Beteiligung an der Diskussion benötigen.
Welche Informationsquellen müssen Sie den Schülern zu diesem Zweck zur Verfügung stellen? Denkbar wären zum Beispiel:
- Texte
- die Notizen der Schüler
- eine Vorführung durch den Lehrer
- ein Laborversuch
- audiovisuelle Quellen (CD, DVD, Kassette)
- ein Kurzvortrag

5. Denken Sie sich eine »zündende« Übung aus.
Darunter verstehen wir eine Übung, die geeignet ist, den Funken überspringen zu lassen und die Diskussion zu entfachen. Diese »Initialzündung« erfolgt in drei Schritten:
- Im ersten Schritt sollen die Schüler die Leitfrage ganz erfassen und eine erste Antwort formulieren. In der Planungsphase sollten Sie sich überlegen, in welcher Form die Schüler ihre Antwort festhalten sollen. Sollen sie ihre Gedanken aufschreiben, sie skizzieren oder sich Notizen dazu machen?

- Im zweiten Schritt geben Sie den Schülern einen einfachen Arbeitsauftrag und lassen sie in Partner- oder Gruppenarbeit ihre Gedanken diskutieren. Die Diskussion im kleinen Kreis gibt den Schülern Gelegenheit, auszutesten, wie schlüssig ihre Überlegungen sind. Bei der Planung müssen Sie für diese Phase einen einfachen Arbeitsauftrag formulieren, der den Schülern dabei hilft, sich auf die Diskussion vorzubereiten. Zu diesem Zweck können Sie die Schüler ihre Gedanken austauschen und Fragen beantworten, Standpunkte formulieren, ein visuelles Schema entwerfen oder ihre Überlegungen mit denen ihrer Mitschüler vergleichen lassen.
- Im dritten Schritt wird erneut im ganzen Klassenverband diskutiert. Dazu müssen Sie sich überlegen, wie Sie die Wortmeldungen der Schüler festhalten werden, damit die Schüler ihre Energie nicht darauf verschwenden, dass sie verzweifelt versuchen, sich an die Punkte zu erinnern, die sie eigentlich diskutieren oder infrage stellen sollten. Sie können es den Schülern erleichtern, den Überblick zu behalten, indem Sie die Beiträge schriftlich festhalten, mit Verbindungslinien aufzeigen, welche Punkte miteinander in Zusammenhang stehen oder sich widersprechen, oder wichtige Punkte hervorheben, indem Sie sie einkringeln oder unterstreichen.

6. Überlegen Sie sich eine Syntheseaufgabe.
Zuletzt müssen Sie sich noch Gedanken darüber machen, wie die Schüler das Gelernte anwenden sollen. Wie sollen die Schüler alle Gedanken und Informationen, die sie im Lauf der Diskussion aufgenommen haben, miteinander verknüpfen? Denkbare Aufgaben für diesen Zweck sind zum Beispiel:
- ein schriftlicher Überblick über alle geäußerten Meinungen
- eine Verteidigung des eigenen Standpunkts
- ein Gemeinschaftsprojekt
- ein visuelles Schema
- ein argumentativer Aufsatz
- ein Kurzreferat
- eine Umfrage

Variationen und Ergänzungen

Eine wichtige Variation der Methode »Wissenskreis« ist das »Sokratische Seminar« (Adler 1982). Diese Methode fußt auf der Lehrmethode des griechischen Philosophen Sokrates, der seinen Schülern provokante Fragen stellte, die er dann unbeantwortet stehen ließ. Auf diese Weise entfachte er tiefgründige Diskussionen zwischen seinen Schülern. Die Grundidee der Methode »Sokratisches Seminar« besteht darin, dass die Schüler Eigenverantwortung für ihren Lernfortschritt übernehmen sollen.

Im Mittelpunkt der Diskussion steht bei einem »Sokratischen Seminar« ein Text oder eine Reihe von Texten, die der gesamten Klasse bereits bekannt sind. Bevor das Seminar beginnt, denken die Schüler anhand der vom Lehrer ausgeteilten Fragen intensiv über den Text bzw. die Texte nach und entwickeln erste Gedanken dazu. Während des Seminars bilden alle Teilnehmer einen Kreis, sodass sich alle gegenseitig sehen und von Gleich zu Gleich ansprechen können. Der Lehrer stellt zwar Fragen, die zum Nachdenken und Diskutieren anregen und unterschiedliche Standpunkte zulassen – wichtig ist jedoch, zu betonen, dass die Schüler nicht mit dem Lehrer, sondern in erster Linie miteinander sprechen sollen. Zum Abschluss eines »Sokratischen Seminars« schreiben die Schüler in der Regel einen Aufsatz.

Im Folgenden erläutern wir anhand eines Beispiels aus der Unterrichtspraxis der Highschool-Lehrerin Jolene Baccay die einzelnen Schritte bei der Durchführung eines »Sokratischen Seminars«:

1. Teilen Sie einen Text oder mehrere thematisch verwandte Texte aus. Tragen Sie den Schülern auf, sich Notizen zu machen, die es ihnen erleichtern, die Kernpunkte zu erfassen und darüber zu diskutieren.
Jolene Baccay unterrichtet eine fächerübergreifende Unterrichtseinheit über versklavte Schwarze und ihren Kampf, lesen und schreiben lernen zu dürfen. Für das Seminar wählt sie Texte dreier schwarzer Schriftsteller aus: autobiografische Texte von Booker T. Washington und Frederick Douglass sowie das Gedicht »Lesen lernen« von Frances Ellen Watkins. Um den Schülern zu helfen, ihre Notizen zu ordnen und sich auf das Seminar vorzubereiten, trägt die Lehrerin ihnen auf, sich auf die Frage zu konzentrieren, warum es diesen Autoren so wichtig war, lesen und schreiben zu können, und mit welchen Schwierigkeiten sie auf dem Weg dorthin zu kämpfen hatten.

2. Sprechen Sie mit den Schülern vor Beginn des Seminars über die Kriterien, die ein gutes Seminar ausmachen.
Jolene Baccay spricht mit ihren Schülern über die vier Kriterien, die ihr wichtig sind: Vorbereitung, Verständnis des Stoffs, aktive Beteiligung und der Einsatz von Belegen.

3. Lassen Sie die Schüler einen Kreis bilden, und stellen Sie eine Einstiegsfrage.
Jolene Baccay beginnt das Seminar mit der Frage: »Warum war es für Sklaven so wichtig, lesen zu lernen?«

4. Geben Sie den Schülern Gelegenheit, sich über ihre Gedanken zu dieser Frage auszutauschen.
Die Schüler brauchen sich nicht zu melden, wenn sie etwas sagen wollen. Die einzigen Regeln sind, dass alle die Chance bekommen müssen, sich einzubringen, dass die Schüler die Ideen ihrer Klassenkameraden respektieren müssen und dass sie Behauptungen anhand von Textstellen belegen müssen.

Jolene Baccay setzt sich wie alle anderen Teilnehmer in den Kreis. Sie erinnert die Schüler daran, dass sie die Gesprächsführung selbst in die Hand nehmen müssen, und schlüpft nur ein einziges Mal in die Rolle der Lehrerin: Als es zu einem Streit zwischen zwei Schülern kommt, ruft sie ihnen die Regeln in Erinnerung. In entscheidenden Phasen des Seminars, in denen sie normalerweise das Heft in die Hand nehmen würde, überlässt sie es den Schülern, Meinungsverschiedenheiten unter sich auszumachen. Anfangs ist das für Jolene Baccay ebenso ungewohnt wie für die Schüler, doch nach einigen Minuten ist die Botschaft bei den Schülern sichtbar angekommen: Die Verantwortung für den Inhalt des Seminars liegt bei ihnen.

5. Sorgen Sie im Verlauf des Seminars mit einigen Leitfragen dafür, dass die Diskussion sich nicht zu weit von den entscheidenden Themen entfernt.
Im Lauf eines Seminars stellt Jolene Baccay regelmäßig eine neue Leitfrage. Neben der Einstiegsfrage stellt sie im heutigen Seminar zwei weitere Fragen: »Wie standen die Sklaven-

besitzer zum Wunsch ihrer Sklaven, lesen und schreiben zu lernen?« und »Mit welchen Schwierigkeiten waren Sklaven konfrontiert, die lesen und schreiben lernen wollten?«. Kurz vor dem Ende stellt die Lehrerin die Abschlussfrage: »Wie haben die Sklaven die Hindernisse überwunden, mit denen sie beim Lesen- und Schreibenlernen zu kämpfen hatten?«

6. Stellen Sie den Schülern die abschließende Aufgabe, und sprechen Sie die Bewertungskriterien mit ihnen durch.
Jolene Baccay möchte, dass die Schüler über den Verlauf des Seminars nachdenken und dann einen Aufsatz darüber schreiben, mit welchen Schwierigkeiten versklavte Schwarze zu kämpfen hatten, die lesen und schreiben lernen wollten. Dabei sollen sie auf Gemeinsamkeiten und Unterschiede zwischen den drei besprochenen Texten eingehen. Bevor die Schüler sich an die Arbeit machen, geht die Lehrerin die Bewertungskriterien mit ihnen durch, die ihr Aufsatz erfüllen sollte:

- Der Aufsatz zeigt, dass alle drei Texte gut verstanden wurden.
- Der Aufsatz arbeitet mit Belegen aus allen drei Textauszügen.
- Der Aufsatz ist detailliert und erfasst zugleich das große Ganze.
- Der Aufsatz ist logisch und übersichtlich gegliedert.
- Der Aufsatz interpretiert und kommuniziert Informationen und Gedanken auf effektive Weise.
- Der Aufsatz zeugt von der Beherrschung der Konventionen für den schriftlichen Ausdruck.

Methode 19: Hörst du, was ich höre?

Wie passt die Methode in eine Unterrichtseinheit?

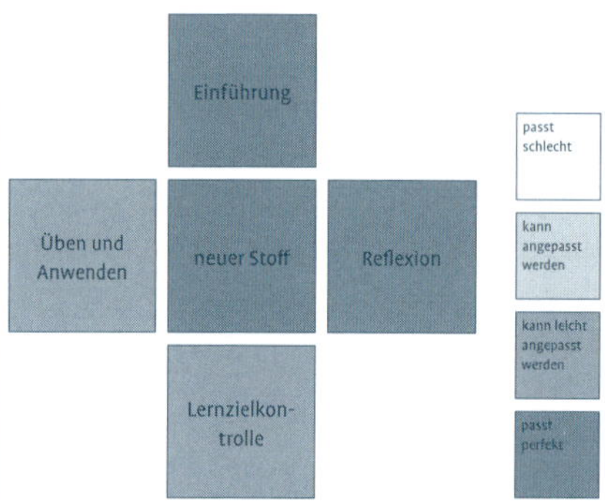

Welche Lerntypen spricht die Methode an?

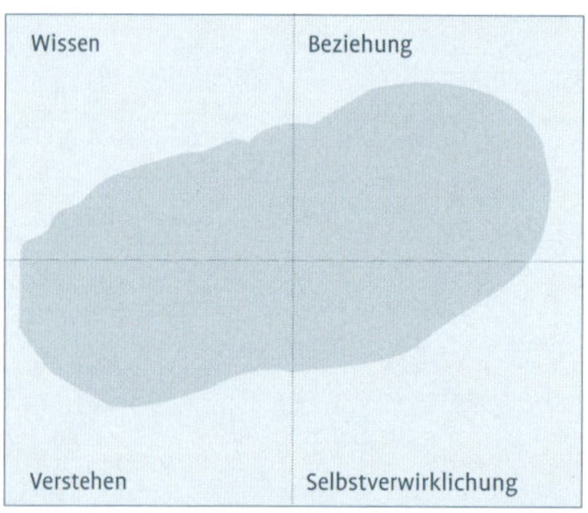

Welche Aspekte des Lernens lassen sich mithilfe der Methode weiterentwickeln?

Welche Kernkompetenzen werden mit der Methode geschult?

Lesen und Lernen

- ● durch das Anfertigen von Notizen Ideen sammeln und ordnen
- ● abstrakte akademische Begriffe erschließen
- ○ visuelle Darstellungen erfassen und interpretieren

Logisch denken und analysieren

- ○ Schlussfolgerungen ziehen; Hypothesen und Vermutungen anstellen und überprüfen
- ○ anhand vorgegebener Kriterien Vergleiche durchführen
- ● mit ganz unterschiedlichen Aufgabenstellungen klarkommen

Kreativ sein und kommunizieren

- ● verständlich formulierte, schlüssige Erklärungen schreiben
- ● sicherer schriftlicher Ausdruck in Sachtexten
- ● zwei oder mehr Texte lesen und darüber schreiben

Reflektieren und Bezüge herstellen

- ○ Pläne aufstellen, um komplexe Fragen oder Aufgaben zu lösen
- ● eigene Arbeit anhand von Kriterien und Checklisten evaluieren
- ○ die eigene Stimmung und spontane Regungen kontrollieren/beeinflussen

Inwiefern berücksichtigt die Methode Forschungsergebnisse über effektiven Unterricht?

- ● Gemeinsamkeiten und Unterschiede erkennen
- ● zusammenfassen und Notizen machen
- ○ Anstrengungen verstärken und anerkennen
- ● Hausaufgaben und Übungen
- ○ nicht sprachliche Darstellungsformen
- ● kooperatives Lernen
- ● Ziele setzen und Feedback geben
- ○ Hypothesen aufstellen und überprüfen
- ○ Hinweise, Fragen und Diagramme zur Wissensstrukturierung (»Advance Organizer«)

Welche Arten von Wissen vermittelt die Methode?

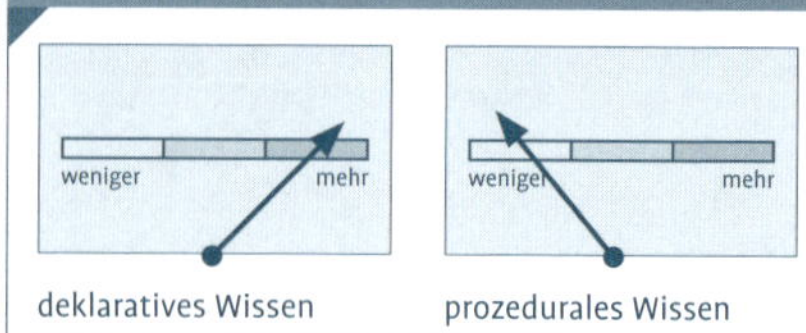

Überblick

Durchforstet man die Bildungspläne, so stellt man unabhängig vom Fach und von der Jahrgangsstufe fest, dass sie unverkennbar großen Wert auf die Lese- und Schreibkompetenz legen. Damit sind nicht nur die grundlegenden Kompetenzen des Lesens und Schreibens gemeint, sondern eine ganze Palette an Kompetenzen, die in allen Fächern über den Schulerfolg entscheiden. Diese Palette reicht von der Unterscheidung zwischen Wichtigem und Unwichtigem über das Kontrollieren des eigenen Verständnisses und das Sammeln von Belegen bis hin zum Verfassen anspruchsvoller Texte in unterschiedlichen Genres und Stilen. Wenn Lehrer den Erwerb dieser so wichtigen Kompetenzen fördern wollen, brauchen sie Unterrichtsmethoden, die

- leicht einsetzbar sind;
- es ihnen ermöglichen, nicht nur mit den guten, sondern mit allen Schülern effektiv zu arbeiten;
- unterschiedliche Denkmuster und alle kommunikativen Kompetenzen ansprechen – Hören, Sprechen, Lesen und Schreiben;
- Schlüsselkompetenzen im Bereich der Lese- und Schreibfähigkeit trainieren und den Erwerb dieser Kompetenzen fördern; und die
- ihnen Zeit verschaffen, um Lese- und Schreibprobleme bei einzelnen Schülern zu erkennen und diese Schüler gezielt zu fördern.

Eben diese Anforderungen erfüllt die Methode »Hörst du, was ich höre?« (Strong, Silver, Perini und Tuculescu 2002). Ihr Name rührt daher, dass sie zu Anfang die wichtige, aber häufig vernachlässigte Fähigkeit des Zuhörenkönnens in den Mittelpunkt rückt.

Die Methode im Einsatz

Der Lehrer liest der Klasse einen kurzen, aber anspruchsvollen Text zweimal vor. Dadurch haben die Schüler Gelegenheit, beim ersten Mal einfach nur zuzuhören und sich erst beim zweiten Mal Notizen zu machen. Dann gehen die Schüler paarweise zusammen und überprüfen, ob ihre Nacherzählung des Textes die gleichen Kerngedanken und wichtigen Details enthält. Anders ausgedrückt, stellen sie sich gegenseitig die Frage: »Hörst du, was ich höre?«

Nachdem beide Partner den Text nacherzählt und einander Feedback gegeben haben, durchlaufen die Schüler bei dieser Methode eine Stufenleiter an Aufgaben, die immer höhere Anforderungen an ihre sprachlichen Fähigkeiten stellen. Sie beantworten Verständnisfragen, die eine Transferleistung voraussetzen, belegen ihre Aussagen mit Textstellen, verfassen selbst einen Text und feilen daran, indem sie das Feedback des Partners und des Lehrers aufgreifen – kurz: Sie trainieren eben jene Fähigkeiten, die für eine Verbesserung der Lese- und Schreibkompetenz so wichtig sind und die allen Schülern dabei helfen, anspruchsvolle Texte und Lerninhalte besser zu bewältigen.

Am liebsten unterrichtet Penny Watts den Wahlkurs »Die Abbildung der Wirklichkeit: Die Bedeutung von Sachtexten im 21. Jahrhundert«, den sie vor zwei Jahren entwickelt hat. Das liegt nicht nur an den vielen erstklassigen Sachtexten, die in diesem Kurs auf dem Lehrplan stehen – das Spannendste sind für Penny Watts die Fortschritte, die sie innerhalb weniger Monate bei den Schülern beobachtet. Die sprunghafte Verbesserung der Lese-, Schreib-, Sprech- und Hörkompetenz der Schüler führt die Lehrerin auf ihren regelmäßigen Einsatz der Methode »Hörst du, was ich höre?« zurück. Penny Watts wendet diese Methode einmal pro Woche an. In dieser Woche steht die berühmte Rede »Ain't I a Woman?« (»Bin ich etwa keine Frau?«) der schwarzen Abolitionistin Sojourner Truth auf dem Programm.

Die Lehrerin liest die Rede zweimal vor. Beim ersten Mal hören die Schüler nur zu und versuchen, die wesentlichen Punkte zu verstehen. Beim zweiten Mal machen die Schüler sich Notizen, auf deren Basis sie die Kerngedanken und die wichtigsten Details mit eigenen Worten nacherzählen können.

Nachdem die Lehrerin den Text zum zweiten Mal vorgelesen hat, gehen die Schüler paarweise zusammen. Der eine Schüler erzählt den Inhalt des Textes nach, während sein Partner ihm als »Lerntrainer« Hilfestellung gibt. Dann werden die Rollen getauscht. Die Lehrerin geht währenddessen von einem Tandem zum anderen und steht den Schülern bei Bedarf mit Rat und Hilfe zur Seite. Als sie bei Allison und Ryan vorbeikommt, hört sie mit Freude, wie Ryan (der Lerntrainer) Allison (der Nacherzählerin) über einen schwierigen Abschnitt des Textes hinweghilft:

Allison: Das ist die Passage, mit der ich Probleme hatte: die Passage, in der Sojourner Truth von viertel und halb vollen Tassen redet.

Ryan: Na ja, eigentlich redet sie von etwas anderem. Weißt du noch? Eigentlich vergleicht sie, wie viel unterschiedliche Menschen von etwas besitzen.

Allison: Ja, ich erinnere mich. Sie spricht über die intellektuellen Fähigkeiten unterschiedlicher Leute.

Ryan: Ganz genau, und warum benutzt sie Mengenangaben wie »viertel« und »halb«, um ihr Argument zu veranschaulichen?

Allison: Hm ... na ja ... Ach so, jetzt versteh ich's. Sie meint, dass es ganz egal ist, welche intellektuellen Fähigkeiten jemand hat, ob jemand über wenig oder viel verfügt. Es ist ein Vergleich.

Ryan: Sehr gut. Also weiter im Text.

Nachdem alle Schüler den Inhalt des Textes nacherzählt haben, bilden je zwei Paare eine Vierergruppe. Penny Watts teilt vier Fragen aus, die sich die Schüler in der Gruppe anschauen und zu denen sie erste Antworten formulieren sollen.

- Was meint Sojourner Truth mit »intellektuellen Fähigkeiten«?
- Was bedeutet die immer wieder auftauchende Frage der schwarzen Abolitionistin »Bin ich etwa keine Frau?«
- Was kann man aus dieser Rede darüber lernen, wie man andere überzeugt, indem man mögliche Gegenargumente vorwegnimmt?
- Was hofft Sojourner Truth mit dieser Rede zu erreichen?

An diesem Punkt teilt die Lehrerin der Klasse die Rede von Sojourner Truth in schriftlicher Form aus. Die Schüler lesen den Text und müssen ihre Thesen bei der Beantwortung der Fragen in der Gruppe mit konkreten Textstellen belegen. Die Lehrerin geht derweil wieder von einer Gruppe zur anderen, beobachtet die Schüler beim Formulieren und Diskutieren von Antworten und steht ihnen mit Rat und Hilfe zur Seite, wo es nötig ist. Nachdem sich die Gruppen auf gemeinsame Antworten geeinigt haben, gibt die Lehrerin ihnen folgenden Arbeitsauftrag:

Ihr habt jetzt viele Ideen gesammelt, wie man andere Menschen mit Worten überzeugen kann. Jetzt wollen wir diese Ideen in die Praxis umsetzen. Stellt euch vor, ein Verlag möchte eine Anthologie der überzeugendsten kurzen Reden aller Zeiten herausgeben und ist auf der Suche nach Vorschlägen, welche Reden diese Sammlung enthalten soll. Schreibt den Herausgebern einen Brief, und überzeugt sie davon, dass sie »Ain't I a Woman?« unbedingt in diese Anthologie aufnehmen sollten. Vergesst nicht, es Sojourner Truth gleichzutun und mögliche Gegenargumente vorwegzunehmen und zu widerlegen.

Penny Watts setzt die Methode »Hörst du, was ich höre?« an den ersten drei Montagen jedes Monats ein. Am vierten Montag wählen die Schüler den besten Text aus, den sie im Lauf der vergangenen drei Wochen geschrieben haben, kommen zu Autorenzirkeln zusammen, lesen sich gegenseitig ihre Texte vor und machen sich Notizen, was sie noch verbessern könnten.

Wie immer hört die Lehrerin ihnen dabei zu und schaltet sich ein, um einzelnen Schülern dabei zu helfen, an ihren kommunikativen Kompetenzen zu feilen, konstruktives Feedback zu geben und ihre Texte noch besser zu machen. Von diesem Verfahren profitieren nicht nur die Schüler, sondern natürlich auch die Lehrerin: Da Penny Watts von jedem Schüler nur einen Text korrigiert statt drei, kann sie sehr viel mehr Zeit darauf verwenden, die Schwachstellen der Schüler zu identifizieren und ihnen Tipps zu geben, wie sie noch bessere Autoren werden können.

Warum die Methode funktioniert

Da in Vergleichsarbeiten immer mehr Wert auf die Schreib- und Lesekompetenz gelegt wird, stehen Lehrer vor der Aufgabe, verstärkt an den Kompetenzen der Schüler zu arbeiten, ohne die Vermittlung von Inhalten zu vernachlässigen. Die Methode »Hörst du, was ich höre?« hilft Lehrern wie Schülern, den Anforderungen gerecht zu werden, die heute in zentral gestellten Tests an die Lese- und Schreibkompetenz gestellt werden. Genauer gesagt fördert diese Methode die Kompetenzen der Schüler im Lesen, Schreiben, Sprechen und Zuhören, und zwar aus folgenden Gründen:

Die Methode beruht auf der in Studien erprobten Technik der Nacherzählung.
In der ersten Phase einer »Hörst du, was ich höre?«-Stunde konzentrieren sich die Schüler auf die Aufgabe, den Inhalt des Textes möglichst gut nachzuerzählen. Anders als eine reine Zusammenfassung, bei der man einen Teil der Informationen weglässt, einen Teil ersetzt und einen Teil beibehält, erfordert eine Nacherzählung, dass die Schüler einem anderen Leser auf ganz individuelle Art und Weise ein Bild ihres aufkeimenden Verständnisses des Inhalts vermitteln.

Dass Nacherzählungen gut geeignet sind, das Textverständnis zu überprüfen und das Auffassungsvermögen der Schüler zu steigern, ist in zahlreichen Studien belegt (Brown und Cambourne 1987; Gambrell, Koskinen und Kapinus 1991; Moss 2002). Besonders erstaunlich ist jedoch, wie positiv sich diese Methode, wenn sie regelmäßig eingesetzt wird, auf die Lese- und Schreibkompetenz der Schüler auswirkt. Brown und Cambourne (1987) haben nachgewiesen, dass bei regelmäßigem Einsatz von Nacherzählungen im Unterricht

- die Schüler in ihren Texten ein größeres Spektrum an Satzformen und -strukturen verwenden,
- die Schüler mit mehr Selbstvertrauen an neue Texte herangehen und über sie diskutieren und schreiben, und
- deutliche Verbesserungen im Hinblick auf Grammatik, Rechtschreibung und semantische wie syntaktische Regeln zu verzeichnen sind.

Die Methode erleichtert das Verstehen.
Bevor die Schüler in einer »Hörst du, was ich höre?«-Stunde den Text überhaupt zu Gesicht bekommen, haben sie ihn bereits zweimal gehört, sich Notizen dazu gemacht, ihn nacherzählt und ihrem Partner bei dessen Nacherzählung Hilfestellung gegeben. Wird der Text schließlich ausgeteilt, haben sie ihn längst verstanden. Daher stellt diese Methode eine ideale Möglichkeit dar, Schüler zu fördern, die sich mit dem Lesen schwertun, und bei allen Schülern die Zuversicht zu stärken, dass sie den Text lesen und etwas damit anfangen können.

Die Methode führt zu einem anspruchsvolleren Unterricht.
»Einer der Hauptgründe dafür, dass Schulen ihre Ziele verfehlen, ist die Entscheidung, leistungsschwachen Schülern anspruchsvolle Texte zu ›ersparen‹« (Strong, Silver und Perini 2001, S. 7). Warum das so ist, liegt auf der Hand: Lerninhalte allzu sehr zu vereinfachen bringt wenige bis gar keine Vorteile; dagegen sorgt die regelmäßige Behandlung anspruchsvoller Texte und Themen für gesteigerte Aufmerksamkeit, lehrt die Schüler den Umgang mit der eigenen Unsicherheit, fördert flexibles Denken und stärkt ihr Selbstbewusstsein. Im Mittelpunkt jeder »Hörst du, was ich höre?«-Stunde steht daher ein kurzer, aber schwieriger Text – ein Text, der die Schüler intellektuell fordert, ohne sie mit zu vielen Inhalten zu überfordern.

Die Methode begleitet und unterstützt die Evolution des Denkens.
Ausgangspunkt einer »Hörst du, was ich höre?«-Stunde ist das Zuhören. Danach verlangt sie den Schülern allmählich immer anspruchsvollere Denkprozesse ab, vom Erstellen von Notizen über das Nacherzählen und die Beantwortung von Transferfragen zu bestimmten Themen und Passagen bis hin zum Schreiben und Überarbeiten eines eigenen Textes. Insofern berücksichtigt diese Methode nicht nur Forschungsergebnisse, wonach es das Verstehen und Behalten der Lerninhalte fördert, wenn die Schüler auf Grundlage des Gelesenen

einen eigenen Text produzieren (Morrow 1985, Taylor und Beach 1984) – sie gibt Lehrern einen Ansatz an die Hand, mit dem sie die Schüler darauf vorbereiten können, anspruchsvolle Aufgaben zu bewältigen.

Die Methode verringert den Korrekturaufwand, sodass mehr Zeit für die individuelle Förderung bleibt.
Die Methode »Hörst du, was ich höre?« beruht auf der Erkenntnis, dass beim Ausbau der Kompetenzen der Schüler die Diagnose und Hilfestellung durch den Lehrer die entscheidenden Bausteine sind. Daher benotet der Lehrer bei dieser Methode von jedem Schüler pro Monat nur einen Text. Die Schüler wählen den besten Text, den sie im betreffenden Monat geschrieben haben, und feilen in Autorenzirkeln (vgl. S. 202) daran, bevor sie ihn abgeben. Dadurch bleibt dem Lehrer mehr Zeit, die Schüler individuell zu fördern, Schwächen zu diagnostizieren und ihnen dabei zu helfen, ihre Schwachpunkte beim Lesen, Nacherzählen und Schreiben auszumerzen.

Die Methode im Einsatz

1. Nehmen Sie sich (nach Möglichkeit einmal pro Woche) Zeit, ihren Schülern einen kurzen, anspruchsvollen Text vorzulesen. Lesen Sie den Text immer zweimal vor. Beim ersten Mal hören die Schüler nur zu und versuchen, das Wesentliche zu erfassen, beim zweiten Mal machen sie sich Notizen für ihre Nacherzählung.
2. Weisen Sie die Schüler an, sich einen Partner zu suchen und gemeinsam ihre Notizen durchzugehen: Der eine Schüler legt seine Notizen weg, und der andere hilft ihm dabei, den Text möglichst vollständig nachzuerzählen. Dann tauschen die Schüler die Rollen.
3. Stellen Sie zwei bis vier Leitfragen. Häufig zielen solche Leitfragen auf einen Begriff ab (z. B. »Was ist eine Primzahl?«), auf die Bedeutung eines Zitats (z. B. »Was meint Robert Frost, wenn er schreibt: ›Im Wald zwei Wege boten sich mir dar, und ich nahm den, der weniger betreten war‹?«), auf die Beweggründe des Autors oder einer Figur (z. B. »Warum lässt Bilbo sich am Ende doch auf das Abenteuer ein?«) oder auf die Kernaussage des Textes (z. B. »Inwiefern sind diesem Artikel zufolge Vögel mit Dinosauriern verwandt?«). Gehen Sie dann vom Hören zum Lesen über, und teilen Sie den Schülern den Text aus.
4. Lassen Sie je zwei Teams eine Vierergruppe bilden, ihre Antworten diskutieren und sich untereinander einigen. Beobachten Sie die Arbeit in den Gruppen, und geben Sie Hilfestellung.
5. Geben Sie der Klasse den Arbeitsauftrag, auf der Grundlage des Besprochenen einen eigenen Text zu verfassen. Dieser sollte nicht zu lang sein (eine bis eineinhalb Seiten). In Betracht kommen dafür eine Nacherzählung, eine Rezension, ein Aufsatz, eine persönliche Erwiderung oder ein schöpferischer Text (eine Geschichte, ein Gedicht, ein Sketch usw.).
6. Um die Vorteile dieser Methode voll auszunutzen, sollten Sie sie regelmäßig einsetzen. Ideal ist einmal pro Woche.
7. Lassen Sie die Schüler ihre Texte noch einmal durchlesen, den besten auswählen und in Autorenzirkeln (vgl. S. 202) zusammenkommen, um sich Anregungen und Feedback von den Mitschülern zu holen.
8. Geben Sie den Schülern Zeit, ihre Texte zu überarbeiten. Sagen Sie den Schülern, dass Sie nur den von ihnen ausgewählten und überarbeiteten Text benoten werden.

Eine Unterrichtsstunde mit dieser Methode planen

Die Methode »Hörst du, was ich höre?« ist darauf ausgerichtet, den Planungsaufwand auf ein Minimum zu reduzieren, sodass mehr Zeit für die individuelle Förderung bleibt. Daher kommt sie mit nur drei Planungsschritten aus.

1. Wählen Sie den Text aus.
Der Text sollte so kurz sein, dass Sie ihn in maximal zehn Minuten vorlesen können. Die allermeisten Texte bleiben jedoch deutlich unter dieser Höchstgrenze. Ein befreundeter Lehrer hat zum Beispiel eine Reihe wunderbarer Unterrichtsstunden auf Haikus aufgebaut, Gedichten von lediglich drei Zeilen Länge. Entscheidend ist, dass der gewählte Text die Schüler fordert, das heißt, er sollte anspruchsvoller sein als die sonst im Unterricht besprochenen Texte.

- Ein Highschool-Lehrer, der Naturwissenschaften unterrichtet, behandelt in seinen »Hörst du, was ich höre?«-Stunden »Forschung an vorderster Front«: aktuelle Forschungsarbeiten von echten Wissenschaftlern. Jeden Freitag erschließen sich seine Schüler mithilfe dieser Methode einen Artikel aus dem Wissenschaftsteil der örtlichen Tageszeitung.
- Eine Lehrerin, die mit einer 7. Klasse das Theaterstück »Der Weg ins Licht« über die blinde Autorin Helen Keller liest, wählt drei Szenen aus, die ihre Schüler genau analysieren sollen. Drei Wochen lang nehmen sich die Schüler jeden Freitag eine andere Szene vor.
- Eine Grundschullehrerin baut ihre »Hörst du, was ich höre?«-Stunden auf »Touchpebbles« auf, einer Sammlung kurzer, anspruchsvoller Texte für die Grundschule.

2. Formulieren Sie Ihre Leitfragen.
Am besten ist es, wenn die Fragen für »Hörst du, was ich höre?«-Stunden vorhersehbar sind, weil sie in leicht abgewandelter Form jede Woche wieder auftauchen. Diese Wiederholung fördert das Selbstvertrauen der Schüler, lernen sie doch von Woche zu Woche besser, Fragen, die eine bestimmte Herangehensweise erfordern, zu erkennen, sich intensiv mit ihnen zu beschäftigen und sie schließlich zu lösen. Die Zahl der zu beantwortenden Fragen sollte vier nicht übersteigen. Bei literarischen Texten bietet es sich an, je eine Frage zu einem Wort, einem Zitat, den Beweggründen einer Figur und dem zentralen Motiv des Textes zu stellen. Je nach Text, Unterrichtszielen, Stoffgebiet und Leistungsniveau der Schüler sind jedoch auch viele andere Fragentypen denkbar. Als Rahmen für die Formulierung unterschiedlicher Fragetypen und für das Ansprechen unterschiedlicher Denkmuster können zum Beispiel die vier wichtigsten Lernstile dienen. Einen Überblick über 13 unterschiedliche Arten von Fragen, die auf den vier Lernstilen beruhen, gibt Abb. 19.1.

Wissensfragen erfordern, dass die Schüler …	**Beziehungsorientierte Fragen erfordern, dass die Schüler …**
… sich an die Fakten erinnern: • Wer war beteiligt? • Wo ist es passiert? • Wann hat es sich ereignet? • Was ist geschehen? • Wie ist es passiert? … ihre Beobachtungen wiedergeben: • Was ist dir aufgefallen? • Wo liegt das Problem? Wie würdest du es lösen? • Kannst du die Fakten wiedergeben? … ein Verfahren oder die Abfolge von Schritten ermitteln: • Welche Schritte sind nötig? • Wo würdest du ansetzen? • Was kommt als Erstes/Zweites? • Wie lautet die richtige Reihenfolge?	… Empathie zeigen und ihre Gefühle beschreiben: • Wie würdest du dich fühlen, wenn dir das passieren würde? • Wie, glaubst du, hat ______ sich gefühlt? • Kannst du beschreiben, welche Gefühle das bei dir auslöst? … den Wert von etwas einschätzen: • Warum ist dir ______ wichtig? • Welchen Wert hat ______? • Welche Entscheidung würdest du treffen? … sich in die Lage anderer hineinversetzen: • Was würdest du ______ raten? Wie würdest du sie/ihn trösten? • Vor welchem Problem steht ______? Was würdest du an seiner/ihrer Stelle tun? • Wie würdest du zwischen den Konfliktparteien vermitteln?
Verständnisfragen erfordern, dass die Schüler …	**Selbstverwirklichungsorientierte Fragen erfordern, dass die Schüler …**
… Bezüge herstellen: • Was sind die wichtigsten Gemeinsamkeiten und Unterschiede? • Was ist die Ursache? • Was sind die Folgen? • Wie hängt das alles miteinander zusammen? … Schlüsse ziehen und interpretieren: • Richtig, aber warum? • Wie würdest du erklären, dass ______? • Kannst du das belegen? • Was schließt du daraus? • Welche Belege hast du für deinen Standpunkt? … sich auf die tiefere Bedeutung konzentrieren: • Welche unausgesprochenen Annahmen liegen dem zugrunde? • Was beweist das? • Was hast du entdeckt?	… ihre Haltung überdenken: Welche Bilder hast du im Kopf, wenn du an ______ denkst? Inwiefern ist ______ wie ______? … Vergleiche ziehen, Hypothesen aufstellen und Vermutungen anstellen: • Was würde passieren, wenn ______? • Kannst du dir vorstellen, dass ______? Wie würde das aussehen? wie würde es sich anfühlen? … sich mit Alternativen und originellen Lösungen befassen: • Wie viele unterschiedliche Methoden gibt es, ______? • Wie könnte man das auf andere Weise erreichen? • Gibt es eine bessere Möglichkeit, wie man ______? … kreativ werden und sich Metaphern überlegen: • Inwiefern ist ______ wie ______? • Kannst du zu diesem Thema ein Gedicht verfassen, einen Sketch schreiben oder dir ein Symbol ausdenken?

Abb. 19.1: *Fragekategorien auf Grundlage der vier Lernstile (Silver, Strong und Perini 2001, S. 128)*

3. Wählen Sie eine Schreibübung, die Sie in leicht abgeänderter Form jede Woche wiederholen können.
Eine zentrale Rolle als Mittel zur Förderung des Lernfortschritts kommt im Rahmen der Methode »Hörst du, was ich höre?« der Wiederholung zu. Wenn man den Schülern drei oder vier Wochen hintereinander eine ähnliche Schreibaufgabe stellt (z. B. einen vergleichenden Aufsatz), so konzentriert sich ihre Aufmerksamkeit über einen längeren Zeitraum hinweg auf eine Kompetenz beziehungsweise ein Genre – und das ist eine wichtige Voraussetzung für den Lernfortschritt. Die drei im ersten Schritt vorgestellten Lehrer entschieden sich für folgende regelmäßig wiederholte Aufgabenformen:

- Der Highschool-Lehrer, der seinen Schülern jede Woche einen Artikel aus dem Wissenschaftsteil der Tageszeitung vorstellt, lässt die Schüler zu jedem Artikel einen Laborbericht verfassen und die Forschungsmethode, Hypothesen, Schlussfolgerungen und zukünftige Anwendungsmöglichkeiten beschreiben.
- Die Lehrerin, die mit ihren Schülern das Stück »Der Weg ins Licht« liest, lässt ihre Schüler in die Rolle eines Theaterkritikers schlüpfen und einen Kommentar zu den ausgewählten Szenen verfassen, in dem sie auf die Stärken und Schwächen der jeweiligen Szene eingehen sollen.
- Die Grundschullehrerin, die ihre Schüler regelmäßig mit kurzen, anspruchsvollen Texten konfrontiert, legt den Schwerpunkt auf das argumentative Schreiben. Sie lässt die Schüler zu jedem Text einen Brief schreiben und einem Freund erklären, weshalb dieser Text so wichtig ist und warum er ihn unbedingt lesen sollte.

Variationen und Ergänzungen

Nacherzählungen und Zusammenfassungen sind komplexere Aufgabenformen, als es auf den ersten Blick den Anschein hat. Bei beiden müssen die Schüler entscheiden, welche Inhalte wirklich wichtig sind, sie müssen Informationen zu sinnvollen Einheiten zusammenfassen und ein geschlossenes Ganzes aus ihren Gedanken formen. Im Folgenden finden Sie zwei Methoden, die (insbesondere leistungsschwache) Schüler beim Erlernen dieser unverzichtbaren Kompetenzen unterstützen. Außerdem stellen wir in diesem Abschnitt die Methode »Siehst du, was ich sehe?« vor, eine Abwandlung von »Hörst du, was ich höre?«, die speziell für den Einsatz im Mathematikunterricht gedacht ist.

Bewertungsschema für Nacherzählungen

Einer der größten Stolpersteine bei Nacherzählungen besteht darin, dass viele Schüler keine klare Vorstellung davon haben, wie eine gute Nacherzählung aussieht beziehungsweise wie sie sich anhört. Sie können Ihren Schülern die gezielte Analyse eigener Nacherzählungen und der Nacherzählungen ihrer Mitschüler erleichtern, indem Sie ihnen ein Bewertungsschema an die Hand geben, das einen Vergleich ihrer eigenen Einschätzung mit Ihrer als Lehrer ermöglicht (siehe Abb. 19.2). Mithilfe eines solchen Bewertungsschemas können Schüler wie Lehrer eine Nacherzählung bewerten und Verbesserungsvorschläge machen.

Gliederung

Deine Nacherzählung zeigt, dass du Informationen übersichtlich und leicht verständlich gliedern kannst.

Schüler: 1 2 3 4

Lehrer: 1 2 3 4

Belege:

Belege:

Richtigkeit

Deine Nacherzählung zeigt, dass du deine Notizen sorgfältig mit dem Originaltext abgleichst, um sicherzugehen, dass du alles richtig erfasst hast.

Schüler: 1 2 3 4

Lehrer: 1 2 3 4

Belege:

Belege:

Ausgewogenheit

Du findest in deiner Nacherzählung das richtige Gleichgewicht zwischen Kerngedanken und illustrierenden Details. Deine Nacherzählung enthält alle wichtigen Informationen; alles Nebensächliche und Überflüssige ist weggelassen.

Schüler: 1 2 3 4

Lehrer: 1 2 3 4

Belege:

Belege:

Abb. 19.2: *Sc hema für die Bewertung von Nacherzählungen durch Schüler und Lehrer (Silver, Strong und Perini 2007, S. 43)*

Kooperatives Zusammenfassen

Eine weitere Schwierigkeit beim Anfertigen von Nacherzählungen und Zusammenfassungen besteht darin, nur die wichtigsten Informationen herauszupicken. Die Methode »Kooperatives Zusammenfassen« trainiert die Fähigkeit, Wichtiges von Unwichtigem zu unterscheiden, in einem kooperativen Lernarrangement. Dabei tauschen die Schüler sich untereinander aus und arbeiten so in fünf Schritten die Kernpunkte eines Textes heraus:

1. Lesen Sie den Text vor, und lassen Sie die Schüler die ihrer Meinung nach wichtigsten drei bis sechs Punkte aufschreiben.
2. Tragen Sie den Schülern auf, sich mit einem Partner zusammenzuschließen und gemeinsam die Regeln des kooperativen Zusammenfassens durchzugehen:

   - Nennt Belegstellen aus dem Text, um zu untermauern, weshalb ein Gedanke wichtig ist.
   - Vermeidet einfache und schnelle Lösungen. Setzt auf die Kraft der Argumente.
   - Es handelt sich hier um keine Wahl und um kein intellektuelles Kräftemessen. Hütet euch davor, in den Kategorien »Sieger« und »Verlierer« zu denken.

   Geben Sie den Schülern den Arbeitsauftrag, sich mithilfe dieser drei Regeln darauf zu einigen, welches die drei bis sechs wichtigsten Gedanken des Textes sind.
3. Lassen Sie je zwei Schülerpaare zu einer Vierergruppe zusammengehen und ihre Listen vergleichen. Nun sollen sie zu viert einen Konsens über die wichtigsten Punkte erarbeiten. Sagen Sie den Schülern, dass diese endgültige Liste die Grundlage für ihre Nacherzählung beziehungsweise ihre Zusammenfassung sein wird. Sie sollten die Gedanken also so anordnen, dass sie sich gut ausformulieren lassen. Hier als Beispiel die Liste, auf die sich eine Gruppe von Highschool-Schülern in einer Kunsterziehungsstunde zu einem Text über den Impressionismus geeinigt hat:

   - Die Impressionisten begründeten eine neue Stilrichtung, indem sie viele hergebrachte Regeln missachteten.
   - Anders als die Maler vor ihnen, die an historisch bedeutsamen Themen interessiert waren, versuchten die Impressionisten, die natürliche Schönheit ihrer unmittelbaren Umgebung einzufangen.
   - Wichtiger als die korrekte Darstellung aller Details war impressionistischen Malern, den Kern eines Motivs zu erfassen.
   - Zu den maltechnischen Innovationen der Impressionisten gehörte der Einsatz neuer, lebendiger Farben sowie kurzer, kräftiger Pinselstriche, die für den Betrachter eines Gemäldes deutlich zu erkennen sind.
   - Ende des 19. Jahrhunderts sahen impressionistische Bilder für viele Leute seltsam unfertig aus.
   - Heute gehören impressionistische Gemälde von Künstlern wie Monet, Renoir und Degas zu den berühmtesten und beliebtesten Kunstwerken aller Zeiten.

4. Lassen Sie die Schüler auf der Grundlage der so erstellten Liste ihre individuelle Zusammenfassung oder Nacherzählung formulieren.
5. Bilden Sie aus je zwei Vierergruppen eine Achtergruppe. Die acht Mitglieder der Gruppe sollen sich ihre Zusammenfassungen gegenseitig vorlesen, darüber diskutieren und dann gemeinsam Kriterien dafür erstellen, was eine gute Zusammenfassung ausmacht. Diskutieren und präzisieren Sie diese Kriterien mit der ganzen Klasse. Erinnern Sie die Schüler im Lauf des Schuljahres immer wieder daran, dass diese Kriterien ihnen beim Schreiben einer guten Zusammenfassung helfen können.

»Siehst du, was ich sehe?«: Eine Methode zur Verbesserung der mathematischen Problemlösefähigkeit

Eines der größten Hindernisse, das bei vielen Schülern bei Vergleichsarbeiten in Mathematik ein gutes Abschneiden verhindert, ist ihre Impulsivität. Sie entscheiden vorschnell, worum es in einer Aufgabe geht und wie sie zu lösen ist. Aus denselben Gründen, die »Hörst du, was ich höre?« zu einer derart effektiven Methode für den Ausbau der kognitiven und kommunikativen Fähigkeiten machen, ist diese Methode auch ideal geeignet, die Schüler im Mathematikunterricht zu umsichtigeren, strategisch denkenden Problemlösern zu erziehen. Da der Schwerpunkt bei dieser Variante auf visuellen Darstellungen liegt, wird sie auch »Siehst du, was ich sehe?« genannt. Sie erfordert sieben Schritte:

1. Reservieren Sie jede Woche eine Stunde für komplexe, ungewöhnliche Aufgaben, die mit dem jeweils in Mathematik behandelten Stoff in Zusammenhang stehen. Anregungen für solche »Aufgaben der Woche« finden Sie im Internet, zum Beispiel auf den Seiten des »National Council of Teachers of Mathematics« (www.nctm.org), des »Franklin Institute« (www.fi.edu/school) oder des »Education Development Center« (www2.edc.org/mathproblems).
2. Lesen Sie den Schülern die Aufgabe zweimal vor. Beim ersten Mal geben Sie den Schülern den Arbeitsauftrag, sich die wichtigsten Informationen zu notieren. Beim zweiten Mal lassen Sie die Schüler die Aufgabe in Form einer Skizze darstellen. Dabei dürfen sie Zahlen und Buchstaben verwenden, aber keine Wörter.
3. Teilen Sie den Schülern die Aufgabe schriftlich aus, und tragen Sie ihnen auf, ihre Notizen und Skizzen zu überarbeiten. Achten Sie darauf, dass die Schüler die Aufgabe noch nicht lösen.
4. Lassen Sie die Schüler in kleinen Gruppen aus drei bis vier Schülern zusammengehen, und tragen Sie den Gruppen auf,
   - sich gegenseitig ihre Notizen und Skizzen zu zeigen,
   - zu definieren, worum es bei dieser Aufgabe geht, und
   - einen Plan zu entwickeln, wie die Aufgabe zu lösen ist.

   (Die Gruppen sollen die Aufgabe aber immer noch nicht lösen.)
5. Gehen Sie währenddessen von einer Gruppe zur anderen, hören Sie zu, und beobachten Sie die Arbeit der einzelnen Gruppen. Bitten Sie dann zwei bis drei Gruppen mit unterschiedlichen Lösungsansätzen, ihre Idee der ganzen Klasse vorzustellen. Geben Sie der ganzen Klasse Gelegenheit, Fragen zu stellen und Feedback zu geben.
6. Stellen Sie die Aufgabe den Schülern als Hausaufgabe. Tragen Sie den Schülern auf, neben der Lösung auch eine schriftliche Begründung des gewählten Lösungswegs aufzuschreiben.
7. Lassen Sie die Schüler dieses Verfahren drei Wochen lang einmal pro Woche anwenden. In der vierten Woche des Monats wählen die Schüler aus den drei Vorwochen ihren besten Versuch aus. Geben Sie den Schülern Gelegenheit, ihre Aufgaben und Texte in Kleingruppen zu überarbeiten. Benoten Sie jeden Monat lediglich eine Aufgabe.

Methode 20: Aufgabenzirkel

Wie passt die Methode in eine Unterrichtseinheit?

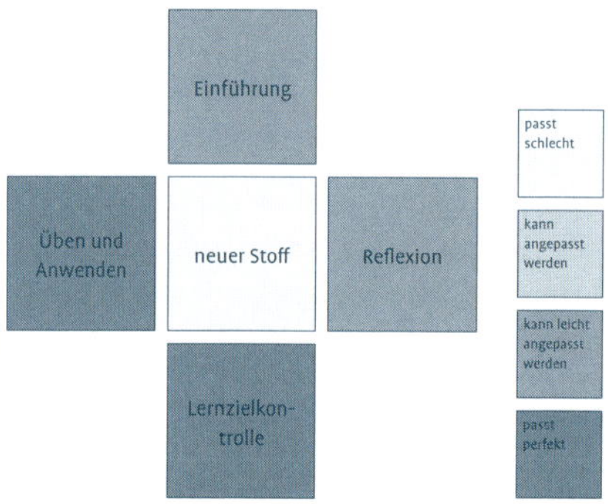

Welche Lerntypen spricht die Methode an?

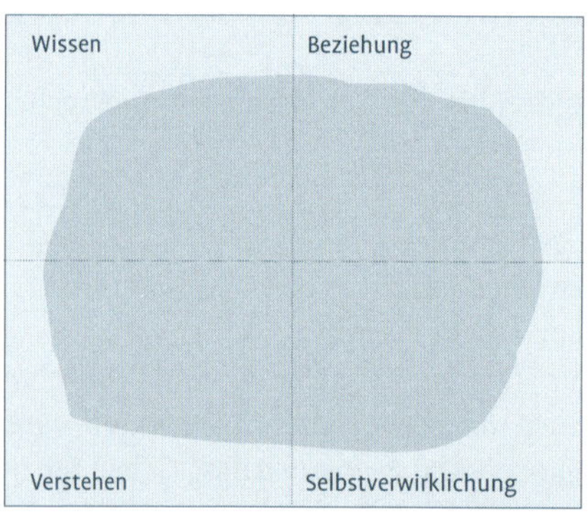

Welche Aspekte des Lernens lassen sich mithilfe der Methode weiterentwickeln?

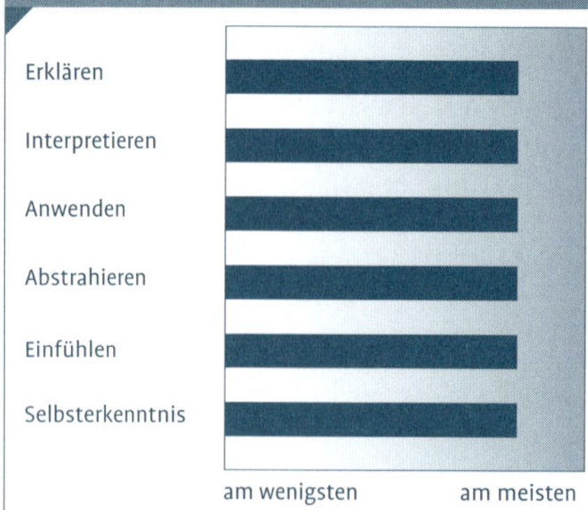

Welche Kernkompetenzen werden mit der Methode geschult?

Lesen und Lernen

- ○ durch das Anfertigen von Notizen Ideen sammeln und ordnen
- ○ abstrakte akademische Begriffe erschließen
- ○ visuelle Darstellungen erfassen und interpretieren

Logisch denken und analysieren

- ○ Schlussfolgerungen ziehen; Hypothesen und Vermutungen anstellen und überprüfen
- ○ anhand vorgegebener Kriterien Vergleiche durchführen
- ● mit ganz unterschiedlichen Aufgabenstellungen klarkommen

Kreativ sein und kommunizieren

- ● verständlich formulierte, schlüssige Erklärungen schreiben
- ○ sicherer schriftlicher Ausdruck in Sachtexten
- ○ zwei oder mehr Texte lesen und darüber schreiben

Reflektieren und Bezüge herstellen

- ● Pläne aufstellen, um komplexe Fragen oder Aufgaben zu lösen
- ● eigene Arbeit anhand von Kriterien und Checklisten evaluieren
- ● die eigene Stimmung und spontane Regungen kontrollieren/beeinflussen

Inwiefern berücksichtigt die Methode Forschungsergebnisse über effektiven Unterricht?

- ○ Gemeinsamkeiten und Unterschiede erkennen
- ○ zusammenfassen und Notizen machen
- ● Anstrengungen verstärken und anerkennen
- ● Hausaufgaben und Übungen
- ○ nicht sprachliche Darstellungsformen
- ● kooperatives Lernen
- ● Ziele setzen und Feedback geben
- ○ Hypothesen aufstellen und überprüfen
- ● Hinweise, Fragen und Diagramme zur Wissensstrukturierung (»Advance Organizer«)

Welche Arten von Wissen vermittelt die Methode?

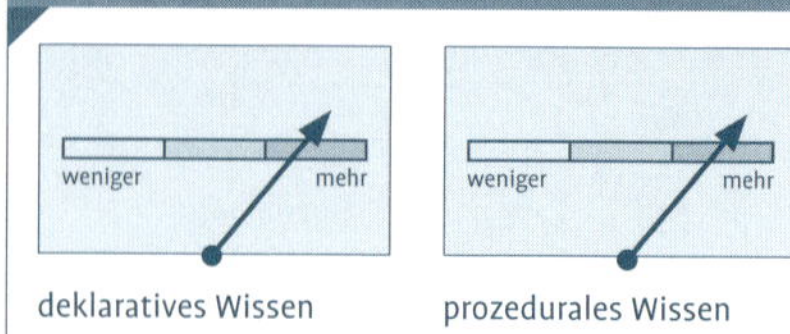

Überblick

Stellen Sie sich vor, Sie studieren Lehramt, und Ihr Professor teilt Ihnen am ersten Tag des neuen Semesters mit, dass sich 50 Prozent Ihrer Note in seinem Kurs aus Ihrem Abschneiden bei zwei Aufgaben zusammensetzen, die Sie aus folgenden vier auswählen können:

- einem Test am Ende des Semesters, der aus 150 Multiple-Choice-Fragen besteht
- einem Aufsatz, in dem Sie eine zentrale These aus dem Kurs aufgreifen und Belege dafür und dagegen sammeln
- einem Projekt, in dessen Rahmen Sie vier wichtige, im Kurs behandelte Theorien auf Ihre Unterrichtspraxis anwenden
- einem ausführlichen Brief, in dem sie darlegen, was Sie persönlich aus diesem Kurs mitgenommen haben

Welche zwei Aufgaben würden Sie wählen? Welcher würden Sie nach Kräften aus dem Weg gehen?

Die Methode im Einsatz

Ein »Aufgabenzirkel« bietet Lehrern einen praxistauglichen Rahmen für die Differenzierung ihres Unterrichts. Die Idee eines Aufgabenzirkels besteht darin, den Schülern vier Aufgaben zur Wahl zu stellen, die vier unterschiedliche Lernstile ansprechen.

- *Wissensaufgaben* erfordern von den Schülern, Inhalte wiederzugeben oder zu beschreiben.
  Beispielaufgabe: »Wähle ein lästiges oder gefährliches Tier, das wir in dieser Unterrichtseinheit besprochen haben. Erstelle eine schematische Zeichnung, die mindestens acht wichtige Merkmale des gewählten Tieres veranschaulicht.«
- *Verstehensaufgaben* verlangen von den Schülern, etwas zu erklären oder zu begründen.
  Beispielaufgabe: »Was ist die Bedeutung dieses Tiers? Erstelle ein Schema, aus dem zu entnehmen ist, welche Rolle dieses Tier im Ökosystem spielt.«
- *Selbstverwirklichungsorientierte Aufgaben* erfordern, dass die Schüler kreativ werden und ihre Fantasie spielen lassen.
  Beispielaufgabe: »Denk dir eine Sage aus, die erzählt, wie das Tier ein wichtiges Merkmal oder eine wichtige Verhaltensweise erworben hat.«
- *Beziehungsorientierte Aufgaben* verlangen von den Schülern, ihre Gefühle zu erforschen und einen persönlichen Bezug zum Lernstoff herzustellen.
  Beispielaufgabe: »Schreibe einen Brief an einen Freund, in dem du ihm erklärst, was du an diesem Tier so toll findest.«

Indem sie Aufgaben erstellen, die alle vier Lernstile ansprechen, können Lehrer mit überschaubarem Aufwand differenzierte Systeme für die Leistungserhebung entwickeln, die wertvolle Einblicke eröffnen, wie die einzelnen Schüler lernen. Gleichzeitig findet so jeder Schüler eine Aufgabe, die ihm sinnvoll erscheint und die ihn motiviert.

Die Mathematiklehrerin Kathy Padilla weiß, wie wichtig die Berücksichtigung der unterschiedlichen Lernstile ist, wenn sie alle ihre Schüler motivieren will. In ihrer 5. Klasse differenziert sie ihren Unterricht nach Lernstilen, indem sie:

- von jedem Schüler ein Lernstil-Profil anfertigt und Schülern mit Lese- und Schreibproblemen auf dieser Grundlage hilft, ihre natürlichen Stärken zu nutzen und ihre Schwächen zu minimieren
- ihre Unterrichtsmethoden so variiert, dass sie einerseits den Bedürfnissen aller Schüler Rechnung trägt (indem sie deren bevorzugten Stil anspricht), die Schüler andererseits aber auch fordert (indem sie Methoden einsetzt, die Schülern abverlangen, in einem bei ihnen weniger gut ausgeprägten Lernstil zu lernen)
- den Schülern die Möglichkeit gibt, mithilfe eines Lerntypentests (vgl. Silver und Strong 2004) ihr ganz persönliches Lernstil-Profil kennenzulernen, und mit den Schülern das ganze Schuljahr über immer wieder darüber spricht, welcher Lernstil ihnen am meisten liegt und wie sie noch effektiver lernen können

Wie wichtig Kathy Padilla das Prinzip der Differenzierung ist, zeigt sich auch in ihrem System der Leistungserhebung, bei dem Aufgabenzirkeln eine zentrale Rolle zukommt. Heute setzt sie einen Aufgabenzirkel ein, um eine Unterrichtseinheit zur Flächen- und Umfangsberechnung abzuschließen. Dabei orientiert sie sich an den Vorgaben des Lehrplans und erstellt Aufgaben, die alle vier Lernstile ansprechen. In Abb. 20.1 sehen Sie die Bildungsstandards, an denen Kathy Padilla sich orientiert hat, sowie den Aufgabenzirkel, den sie zur Abrundung ihrer Unterrichtseinheit erstellt hat.

Die Bildungsstandards, von denen Kathy Padilla ausging:

- Die Schüler können auf der Grundlage von mathematischen Konzepten und Verfahren kommunizieren, logisch denken und Aufgaben lösen.
- Die Schüler beherrschen die Begriffe zur Beschreibung mehrdimensionaler Körper und können sie korrekt anwenden.

Zentrale Inhalts- und Erkenntnisziele:

- Die Schüler sind in der Lage, Objekte nach Eigenschaften wie Länge, Breite, Höhe, Umfang, Fläche und Rauminhalt zu beschreiben und zu vergleichen.
- Die Schüler können einfache zweidimensionale geometrische Formen erkennen, beschreiben und Beispiele dafür nennen und können mithilfe dieses Wissens reale und/oder mathematische Probleme lösen.

Der Aufgabenzirkel, den Kathy Padilla erstellt hat:

Wissensaufgabe	**Beziehungsorientierte Aufgabe**
Wenn man ein Rechteck von 4 × 10 cm Größe und ein Rechteck von 5 × 12 cm Größe zusammenfügt, welchen Umfang hat dann die so entstandene Figur? Welche Fläche hat die Figur insgesamt? 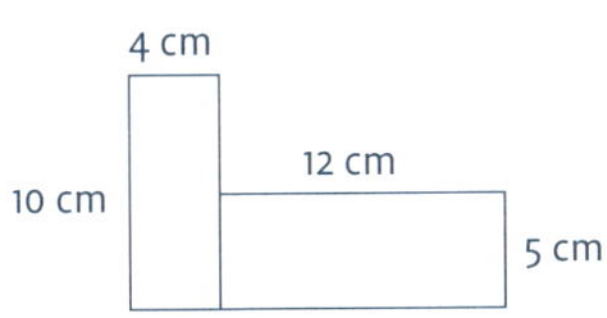	Zeichne einen Plan von deinem Zuhause, dem sich die Abmessungen der einzelnen Räume entnehmen lassen. Berechne daraufhin den Umfang und die Fläche jedes Zimmers, und erstelle auf der Basis des Umfangs eine Rangfolge der Zimmer vom größten bis zum kleinsten. Wie viel Zeit verbringst du in den einzelnen Zimmern? Kannst du einen Zusammenhang zwischen Fläche und Umfang der Zimmer und der Zeit herstellen, die du darin verbringst?
Die Maße wie vieler Seiten der unten abgebildeten Figur musst du mindestens kennen, um den Umfang und die Fläche der Figur zu berechnen? Begründe deine Antwort. 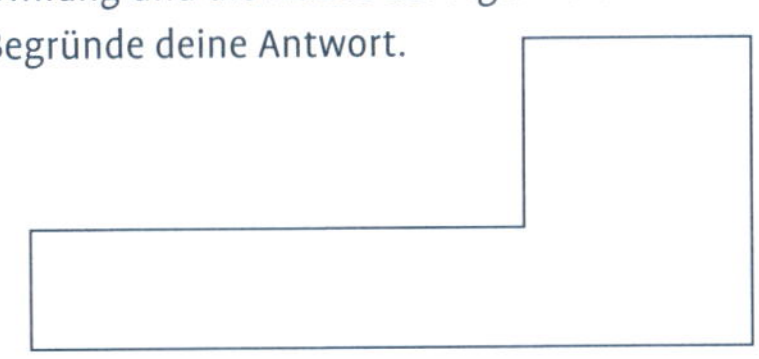	Denk dir eine Aufgabe aus, bei der du den Umfang und die Fläche von zwei Rechtecken, einem Quadrat und einem gleichseitigen Dreieck berechnen musst. Gegeben sind die Maße von vier Seiten. Kannst du eine weitere Aufgabe entwerfen, in der nur drei Maße gegeben sind? Wie steht es mit zwei?
Verstehensaufgabe	**Selbstverwirklichungsorientierte Aufgabe**

Abb. 20.1: *Der Aufgabenzirkel von Kathy Padilla und die zugrunde liegenden Lehrplanziele*

Zunächst geht Kathy Padilla die vier Aufgaben gemeinsam mit den Schülern durch. Sie erklärt ihnen, dass sie alle vier Aufgaben bearbeiten müssen, die Reihenfolge aber selbst festlegen können. Die Schüler dürfen in ihren Notizen nachschauen, um sicherzugehen, dass sie alles richtig verstanden haben und über alle wichtigen Informationen verfügen, die zur Lösung der jeweiligen Aufgabe nötig sind. Damit die Schüler wissen, was von ihnen erwartet wird, gibt die Lehrerin ihnen Bewertungskriterien an die Hand, die für alle vier Aufgaben gelten. Dabei achtet sie darauf, dass die Kriterien eindeutig formuliert und für die Schüler gut verständlich sind:

- Weißt du, wie man die Fläche und den Umfang einer Figur richtig berechnet?
- Kannst du den Rechenweg mathematisch begründen?
- Hast du den Stoff so gut verstanden, dass du auch schwierige Aufgaben zur Flächen- und Umfangsberechnung lösen und dir selbst welche ausdenken kannst?
- Kannst du die Begriffe »Fläche« und »Umfang« benutzen, um Dinge aus deinem eigenen Leben zu beschreiben und zu erklären?

Am meisten schätzt Kathy Padilla an der Methode »Aufgabenzirkel«, dass sie den Schülern Gelegenheit gibt, mathematische Konzepte und Lösungswege aus unterschiedlichen Blickwinkeln und unter Einsatz einer Vielzahl von Lesestrategien zu erkunden. Während die Schüler die Aufgaben bearbeiten und die Konzepte »Fläche« und »Umfang« immer besser durchdringen, lernen sie zugleich, eine Reihe von allgemeinen Kompetenzen und Strategien anzuwenden, die sie in der Mathematik immer wieder brauchen:

- richtig rechnen (Wissen)
- mathematische Prinzipien entdecken und erklären (Verstehen)
- ungewöhnliche Aufgaben lösen (Selbstverwirklichung)
- einen Bezug zwischen mathematischen Konzepten und der eigenen Erfahrungswelt herstellen (Beziehung)

Darüber hinaus unternimmt Kathy Padilla zweierlei, um aus diesem lernstilorientierten Ansatz das Maximum herauszuholen. Erstens beobachtet sie die Schüler bei der Arbeit und stellt ihnen Fragen zu ihrer Herangehensweise an verschiedene Aufgaben. Zweitens führt sie im Anschluss ein Unterrichtsgespräch mit der ganzen Klasse, in dem die Schüler darüber diskutieren, welche Aufgaben ihnen am wenigsten gefallen haben und welche am besten, und darüber, wie sie ihre eigene Lernkompetenz verbessern könnten. Im Rahmen ihrer Beobachtungen und der anschließenden Diskussion sammelt Kathy Padilla eine Vielzahl an Ideen und Hinweisen, an welchen mathematischen Fähigkeiten ihre Schüler noch besonders arbeiten müssen.

Ein bunter Strauß an Aufgabenzirkeln

Im vorangegangenen Abschnitt haben wir gesehen, wie Planung und Durchführung eines Aufgabenzirkels im Mathematikunterricht aussehen. Abbildung 20.2 zeigt eine Vielzahl an Aufgabenzirkeln für unterschiedliche Jahrgangsstufen und Unterrichtsfächer. Welche gefallen Ihnen am besten? Warum?

Vorschule: Pflanzen	
Wissensaufgabe Zeichne eine Topfpflanze, und beschrifte ihre Teile.	**Beziehungsorientierte Aufgabe** Stell dir vor, du wärst eine Pflanze. Wie würdest du dich an einem sonnigen (oder regnerischen) Tag fühlen?
Verstehensaufgabe Warum sind Pflanzen wichtig? Nenne drei Gründe.	**Selbstverwirklichungsorientierte Aufgabe** Wie würde eine Welt ohne Pflanzen aussehen?

Grundschule: Hauptwörter	
Wissensaufgabe Hauptwörter bezeichnen Personen, Orte oder Sachen. Unterstreiche im Satz unten alle Hauptwörter. Ordne sie dann in die richtige Spalte dieser Tabelle ein: Person | Ort | Sache	**Beziehungsorientierte Aufgabe** Frag deine Mutter oder deinen Vater, welche Wörter du als Kind als Erstes gesagt hast. Was fällt dir auf, wenn du dir diese Liste anschaust?
Verstehensaufgabe Um bessere Hauptwörter benutzen zu können, musst du sie zunächst aufspüren. Wenn du ein guter Hauptwort-Detektiv bist, findest du bestimmt die Hauptwörter in den drei Sätzen unten. Erkläre, wie du sie ausfindig gemacht hast. 1. Gegen Lethargie ist kein Kraut gewachsen. 2. Derartige Irrtümer sind weit verbreitet. 3. Hast du diese sechs Rezepte geschrieben?	**Selbstverwirklichungsorientierte Aufgabe** Formuliere Sätze voller Unsinnswörter, wie z. B.: »Mein wunderschöner Snorpftet hat die Gsprangsta gewonnen.« Schreib die Sätze so, dass ein Freund problemlos die Hauptwörter findet – egal, wie viele Unsinnswörter in den Sätzen vorkommen.

Mittelstufe: Gedichtinterpretation (zum Baseballgedicht »Casey at the Bat«)	
Wissensaufgabe Das Gedicht hat 13 Strophen. Kannst du es in sieben Sätzen nacherzählen – sechs Sätze für die ersten zwölf Strophen und einen Satz für die letzte Strophe?	**Beziehungsorientierte Aufgabe** Jeder von uns hat einen kleinen Casey in sich. Inwiefern trägt deine Grundeinstellung dazu bei, dass du in der Schule gut abschneidest? Inwiefern steht sie dir manchmal im Weg? Erkläre, was an deiner Einstellung positiv ist.
Verstehensaufgabe Finde Belegstellen, die folgende Aussage beweisen oder widerlegen: Der Grund, weshalb Casey scheitert, liegt in seiner Einstellung.	**Selbstverwirklichungsorientierte Aufgabe** Jetzt versuchen wir uns selbst als Dichter. Schreibe eine zusätzliche Strophe, in der Casey nach dem Spiel interviewt wird. Was würde Casey wohl sagen? Denk an das, was du über seine Einstellung aufgeschrieben hast, und imitiere den Stil und das Reimschema des Gedichts.

Oberstufe: Schwierige Verfassungsfragen	
Wissensaufgabe Lies dir verschiedene Fallbeschreibungen aus unserem Staatsbürgerkunde-Handapparat durch, und fertige nach dem gleichen Schema eine Fallbeschreibung für diesen Fall an.	**Beziehungsorientierte Aufgabe** Erstellt eine Sammlung von Fällen, in denen es um ähnliche Unklarheiten auf dem Gebiet der Redefreiheit und zweier anderer Grundrechte geht. Ergänze deine Fallsammlung um Kommentare, in denen du zum Ausdruck bringst, wie du persönlich zu diesen Fällen stehst.
Verstehensaufgabe Bildet eine Diskussionsgruppe und besprecht folgende Frage: Ist es möglich, die Verfassung der USA so umzuschreiben, dass sich Probleme im Bereich der Redefreiheit beseitigen lassen, die mit Frauenfeindlichkeit, politischer Korrektheit und Verunglimpfung aufgrund der ethnischen Zugehörigkeit zu tun haben?	**Selbstverwirklichungsorientierte Aufgabe** Schreibe einen Folksong über diese Frage, und beziehe darin eine klare Position.

Abb. 20.2: *Ein bunter Strauß an Aufgabenzirkeln*

Warum die Methode funktioniert

Dem ganzen Spektrum individueller Lernstile gerecht zu werden und gleichzeitig alle Schüler in die Lage zu versetzen, die hohen Anforderungen der Lehrpläne zu erfüllen, stellt die meisten Lehrer vor große Herausforderungen. Die Methode »Aufgabenzirkel« hilft Lehrern, zu differenzieren und unterschiedliche Lernstile anzusprechen. Auf diese Weise geben sie allen Schülern die Chance, den Lernstoff so zu verarbeiten und ihr Wissen so unter Beweis zu stellen, wie es ihren individuellen Präferenzen entspricht.

Die Idee der Lernstile geht auf C. G. Jung (1923) zurück. Ein zentrales Motiv in Jungs Werk ist der Gedanke, dass scheinbar zufällige unterschiedliche Verhaltensmuster bei Menschen in erheblichem Maß auf Vorlieben für bestimmte Denkmuster und Lernstile zurückzuführen sind, die Menschen entwickeln. Jahre später bauten Isabel Myers und Kathleen Briggs (Myers 1962/1998) auf den Vorarbeiten Jungs auf und entwickelten auf der Grundlage einer umfassenden Theorie zur Erklärung menschlicher Unterschiede den bekannten »Myers-Briggs Typindikator«. Zahlreiche Bildungsforscher – wie Bernice McCarthy (1982), Kathleen Butler (1984), Carolyn Mamchur (1996), Harvey Silver und J. Robert Hanson (1998), Edward Pajak (2003) und Gayle Gregory (2005) – haben diese Theorien seither weiter erforscht und auf den Bildungsbereich angewandt.

In das von uns entwickelte Modell der Lernstile ist neben diesen Forschungen unsere 30-jährige Erfahrung in der Beratung von Schulen eingeflossen, die alle Schüler begeistern und motivieren und allen zu mehr Lernerfolg verhelfen wollen. Die vier wichtigsten Lernstile, die wir unterscheiden, sind in der Einleitung dieses Buches erläutert (siehe Abbildung C, S. 13).

Alle vier Stile sind gleich wichtig, und jeder Schüler greift auf alle vier zurück. Fest steht jedoch auch, dass die meisten Menschen eine Vorliebe für bestimmte Lernstile ausprägen. Wird der bevorzugte Lernstil eines Schülers im Unterricht vernachlässigt, ist die Gefahr groß, dass der Schüler die Lust am Lernen verliert oder Unbekanntes sogar als Bedrohung wahrnimmt. Wenn Lehrer es versäumen, auf unterschiedliche Lernstile einzugehen, führt das zu unmotivierten Schülern, die keine Freude am Lernen haben. Findet ihr Lernstil im Unterricht dagegen Berücksichtigung, so sind Schüler sehr viel eher bereit, sich anzustrengen und dazuzulernen. Das belegen zahlreiche Studien, die bei Schülern eine deutliche Steigerung der Motivation und der Leistungen nachgewiesen haben, wenn Lehrer ihren Unterricht auf die unterschiedlichen Lernstile ihrer Schüler ausrichten (Carbo 1992, Dunn, Griggs und Beasley 1995, Hanson, Dewing, Silver und Strong 1991).

Indem Lehrer mithilfe der Methode »Aufgabenzirkel« das Potenzial der verschiedenen Lernstile für ihren Unterricht fruchtbar machen, können sie eine Reihe wichtiger Lernziele sehr viel leichter erreichen:

- *Die Verarbeitungstiefe verbessern:* Indem die Schüler neue Lerninhalte regelmäßig aus unterschiedlichen Perspektiven analysieren, verstehen sie den Lernstoff sehr viel besser.
- *Die kognitive Vielfalt fördern:* Die Schüler steigern ihre Fähigkeiten im Hinblick auf vier unterschiedliche Denkmuster: Inhalte abrufen (Wissen), logisch denken (Verstehen), kreativ denken (Selbstverwirklichung) und Bezüge zum eigenen Leben und dem anderer herstellen (Beziehung).
- *Alle Schüler motivieren:* Die Freude der Schüler am Lernen steigt, weil ein Aufgabenzirkel für eine ausgewogene Mischung zwischen dem Arbeiten im bevorzugten Stil und dem Ausprobieren neuer Ansätze sorgt.
- *Die geistige Beweglichkeit der Schüler erhöhen:* Durch die Bearbeitung von Aufgaben, die unterschiedliche Denkmuster und Lernmethoden erfordern, wird das Denken der Schüler offener und flexibler.

Die Methode im Einsatz

1. Falls Ihre Schüler mit Lernstilen noch nicht vertraut sind, stellen Sie ihnen die vier Stile vor, und planen Sie ein wenig Zeit für Reflexion und Diskussion ein.
2. Stellen Sie den Schülern die vier Aufgaben vor, und erklären Sie ihnen, was sie zu tun haben: Sollen sie alle Aufgaben bearbeiten, einen Teil davon oder nur eine? Dürfen sie selbst wählen, welche Aufgaben sie bearbeiten? Müssen sie die Aufgaben in einer bestimmten Reihenfolge bearbeiten?
3. Lassen Sie die Schüler die Aufgaben allein oder in Gruppen bearbeiten. Geben Sie den Schülern, sofern nötig, Bewertungskriterien an die Hand.
4. Gehen Sie im Klassenzimmer umher, während die Schüler arbeiten. Die Schüler beim Auswählen und Bearbeiten der Aufgaben zu beobachten ist eine ideale Gelegenheit, mehr über die Vorlieben und die individuellen Lernstile der einzelnen Schüler zu erfahren.
5. Diskutieren Sie mit der ganzen Klasse darüber,
   - welche Denkmuster die einzelnen Aufgaben erfordern,
   - welche Aufgaben ihnen am besten bzw. am wenigsten gefallen haben,
   - was sie im Lauf der Stunde über ihren eigenen Lernstil gelernt haben, und
   - wie sie ihren Lernerfolg erhöhen können, indem sie aus ihrem am besten ausgeprägten Lernstil Kapital schlagen und ungenutzte Potenziale ausbauen.

Eine Unterrichtsstunde mit dieser Methode planen

Folgen Sie bei der Planung eines Aufgabenzirkels folgenden Schritten:

1. Sammeln Sie die Bildungsziele, auf die es Ihnen ankommt.
Überlegen Sie sich zunächst die Bildungsziele, um die es Ihnen geht. Welche Inhalte oder Kompetenzen sollen Ihre Schüler am Ende der Unterrichtseinheit beherrschen?

2. Legen Sie die Unterrichtsziele fest.
Die Vorgaben des Bildungsplans stellen zwar die Grundlage eines Aufgabenzirkels dar, allerdings sind sie in der Regel ehrlich gesagt auch ziemlich sperrig, was nicht zuletzt an den abstrakten Formulierungen und an der Tendenz liegt, zu viele unterschiedliche Dinge in einen einzigen Satz zu packen (»Die Schülerinnen und Schüler können in kindgemäßen Experimenten mit geeigneten nicht standardisierten und standardisierten Einheiten in den Größenbereichen Geld, Längen und Zeit vergleichen, schätzen und messen«). Wir empfehlen daher, die eher abstrakten Vorgaben in eine praxistauglichere Form zu bringen: klar formulierte Lernziele. Dazu müssen Sie sich den Lehrplan ansehen und sich fragen:

- Was sollen die Schüler *wissen*? (Kerninhalte)
- Was sollen die Schüler *verstehen*? (Themen, Fragen, Kerngedanken)
- Welche *Kompetenzen* sollen die Schüler erwerben?
- Welche *Haltungen* möchte ich bei den Schülern fördern?

Anders als die meisten Bildungspläne sollten Ihre Antworten auf diese Fragen gut lesbar und verständlich sein. Die Vorschullehrerin, die einen Aufgabenzirkel zur Abrundung einer Lerneinheit über Pflanzen einsetzte (siehe Abb. 20.2), beantwortete die vier Fragen zu den Lernzielen beispielsweise folgendermaßen:

- *Wissen:* die wichtigsten Teile einer Blütenpflanze
- *Verstehen:* warum Pflanzen für uns und für die Erde so wichtig sind
- *Kompetenzen:* bildliche Darstellung und Erklärung
- *Haltungen:* Empathie (die Schüler sollen sich in eine Pflanze hineinversetzen), Wertschätzung (für das, was Pflanzen uns »schenken«)

3. Entwerfen Sie Aufgaben für alle vier Lernstile.
Orientieren Sie sich beim Erstellen der vier Aufgaben an folgenden Richtlinien:

- *Wissensaufgaben* fordern von den Schülern, Inhalte abzurufen, zu beschreiben, zusammenzufassen oder zu gliedern.
- *Verstehensaufgaben* verlangen von den Schülern, etwas zu vergleichen, zu begründen, zu beweisen oder zu erklären.
- *Selbstverwirklichungsorientierte Aufgaben* erfordern, dass die Schüler ihre Fantasie spielen lassen, kreativ sind, in Metaphern denken oder sich fragen: »Was wäre, wenn?«
- *Beziehungsorientierte Aufgaben* verlangen von den Schülern, sich in andere hineinzuversetzen, eine Verbindung zum richtigen Leben herzustellen, einen persönlichen Bezug zu finden oder ihre Gefühle und Werte zu erforschen.

Einen bunten Strauß an Aufgabenzirkeln aus verschiedenen Fächern und Jahrgangsstufen finden Sie in Abb. 20.2. Durch diese Beispiele können Sie ein Gefühl dafür entwickeln, worauf Sie beim Erstellen der Aufgaben für die verschiedenen Lernstile achten sollten.

4. Überlegen Sie sich einen Einstieg, der das Interesse der Schüler weckt und Vorwissen aktiviert.

Bevor Sie den Schülern den Aufgabenzirkel vorstellen, sollten Sie mit einem allgemeinen Einstieg ins Thema beginnen. Das kann eine Frage oder eine Übung sein, die das Interesse der Schüler weckt, ihr Hintergrundwissen zum Thema aktiviert und sie auf das Folgende neugierig macht. Ein Lehrer, der mit einem Aufgabenzirkel die Fähigkeit seiner 5. Klasse ausbauen wollte, überzeugend zu argumentieren, stellte ein Streitgespräch aus der Zeit des amerikanischen Unabhängigkeitskriegs zwischen einem Loyalisten und einem amerikanischen Patrioten aus dem Roman »My Brother Sam Is Dead« von James Lincoln und Christopher Collier in den Mittelpunkt der Unterrichtsstunde. Als Einstieg stellte er den Schülern folgende zwei Fragen:

- Was ist der Unterschied zwischen einem guten und einem schlechten Argument?
- Denk an jemanden aus deinem Bekanntenkreis, der gut argumentieren kann. Warum kann sie oder er andere so gut überzeugen?

5. Stellen Sie Erfolgskriterien auf.

Sie können Kriterien für jede einzelne Aufgabe formulieren oder sich Kriterien ausdenken, die für alle vier Aufgaben gelten. Egal, ob Sie sich so oder so entscheiden: Machen Sie sich nicht selbst das Leben schwer. Wenn Sie sich mit langen Listen detaillierter Kriterien überfordern, ist damit niemandem geholfen. Die Vorschullehrerin, die einen Aufgabenzirkel zu Blütenpflanzen erstellte (siehe Abb. 20.2), formulierte zum Beispiel lediglich ein Kriterium für jede der vier Aufgaben:

- Können die Schüler die wichtigsten Teile einer Blütenpflanze korrekt zeichnen und beschriften?
- Können die Schüler drei Hauptgründe nennen, weshalb Pflanzen so wichtig sind?
- Können sich die Schüler eine Welt ohne Pflanzen vorstellen und sie beschreiben?
- Können die Schüler sich vorstellen, wie es wäre, eine Pflanze zu sein?

Teilen Sie den Schülern die Kriterien am Anfang der Stunde mit, damit sie wissen, worauf es ankommt.

6. Überlegen Sie sich eine Arbeitsanweisung.

Der Aufgabenzirkel ist eine sehr vielseitige Methode, die man sehr flexibel für Unterrichts- oder Leistungsmessungszwecke einsetzen kann. Bei der Erstellung einer Arbeitsanweisung für Ihren Aufgabenzirkel haben sie mehrere Möglichkeiten. Sie können

- die Schüler alle vier Aufgaben in einer vorgegebenen Reihenfolge bearbeiten lassen,
- die Schüler alle vier Aufgaben in beliebiger Reihenfolge bearbeiten lassen,
- eine oder zwei Aufgaben verpflichtend machen und die Schüler eine weitere auswählen lassen oder
- es den Schülern überlassen, welche Aufgaben sie bearbeiten wollen.

Zu den großen Vorteilen eines Aufgabenzirkels gehört, dass er Ihnen wertvolle Informationen darüber liefert, wie die einzelnen Schüler lernen. Wie Ihre Arbeitsanweisung auch aussieht: Achten Sie genau darauf, zu welchen Aufgaben es die Schüler hinzieht und welche sie meiden beziehungsweise am wenigsten mögen. Wenn Sie die Methode »Aufgabenzirkel« regelmäßig einsetzen, Ihre Schüler gut beobachten und hinterher mit ihnen darüber diskutieren, werden Sie eine Menge über die Vorlieben Ihrer Schüler lernen. Mithilfe dieses Wissens können Sie sie dabei unterstützen, ihre Schwächen gezielt anzugehen und zu überwinden.

Variationen und Ergänzungen

Aufgabenzirkel erleichtern es Lehrern, eine Lernkultur zu schaffen, in der die Schüler – mittels Aufgaben, die ihrem bevorzugten Lernstil entgegenkommen – *gefördert* und zugleich – mit Aufgaben in Lernstilen, die ihnen schwerer fallen – *gefordert* werden. Die folgenden Variationen der Methode zeigen Lehrern Möglichkeiten auf, sich einen schnellen Überblick zu verschaffen, ob die Schüler alles verstanden haben (Verstehenszirkel), bei der Leistungsmessung nach Leistungsniveau und Lernstilen zu differenzieren (Bewertungszirkel) oder Aufgabenzirkel zu erstellen, die ein breites Spektrum unterschiedlicher Intelligenzen ansprechen.

Verstehenszirkel

Ein Verstehenszirkel ist eine Art Mini-Aufgabenzirkel. Dabei werden den Schüler Fragen vorgelegt, die alle vier Lernstile ansprechen, in der Regel aber innerhalb weniger Minuten beantwortet werden können. Anders als bei einem »richtigen« Aufgabenzirkel, bei dem die Schüler nicht unbedingt alle Aufgaben zu bearbeiten haben, müssen die Schüler bei einem Verstehenszirkel grundsätzlich alle vier Fragen beantworten. Der Einsatz eines Verstehenszirkels bietet sich insbesondere dann an, wenn der Lehrer sichergehen will, dass die Schüler alle gestellten Aufgaben bearbeitet und verstanden haben. Abbildung 20.3 zeigt einen Verstehenszirkel, mit dem eine Lehrerin überprüft hat, ob ihre 4. Klasse die Anfangskapitel des Jugendromans »Wir sind doch keine Flipperkugeln!« von Betsy Byars verstanden haben, in dem drei Pflegekinder lernen, einander zu vertrauen.

Verstehenszirkel	
Wissen Wie heißen die drei Hauptfiguren des Buchs? Wie kam es dazu, dass sie Pflegekinder von Mr. und Mrs. Mason wurden?	**Beziehung** Denk über die verschiedenen Figuren des Buches nach. Mit wem kannst du dich am besten identifizieren?
Verstehen Was, glaubst du, meint Mrs Mason, wenn sie sagt: »Ich fürchte, ›Heimweh‹ ist eine sehr ernst zu nehmende Krankheit, genau wie Masern oder Mumps«?	**Selbstverwirklichung** Thomas J. ist ein sehr stiller Junge. Was, glaubst du, geht ihm durch den Kopf, als er die anderen Kinder zum ersten Mal trifft?

Abb. 20.3: *Verstehenszirkel zu »Wir sind doch keine Flipperkugeln!«*

Bewertungszirkel

Im Hinblick auf die Leistungsmessung kann es sehr schwierig sein, allen Schülern unabhängig von ihrem Lernstil gleiche Chancen einzuräumen, zumal die einzelnen Schüler sehr unterschiedliche Fähigkeiten und Voraussetzungen mitbringen. Bewertungszirkel lösen dieses Problem, indem sie den Lernstil-Ansatz mit einer Differenzierung nach Schwierigkeitsgrad kombinieren (vgl. Methode 3, »Gestaffelter Schwierigkeitsgrad«). Bei einem Bewertungszirkel entwickeln die Schüler im Lauf der Unterrichtseinheit ihr individuelles Portfolio an Aufgaben und Präsentationen – eine aus jedem der drei Schwierigkeitsgrade und eine aus jedem Lernstil. Ein Beispiel für so einen Bewertungszirkel finden Sie in Kapitel 3 zur Methode »Gestaffelter Schwierigkeitsgrad« (Abb. 3.4, S. 58).

Aufgabenzirkel, die multiple Intelligenzen berücksichtigen

Aufgabenzirkel bestehen aus Übungen, die alle vier Lernstile ansprechen. In der Regel handelt es sich dabei um Fragen, die schriftlich beantwortet werden müssen. Man kann im Rahmen dieser Methode aber auch viele andere Aufgabenformen einsetzen. Daher eignen sich Aufgabenzirkel in geradezu idealer Weise, um die Differenzierung nach Lernstilen mit der Berücksichtigung multipler Intelligenzen zu verbinden.

Die Theorie der multiplen Intelligenzen geht auf den Psychologen und Harvardprofessor Howard Gardner (1999) zurück. Seiner Meinung nach ist die hergebrachte Theorie der Intelligenz, die ihren Ausdruck in IQ-Tests findet, ungeeignet, um die ganze Vielfalt menschlicher Kompetenzen zu erklären. Gardner unterscheidet daher acht verschiedene Formen der Intelligenz:

- Die *verbal-linguistische Intelligenz* umfasst die sprachlichen Fähigkeiten eines Menschen. Sie dient dazu, gesprochene und geschriebene Sprache zu verstehen und mündlich oder schriftlich mit anderen zu kommunizieren.
- Die *logisch-mathematische Intelligenz* bezieht sich auf den Umgang mit Zahlen und auf logisches Denken. Sie ermöglicht es uns, Zahlen- und Begriffsmuster zu erkennen.
- Bei der *räumlichen Intelligenz* dreht sich alles um Bilder und unser Vorstellungsvermögen. Dank ihr können wir uns ein Bild von etwas machen und es grafisch darstellen.
- Unter *musikalischer Intelligenz* versteht Gardner unser Gespür für Klang und Rhythmus und unsere Fähigkeit, musikalisch kreativ zu sein.
- Die *körperlich-kinästhetische Intelligenz* bezieht sich auf körperliche Bewegung, etwa im Sport, beim Tanz oder im Rahmen körperlicher Arbeit.
- Bei der *sozialen Intelligenz* geht es um unser Verhältnis zu unseren Mitmenschen, also unsere Fähigkeit, andere zu verstehen, uns in sie hineinzuversetzen und auf sie einzugehen.
- Die *intrapersonelle Intelligenz* umfasst unsere Fähigkeit zur Selbsterkenntnis. Wir wenden sie immer dann an, wenn wir unsere Gefühle und Emotionen erforschen und zu verstehen versuchen.
- Die *naturalistische Intelligenz* dient uns zur Erfassung der Natur. Dazu gehört unsere Fähigkeit, Lebewesen und Naturobjekte zu erfassen, zu unterscheiden und zu klassifizieren.

Die Theorie der multiplen Intelligenzen versetzt Lehrer in die Lage, die Leistungsmessung um Bereiche zu ergänzen, bei der die Schüler etwas anderes produzieren als einen schriftlichen Text. Berücksichtigt man im Rahmen eines Aufgabenzirkels multiple Intelligenzen, so eröffnet das außerdem Möglichkeiten, fächerübergreifend zu unterrichten und die Schüler für das Lernen zu begeistern, indem man ihnen die Chance gibt, ihre individuellen Talente und Interessen einzubringen.

Abbildung 20.4 zeigt, wie der Aufgabenzirkel, den eine Physiklehrerin für ihre 7. Klasse erstellt hat, den Schülern ein umfassendes Verständnis des physikalischen Begriffs der mechanischen »Arbeit« vermittelt, indem sie die Fächer Kunst, Mathematik, Deutsch und Sport einbezieht.

<table>
<tr><th colspan="2">Zeige, was du über den Begriff »Arbeit« gelernt hast</th></tr>
<tr>
<td>Wissen:
räumliche Intelligenz

Arbeiter gesucht! Eine Zeitarbeitsfirma beauftragt dich, ein Plakat für eine Anwerbungskampagne zu entwerfen. Das Plakat soll eine gute Überschrift, vier Illustrationen körperlicher Arbeit, ein Anforderungsprofil an die Bewerber sowie eine gute Beschreibung der zu verrichtenden körperlichen Arbeit enthalten.</td>
<td>Beziehung:
körperlich-kinästhetische Intelligenz

Das ist keine Arbeit! Zwei Schüler streiten sich, ob isometrische Übungen eine bessere oder eine schlechtere Trainingsmethode als Gewichtheben sind. Mach zusammen mit einem Klassenkameraden zwei Übungen, von denen eine mit Gewichten arbeitet und eine mit Isometrie. Diskutiert, welche Übung anstrengender, welche effektiver und welche nach physikalischer Definition »Arbeit« war. (Wenn ihr Belege dafür angebt, könnt ihr auch argumentieren, dass beide Übungen Arbeit waren – oder keine von beiden.) Nimm dann die Position eines der beiden Schüler ein, oder widerlege beide Ansichten.</td>
</tr>
<tr>
<td>Verstehen:
logisch-mathematische Intelligenz

Du als Bauingenieur: Du hast den Auftrag, an einem alten herrschaftlichen Anwesen die vier Kamine auf dem Dach zu ersetzen. Das Haus ist 4 m hoch, und die Kamine sollen es um etwa 1 m überragen. Für jeden Kamin brauchst du 64 Backsteine und 20 kg Mörtel. Ein Backstein ist 24 × 11,5 × 7,1 cm groß und 3,7 kg schwer, sodass sich inklusive der Mörtelfugen aus sechs Steinen ein Würfel von 24 cm Kantenlänge ergibt.

1. Liste alle Arbeitsschritte auf, die mechanische Arbeit erfordern.
2. Berechne die Maße des Kamins.
3. Berechne das Gesamtgewicht des benötigten Baumaterials.
4. Berechne, wie viel Kraft erforderlich ist, um das Material auf das Dach zu hieven.
5. Empfiehl den Arbeitern eine Methode, wie sie das Baumaterial auf das Dach schaffen sollen.
6. Berechne die Höhe, um die das Material insgesamt nach oben befördert werden muss.
7. Berechne, wie viel Arbeit (in Joule) nötig ist, um das Material aufs Dach zu hieven.</td>
<td>Selbstverwirklichung:
sprachliche Intelligenz

Die modernen Fabeln des Äsop. Ein Verlag ist auf der Suche nach von zeitgenössischen Autoren verfassten Fabeln. Lies zwei Fabeln und analysiere, welche Merkmale sie auszeichnen. Schau dir anschließend Sprichwörter zum Thema Arbeit an (z. B. »Viele Hände machen Arbeit bald ein Ende«). Verfasse auf Grundlage einer dieser Redensarten eine Fabel. Deine Fabel sollte den Grundgedanken dieser Redensart als Moral haben, und sie sollte zeigen, dass du den Begriff der mechanischen Arbeit verstanden hast.</td>
</tr>
</table>

Abb. 20.4: *Aufgabenzirkel, der multiple Intelligenzen anspricht*

Nachwort

Solange wir nicht dafür sorgen, dass es in diesem Land allen einigermaßen gut geht, wird es in diesem Land auf Dauer niemandem gut gehen.

Theodore Roosevelt

So viele Diskussionen zum Thema Unterricht kreisen heute auf geradezu ideologische Art und Weise um die Frage der Effektivität. Und das aus guten Gründen: Es steht viel auf dem Spiel, die zentralen Vergleichsarbeiten sind schwierig, und die Arbeits- und Lebenswelt, die unsere Schüler nach dem Schulabschluss erwartet, stellt hohe Ansprüche an ihre Denk- und Lernfähigkeit. Angesichts der großen Tragweite der Entscheidungen, die Lehrer im Unterricht treffen, kann es fast nicht ausbleiben, dass die Effektivität derart in den Mittelpunkt rückt: Welche Kompetenzen werden vorgelebt und unterrichtet? Ist diese Methode wissenschaftlich erprobt? Führt sie zu messbaren Verbesserungen der schulischen Leistungen?

Aber Effektivität ist nicht alles. Zu Recht hat Theodore Roosevelt darauf hingewiesen, dass unserer Demokratie noch ein anderer Impuls innewohnt – der vielleicht edelste Impuls von allen. Die in unserer Verfassung festgeschriebenen Grundrechte, unsere Bemühungen um ein Rechtssystem, vor dem alle gleich sind, unser Glaube an die zentrale Funktion eines staatlichen Bildungssystems – all das legt beredtes Zeugnis davon ab, wie groß wir uns als Gesellschaft das Prinzip der Chancengleichheit auf die Fahnen geschrieben haben. Zwar gibt es ein breites Spektrum sozialer und wirtschaftlicher Faktoren, die manchen Schülern einen Vorteil verschaffen und andere benachteiligen. Doch im Unterricht versuchen wir als Lehrer dafür zu sorgen, dass jeder Schüler die Chance hat, sein Potenzial zu entfalten.

Glücklicherweise jedoch schließen sich das Streben nach Effektivität und die Bemühungen um Chancengleichheit nicht gegenseitig aus. Der überlegte und differenzierte Einsatz unterschiedlicher Unterrichtsmethoden wirkt der Gefahr, beides immerzu gegeneinander auszuspielen, entgegen, weil er beiden Zielen gerecht wird: Einerseits sind die in diesem Buch vorgestellten Unterrichtsmethoden das beste Mittel für einen möglichst effektiven Unterricht. Zum Beweis genügt ein Blick auf die Navigatorseiten mit ihren Bezügen auf schulische Kompetenzen, einschlägige Forschungsergebnisse und die unterschiedlichen Facetten des Verstehens. Andererseits wird man kaum einen besseren Weg finden, auf die vielfältigen Motivationen, Lernstile und Bedürfnisse der Schüler einzugehen, als ein möglichst breit gefächertes Repertoire an Unterrichtsmethoden.

Wenn Sie also nicht strategisch unterrichten, widerspricht das dem Prinzip der Chancengleichheit, denn es sorgt bei der Mehrheit der Schüler, die zufällig einen anderen Lernstil bevorzugen als Sie, garantiert für Langeweile, Frustration und unnötige Lernschwierigkeiten. Nehmen Sie sich dagegen die Zeit, in Ihrem Unterricht vielfältige Methoden einzusetzen, die alle vier Lernstile ansprechen, bekommen alle Schüler, was sie wollen und was sie brauchen. Was könnte der Chancengleichheit besser dienen und effektiver sein?

Danksagung

Eines unserer Lieblingszitate stammt von dem Physiker Victor Weisskopf, den jemand aufgrund seiner Verdienste als Wissenschaftler, Musiker und Lehrer einmal als »Musterbeispiel für einen zivilisierten Menschen« bezeichnet hat. Es lautet: »Es gibt nur eine Sünde: von einer guten Idee zu hören und sie nicht zu stehlen.« Was uns an diesem Satz so gut gefällt ist, dass er eine tiefe Wahrheit ausspricht: Individueller Erfolg beruht zu großen Teilen auf den Leistungen anderer. Dass dieser Ausspruch von einem so unglaublich klugen Kopf wie Victor Weisskopf stammt, lindert ein wenig die Schuldgefühle, mit denen wir dieses Buch Lehrern anbieten, die seine eigentlichen Autoren sind.

Einige Lehrer, die uns die Früchte ihrer Arbeit überlassen haben, sind im Buch namentlich erwähnt. Ihnen gilt unser erster und größter Dank: Barbara Heinzman, früher an den öffentlichen Schulen in Geneva (New York), Dr. Claudia Geocaris von der Hinsdale South High School, Robin Cederblad von der Downers Grove South High School, Toni Johnson von der Penn Yan Academy, Michael Ledford von der Dewitt Elementary School, Sherry Gibbon, ehemals an der Penn Yan Academy, sowie Carl Carrozza von der Catskill Middle School. Wir wissen jedoch nur allzu gut, dass diese Liste unvollständig ist – in dieses Buch haben auch die Ideen vieler anderer Eingang gefunden. Wir haben alles unternommen, alle Lehrer zu erreichen, deren Arbeit hier zitiert ist, aber wir fürchten, dass uns doch einige durchgeschlüpft sind. Wir hoffen, dass wir ihre Arbeit korrekt wiedergegeben haben, und danken ihnen herzlich.

Unser besonderer Dank gilt Jay McTighe, Grant Wiggins, Robert Marzano und Giselle Martin-Kniep, deren unermüdlicher Einsatz für die Verbesserung unserer Schulen großen Einfluss auf uns, dieses Buch und die Navigatorseiten hatte. Danke auch an das McRel-Institut, das uns bei der Ausarbeitung der Navigatorseiten geholfen hat.

Des Weiteren möchten wir uns bei den vielen anderen bedanken, die mit ihren Begabungen, ihren Ideen und ihrer Zeit zum Gelingen dieses Projekts beigetragen haben. Beispielhaft möchten wir hier Abigail Silver, Robin Young und Lori Barnett für ihr detailliertes Feedback und ihre wertvollen Anregungen danken, Allyson Palmer und Meredith Lee für die gründliche Recherche, und all den Leuten, die den Entstehungsprozess dieses Buches durch viele Entwurfsstadien hindurch geduldig begleitet haben: Peta Feiner, Alexis Canonico, Bethann Carbone und ganz besonders Justin Gilbert, der es irgendwie geschafft hat, alles zu einem Ganzen zusammenzufügen.

Zu guter Letzt wollen wir uns noch bei zwei der wunderbarsten Organisationen bedanken, mit denen wir je zusammenarbeiten durften. Wir danken Barbara Schadlow, Allanna Wayne und Joanna Siebert von Laureate Education sowie Scott Willis, Darcie Russell, Nancy Modrak und dem ganzen Team von ASCD für ihre Unterstützung und ihre unerschöpfliche Geduld.

Literatur

Adler, M. (1982). The paideia proposal: Rediscovering the essence of education. *American School Board Journal*, 169 (7), 17–20.

Anderson, J. R. (1995). *Learning and memory: An integrated approach*. New York: John Wiley & Sons.

Aronson, E., Blaney, N., Stephan, C., Sikes, J., und Snapp, M. (1978). *The jigsaw classroom*. Beverly Hills, CA: Sage Publications.

Ashby, F. G., Isen, A. M., und Turken, A. V. (1999). A neuropsychological theory of positive affect and its influence on cognition. *Psychological Review*, 106, 529–550.

Ausubel, D. (1963). *The psychology of meaningful verbal learning*. New York: Grune & Stratton.

Ausubel, D. (1968). *Educational psychology, a cognitive view*. New York: Holt, Rinehart & Winston.

Beecher, J. (1988). *Note-taking: What do we know about the benefits*. ERIC Digest 37. ERIC Document Reproduction Service No. EDO CS 88 12. Bloomington, IN: ERIC Clearinghouse on Reading, English, and Communications.

Brown, H., und Cambourne, D. (1987). *Read and retell*. Portsmouth, NH: Heinemann.

Brown, R., Pressley, M., Van Meter, P., und Schuder, T. (1996). A quasi-experimental validation of transactional instruction with low-achieving second-grade readers. *Journal of Educational Psychology*, 88, 18–37.

Brownlie, F., Close, S., und Wingren, L. (1990). *Tomorrow's classrooms today: Strategies for creating active readers, writers, and thinkers*. Markham, Ontario: Pembroke Publishers.

Bruner, J. (1973). *Beyond the information given: Studies in the psychology of knowing*. Oxford: W. W. Norton.

Butler, F. M. (1999). Reading partners: Students can help each other learn to read! *Education and Treatment of Children*, 22 (4), 415–426.

Butler, K. (1984). *Learning and teaching style in theory and practice*. Columbia, CT: Learner's Dimension.

Cahill, L., Prins, B., Weber, M., und McGaugh, J. (1994). Adrenergic activation and memory for emotional events. *Nature*, 371 (6499), 702–704.

Carbo, M. (1992). Giving unequal learners an equal chance: A reply to a biased critique of learning styles. *Remedial & Special Education*, 13 (1), 19–29.

Chen, Z. (1999). Schema induction in children's analogical problem solving. *Journal of Educational Psychology*, 91 (4), 703–715.

Cole, J. C., und McLeod, J. S. (1999). Children's writing ability: The impact of the pictorial stimulus. *Psychology in the Schools*, 36 (4), 359–370.

Connecticut State Department of Education (2001). *Connecticut Academic Performance Test: Second Generation Science Handbook*, 38. www.sde.ct.gov/sde/lib/sde/PDF/Curriculum/captsci/scicapt_36-39.pdf [abgerufen am 10.1.2007].

Cotton, K. (2000). *The schooling practices that matter most*. Alexandria, VA: Association for Supervision and Curriculum Development.

Damasio, A. (1994). *Descartes' error*. New York: Grosset/Putnam.

DeVries, D. L., Edwards, K. J., und Slavin, R. E. (1978). Biracial learning teams and race relations in the classroom: Four field experiments using teams-gamestournaments. *Journal of Educational Psychology*, 70 (3), 356–362.

Dunn, R., Griggs, S. A., und Beasley, M. (1995). A meta-analytic validation of the Dunn & Dunn model of learning style preferences. *Journal of Educational Research*, 88 (6), 353–362.

Einstein, A. (1921). Geometrie und Erfahrung. Erweiterte Fassung des Festvortrages gehalten an der Preussischen Akademie der Wissenschaften zu Berlin am 27. Januar 1921. Berlin: Springer.

Ellis, A. K., und Fouts, J. (1997). *Research on educational innovations*. Larchmont, NY: Eye on Education.

Erwin, J. C. (2004). *The classroom of choice: Giving students what they need and getting what you want*. Alexandria, VA: Association for Supervision and Curriculum Development.

Fuchs, D., Fuchs, L. S., Mathes, P. G., und Simmons, D. C. (1997). Peer-assisted learning strategies: Making classrooms more responsive to academic diversity. *American Education Research Journal*, 34 (1), 174–206.

Gambrell, L. B., und Bales, R. J. (1986). Mental imagery and the comprehension monitoring performance of fourth-and fifth-grade poor readers. *Reading Research Quarterly*, 21 (4), 454–464.

Gambrell, L., Koskinen, P. S., und Kapinus, B. (1991). Studies for retelling as an instructional strategy. *Journal of Educational Research*, 84, 358–362.

Gardner, H. (1999). *Intelligence reframed: Multiple intelligences for the 21st century*. New York: Basic Books.

Gick, M. L., und Holyoak, K. J. (1980). Analogical problem solving. *Cognitive Psychology*, 12, 306–355.

Given, B. (2002). *Teaching to the brain's natural learning systems*. Alexandria, VA: Association for Supervision and Curriculum Development.

Glasser, W. (1998). *Choice theory: A new psychology of personal freedom*. New York: Harper Collins.

Gordon, W. J. J. (1961). *Synectics, the development of creative capacity*. New York: Harper.

Gottfried, G. M. (1998). Using metaphors as modifiers: Children's production of metaphoric compounds. *Journal of Child Language*, 24 (3), 567–601.

Gregory, G. (2005). *Differentiating instruction with style*. Thousand Oaks, CA: Corwin.

Hansell, T. S. (1986). One student's learning cycle in an interpretive reading discussion. *Reading Psychology*, 7 (4), 297–304.

Hanson, J. R., Dewing, T., Silver, H. F., und Strong, R. W. (1991). Within our reach: Identifying and working more effectively with at-risk learners. In: *Students at risk* (Produced for the 1991 ASCD Conference, San Francisco, CA). Alexandria, VA: Association for Supervision and Curriculum Development.

Hart, M. (1992). *The 100: A ranking of the most influential persons in history* (revised edition). Secaucus, NJ: Carol Publishing.

Hashey, J. M., und Connors, D. J. (2003). Learn from our journey: Reciprocal teaching and action research. *The Reading Teacher*, 57 (3), 224–232.

Hastings, F. L., Raymond, G., und McLaughlin, T. F. (1989). Speed counting money: The use of direct instruction to train learning disabled and mentally retarded adolescents to count money efficiently. *B. C. Journal of Special Education*, 13 (2), 137–146.

Herber, H. (1970). *Teaching reading in the content areas*. Englewood Cliffs, NJ: Prentice Hall.

Hunter, M. (1984). Knowing, teaching, and supervising. In: P. Hosford (Hrsg.), *Using what we know about teaching*, 169–192. Alexandria, VA: Association for Supervision and Curriculum Development.

Hunter, R. (2004). *Madeline Hunter's mastery teaching: Increasing instructional effectiveness in elementary and secondary schools*. Überarbeitete Neuausgabe. Thousand Oaks, CA: Corwin.

Jensen, E. (1998). *Teaching with the brain in mind*. Alexandria, VA: Association for Supervision and Curriculum Development.

Jensen, E. (2005). *Teaching with the brain in mind*. 2. Auflage. Alexandria, VA: Association for Supervision and Curriculum Development.

Jimenez-Aleixandre, M., und Pereiro-Munoz, C. (2002). Knowledge producers or knowledge consumers? Argumentation and decision making about environmental management. *International Journal of Science Education*, 24 (11), 1171–1190.

Johnson, D. W., und Johnson, R. T. (1999). *Learning together and alone: Cooperative, competitive, and individualistic learning*. 5. Auflage. Boston: Allyn & Bacon.

Johnson, D. W., Johnson, R. T., und Holubec, E. J. (1994). *New circles of learning: Cooperation in the classroom and school*. Alexandria, VA: Association for Supervision and Curriculum Development.

Jung, C. G. (1923). *Psychological types*. New York: Harcourt, Brace & Co.

Keene, E. O., und Zimmerman, S. (1997). *Mosaic of thought: Teaching comprehension in a reader's workshop*. Portsmouth, NH: Heinemann.

Kierwa, K. A. (1985). Students' note-taking behaviors and the efficacy of providing the instructor's notes for review. *Contemporary Educational Psychology*, 10, 378–386.

King-Sears, M. E., und Bradley, D. F. (1995). Classwide peer tutoring: Heterogeneous instruction in general education classrooms. *Preventing School Failure*, 40 (1), 29–35.

Kobayashi, K. (2006). Combined effects of note-taking/reviewing on learning and the enhancement through interventions: A meta-analytical review. *Educational Psychology*, 26 (3), 459–477.

Koedinger, K. R., und Anderson, J. R. (1993). Reifying implicit planning in geometry: Guidelines for model-based intelligent tutoring systems. In: S. Lajoie und S. Derry (Hrsg.), *Computers as cognitive tools*. Hillsdale, NJ: Lawrence Erlbaum.

Koedinger, K. R., und Tabachneck, H. J. M. (1994). *Two strategies are better than one: Multiple strategies used in word problem solving*. Paper presented at the annual meeting of the American Educational Research Association, New Orleans.

Kolb, B., und Taylor, L. (2000). Facial expression, emotion, and hemispheric organization. In: R. Lane und L. Nadel (Hrsg.), *The cognitive neuroscience of emotion*, 62–83. New York: Oxford University Press.

LeDoux, J. (1994). Emotion, memory, and the brain. *Scientific American*, 270 (6), 50–57.

Lindamood, P., Bell, N., und Lindamood, P. (1997). Sensory-cognitive factors in the controversy over reading instruction. *Journal of Developmental and Learning Disorders*, 1 (1), 143–182.

Mamchur, C. (1996). *A teacher's guide to cognitive type theory and learning style*. Alexandria, VA: Association for Supervision and Curriculum Development.

Marzano, R. J. (2003). *What works in schools: Translating research into action*. Alexandria, VA: Association for Supervision and Curriculum Development.

Marzano, R. J. (2004). *Building background knowledge for academic achievement: Research on what works in schools*. Alexandria, VA: Association for Supervision and Curriculum Development.

Marzano, R. J., Norford, J. S., Paynter, D. E., Pickering, D. J., und Gaddy, B. B. (2001). *A handbook for classroom instruction that works.* Alexandria, VA: Association for Supervision and Curriculum Development.

Marzano, R. J., Pickering, D., und Pollock, J. (2001). *Classroom instruction that works: Research-based strategies for increasing student achievement.* Alexandria, VA: Association for Supervision and Curriculum Development.

McCarthy, B. (1982). *The 4mat system.* Arlington Heights, IL: Excel Publishing.

Morrow, L. M. (1985). Reading and retelling stories: Strategies for emergent readers. *The Reading Teacher,* 38 (9), 870–875.

Moss, J. F. (2002). *Literary discussion in the elementary school.* Urbana, IL: National Council of Teachers of English.

Mosston, M. (1972). *Teaching: From command to discovery.* Belmont, CA: Wadsworth.

Myers, I. B. (1962/1998). *The Myers-Briggs Type Indicator.* Palo Alto, CA: Consulting Psychologists Press.

Naftel, M. I. (1993). Problem solving and decision making in an eighth grade class. *Clearinghouse,* 66 (3), 177–180.

Ogle, D. (1986). K-W-L: A teaching model that develops active reading of expository text. *Reading Teacher,* 39 (6), 564–570.

Paivio, A. (1990). *Mental representations: A dual coding approach.* New York: Oxford University Press.

Pajak, E. (2003). *Honoring diverse teaching styles: A guide for supervisors.* Alexandria, VA: Association for Supervision and Curriculum Development.

Perkins, D. N. (1986). *Knowledge as design.* Hillsdale, NJ: Lawrence Erlbaum.

Peterson, R., und Eeds, M. (1990). *Grand conversations: Literature groups in action.* Richmond Hill, Ontario: Scholastic-TAB.

Polite, V. C., und Adams, A. H. (1996). *Improving critical thinking through Socratic seminars.* Spotlight on student success 110. Philadelphia: Mid-Atlantic Laboratory for Student Success.

Pressley, M. (1976). Mental imagery helps eight-year-olds remember what they read. *Journal of Educational Psychology,* 68 (3), 355–359.

Pressley, M. (2002). *Reading instruction that works: The case for balanced teaching. Solving problems in the teaching of literacy.* New York: Guilford.

Rosenshine, B. (1985). Direct instruction. In: Torsten Husen und T. Neville Postlethwaite (Hrsg.), *International encyclopedia of education,* Band 3, 1395–1400. Oxford: Pergamon.

Rowe, M. B. (1978). Wait ... wait ... wait ... *School Science and Mathematics,* 78 (3), 207–216.

Rowland, P., und Adkins, C. (1992). *Developing environmental decision-making in middle school classes.* Paper presented at meeting of the World Congress for Education on Communication on Environment and Development.

Sadoski, M., und Paivio, A. (2001). *Imagery and text: A dual coding theory of reading and writing.* Mahwah, NJ: Lawrence Erlbaum.

Sadoski, M., und Paivio, A. (2004). A dual coding theoretical method of reading. In: R. B. Ruddell und N. J. Unrau (Hrsg.), *Theoretical models and processes of reading.* Newark, DE: International Reading Association.

Sadoski, M., und Willson, V. L. (2006). Effects of a theoretically based large-scale reading intervention in a multicultural urban school district. *American Educational Research Journal,* 43, 135–152.

Silver, H. F., und Hanson, J. R. (1998). *Learning styles and strategies.* 3. Auflage. Woodbridge, NJ: Thoughtful Education Press.

Silver, H. F., Hanson, J. R., Strong, R., und Schwartz, P. (1998). *Teaching styles and strategies.* 3. Auflage. Woodbridge, NJ: Thoughtful Education Press.

Silver, H. F., und Strong, R. W. (2004). *Learning Style Inventory for Students.* Ho-Ho-Kus, NJ: Thoughtful Education Press.

Silver, H. F., Strong, R. W., und Perini, M. J. (1999). *The teaching and learning strategies library: Cooperative learning.* Woodbridge, NJ: Silver, Strong, and Associates.

Silver, H. F., Strong, R. W., und Perini, M. J. (2000). *Discovering nonfiction: 25 powerful teaching strategies, grades 2–6.* Santa Monica, CA: Canter & Associates.

Silver, H. F., Strong, R. W., und Perini, M. J. (2001). *Tools for promoting active, indepth learning.* 2. Auflage. Ho-Ho-Kus, NJ: Thoughtful Education Press.

Silver, H. F., Strong, R. W., und Perini, M. J. (2007). *Reading for academic success, grades 2–6: Differentiated strategies for struggling, average, and advanced readers.* Thousand Oaks, CA: Corwin.

Silver, H., Strong, R., Perini, M., und Reilly, E. (2000). *Inductive Learning: Research-Based strategies for teacher.* Ho-Ho-Kus, NJ: Thoughtful Education Press.

Silver, H., Strong, R., Perini, M., und Reilly, E. (2001). *The Interactive Lecture: Research-Based Strategies for Teachers.* Ho-Ho-Kus, NJ: Thoughtful Education Press.

Slavin, R. E. (1986). *Using student-led team learning.* 3. Auflage. Baltimore, MD: Johns Hopkins University, Center for Research on Elementary and Middle Schools.

Slavin, R. E. (1995). *Cooperative learning: Theory, research, and practice.* 2. Auflage. Boston: Allyn & Bacon.

Slavin, R. E., und Cooper, R. (1999). Improving intergroup relations: Lessons learned from cooperative learning programs. *Journal of Social Issues*, 55 (4), 647–663.

Sousa, D. (2001). *How the brain learns*. 2. Auflage. Thousand Oaks, CA: Corwin.

Sprenger, M. (2005). *How to teach so students remember.* Alexandria, VA: Association for Supervision and Curriculum Development.

Stahl, R. J. (1994). *Using "think-time" and "wait-time" skillfully in the classroom.* Bloomington, IN: ERIC Clearinghouse for Social Studies/Social Science Education.

Strong, R. W. (2005). From blasé to hooray. *Education Update*, 47 (1), 2.

Strong, R. W., Hanson, J. R., und Silver, H. F. (1995). *Questioning styles and strategies.* 3. Auflage. Woodbridge, NJ: Thoughtful Education Press.

Strong, R. W., Silver, H. F., und Perini, M. J. (2001). *Teaching what matters most: Standards and strategies for raising student achievement.* Alexandria, VA: Association for Supervision and Curriculum Development.

Strong, R. W., Silver, H. F., Perini, M.J., und Tuculescu, G. M. (2002). *Reading for academic success: Powerful strategies for struggling, average, and advanced readers, grades 7–12.* Thousand Oaks, CA: Corwin.

Strong, R. W., Silver, H. F., Perini, M. J., und Tuculescu, G. M. (2003). Boredom and its opposite. *Educational Leadership*, 61 (1), 24–29.

Suchman, J. R. (1966). *Developing inquiry.* Chicago: Science Research Associates.

Sylwester, R. (2003). *A biological brain in a cultural classroom.* 2. Auflage. Thousand Oaks, CA: Corwin.

Taba, H. (1971). *Hilda Taba teaching strategies program.* Miami, FL: Institute for Staff Development.

Tarver, S. C., und Jung, J. S. (1995). A comparison of mathematics achievement and mathematics attitudes of first and second graders instructed with either a discovery-learning mathematics curriculum or a direct instruction curriculum. *Effective School Practices*, 14, 49–57.

Taylor, B. M., und Beach, R. W. (1984). The effects of text structure instruction on middle-grade students' comprehension and production of expository text. *Reading Research Quarterly*, 19 (2), 134–146.

Thomas, E. (2003). *Styles and strategies for teaching high school mathematics.* Ho-Ho-Kus, NJ: Thoughtful Education Press.

Tierney, R. J., und Cunningham, P. M. (1984). Research on teaching reading comprehension. In: P. D. Pearson (Hrsg.), *Handbook of reading research.* New York: Longman.

Tomlinson, C. A., und McTighe, J. (2006). *Integrating differentiated instruction and understanding by design.* Alexandria, VA: Association for Supervision and Curriculum Development.

Tredway, L. (1995). Socratic seminars: Engaging students in intellectual discourse. *Educational Leadership*, 53 (1), 26–29.

Whimbey, A., und Lochhead, J. (1999). *Problem solving and comprehension.* 6. Auflage. Mahwah, NJ: Lawrence Erlbaum.

Wiggins, G., und McTighe, J. (2005). *Understanding by design.* Alexandria, VA: Association for Supervision and Curriculum Development.

Wilson, C. L., und Sindelar, P. T. (1991). Direct instruction in math word problems: students with learning disabilities. *Exceptional Children*, 57 (6), 512–519.

Woodward, J. (1991). Procedural knowledge in mathematics: The role of the curriculum. *Journal of Learning Disabilities*, 24 (4), 242–251.

Young, E., Righeimer, J., und Montbriand, C. (2002). *Strategic teaching and reading project: Comprehension resource handbook*. Naperville, IL: North Central Regional Educational Laboratory.

Zeiderman, H. (2003). *Touchpebbles, Vol. A—Teacher's guide.* Annapolis, MD: Touchstones Discussion Project.